Una semilla para cada día

John Harold Caicedo

Portable inspira

UNA SEMILLA PARA CADA DÍA

© 2020, John Harold Caicedo

©Primera edición 2020 Portable Publishing Group LLC, 30 N Gould St, Ste R, Sheridan, WY 82801, Estados Unidos de América.

www.editorialportable.com

Portable Publishing Group LLC es una editorial con vocación global que respalda la obra de autores independientes. Creemos en la diversidad editorial y en los nuevos creadores en el mundo de habla hispana. Nuestras ediciones digitales e impresas, que abarcan los más diversos géneros, son posibles gracias a la alianza entre autores y editores, con el fin de crear libros que crucen fronteras y encuentren lectores.

ISBN:978-1-953540-30-0

Impreso en México – *Printed in Mexico*

*"Cuando yo oro, yo creo, cuando yo creo, yo veo,
cuando yo veo, yo vivo, cuando yo vivo, yo adoro,
cuando yo adoro, Cristo es mi vida y por lo tanto:
le adoro, lo vivo, lo veo, le creo y le oro"*

(Harold Caicedo)

DEDICADO A MI SEÑOR JESUCRISTO

Dedicatoria

Este devocional es el fruto de varios años de trabajo, a través de los cuales fui enviando día a día cada mensaje a líderes y pastores en Estados Unidos y Latinoamérica.

La compilación de muchos de ellos da como resultado este libro que ahora tienes en tus manos y que espero que pueda ser para ti de mucha bendición.

A medida que lees este devocional, cada día te invito para que no solo sigas el contenido de cada mensaje, sino además para que medites en lo que Dios te quiere decir mientras van transcurriendo tus jornadas con Jesús a tu lado.

"Una semilla para cada día" surge con el anhelo de proveer una meditación permanente en la Palabra de Dios y con el propósito de seguir creciendo a nuevos niveles espirituales cada día más.

Mi agradecimiento supremo al Señor Jesucristo que me permite disfrutar de mi labor pastoral, guiando una hermosa congregación en California, USA, y que me da la oportunidad de dedicar tiempo para escribir y meditar diariamente en lo que Él representa para mi vida.

También agradezco a mi linda esposa, mis preciosos y amados hijos y mis hermosos nietos que son mi inspiración constante y mi ayuda permanente.

A mi mamá y a mi familia también los llevo siempre en mi corazón, mientras trabajo con dedicación día a día. Y mi papá, que siempre me acompañó desde mis inicios en la congregación, pero desafortunadamente falleció hace unos años atrás. Él hubiese sido el más feliz con el fruto de esta labor.

Al hermano Jorge Torrejón, quien se encargaba de enviar los mensajes a todos sus contactos en diferentes lugares del mundo, y quien también falleció hace un tiempo atrás.

Agradezco a la congregación de la Iglesia Cristiana El Sembrador por darme el privilegio de ser su pastor, orar por mí y darme el soporte que necesito para no desfallecer.

Espero que este libro que tienes ahora en tus manos, sea una gran bendición para tu vida y que puedas crecer mientras recibes "una semilla para cada día".

Pastor John Harold Caicedo
California, USA.

Índice

Un llamado a la consagración

Sin duda que como hijos de Dios necesitamos renovar continuamente nuestra consagración al Señor.

Es fundamental que en nuestros días, podamos reafirmarnos en nuestra fe y buscar tener vidas que le agraden a Dios en medio de una sociedad que lo rechaza de la misma manera que rechaza los valores cristianos.

Hoy más que nunca se necesitan hombres y mujeres, adultos, jóvenes, niños, personas de todas las edades, razas y lenguas, que testifiquen del poder de Dios y que se propongan hacer una diferencia real en este mundo.

Y como hijos de Dios hemos comprendido que las armas de nuestra milicia no son carnales sino poderosas en Dios para la destrucción de fortalezas (2 Corintios 10:4).

Es por eso que es tan importante mantenernos día a día cerca de la Palabra de Dios y sus promesas para nuestras vidas.

Cuando tú y yo comenzamos a vivir en el temor de Dios, cuando comenzamos a buscarle con seriedad absoluta, cuando decidimos que Dios ha de ocupar el lugar primordial sobre nuestras vidas, cuando le permitimos al Espíritu Santo de Dios que sea el que controle nuestras vidas, entonces podemos experimentar vidas llenas de su presencia.

Este es el tiempo para buscar a Dios, para dejarnos moldear por Él, y dejar que su Espíritu Santo nos transforme, para que la presencia de Dios se haga sentir en cada acto de nuestra vida.

Debemos ser creyentes que entienden que tienen una misión en el mundo.

Que Dios nos ha puesto para que seamos luz y que debemos amar a los perdidos con la misma forma de amor que manifestó Jesucristo cuando estaba en este mundo, desarrollando su ministerio.

La consagración es dar mi vida a Dios para que Él haga Su voluntad en vez de la mía.

Significa que presente mi cuerpo como un "sacrificio vivo" a Él.

Los animales que se ofrecían a Dios en el Antiguo Testamento eran matados. Eran sacrificios muertos. Dios no me pide poner mi cuerpo sobre un altar para ser matado.

En vez de eso, Él pide que me convierta en "sacrificio vivo".

Esto quiere decir que Él desea que yo viva para Él.

Dios no quiere que yo le ofrezca mi vida antigua de egoísmo. Es la nueva vida en Cristo la que Dios quiere que le presente.

Prometo que estaré orando por ti para que no te rindas en la mitad de la jornada.

El Señor está levantando un pueblo que le represente, un remanente fiel que se mantenga firme aunque los vientos y las tempestades arrecien.

Por eso Dios te ha escogido a ti para que seas uno de ellos.

Que Dios bendiga este caminar en tu vida y al final podamos decir todos juntos: El Señor ha estado con nosotros, y nunca nos dejará.

Bendiciones:

Pastor Harold

Enero

Tarea equivocada

"Y su señor le dijo: Bien, buen siervo y fiel; sobre
poco has sido fiel, sobre mucho te pondré; entra en el
gozo de tu señor" (Mateo 25: 23)

Un joven estudiante en sus trabajos de finales de cada periodo, estaba apurado porque tenía que entregar muchos proyectos. Pasó muchas noches sin dormir y días y días en la biblioteca escribiendo su trabajo final, hasta que finalmente lo entregó.

Tres días después los estudiantes recibieron sus tareas corregidas. Él encontró estas palabras de su profesor escritas en rojo: "Excelente investigación, buenas ilustraciones, maravillosa bibliografía. Nota 0...Tarea Equivocada"

Era algo muy bien desarrollado pero no era lo que se había pedido. Él había gastado horas y horas y todo su esfuerzo para hacer algo que no se le había mandado a realizar.

¿Podríamos imaginar la frustración de este joven al observar cómo toda su labor había sido en vano, pues al final los resultados no fueron los esperados?

Imaginémonos ahora que cuando lleguemos delante del Señor nos diga: Linda casa, gran trabajo, buen bote, lindos carros, gran salario. Nota 0.... Tarea equivocada.

Una vida malgastada en pos de lo que no se nos había asignado.

Que simplemente hayamos ocupado nuestra vida en tener muchas cosas, tesoros del mundo que después necesariamente quedarán en manos de otros, y no hayamos hecho tesoros para el cielo.

¿Te imaginas cómo será nuestra reacción al saber que ocupamos la única vida que tenemos en hacer cosas que no correspondían con la voluntad de Dios?

Es posible que en este tiempo te encuentres muy ocupado todos los días esforzándote por lograr una tarea que no se te ha encomendado. Si es así, al final el resultado será terrible pues descubrirás que gastaste lo mejor de tu tiempo y de tu esfuerzo en algo que Dios no mira con agrado.

Pregúntate en este día: ¿estaré haciendo la tarea equivocada? ¿Estaré escribiendo en las páginas de mi vida una serie de eventos que al final solo me causarán desazón y un sentido de fracaso?

Revisa bien lo que estás haciendo y pídele al Señor que te muestre su voluntad para que al final no tengas que lamentarte por todo lo que perdiste creyendo que era lo adecuado para tu vida.

Oración:

Al empezar este año quiero pedirte Señor que me guíes para hacer tu voluntad y no la mía. Que sea obediente a tu Palabra, a tu dirección y que cada día al llegar a mí cama para descansar pueda decir: Este ha sido un buen día porque he cumplido con la voluntad de Dios para mí.

Te ofrezco mi Dios cada día de este año que está empezando. Ayúdame a ser ese siervo bueno y fiel que al seguir tus huellas aprende a conocer el camino que lleva a la vida eterna. Amén.

Id por todo el mundo

*"Y les dijo: Id por todo el mundo y predicad el
evangelio a toda criatura" (Marcos 16:15)*

Cuando leo acerca de la vida de Jesús, me doy cuenta de que sus palabras estaban destinada a producir grandes cambios en la vida de los seres humanos que lo escuchaban o que recibían sus milagros.

Jesús producía grandes alborotos, multitudes venían desde muchos lugares, los pueblos se movilizaban, nada quedaba igual después de que Jesús pasaba por allí.

Llegaba un leproso y se iba sano, le traían a un ciego y se iba viendo, le traían un paralíitico y se iba saltando, le traían un endemoniado y se iba libre.

¡Todo cambiaba!, la vida de las personas ya no podía ser la misma, los fariseos se sorprendían y tomaban más odio contra Jesús; los discípulos reconocían cada vez más que Aquel que los había llamado a seguirlo era en realidad El Maestro; las multitudes sabían que había algo en Jesús que no tenían los religiosos, fariseos, ni saduceos, ni escribas, algo que producía transformaciones.

Y cuando Él iba a partir de este mundo, les dijo a sus seguidores: Ustedes van a recibir este mismo poder para trastornar el mundo con el mensaje de salvación, ¡así que vayan por el mundo y cámbienlo!

Tienen todo: El poder, la autoridad divina, la Palabra que es eterna, la presencia de Dios con ustedes.

Los cristianos tenemos todo lo que se necesita para que a través de nuestra influencia el mundo no siga siendo igual sino que sea transformado. Hemos sido dotados del poder suficiente para producir grandes efectos a donde quiera que vayamos, pero quizás aún no hemos comprendido lo que tenemos y por supuesto, al no saberlo no podemos ponerlo en práctica.

Cada día es una nueva oportunidad para dar a conocer el mensaje más glorioso que transforma las vidas y tiene el poder de Dios para salvación.

Tenemos que calzarnos los pies con el apresto del evangelio de la paz.

Tenemos que ir por el mundo y predicar lo que Cristo nos dijo y muchas vidas serán salvas y vivirán eternamente con El Señor en la gloria.

¡Cuán hermosos son sobre los montes los pies del que trae alegres nuevas, del que anuncia la paz, del que trae nuevas del bien, del que publica salvación, del que dice a Sion: Tu Dios reina! (Isaías 52:7).

¿A cuántos le vas a compartir hoy este mensaje? El que lo crea será salvo.

Oración:

"Oh Jesús, te ruego que ahora me llenes de tu amor y me aceptes y me uses para tu gloria. Hasta ahora no he hecho nada por ti, pero quiero hacer algo. Oh Dios, te imploro que me aceptes y me uses, y que sea tuya toda la gloria." (David Livingstone)

Terminando bien la carrera

"He peleado la buena batalla, he acabado la
carrera, he guardado la fe" (2 Timoteo 4:7)

Hay muchas historias en la Biblia de personas que empezaron muy bien pero terminaron mal.

Saúl fue uno de ellos. El primer rey de Israel que tuvo un inicio brillante, pero terminó desobedeciendo al Señor y fue sacado de su trono.

Salomón sin duda también lo fue, a pesar de un reinado esplendoroso, de haber construido el primer templo para El Señor y haber contemplado la gloria de Dios. Sin embargo, terminó adorando dioses ajenos e ídolos de las mujeres con las que se juntó para vivir.

Uzías comenzó muy bien. Dios lo bendijo al principio de su reinado pero al final murió leproso porque dejó que el orgullo se le subiera al corazón.

Las buenas intenciones no son suficientes para atravesar los tiempos difíciles. ¡Muchos seguidores no tendrán lo necesario para terminar la carrera!

O estás cambiando diariamente a la imagen de Cristo, o estás cambiando de vuelta a tu caminar en la carne. Qué gozo es conocer a aquellos que están corriendo bien la carrera. Ellos están creciendo en sabiduría y en el conocimiento de Cristo, distanciándose del mundo y sus placeres, y volviéndose cada vez más con una mente celestial. Sus sentidos espirituales están altamente ejercitados y su discernimiento de lo que es de Dios o de la carne está cada vez más aumentando. Mientras más envejecen, más hambrientos ellos están de Cristo. Ellos cortan todos los lazos con el mundo y con una intensidad que va aumentando, ellos anhelan estar con Cristo en su gloria. Para ellos, el morir es ganancia y el premio máximo es ser llamados a su presencia para estar a su lado para siempre. ¡No es el cielo lo que buscan, sino Cristo en gloria!

Y tú, ¿Cómo vas en tu carrera?

Oración:

Señor Jesús, hoy recuerdo que estoy en una carrera que me lleva hacia la meta final, la eternidad contigo en la gloria. Este día lo vivo con agradecimiento, con gozo, sabiendo que tú estás conmigo, que tus promesas son reales, que tú diste tu vida por mí para que hoy yo pueda vivir en el gozo de los redimidos que alaban al Señor sin cesar por sus grandes maravillas. Amén.

Sed santos

Dios es santo. Esa es su naturaleza. Así mismo todo lo que proviene
de Él es santo.

La creación que le alaba y le reconoce, los hijos de obediencia
que le aceptan, todo cuanto puedes percibir que viene de la mano
de Dios está impregnado de Su propia esencia y como tal, debes
considerarlo.

Si aprendes a mirar con ojos de agradecimiento todo cuanto te
rodea, verás las cosas que antes no podías ver. Los animales serán
tus amigos, las flores regocijarán tu alma, la lluvia será tu refresco y
el calor del sol vendrá como un reconfortante alimento que nutre tu
espíritu. Debes tratar cada cosa y cada persona como viendo a través
de la figura de Jesucristo en medio de todo.

Los seres humanos han vuelto ordinario y común lo extraordinario
de este universo.

Las cosas maravillosas que vienen de las manos divinas son regalos
permanentes de gracia y de bondad y están destinadas a llenarte de la
plenitud de Dios. Cuando puedas sentir la presencia de Dios en todo
lo que ves y haces a diario, estarás más cerca de Dios porque Él está
en todo cuanto puedas percibir.

Si no puedes ver lo santo y tratarlo en esa dimensión, estarás
profanando las maravillas que Dios ha puesto en la tierra,
incluyéndote tú mismo.

El deseo y el anhelo de una vida espiritual profunda no pueden
saciarse en lo superficial. La dimensión del amor de Dios es profunda
pero a la vez es visible. Sin embargo debes sintonizarte en la misma
dimensión que Él te ofrece.

No puedes experimentar amor si todo lo que tienes para ofrecer
es amargura, egoísmo o desconfianza. En la renovación de cada día
está implícito el amor de Dios y cuando abres tus ojos al amanecer
sabes que allí está Él y que en todo lo que ves se representa el amor
más grande y eterno que proviene de una fuente inagotable.

¡Sed santos en este día. Es un mandato de amor!

Oración:

Amado Dios, hoy celebro la vida, celebro tu misericordia nueva de cada mañana, celebro tu presencia conmigo. Sé que me has llamado a ser santo y al reconocer que en todo momento caminas conmigo, sé que debo vivir en la dimensión de tu presencia transformadora y bajo la obediencia que tú reclamas. Úsame entonces para tu gloria y sígueme transformando a tu imagen gloriosa.

Dios te habla hoy

"Mis ovejas oyen mi voz y yo las conozco y me siguen" (Juan 10:27)

El común de las personas no ha entendido que las parábolas de Jesús dibujan su propia vida.

Somos las ovejas que el pastor ha salido a buscar dejando atrás al rebaño.

Somos los hijos pródigos en busca del cual su padre sigue expectante mirando el horizonte.

Somos los siervos cuya deuda ha sido perdonada.

Somos los invitados al banquete con El Señor.

Hemos sido dotados de dones y talentos para edificar el cuerpo de Cristo.

Las palabras de Jesús hablan de ti y de mí. Hablan de su amor por nosotros, de su compasión, de la misericordia por el necesitado, de las recompensas por el buen trabajo, del tesoro escondido, la perla preciosa que se busca con esmero, la fe que se asemeja al grano de mostaza, los buenos administradores, el hijo obediente y tantas cosas más a través de las cuales El Señor nos sigue hablando cada día.

Dios te habla hoy. Su Palabra es eterna y sus verdades no pueden ser negadas. Su voz poderosa es sentida en el universo. El calma las tormentas, libera a los poseídos, sana a los enfermos, consuela a los afligidos y todo lo hace con el poder de su Palabra y la autoridad que viene de los cielos.

Y con esa misma voz te habla a ti.

Si eres oveja de su redil, tú sabrás escucharlo hoy y reconocerás el camino por el cual Él te quiere llevar. Mantente alerta, Dios te está hablando en este día. Obedece su voz y síguelo. Estás en el buen redil.

Oración:

Señor, saber escuchar tu voz es la mejor experiencia de mi vida. En medio de esta generación que a diario es sofocada por tantos ruidos quiero saber distinguir tu voz y seguirla. Soy tu oveja, pertenezco a tu redil y tú me conoces por nombre. Quiero entender hoy tus palabras. Quiero obedecer a la voz de tu llamado. Quiero hacer tu voluntad agradable y perfecta para mi vida en este día. Amén.

¿Un mundo sin Dios?

"a lo suyo vino y los suyos no le recibieron"
(Juan 1: 11)

El ser humano ha perdido el rumbo y se encuentra a la deriva en medio de un océano que le aterra y que no sabe enfrentar. Decide por sí mismo y luego se queja de sus propias decisiones que no le satisfacen.

Al frente está la Palabra de Dios como un faro en la oscuridad, como un oasis en medio del desierto, como una fuente inagotable que invita a todos los que se acercan a beber de sus aguas, a saciarse en la plenitud de la presencia de Jesús, recibiendo de la misma fuente del agua para la vida eterna.

Sin embargo, los seres humanos pretenden negar su existencia y viven sin Dios, queriendo luego morir como herederos de un reino que jamás reconocieron.

"Aquella luz verdadera, que alumbra a todo hombre, venía a este mundo. En el mundo estaba, y el mundo por él fue hecho; pero el mundo no le conoció" (Juan 1: 9-10).

La humanidad se contenta con luces fugaces o estrellas repentinas que así como aparecen en el firmamento de un momento a otro, también desaparecen sin dejar rastro.

Pero Jesús cambió las tinieblas por luz y al venir a este mundo invitó a los seres humanos a conocer una nueva realidad destinada a cambiar sus vidas para siempre.

Sin embargo, aún hay muchos que prefieren la oscuridad y sus tropiezos que la luz y su seguridad.

¿De qué lado estás tú? ¿Está tu camino siendo alumbrado por la luz de la Palabra divina?

En un mundo quebrantado, herido y perdido, solamente la guía del Pastor de pastores, arrojará luz en medio de tanta oscuridad y desaliento.

Cuando conozcamos más íntimamente a nuestro Dios, proclamaremos con nuestro testimonio la grandeza del que siempre nos amó, alabaremos con el corazón al dueño del trono celestial, acudiremos por fortaleza al que la posee y ante todo sabremos que siempre podremos contar con Jesús, pues su amor no se acabará jamás, ni la vida para los que creemos.

Oración:

"No tendría ningún valor nada de lo que poseo o llegare a poseer, si no tuviese relación con el reino de Cristo. Si algo de lo que poseo, puede servir para tu reino, te lo daré a ti, a quien debo todo en este mundo y en la eternidad." (David Livingstone)

El valor de la cruz

*"y allí le crucificaron, y con él a otros dos, uno a
cada lado, y Jesús en medio" (Juan 19:18)*

Un hombre al visitar la Tierra Santa, se fijó que un joven vendía
algo. Al acercarse escuchó al muchacho pregonar: "Vendo cruces
baratas".

Este joven ofrecía cruces como mercadería sin valor, como simples
materiales de venta corriente.

Y es posible que una simple cruz de madera o de metal carezca de
mucho valor.

Muchas veces vemos cruces en diferentes lugares. En una montaña,
en la torre de una iglesia, en una casa, en un jardín, en el cuello de
alguien o dibujada en su cuerpo, en anillos, en pendientes y en otros
artefactos. La vemos dibujada, grabada, en relieve, en miniatura o en
gran dimensión, en materiales diversos y de todos los colores. Pero
para muchos esto no significa nada, es simplemente un símbolo más
como cualquier otro de los que se usan en el mundo.

Sin embargo para el creyente es diferente. Cuando hablamos de la
cruz de Cristo entonces todo cambia.

En la cruz entregó su vida Nuestro Salvador. La cruz evitó que
todos nosotros fuéramos condenados.

La cruz de Cristo es el símbolo de sufrimiento, de dolor, de
pasión, de derramamiento de sangre y de sacrificio. Pero también es
símbolo de libertad, de perdón de los pecados, de redención eterna,
de salvación para los creyentes.

No, la cruz no es barata. Lo costó todo. En ella se vivió el drama
más impresionante que esta humanidad haya podido presenciar.
En ella fue colgado el Salvador del mundo y en ella pronunció las
últimas palabras de perdón, de amor y de reconciliación para la
humanidad perdida.

La cruz sin Cristo es maldición, pero la cruz con Cristo es gloria
por los siglos.

La cruz sin Cristo es muerte, pero la cruz con Cristo es vida eterna.

La cruz sin Cristo es castigo, pero la cruz con Cristo es redención de tus pecados.

¿Cuánto vale para ti la cruz de Cristo? En realidad lo vale todo.

Cuando sientas el gozo de tu redención, mira hacia la cruz.

Cuando pienses en la libertad que hoy en día disfrutas, mira hacia la cruz de Cristo.

Mientras disfrutas de tu nueva vida con Jesús, nunca olvides que la cruz lo costó todo y que sobre ella fue escrita tu salvación eterna.

Oración:

Señor Jesús, hoy te doy gracias por tu sacrificio en la cruz del Calvario. Diste tu vida por mí, aunque yo no hice nada para merecerlo. Pero si no hubiera sido por aquella cruz, aun estaría yo sumergido en mis pecados y condenado para siempre. Cómo no exaltar tu grandeza Señor. Cómo no darte gloria y honra todos los días de mi vida. Sufriste por mí, ahora yo vivo para ti y nadie me podrá separar de tu amor. Amén.

Guiados por la Palabra de Dios

"Lámpara es a mis pies tu palabra y lumbrera a mi camino" (Salmo 119:105)

La Palabra de Dios es el pan que nos alimenta, el agua que calma nuestra sed y es el aire que respiramos. Sin Su palabra no hay vida. El verdadero cristiano ama la palabra y vive por ella.

Amamos la palabra en la manifestación diaria de amor al prójimo, que necesitado se acerca en busca de consuelo.

Amamos la palabra cuando nuestra vida es un reflejo de la obra del Señor en nosotros mismos y con este testimonio conducimos a otros a desear el conocimiento de esta verdad trascendental.

Amamos la palabra cuando buscamos con sed permanente al Señor y su verdad, y sentimos correr en nuestro interior los "ríos de agua viva" que identifican el gozo del verdadero creyente.

La Palabra de Dios está llena de consuelo, fortalecimiento, regocijo, sabiduría y guía, así como también de juicio, advertencia y promesas de salvación.

Es el todo en la vida cristiana, es el faro que ilumina y conduce a puerto seguro.

Cada vez que abres la Escritura, en realidad te abres al poder maravilloso de una palabra ungida por el Espíritu Santo que te da la guía para vivir. Por eso no podemos apartarnos de ella, pues de lo contrario, estaremos errantes, viviendo a la deriva y sin el verdadero alimento que nutre nuestro caminar diario. ¿Ya abriste la Palabra de Dios en este día? ¿Has meditado en ella? Si aún no lo has hecho, haz un alto en tu camino y abre el tesoro que El Señor te regaló. No desperdicies ni un solo día de tu vida, sin buscar primero la guía y la luz que Dios desea darte.

"Nunca se apartará de tu boca este libro de la ley, sino que de día y de noche meditarás en él, para que guardes y hagas conforme a todo lo que en él está escrito; porque entonces harás prosperar tu camino, y todo te saldrá bien" (Josué 1: 8).

Oración:

Amado Salvador, te doy gracias en este día porque puedo acercarme a tu palabra con libertad y leer de esta fuente de vida eterna. Nos diste un regalo maravilloso para que caminemos de acuerdo a tu voluntad y hoy puedo acercarme a ella y saber que tú me sigues hablando a través de ella y lo seguirás haciendo por siempre porque tu palabra es viva, eficaz, poderosa y eterna. Amén.

La gloria de Jesús

*"Ahora pues, Padre, glorifícame tú al lado tuyo, con
aquella gloria que tuve contigo antes que el mundo
fuese" (Juan 17:5)*

La gloria de la creación no es mayor a la gloria de su Creador.
Jesucristo deja en claro su procedencia y su gloria primera que viene
a ser la misma gloria postrera. Es una gloria perpetua. No puede
compararse con la gloria del mundo. Al volver al Padre sigue siendo
lo que siempre ha sido, nuestro Señor lleno de gloria y majestad.

Su reino no es de este mundo, pero es aquí entre los seres humanos
donde se manifiesta, por eso Él no se predicó a Sí mismo, ni a la
Iglesia, sino el Reino de Dios y su manifestación evidente con su
venida al mundo. La obra mediadora de Jesús es finalizada con su
regreso a la casa del Padre.

Todo el peso del sufrimiento, del dolor, de la tortura, el desprecio,
la soledad del Getsemaní, el abandono de sus discípulos, la traición
de Judas, los insultos de quienes le juzgaron, las lágrimas mezcladas
con sangre en la cruz del calvario, los azotes y las humillaciones,
no serían comparables con la gloria que le esperaba, de la cual Él
mismo ya había degustado desde antes de la fundación del mundo.

Jesucristo está dispuesto a morir en la cruz completando su obra
de amor y estableciendo para todo ser humano la única opción
posible de llegar al cielo a través de Él mismo.

Los ojos del mundo andan buscando respuestas en muchas partes,
pero solo las podrán encontrar a los pies de la cruz, entendiendo
el significado de esta obra redentora y sometiendo sus acciones al
señorío de Jesucristo, mediador entre Dios y los hombres.

"Haya, pues, en vosotros este sentir que hubo también en Cristo
Jesús, el cual, siendo en forma de Dios, no estimó el ser igual a Dios
como cosa a que aferrarse, sino que se despojó a sí mismo tomando
forma de siervo, hecho semejante a los hombres; y estando en la
condición de hombre, se humilló a sí mismo, haciéndose obediente
hasta la muerte, y muerte de cruz. Por lo cual Dios también le exaltó
hasta lo sumo, y le dio un nombre que es sobre todo nombre, para
que en el nombre de Jesús se doble toda rodilla de los que están en

los cielos, y en la tierra, y debajo de la tierra; y toda lengua confiese que Jesucristo es el Señor, para gloria de Dios Padre" (Filipenses 2:5-11).

Que tengas un día lleno de la bendición de Nuestro Glorioso Señor.

Oración:

Señor Jesús, tus discípulos no pudieron detenerse de contar tus maravillas y tu gloria como del unigénito del Padre, lleno de gracia y de verdad. Hoy yo quiero hacer lo mismo. Quiero reconocer tu gloria y majestad. Quiero unirme al coro de ángeles que adoran sin cesar y a la creación entera que se inclina delante de tu presencia gloriosa. Desde el fondo de mi corazón quiero expresar mi adoración a ti, Rey de reyes y Señor de señores. Amén.

Serás bendición

"y haré de ti una nación grande y te bendeciré y
engrandeceré tu nombre y serás bendición"
(Génesis 12:2)

El llamado que Dios le hizo a Abraham no fue únicamente a poseer una tierra de abundancia, de leche y miel. Su llamado también fue a ser de bendición a donde quiera que el fuera.

No era únicamente lo que él y sus futuras generaciones iban a poseer, sino en lo que ellos, como pueblo de Dios, se iban a convertir.

Un pueblo poseedor de las promesas, con la presencia constante de Dios y con un propósito divino de engrandecer el nombre de Dios en donde ellos habitaran. Un pueblo guiado por la mano de Dios y que caminaba con el valor de una promesa divina.

Y el llamado para el pueblo cristiano de hoy en día es muy similar. También somos un pueblo que camina con promesas divinas, contamos con la presencia del Señor, su amor y su misericordia y también tenemos un llamado a ser de bendición.

¿Cómo eres de bendición para los demás? ¿Tienes conciencia del papel que tienes cuando eres parte de un pueblo escogido?

Un médico honesto que atiende a sus pacientes pensando solo en su bien, es bendición.

Un profesional que asiste a su trabajo cotidiano, pensando en realizar a conciencia su trabajo y dar beneficio a su compañía, es bendición.

El maestro que procura guiar a sus alumnos por el mejor camino, es de bendición.

Un ama de casa que realiza sus tareas cotidianas con alegría dando lo mejor de sí misma y recibiendo con la mejor sonrisa a su familia, es una gran bendición.

Un joven obediente y colaborador en los quehaceres del hogar, responsable con su estudio y con el cuidado de sí mismo, es una bendición.

Un ministerio que busca el crecimiento de su congregación y que no desea más que servir al Señor a través de sus actividades, es una gran bendición.

Entonces piénsalo bien: ¿serás hoy de bendición para alguien?

Ese es tu destino como hijo/a de Dios. Empieza ahora mismo.

Oración:

Ser de bendición para otros significa ser portador de aquello que Dios mismo ha derramado sobre mi vida como un/a hijo/a de Dios. Tal como Abraham a quien se le designó una vida en la que no solamente recibiría bendición, sino también lo sería para otros, de la misma manera hoy quiero dar de gracia lo que he recibido de gracia. Sin duda, hoy he recibido grandes bendiciones, ahora mismo saldré para ser de bendición para alguien más. Ese es mi llamado. Amén.

Siempre firmes

*"será como árbol plantado junto a corrientes de
aguas, que da fruto en su tiempo, y su hoja no cae; y
todo lo que hace, prosperará" (Salmo 1:3)*

Al mirar un árbol solo vemos a simple vista el tallo, las hojas, es decir todo lo externo, pero no conocemos nada de sus raíces, si están fuertes o débiles, si se alimentan de los materiales orgánicos de la tierra o están podridas.

Cuando el viento fuerte arrecia, aquellos que no tienen sus raíces fuertes no solo se vienen abajo sino también arrastran con lo que encuentran a su paso. Pero los que tienen raíces fuertes, estos se sostienen soportando el vendaval y al final su victoria es permanecer erguidos, cuando muchos ya han caído. Lo que cuenta no es la apariencia externa sino la fortaleza de su interior.

Así somos los seres humanos. Tenemos una apariencia en nuestro exterior que puede ser muy aceptable a los ojos de los demás, pero nuestra verdadera fortaleza está en el interior y es la que nos permite soportar con firmeza las tormentas que la vida nos depara.

Nuestro Señor Jesucristo nos enseñó que separados de Él nada podemos hacer.

Por eso la fuente de nuestra fortaleza está en Él y quien aprende a conocer al Señor envuelve su vida de Su presencia y camina con la convicción de que todas las cosas deben ser colocadas bajo la dirección de Aquel que proclamamos y de quien dependemos para poder vivir con seguridad.

Antes de salir de tu casa en este día, acude primero ante Aquel que te ciñe de poder y te sustenta. El que renueva tus esfuerzos y te permite estar preparado/a para las batallas que afrontarás durante el día.

Él es tu fortaleza y tu refugio y mientras avanzas en este día que Él te ha regalado, podrás experimentar Su presencia y estarás siempre firme. "Dios es nuestro amparo y fortaleza, nuestro pronto auxilio en las tribulaciones. Por tanto, no temeremos, aunque la tierra sea removida, y se traspasen los montes al corazón del mar; aunque bramen y se turben sus aguas, y tiemblen los montes a causa de su braveza" (Salmo 46:1-3).

Oración:

Señor Jesús, en este día puedo reconocer que mi fortaleza no está en mí, sino que viene directamente de ti. Por eso Pablo me invita a fortalecerme en ti Señor y en el poder de Tu fuerza. (Efesios 6:10). Hoy quiero ser como ese árbol plantado junto a las corrientes de agua, porque si es así, estaré listo/a para dar fruto y todo lo que haga en este día será prosperado. Amén.

Desatando ligaduras de impiedad

*"¿No es más bien el ayuno que yo escogí, desatar
las ligaduras de impiedad, soltar las cargas de
opresión, y dejar ir libres a los quebrantados, y que
rompáis todo yugo?" (Isaías 58:6)*

¿Te gustaría vivir una vida completamente libre de ataduras? ¿Serías feliz si nunca sintieras cargas de opresión de tal manera que pudieras vivir cada día de tu vida sin ese peso encima de ti? ¿Experimentarías un verdadero gozo si esa oscuridad en la que a veces vives, se convirtiera en luz, la preocupación se convirtiera en tranquilidad y sosiego y la gloria de Dios se manifestara continuamente sobre tu vida? ¿Has meditado en el porqué de tu debilidad espiritual o la sequedad que a veces tienes o el poco deseo de obedecer al Señor?

En los tiempos de Isaías las tradiciones del pueblo se habían transformado de tal manera que todo estaba impregnado de pecado. Hasta los actos religiosos estaban llenos de orgullo, de vanidad y de apariencia.

El Señor manda a Isaías: "¡Clama a voz en cuello; no te contengas! Alza tu voz como trompeta, y declara a mi pueblo su transgresión y a la casa de Jacob su pecado". (Isaías 58:1)

El Señor le dice a su pueblo: Me están buscando, pero me están buscando mal, están en pecado y están en rebelión.

De pronto el pueblo se perdió, es decir, ya no respetaban a las autoridades, ni del gobierno, ni las espirituales, eso es rebelión. Tenían un pecado tremendo de orgullo.

Se creían justos y decían que no habían dejado la ley de Dios. Estaban cumpliendo a su manera de ver, pero no se humillaban a Dios y no le preguntaban: "¿Señor voy bien en la búsqueda?".

Él no sólo quiere que cumplamos con ciertos requisitos religiosos; Él desea que toda nuestra vida refleje el amor de Dios.

¿Eres justo con los demás? ¿Eres honesto contigo mismo y con los que te rodean? ¿Pueden los demás confiar en ti? ¿Es tu vida tan clara que cualquiera puede saber lo que sea de ti?

Hay muchas cosas en nuestra vida que son religiosas pero no necesariamente son cosas de Dios.

No todo lo que se hace en su nombre le agrada a Él, porque en muchas ocasiones se hace solo para satisfacer un deseo personal, pero no para lograr un propósito de adoración.

Por eso en este día regálate un tiempo para meditar en tu vida espiritual, ora, reflexiona y pídele a Dios que "examine tu corazón y te guíe en el camino eterno" (Salmo 139: 23-25).

Oración:

Amado Dios, mi oración en este día es para que me ayudes a descubrir cualquier área de mi vida que no esté conforme a lo que tú pides de mí. Examíname, permíteme entender si hay cosas que estoy haciendo equivocadamente y si es así, guíame de nuevo para que tome el camino adecuado de obediencia y santidad. Soy posesión tuya, enséñame entonces a conocer tu voluntad. Amén.

El poder del amor

"el amor es sufrido, es benigno; el amor no tiene
envidia, el amor no es jactancioso, no se envanece"
(1 Corintios 13:4)

Joyce Vincent era una mujer inglesa de 40 años. Un día llegó a su apartamento donde vivía en Londres después de hacer algunas compras. Tuvo un derrame cerebral y murió. Su cuerpo fue encontrado dos años más tarde, cuando la empresa de arrendamiento forzó la puerta para cobrarle a la mujer que llevaba dos años de atraso en su pago. El televisor estuvo prendido por dos años y también la calefacción. Murió sola en un edificio de 200 viviendas, en el corazón de una ciudad de 7 millones de habitantes.

¿Por qué nadie la buscó? ¿Por qué nadie se interesó por ella? ¿Para quién había comprado los regalos que nunca entregó? Tenía hermanas y nunca preguntaron por ella. Tuvo un marido que nunca se preocupó por su paradero.

Esta paradoja de Joyce Vincent nos muestra el terrible egoísmo de nuestra sociedad. Las grandes ciudades son multitudes de personas que no se interesan las unas por las otras, un cementerio de vivos que deambulan y donde se han perdido los valores de amistad, de familia, de vecindad. A veces no conocemos ni a los vecinos a pesar de pasar años separados tan solo por una pared.

¿Qué estamos haciendo para que estos valores sean promovidos?

En un mundo cuyo lenguaje es de divorcio, desintegración familiar, padres solteros, hijos abandonados o compartidos, peleas de poder en los hogares, diferencias irreconciliables, incompatibilidad de caracteres, es refrescante y reconfortante encontrar a quienes aún manifiestan la unidad verdadera del amor sellado por la presencia del Señor en medio de ellos.

Jesús trajo un mensaje de amor a este mundo, pero esta pequeña palabra se ha desvalorizado tanto que ya no sabemos ni siquiera definirla. Se habla de amor a primera vista, de amor por computadora, de amor por interés, de amor libre, de amor a medias, de amor propio, de amor fugaz, etc.

Pero el verdadero amor es moldeado por Dios y es evidente en el mundo que nos rodea.

¿Cómo se aprende a amar?

No tenemos que ir a un seminario, ni recibir cursos por correspondencia, ni leer libros de 7 pasos para llegar a amar. En realidad amar se aprende amando. Perdonar se aprende perdonando. Dar se aprende dando.

La fuente del amor es Dios. Por lo tanto el verdadero amor es sagrado y El Señor se complace cuando ve a sus hijos manifestando ese amor que provino del cielo.

En este día especial expresa un te amo con todo tu corazón y regocíjate en Aquel que murió en la cruz por amor a ti.

Oración:

Señor Jesús, al reconocer tu obra de amor por mí, no puedo menos que regocijarme por el sacrificio que pagaste por la causa de un pecador como yo. Por eso hoy quiero pedirte que me ayudes a dar amor de la misma manera en que lo he recibido de ti. Que este día se convierta en una gran oportunidad para mostrar que el amor de Dios ya está en mi interior y por eso ahora vivo para dar a los demás lo que he recibido de manera tan abundante. Amén.

Examíname, pruébame y guíame

"Examíname, oh Dios, y conoce mi corazón;
pruébame y conoce mis pensamientos; y ve si hay en
mi camino de perversidad, y guíame en el camino
eterno" (Salmo 139:23-24)

Los amantes del conocimiento humano en la antigua ciudad de Corinto creían que los hombres podían averiguar cualquier cosa por medio de la investigación y la lógica. Los gnósticos creían que podían descubrir los secretos más recónditos de Dios por su intelecto.

No así el Apóstol Pablo. Él estaba convencido de que no había una sabiduría más grande que la que recibimos de parte de Dios. El afirma que sólo el Espíritu Santo puede comunicar esta verdad.

Hoy en día muchos científicos están en los laboratorios haciendo investigaciones que procurarán mejorar en algún aspecto la vida humana. Pero el esfuerzo de toda esa sabiduría humana ¿Nos acercará más a Dios? ¿Seremos mejores seres humanos porque se desarrollen nuevas tecnologías?

La comunicación avanza a pasos agigantados, ¿eso servirá para comunicarnos más con Dios?

La justicia de los seres humanos trata de modificarse en todas partes, ¿eso nos acercará más a la justicia de Dios?

Se están inventando nuevas formas para hacer dinero, ¿eso nos hará más dadivosos y generosos?

La verdad es que el mundo avanza pero no necesariamente en dirección a la voluntad divina.

En los próximos años el mundo podrá tener más gente con mucho dinero, podrán levantarse grandes investigadores, podrán así mismo desarrollarse avances científicos que nos sorprendan y quizás se volverá común el ir a la luna o gravitar alrededor del planeta.

Sin embargo el corazón humano no se transforma para encontrar admiración en el Creador del universo. Descubrimos más planetas pero no le damos el crédito al que los puso con su mano. En los laboratorios se estudian las partículas más pequeñas e imperceptibles para el ojo humano, pero no reconocemos al Hacedor de tantas maravillas. Analizamos la composición de los elementos del mundo, pero nos olvidamos de agradecer a Aquel que con su palabra de poder creó los cielos y la tierra y todo cuanto en ella existe.

Hoy más que nunca necesitamos pedirle al Señor que examine nuestro corazón y nos ayude a descubrir si estamos errando o podemos encontrar el camino de la eternidad. A lo mejor descubriremos que nos estamos alejando cada vez más de su voluntad y de su divina presencia.

Oración:

Señor amado, hoy te pido que abras mi entendimiento para descubrir la manera de vivir sabiamente en este mundo tan complejo. Reconozco que la verdadera sabiduría viene de lo alto y es primeramente pura, después pacifica, amable, benigna, llena de misericordia y de buenos frutos, sin incertidumbre ni hipocresía. Amén. (Santiago 3:17).

Yo estaré contigo

*"nadie te podrá hacer frente en todos los días de tu
vida; como estuve con Moisés, estaré contigo; no te
dejaré ni te desamparé." (Josué 1:5)*

Cuando Moisés le preguntó al Señor « ¿Quién soy yo, para ir delante de Faraón, y pedirle que haga salir de Egipto a los hijos de Israel?». Dios le respondió simplemente: "Ve porque yo estaré contigo"

¿Acaso necesitaba algo más? ¿Acaso puede haber algo más importante para nuestras vidas que El Señor Creador de todas las cosas esté con nosotros?

Así mismo El Señor le hizo esa promesa a Josué: «Yo estaré contigo, no te dejaré, ni te desampararé» (Josué 1:5)

De la misma manera Jesús delante de sus discípulos afirmó su voluntad de estar cerca de ellos cuando los envió a la gran comisión de predicar su evangelio a todas las naciones: y "yo estaré con ustedes todos los días hasta el fin del mundo" (Mateo 28: 18).

En un mundo de gran soledad, en donde muchos se sienten abandonados y olvidados, que conveniente es recordar la voluntad de nuestro Señor: no te voy a dejar, camina con confianza en este día, no estás solo/a, no te angusties, mis ángeles te guardan, mi presencia te reconforta, mi espíritu te alienta, mis misericordias son nuevas para ti esta mañana, mi amor por ti no cesa, mi vida la he dado por ti.

Nunca te olvides que Él está contigo en cada jornada de tu vida.

Pablo podía decir: no tengo casa, no tengo bienes, no tengo riquezas, no tengo comodidades, no tengo nada de eso, pero en realidad lo tengo todo porque tengo a Cristo en mi vida, Él es el todo para mí. Y Él me ha prometido que en cada jornada está conmigo, que camina a mi lado, que no pasa un segundo de mi vida sin que Él esté presente y aun cuando en las noches descanso, Él vela mi sueño y me protege.

Vive este día con la seguridad de que no estás solo/a.

De la misma manera que El Señor le prometió a Moisés, a Josué y a sus discípulos, también lo hace para ti en este día: ¡Yo estaré contigo!

Si Dios está contigo, en realidad lo tienes todo.

Oración:

Mi amado Dios, hoy me recuerdas que nunca estoy solo/a en este mundo, que tú caminas conmigo y que haces de cada jornada una linda experiencia en tu compañía. Gracias por permitirme disfrutar de tu presencia y de tener la seguridad de que "aunque ande en valle de sombra de muerte no temeré mal alguno, porque tu estarás conmigo y tu vara y tu cayado me infundirán aliento" (Salmo 23: 4).

Guiados por una visión

"Y Jehová me respondió, y dijo: Escribe la visión,
y declárala en tablas, para que corra el que leyere en
ella" (Habacuc 2:2)

Si yo te pregunto hoy cómo quisieras que fuera tu vida en 5 años, ¿sabrías responderme con seguridad?

No me refiero a que respondas con generalidades: Quisiera ser rico y famoso. O quisiera ser feliz.

Eso no es un objetivo claro, es una generalidad que el común de las personas desea pero no traza un rumbo específico para tu vida. Pero si tú tienes un objetivo claro, entonces puedes enfocarte y no perder el rumbo.

Imagínate un barco que salga a altamar sin rumbo fijo. Cuando esté en la mitad del océano no sabrá cuál es su puerto de llegada porque navega sin rumbo. Pero me sorprende increíblemente que la mayoría de las personas sean como esos barcos sin rumbo que no saben adónde se dirigen y por lo tanto, no solo pierden sus esfuerzos sino que además se frustran fácilmente.

Nuestra vida necesita tener un enfoque y una dirección clara. Por eso Dios te invita a buscarlo a Él y con su divina dirección diseñar un camino, trazar un objetivo, edificar tu visión, tener metas definidas que te desafíen.

Ponle una dinámica a tu vida y ofrécele al Señor lo mejor de ti. El Señor se complace en ver cómo sus hijos usan sus dones y traen fruto de bendición en este mundo.

¿Lo que estás haciendo hoy en día te está conduciendo a lograr los propósitos divinos para ti?

La visión es una concepción que es inspirada por Dios en el corazón del ser humano. Visión es poder ver el futuro antes de que llegue a existir. Es un dibujo mental de tu destino. Dios le dio a la humanidad el don de la visión para que no tengamos que vivir solo de lo que vemos físicamente.

Podemos ver ese propósito por fe. Parafraseando la Biblia, la fe es la sustancia de las cosas que tú esperas poder llevar a cabo, es la evidencia de cosas que tú sí puedes ver aunque otros no las vean.

Este es un buen día para darle enfoque a tu vida.

Escribe tu visión y decláralla, "aunque tardare, espérala, porque sin duda vendrá, no tardará"

(Habacuc 2:3).

Oración:

Dios mío, te pido que me ayudes a formar una visión de mi vida unida a tu voluntad perfecta. Sé que fui creado/a para propósitos eternos, por lo tanto, mi vida tiene un sentido y una dirección diseñada desde los mismos cielos. Hoy quiero caminar en tus propósitos perfectos. Hoy quiero avanzar en el camino que tú diseñaste para que transite por él. Hoy quiero hacer tu voluntad y no desviarme. Quiero avanzar a la meta del supremo llamamiento en Cristo Jesús y sé que tú estás conmigo. Amén.

Escuchando al Señor

"Hazme oír por la mañana tu misericordia, porque en ti he confiado. Hazme saber el camino por donde ande, porque a ti he elevado mi alma" (Salmo 143:8)

Hace unos años atrás hicimos una excursión al Gran Cañón del Colorado. Fue una experiencia increíble. Tomamos la decisión de bajar hasta lo más profundo del Cañón y regresar el mismo día.

Nuestro guía era mi cuñado, acostumbrado a caminar por las montañas y a salir de excursión a cada rato. Él ya ha viajado por más de medio mundo.

Así que cuando empezamos la travesía el primer aviso que encontramos decía: ni se les ocurra hacer en un solo día la travesía hasta el río y volver, son más de 20 millas y las temperaturas son impresionantes, además de que la subida al regreso es demasiado pronunciada. Mi cuñado dijo: no le pongan atención a esos avisos.

Más adelante encontramos otro que contaba acerca de una mujer que venía de correr la maratón de Boston, que se aventuró a caminar por ese mismo sendero con solo una manzana, dos barras de chocolate y un litro de agua y murió en la travesía, mi cuñado dijo: no le pongan atención a eso.

Después una de las vigilantes del lugar nos preguntó: ¿a dónde van? Le respondimos: vamos a caminar hasta el río. Ella nos indagó de nuevo: ¿y tienen lugar para acampar allá? No, vamos a regresar hoy mismo, le contestamos. No, ni se les ocurra hacer eso, nos repitió varias veces la joven. Apenas se fue ella, mi cuñado dijo: no le pongan atención a ella y seguimos nuestro camino.

Caminamos por 13 horas y media. Nuestros cuerpos estaban agotados y mucho más considerando que ni siquiera teníamos equipo adecuado para realizar esa travesía. Y cuando en la noche regresábamos y mi esposa no daba más, casi que se arrastraba para poder avanzar y otro de los amigos desfallecía, recién empezamos a recordar las advertencias que se nos habían dado en el camino y que habíamos ignorado por seguirle la corriente a mi cuñado.

Pudo haber pasado algo peor. En la noche los animales salvajes empezaron a aparecer. Ya no había nadie en el camino, y la subida parecía muy grande para poder llegar a nuestro destino y estábamos en penumbras. Afortunadamente todo salió bien, pero nos arriesgamos por no escuchar las voces de advertencia y confiar en nuestras propias fuerzas.

Esto me habla claramente de lo que Dios quiere hacer en nuestras vidas y de la forma como ignoramos a menudo su palabra, nos confiamos en nuestras propias fuerzas, creemos que estamos preparados para hacer frente a todos los problemas de la vida sin ayuda y muchos quedan en el camino, y se desvían de lo que Dios quiere para ellos.

Si en este día El Señor pone un aviso de advertencia en tu vida, no lo ignores. Obedece lo que te dice Dios para que no tengas que lamentar las consecuencias.

Oración:

Tú eres un Dios que conoce todo en mi vida y sé que puedo confiar en que me llevarás por los mejores lugares. Pero reconozco que en ocasiones puedo ser porfiado/a intentando hacer las cosas a mi manera. Hoy quiero pedirte que me ayudes a obedecer las advertencias que tú me envías constantemente para no lamentar las consecuencias por hacer algo que esté fuera de la voluntad divina. Amén.

Una promesa para ti

*"Pero recibiréis poder, cuando hay venido sobre
vosotros el Espíritu Santo, y me seréis testigos en
Jerusalén, en toda Judea, en Samaria y hasta lo
último de la tierra". (Hechos 1:8)*

Siete semanas después de la muerte y resurrección del Señor, ocurre el gran evento de pentecostés cuando los discípulos estaban unánimes juntos orando y de repente se aparecieron lenguas de fuego que se posaron sobre sus cabezas, y todos fueron llenos de ese fuego espiritual que los transformó para siempre. El día del gran derramamiento del Espíritu Santo sobre los hijos de Dios. El poder del Señor siendo derramado sobre sus discípulos.

¿Por qué necesitaban ellos de este poder?

Debían tener poder para enfrentarse con un enemigo astuto y hostil.

Debían tener poder para contender por la fe.

Debían tener poder para hacer milagros y predicar resueltamente la Palabra de Dios. Sus propias debilidades y temores interiores podrían convertirse en invencibles obstáculos que debían ser conquistados.

Este poder les había sido otorgado siempre que mantuvieran una vida llena del Espíritu Santo.

Pentecostés es la respuesta final de Dios a la tibieza de los corazones y a la apostasía de estos tiempos. Pentecostés significa corazones encendidos, vidas totalmente dedicadas, motivadas por una ardiente pasión por predicar a Cristo a nuestro mundo antes que Él venga otra vez a establecer su eterno Reino.

El cumplimiento de esa promesa cambió el destino del mundo para siempre. De ahí en adelante todo ser humano que está lleno del poder del Espíritu Santo, cada vez que se para delante de otros a compartir la palabra, o cuando testifica o comparte su fe, o cuando usa sus dones, se convierte en un canal a través del cual Dios obra directamente en los demás. No son sus palabras, son palabras divinas; no es su poder, es poder de los cielos; no son sus habilidades, son dones celestiales y tampoco es su honra, la honra es para Aquel que lo envía con ese poder.

Este toque del Espíritu Santo, esta promesa del Padre, este poder de lo alto, ha sido exactamente lo que Cristo estableció como la condición indispensable para llevar a cabo la obra que está delante de nosotros.

Hemos sido llamados a marcar una diferencia en este mundo. Hemos sido llamados a ser sal y luz en medio de un mundo insípido y en tinieblas.

Pero no lo podemos hacer con argumentos humanos, necesitamos poder desde lo alto.

Pide hoy el Espíritu Santo y "recibirás poder", y serás testigo de una obra descomunal en este mundo.

Oración:

Mi oración en este día Señor, es que envíes sobre mi vida el poder del Espíritu Santo. Anhelo su llenura, su guía, su presencia. Quiero servirte con la unción que viene de los cielos, para que no sea yo quien haga las cosas, sino que seas tú mismo a través de mí. Sí, quiero ser ese instrumento en tus manos y es por eso que necesito el poder del Espíritu Santo sobre mi vida. Amén.

Un doble pecado

"Porque dos males ha hecho mi pueblo: me dejaron a mí, fuente de agua viva, y cavaron para sí cisternas, cisternas rotas que no retienen agua".
(Jeremías 2:13)

Gran parte de la humanidad en nuestros días se esfuerza desesperadamente por negar a Dios, su poder y su influencia en este mundo. Niegan que exista o simplemente intentan encontrar explicaciones racionales a lo que no lo tiene.

Sin embargo, la queja del Señor no es para los que siempre han pensado así, pues al fin y al cabo no se interesan por las cosas divinas. No. La acusación es para su pueblo, para quienes dicen que son seguidores del Dios vivo.

¿Cuál es la queja de Dios para ellos?

Se han apartado, se han alejado de la fuente del agua viva, se han enfriado, no tienen respuestas en este mundo tan difícil, no tienen argumentos porque no conocen la palabra, no saben por dónde ir porque no tienen iluminación divina, andan errantes, son ciegos guiando a otros ciegos y lo que es peor aún, no solo se han alejado de Dios, la fuente del agua viva, sino que además han hecho sus propias fuentes donde van a beber.

Pero es agua contaminada, no tiene pureza. Son cisternas rotas, pozos agrietados y están buscando allí la sabiduría y la dirección, pues buscan en vano porque ese no es el lugar de la bendición.

Se han olvidado de lo que Dios ha hecho a su favor, han preferido usar sus propios argumentos sin recordar que la mano de Dios una y otra vez se ha levantado para sacarlos de su postración y darles una nueva vida.

A pesar de todo eso El Señor siempre le recuerda a su pueblo: Si se vuelven a mí la encontrarán de nuevo. Si vienen a mí ya no habrá más frialdad ni sequedad, si vienen a mí, dice El Señor, encontrarán lo que necesitan y ya no habrá más aridez ni desolación en sus vidas, la gloria del Señor calmará su sed para siempre.

¿Quieres tú esa gloria sobre tu vida? ¿Quieres tú experimentar el respaldo de Dios en todo lo que haces?

Entonces vuelve a la fuente del agua viva. "Más el que bebiere del agua que yo le daré, no tendrá sed jamás; sino que el agua que yo le daré será en él una fuente de agua que salte para la vida eterna" (Juan 4: 14).

¿Por qué morirse de sed al lado de la fuente del agua viva?

Oración:

Mi anhelo de cada día es beber de esa agua que tú das, Señor. Sé que solo de esa manera seré saciado/a y mi alma encontrará la frescura para seguir adelante. Mi alma está sedienta de tu presencia, de tu amor, de tu misericordia, de tu gracia y de tu poder. Solo en ti encontraré la fuente perfecta que calmará mi sed para siempre. Amén.

¿En quién confías?

"estos confían en carros y aquellos en caballos;
mas nosotros del nombre de Jehová nuestro Dios
tendremos memoria" (Salmo 20:7)

David en el salmo 20 hace una declaración de fe maravillosa: "Ahora conozco que Jehová salva a su ungido; lo oirá desde sus santos cielos con la potencia salvadora de su diestra"

La potencia salvadora de su diestra. ¿Te das cuenta dónde está el verdadero poder?

No es en ti, no te desgastes más pensando que tú puedes pelear solo/a, que tú puedes avanzar solo/a. No. Es tiempo de confiar en Dios, en la potencia salvadora de su diestra. El Señor nunca ha perdido ninguna batalla.

Goliat puso su confianza en su estatura, en su armadura, en su lanza y su jabalina, pero estaba perdido, porque ese no es el verdadero poder. Si el ejército de Israel hubiera tenido confianza en Dios, no hubieran experimentado tanto temor. Por el contrario, lo hubieran vencido rápidamente si hubieran escuchado la voz de Dios.

Se necesitó de uno que si escuchó, que si confió, que si respondió y este vino, no confiando en sus fuerzas ni en su armadura, pues ni siquiera tenía una, sino en el poder de la diestra de Dios.

Antes de la batalla David sabía algo: que esa batalla no era suya sino de Dios. Él no iba en su nombre sino en el de Jehová de los ejércitos, el Dios de los escuadrones de Israel.

Por lo tanto se plantó con confianza al frente del guerrero gigante y lo venció con el poder de la diestra de Dios que lanzó esa piedra justo en el único lugar donde Goliat era vulnerable.

Ellos confían en carros y aquellos en caballos, ¿pero nosotros? Nosotros del nombre de Jehová nuestro Dios tendremos memoria. Nos acordaremos de Él, cuando estemos sufriendo, nos acordaremos de Él cuando estemos en lo más fuerte de la batalla, nos acordaremos de Él cuando sintamos que nuestras fuerzas desfallecen, pero también nos acordaremos de Él cuando la victoria haya llegado y glorificaremos su Santo Nombre.

Ellos flaquean y caen. Los que han confiado en sus propias fuerzas, los que aún siguen luchando solos y han puesto su confianza en sus carros y caballos, ellos flaquean, sus fuerzas se agotan y se derrumban, pero las fuerzas de nuestro Señor nunca se agotan, por eso dice el salmista, a pesar de que aquellos flaquean y se caen, nosotros nos levantamos y estamos en pie.

Es día de tomar una decisión real que cambiará tu vida para siempre.

Es día de creer en Cristo Jesús y en el poder de su diestra.

Oración:

Señor de los cielos, hoy quiero ponerme enteramente en tus manos benditas con la confianza que me da el saber que en ti está el poder y la fuerza para vencer. Sé que hoy caminarás conmigo, experimentaré tu poder, tu compañía y tu aliento y cuando esta jornada llegue a su fin, te daré de nuevo las gracias porque has tenido cuidado de mí, tu diestra me ha protegido. Amén.

Tu Dios será mi Dios

"Respondió Rut: No me ruegues que te deje y me
aparte de ti; porque a dondequiera que tú fueres, iré
yo, y dondequiera que vivieres, viviré. Tu pueblo será
mi pueblo, y tu Dios será mi Dios" (Rut 1: 16)

Cuando pienso en las personas que nos atraen por la forma en que viven, me pregunto: ¿Qué es lo atractivo de estas vidas que llaman la atención de una manera tan especial a los demás?

Puede ser atractivo ver familias que viven en armonía.

Puede ser atractivo para la mayoría de las personas ver a quienes parecen tener su vida en orden.

Es muy atractivo por ejemplo seguir a alguien que tiene un propósito, una visión clara del futuro y de sus prioridades.

Así mismo nos atraen quienes son sinceros, quienes no viven una doble vida o quienes defienden los valores de vida apropiados.

Sin duda hay quienes constituyen para nosotros ejemplo y a la vez un desafío al contemplar esas vidas que parecen tener un rumbo claro y un propósito específico tras el cual están corriendo.

Bajo esa perspectiva pienso: ¿es nuestra vida cristiana un atractivo para los demás? ¿Nos seguiría alguien solo porque ven en nuestra vida algo tan atrayente que vale la pena ser imitado?

Sin duda Rut después de perder a su esposo tuvo que tomar una decisión trascendental en su vida: ¿A quién seguiré? ¿Con quién viviré el resto de mis días? ¿Quién me servirá como un ejemplo de vida?

Su suegra Noemí, quien también había quedado viuda dejó a sus nueras en libertad para volver a su pueblo. Pero esto solamente sirvió para que Rut se fortaleciera en su decisión.

Ella había analizado cada palabra de su suegra y había notado la forma en que cada una había sido dicha, y había tomado en cuenta todos los riesgos. Así que con palabras de amor y lealtad que son algunas de las más conmovedoras que jamás hayan sido escritas, suplicó: "No me ruegues que te deje, y me aparte de ti; porque a dondequiera que tú fueres, iré yo, y dondequiera que vivieres, viviré.

Tu pueblo será mi pueblo, y tu Dios mi Dios. Donde tú murieres, moriré yo, y allí seré sepultada; así me haga Jehová, y aún me añada, que sólo la muerte hará separación entre nosotras dos."

Esta fue la decisión más importante que Rut jamás hizo en toda su vida. Esta decisión cambió el curso entero de su existencia y en consecuencia, cambió su destino eterno.

No es una cuestión de si eres gentil o judío, hombre o mujer, rico o pobre, hispano o americano, blanco, moreno o mestizo. Lo que importa en realidad es la decisión que tú haces en tu vida con relación a Dios y el compromiso que adquieres. Esta es la gran decisión, no volver atrás, no regresar a una vida alejados del Dios verdadero, no retornar a una existencia vacía y sin sentido.

Así que te pregunto en este día: Si alguien te mira y observa tu testimonio, ¿estará atraído a seguirte? Podrá también repetir como Rut a Noemí: ¿Tu pueblo será mi pueblo y tu Dios será mi Dios?

Oración:

Amado Dios, sé que no podría hacer ninguna decisión buena si no fuera por tu dirección. Me permitiste conocerte y me trajiste a tus caminos, me has perdonado mis pecados, me has dado vida eterna y ahora camino contigo tomado de tu mano cada día de mi vida. Tú eres mi Dios y te pertenezco. Mi vida tiene ahora sentido y propósito porque soy parte de tu pueblo y nunca quiero apartarme de ti. Gracias por haberme escogido para ser parte de tu redil. Amén.

Un día más

"y añadiré a tus días quince años y te libraré a ti y
a esta ciudad de mano del rey de Asiria..."
(2 Reyes 20:6a)

En la película la Lista de Schindler, el alemán que salvó vidas en la medida que pudo hacerlo en el tiempo del holocausto nazi, al final se lamentó por no haber podido salvar una vida más, una más. Él tenía un propósito que estaba cumpliendo y dedicaba sus horas y sus días a pensar en el cumplimiento de ese propósito de salvación de muchos seres humanos de la muerte a manos de los alemanes.

Cada ser humano es importante y cada vida cuenta.

Una ayuda más, un alma más para Cristo, un joven más rescatado de las drogas, un niño más sacado de la prostitución infantil, una mujer más liberada de la esclavitud de la violencia doméstica, un anciano más acompañado en sus últimos días de vida. Uno más, uno más.

Una nueva oportunidad para servir, un nuevo día para ayudar a que este mundo sea menos individualista y esclavo del enemigo.

Sí, un día más pero para servir al que nos lo dio, para levantar nuestra mirada al cielo y exclamar desde el fondo mismo de nuestro ser: Gracias Señor por un día más.

¿Si Dios te da más vida cumplirás con esos propósitos?

Para qué más vidas egoístas que solo piensan en satisfacerse a sí mismas.

Para qué tanto materialismo y búsqueda desesperada de riquezas que solo ocupan a las personas en cuestiones vacías pero que no cumplen con propósitos divinos.

¿Para qué quisieras vivir más años? ¿Solo para vegetar en este mundo? ¿Solo para llenar un espacio o para ir de mes en mes en la misma rutina en una vida que se vuelve quizás aburrida? No creo.

Si pides más años es porque tienes planes para el futuro. Si pides más tiempo es porque quieres alcanzar nuevas metas, porque quieres lograr muchos de los sueños que pensaste en alguna ocasión, porque quieres terminar tus días como una persona realizada.

De la misma manera que Dios agregó años a la vida de Ezequías, Él tiene el poder para agregar vida a tus años. Que sean años llenos de bendición, que sean momentos llenos de satisfacciones, de alegrías, de cumplimiento de metas, de nuevas aventuras de la mano de Dios.

Él puede agregar vida a tus años y también puede agregar años a tu vida. Él es Dios y maneja los tiempos porque Él es El Dios Eterno que no conoce de límites, ni principio ni final, Él es el Dios de cada segundo de tu vida.

Alaba a Dios por este nuevo día que te ha regalado.

Oración:

Reconozco que este nuevo día es un regalo divino. Quiero vivirlo de la mejor manera. Quiero aprovechar cada segundo para honrar a Dios. Quiero seguir las huellas de mi Señor Jesús y hacer su voluntad. Al tomar este día como un regalo divino, entenderé que aún hay propósitos divinos por cumplirse en mi vida y hoy lo tomaré como esa gran oportunidad para lograrlos. Gracias mi Dios por este nuevo día, sin duda es un gran regalo de tu gracia divina. Amén.

Devolviendo bien por mal

*"Pero yo os digo: Amad a vuestros enemigos,
bendecid a los que os maldicen, haced bien a los
que os aborrecen, y orad por los que os ultrajan y os
persiguen" (Mateo 5:44)*

Sara era una cristiana maravillosa que tuvo una relación profunda con el Señor.

Pero su hermano George era la oveja negra de la familia. Su vida egoísta era la antítesis de la generosa conducta de su hermana. George tenía un problema severo de alcoholismo.

Tras largos años de abuso, su cuerpo comenzó a rebelarse a causa del consumo continuo y sus riñones empezaron a fallar. Los doctores le dijeron a Sara que sin un trasplante de riñón George moriría pronto y que por su prolongado historial de abuso de alcohol no calificaría para estar en lista de espera.

Ella preguntó a los médicos si podía donar uno de sus riñones a su hermano.

Estos respondieron: "Si tu tipo de sangre es compatible puedes hacerlo. Pero esta es una operación costosa y cuestionamos si es prudente poner tu vida en riesgo por una persona con hábitos tan autodestructivos."

Resultó que los tipos de sangre eran compatibles, pero George no tenía seguro, así que Sara hipotecó rápidamente su casa y prometió pagar el resto.

Con cierta insistencia, pudo finalmente convencer al hospital de efectuar la operación.

El trasplante fue exitoso para George, pero Sara sufrió algunas complicaciones trágicas. Una severa reacción alérgica a la anestesia la paralizó de la cintura hacia abajo después de la cirugía. Sara pudo tomar con valentía la trágica noticia cuando le dijeron que su hermano se recuperaba muy bien.

Ella dijo, "Si puedo comprar algunos años más de vida a mi hermano para que encuentre al Salvador, habrá valido la pena, aunque yo no pueda volver a caminar."

¿Cómo crees que Sara se sintió cuando su hermano no fue nunca a agradecerle su costoso sacrificio?

¿Y cómo crees que se sintió Sara al enterarse de que lo primero que hizo su hermano al salir del hospital fue irse a celebrar a una barra?

Si eso te indigna, reflexiona en esto: ¿Cómo piensas tú que Jesús se siente cuando un cristiano profeso se aleja de Su presencia luego de recibir misericordia y vida, y regresa a lo mismo que tanto sufrimiento le costó a Él para salvarlo?

Cuando vemos y entendemos algo sobre lo que nuestros pecados le costaron a Cristo, nunca más desearemos abrazar al monstruo que destrozó a nuestro Señor.

Devolver mal por bien es diabólico. Devolver bien por bien es humano. Pero devolver bien por mal eso es divino.

Mientras el mundo siga aplicando el ojo por ojo y diente por diente, seguirá sumido en la misma muerte que esto sigue produciendo, por eso se necesita romper con estos modelos de vida y entrar en la dinámica del perdón, la reconciliación y la gracia.

Es tiempo de dejar atrás la amargura que nos produce la falta de perdón y los deseos de venganza. La nueva naturaleza del creyente nos permite hacer lo que antes no podíamos hacer: Devolver bien por mal. ¡Qué tremendo desafío!

Oración:

Señor Jesús, reconozco la obra de amor y de misericordia que tú hiciste por mí. Gracias a esa obra hoy puedo vivir en libertad, en el gozo de los redimidos experimentando tu cuidado y tu protección. Por eso te pido que me ayudes a ser igualmente misericordioso y compasivo con los demás. Reconozco que este mundo necesita personas así, y yo quiero ser obediente a este llamado. Amén.

Casa de oración para todas las naciones

"y les enseñaba diciendo: ¿no está escrito: mi casa será llamada casa de oración para todas las naciones? Mas vosotros la habéis hecho cueva de ladrones" (Marcos 11:17)

En los dos primeros capítulos de Hechos, los discípulos solo estaban esperando en Dios. Mientras estaban allí sentados, adorando, teniendo comunión con Dios, permitiendo que Dios los moldeara y limpiara sus espíritus y que hiciera esas operaciones del corazón que solo el Espíritu Santo puede hacer, nació la iglesia. El Espíritu Santo fue derramado.

¿Qué dice eso acerca de nuestras iglesias de hoy, al haber dado Dios nacimiento a la iglesia en una reunión de oración cuando en realidad hoy en día son pocos los cristianos que en realidad oran?

Muchos de nosotros nos quejamos porque han quitado la oración de las escuelas y cualquier señal que tenga que ver con Cristo de los lugares públicos o los mandamientos, pero la verdad es que muchos de los que se quejan ni siquiera acuden a una reunión de oración en las iglesias. No hay oración en las escuelas, pero tampoco en las iglesias las personas acuden en masa a las reuniones de oración.

Los emperadores romanos tampoco permitían que se orara en las escuelas. Pero los primeros cristianos estaban más preocupados en lo que ellos hacían y no en lo que los gobernantes permitían.

¿Cómo podía cualquier emperador por poderoso que fuera detener a Dios? ¿Cómo podían los demonios del infierno, aun con todos sus ejércitos y potestades y principados de maldad, impedir el avance del pueblo de Dios que se llenaba de vitalidad nueva cada día, cuando se reunían a orar e invocar al nombre que es sobre todo nombre?

Los apóstoles tenían una forma de obrar que los caracterizó hasta cuando murieron. ¿Estaban en una dificultad? Oraban. ¿Los intimidaban? Oraban. ¿Los desafiaban? Oraban. ¿Los perseguían? Oraban.

Esa iglesia recién nacida, que no tenía recursos económicos, que se enfrentaba a un gran poder pagano, que no tenía gran influencia en el mundo de ese entonces, se disponía a ganar al mundo entero para Dios por medio del Señor Jesucristo resucitado y vencedor. Ellos oraban y Dios respondía. Estos hombres no solo decían sus oraciones, sino que las vivían. Hay poder cuando el pueblo de Dios ora y confía en el Creador de este universo.

Así que este es un buen día para que revises tu vida de oración. ¿Estás fomentando una profunda relación con Dios? ¿Has comprendido a cabalidad de donde viene el verdadero poder en este mundo?

La casa de Dios es casa de oración y sus hijos son guerreros que saben ponerse en la brecha e interceden con poder, dominio y autoridad. ¿Eres tú uno de ellos?

Oración:

Amado Dios, sé que tú has llamado a cada creyente a la oración continua. Y además sé que la oración rompe barreras, destruye las artimañas del enemigo, sensibiliza nuestros corazones y nos conecta contigo. Por lo tanto hoy quiero ser ese tipo de creyente que no se detiene de tocar las puertas del cielo. Dame cada día un corazón dispuesto para buscarte y encontrarte desde la mañana hasta el ocaso. Sé que así mi vida se convertirá en un fluir de tu presencia y podré realizar la obra para la cual he sido llamado/a. Amén.

Un corazón ardiente

"Y se le apareció el Ángel de Jehová en una llama
de fuego en medio de una zarza; y él miró, y vio que
la zarza ardía en fuego, y la zarza no se consumía"
(Éxodo 3:2)

Cuando leemos el Nuevo Testamento, especialmente el libro de Hechos nos sumergirnos en un torbellino de emociones. Es meternos de lleno en la obra del Espíritu Santo que le daba poder a la iglesia y que permitía que hombres y mujeres llenos de ese fuego espiritual fueran por todas partes obedeciendo la Palabra de Dios, predicando, enseñando, trayendo a muchos convertidos a los pies de Cristo, inundando literalmente todas las regiones con las buenas nuevas de salvación.

Y vemos una iglesia dinámica. Una iglesia encendida. Una iglesia que no se detenía ni preguntaba si había un ministerio de evangelismo, o si había alguien encargado de dirigirlos para ir de puerta en puerta, no, nada de eso, porque todos deseaban compartir con los demás aquello que llenaba sus corazones. Había poder del Espíritu, convencimiento total en lo que hacían.

Los que se convertían no iban a ningún seminario primero para estudiar las técnicas para compartir la Palabra, ni estudiaban formas de hablar con los demás.

La pasión ardía en sus corazones, la llama del Espíritu estaba siempre encendida, sabían que lo más importante estaba en juego, la salvación de las almas, así que no se detenían en su deseo de alcanzar a los perdidos.

En el Antiguo Testamento, Dios se manifiesta con un símbolo extraordinario. La zarza que no se consumía era la presencia viva de Dios que se comunicaba con Moisés para manifestarle sus propósitos de liberación para su pueblo.

Pero ahora no tenemos zarzas que ardan en el desierto o en la montaña porque la zarza que arde está en el interior de aquellos que tienen corazones que vibran ante la presencia de Dios y que no permiten que jamás se apague esta llama porque todos los días anhelan profundamente experimentar al Señor desde el mismo fondo de su ser.

Hoy El Señor quiere hablarte para despertar en ti esa pasión por aquellos que no le conocen.

¿Estás compartiendo con otros tu fe? ¿Tu corazón arde con el fuego del Espíritu y te motiva a ser partícipe de la obra divina? ¿Es tu corazón como esa zarza que no se consume?

Si no es así, este es un bien día para encender ese fuego y al experimentar de nuevo la voz del Señor, sabrás que hay un fuego dentro de ti que no se extinguirá porque es la presencia viva de Dios que ahora está en tu interior.

Oración:

Señor Jesús, hoy quiero pedirte que enciendas en mí esa llama que nadie apagará jamás. Quiero ser obediente a tu llamado. Quiero vibrar ante tu voz. Quiero escucharte cada día y seguir tus huellas. Concédeme Señor ser obediente a tu mandato de compartir el evangelio y que esa llama no se apague en mí jamás. Amén.

Lo haré de nuevo

"He aquí que no se ha acortado la mano de Jehová
para salvar, ni se ha agravado su oído para oír"
(Isaías 59: 1)

¿Anhelas tú algo más de Dios para tus días? ¿Crees que Dios puede hacer esas grandes maravillas de nuevo y las señales y prodigios que contaron los antiguos a sus hijos, para que puedan ser también parte de nuestra historia?

Podemos nosotros recordar por ejemplo, cómo Dios abrió los mares con su poder y toda la caballería egipcia entró en él persiguiendo al pueblo de Israel, solo para perecer en el fondo cuando El Señor cerró de nuevo el camino que había abierto para su pueblo.

El Señor derribó los muros de la ciudad fortificada de Jericó, abrió el rio Jordán cuando su pueblo caminó hacia la tierra prometida, confundió a los ejércitos que querían destruir al pueblo de Israel, le dio valor a David para vencer al gigante Goliat, salvó a los moradores de Jerusalén de la mano del rey de Asiria, respondió a la alabanza de sus hijos y sus enemigos terminaron destruidos como respuesta a ese clamor, levantó profetas que trajeron palabras de los cielos, levantó a Sansón para destruir a miles de filisteos, levantó a otro hombre como Gedeón para vencer a los madianitas, detuvo el sol en Gabaón y la luna en el valle de Ajalón para permitir que su pueblo ganara la batalla, le dio valor a sus hijos para derrotar a los enemigos más fuertes y numerosos para conquistar lo que parecía imposible.

¿No es acaso la obra de Dios maravillosa? ¿No es acaso que debemos recordarlo siempre para contarle al mundo entero del poder del Dios al cual servimos?

Nuestro anhelo también es ser testigos de cómo el demonio huye ante el poder de un santo y las comunidades se limpian de crímenes y de maldad, y los jóvenes ven visiones celestiales y los ancianos tienen sueños de restauración y toda carne recibe el poder del Espíritu Santo para profetizar y ver grandes prodigios en el cielo y en la tierra.

¿No es palabra divina? ¿No es promesa que viene de los labios de un Dios que no miente?

Por supuesto que sí, Él es el mismo de ayer, hoy y mañana y su mano de poder no se ha acortado, por lo tanto guarda siempre la expectativa porque no sabes si hoy llegará tu milagro.

Oración:

Amado Dios, reconozco que tú eres el Único Dios verdadero y que has obrado con tu poder a favor de los tuyos. Sé que no hay nada imposible para ti y creo que hoy tú puedes hacer algo en mí, algo que he estado esperando por tanto tiempo. Sin duda este será un día para ver de nuevo tus grandes maravillas. Tú eres el mismo de ayer, de hoy y de siempre. Amén.

Permaneced en mí

*"y el mundo pasa, y sus deseos; pero el que hace la
voluntad de Dios permanece para siempre"*
(1 Juan 2:17)

En el mundo de hoy de cambios vertiginosos, de tecnologías avanzadas, de novedades constantes. Muchas personas se han dejado envolver por lo atractivo del mercado que los invita a comprar siempre lo último, a ir cambiando constantemente de acuerdo a lo que las grandes compañías van creando.

Y lo que es novedoso hoy, mañana será obsoleto, lo que hoy es de última moda, mañana será desechado.

Por eso a las personas les cuesta demasiado permanecer en algo sin tener la tentación simplemente de probar algo "novedoso" o de buscar las nuevas alternativas que están disponibles.

Uno de los grandes desafíos de la vida cristiana es el permanecer en las cosas que se nos han enseñado. Puede ser que hayamos recibido al Señor, puede ser que de una manera genuina hayamos abierto nuestro corazón a Jesús e intentemos vivir de acuerdo a los valores de la vida cristiana, pero es necesario permanecer en aquello que hemos recibido de parte de Dios.

Siempre habrá quienes nos inviten a probar algo diferente. Siempre aparecerán aquellos que nos dirán que no hay una verdad absoluta y que es válido intentar alternativas. Pero en realidad esto solo son artimañas del enemigo para desviarnos de la voluntad que Dios desea colocar en nuestra vida.

Jesús dio el significado de la frase "permanecer en Cristo" cuando se comparó a una vid y a los creyentes como sus sarmientos: "Permaneced en mí, y yo en vosotros. Como el pámpano no puede llevar fruto por sí mismo, si no permanece en la vid, así tampoco vosotros, si no permanecéis en mí" (Juan 15:4).

Ese retrato nos ilustra la unión vital que existe entre los cristianos y Jesucristo.

La palabra "permaneced" básicamente quiere decir "quedarse". Cada cristiano está inseparablemente enlazado a Cristo en todas las áreas de su vida.

Nosotros dependemos de Él por la gracia y el poder para obedecer. Nos fijamos obedientemente en Su palabra para instruirnos en cómo vivir. Le ofrecemos nuestra profunda adoración y alabanza, y nos sometemos a Su autoridad sobre nuestras vidas.

Los cristianos conocemos a Jesucristo como la fuente y sustento de nuestras vidas.

Ten cuidado con las "ofertas del mundo". Es posible que por estar buscando algo diferente termines apartándote de lo eterno. No vale la pena arriesgar tanto por tan poco. Este es un día para permanecer en Él y en su Palabra.

Esta es la verdadera novedad de vida y eternidad segura.

Oración:

Señor Jesús, entiendo tu llamado a permanecer en ti. Eso quiero hacer en este día y en todos los días de mi vida. No quiero apartarme ni por un segundo de tu divina presencia, ni de tu cuidado permanente. Sé que si habito al abrigo del Altísimo, moraré bajo la sombra del Omnipotente y tú serás mi esperanza y mi castillo. No quiero alejarme de ti jamás. Amén.

Yo soy el camino

"Jesús le dijo: Yo soy el camino, y la verdad y la vida, nadie viene al Padre, sino por mí" (Juan 14:6)

Recuerdo unos años atrás que estábamos paseando en un lugar en nuestro país y decidimos internarnos en la montaña en la parte más agreste y peligrosa, donde con seguridad había serpientes venenosas y otros animales. Pero sentíamos el espíritu aventurero, así que con varios jóvenes y un anciano de 80 años nos internamos en la zona más peligrosa y luego de caminar por mucho tiempo llegamos a un punto en el que no sabíamos para dónde ir.

Escuchábamos abajo el río, pero la vegetación era tan tupida y tan alta que perdimos el rumbo y además estaba el peligro de ser mordidos por alguna serpiente. No teníamos un camino, no teníamos una dirección por la cual seguir, no había un sendero, ni ninguna marca y pensamos que nadie había transitado antes por aquel lugar.

Cuando teníamos todas esas dudas, el anciano tomó el liderazgo del grupo y nos dijo: no se preocupen, yo los voy a llevar a lugar seguro y empezó a abrir brecha con su propio cuerpo en medio de la maleza. Se arrojaba sobre la vegetación que cortaba la piel, pero él nos habría camino y nosotros lo seguíamos cuando ya se había abierto un lugar por el cual pasar, hasta que llegamos al río y caminando luego a través de él, encontramos finalmente un camino por el cual regresamos.

El gran problema de nuestros días es que la gente está atrapada en medio de lugares en los que no sabe a dónde ir, no tienen los recursos, ignoran la forma, se alejan de Aquel que declaró que Él era el camino por el cual transitar, porque Él es quien ha abierto la brecha para que pasemos por ella.

¿Aún estás yendo por la vida como un errante que no conoce a dónde debe ir?

Si es así, este es un buen día para tomar el camino adecuado.

Jesús no dejó alternativas. No hay otras vías alternas, no hay otras opciones, no hay diferentes posibilidades.

Jesús dijo directamente: Yo soy el camino y no hay otro. El único camino, el verdadero por el cual vas a ser conducido a la bendición sobre tu vida. Es hora de enderezar la senda de tu vida.

Oración:

Señor Jesús, cuando he caminado tratando de definir mi propio camino he tropezado o me he perdido a la deriva. Pero hoy sé que hay un camino. Tú eres el camino perfecto que me lleva a lugar seguro. Tú eres Aquel que vino del cielo para abrir la brecha que me conduce a ese destino eterno. Por eso no quiero perderme más, he decidido seguir a Cristo y no vuelvo atrás. Amén.

Trastornando al mundo

"...estos que trastornan el mundo entero también
han venido acá" (Hechos 17: 6b)

Trastornar literalmente significa, "poner el mundo de cabeza".

Pero, ¿Realmente estaban los primeros cristianos trastornando el mundo? O en realidad lo estaban poniendo derecho.

La verdad es que más bien lo estaban poniendo derecho. Pues, ya estaba trastornado por el pecado.

La persona que se acostumbra a vivir una vida desordenada piensa que así es la vida, y cuando se le predica el evangelio siente que su mundo se le mueve porque es completamente diferente a su forma de vivir.

Lo que los enemigos del cristianismo creían que era una ofensa acusándoles de alborotadores, era en realidad un elogio, porque estaban tratando de poner sobre sus pies a un mundo de cabeza.

Por ese poder del evangelio y de la unción divina es que nosotros como creyentes podemos soñar en grande, tomando la autoridad y con la fuerza y el ímpetu del Espíritu Santo podemos salir a conquistar un mundo para Cristo Jesús. No hemos sido llamados a tareas menores. Hemos sido llamados a la tarea más grande que puede existir, la de trastornar al mundo con el mensaje que salva las vidas, restaura las familias, sana a los enfermos, levanta a los caídos, reconforta a los oprimidos y nos lleva a la salvación eterna preparada para los que aman al Señor.

Esta no es una tarea cualquiera. Surgió desde los mismos cielos y ha sido colocada en manos indignas como las nuestras, pero cuenta con el respaldo de Aquel que algún día regresará con gloria y reinará en el mundo para siempre.

Qué bueno que como creyentes tenemos la capacidad de trastornar este mundo. Pero no con falsedades, engaños o cosas oscuras. De ninguna manera.

Este mundo debe ser trastornado pero con el mensaje poderoso del evangelio de Jesucristo, que es poder de Dios para salvación.

Sí, que muchos sean trastornados y dejen atrás su vida de pecado, de mentira y de hipocresía, y que puedan venir a disfrutar de la bendición de saber que tenemos a un Dios que cambia las vidas para siempre y nos lleva a la salvación eterna.

Y tú, ¿ya estás haciendo tu parte?

Oración:

Señor, este es un día para hacer la parte que me corresponde como transmisor del mensaje que trastorna este mundo. Quiero ser un instrumento eficaz en tus manos para traer tu palabra a un mundo que se cae a pedazos por causa del pecado. Sé que si tú me has redimido, ahora soy parte de un pueblo escogido para anunciar las virtudes del que me sacó de las tinieblas y me trajo a su luz admirable. Así que es eso lo que quiero hacer en este día. Dame tus fuerzas por favor. Amén.

Cegados a lo espiritual

*"Pero el hombre natural no percibe las cosas que
son del Espíritu de Dios, porque para él son locura,
y no las puede entender, porque se han de discernir
espiritualmente" (1 Corintios 2:14)*

La persona natural no puede comprender lo que El Espíritu dice, ni sabe de las cosas celestiales, y frente a las cosas de Dios es fría y apática. La persona natural, así este sentada en las bancas de la iglesia, todavía sigue dudando si Jesús es el único camino al Padre, si solo hay un camino de salvación; todavía sigue pensando que todas las formas son buenas para llegar a la salvación y que racionalmente puede aún explicar lo inexplicable.

Actualmente hay mucha gente que cree que no importa cuáles sean las creencias de una persona, con tal de que ésta sea sincera. Esta es una de las mayores mentiras del infierno.

Pero Pablo nos enseña que la sabiduría humana no es suficiente para transformar este mundo de idolatría, de maldad, de egoísmo y de materialismo. No basta con argumentos humanos o con estrategias de hombres. Necesitamos que lo sobrenatural de Dios se haga presente. Que la mano poderosa de Dios que a través de la historia ha ayudado una y otra vez a su pueblo, se haga viva para nosotros de nuevo.

¿Pero cómo lo va a hacer El Señor? Lo va a hacer con aquellos que saben escucharlo, que entienden lo que El Espíritu está hablando en estos tiempos y que saben discernir lo que está pasando alrededor, porque Dios se lo revela.

Los discípulos de Jesús no son como el azúcar que se derrite cuando caen algunas gotas de agua.

Él no puede tener verdaderos seguidores que cuando viene el fuego de la prueba, se marchitan como la hierba que no resiste el calor del sol. No se puede entregar el poder del evangelio a personas que tienen un carácter inestable y sin firmeza.

Por eso si tú tienes al Espíritu Santo morando en tu interior, si tú has venido a Cristo Jesús respondiendo a su llamado de una manera genuina, tú no tienes ahora el espíritu del mundo, tú has sido mudado en otro hombre u otra mujer, tú has recibido El Espíritu de Dios y tu vida está en sus manos.

Qué gran privilegio el que has recibido.

Oración:

Hoy te agradezco por el privilegio que tengo al haberte conocido. Fuiste tú quien me atrajiste con tu mano poderosa y tu amor inconmensurable. Fuiste tú quien te revelaste en mi vida como el Cristo, el Hijo del Dios viviente. Fuiste tú quien vino a darme vida en abundancia. Todo lo has hecho tú por gracia y misericordia. Solo puedo darte gracias hoy y todos los días de mi vida. Amén.

Muéstrame tu gloria

"Él entonces dijo: Te ruego que me muestres tu gloria" (Éxodo 33: 18)

Cuando Moisés hizo la solicitud al Señor: "Muéstrame tu gloria", él no estaba hablando de la luz de las nubes, ni la zarza de nuevo, no, él estaba buscando una especial manifestación de Dios, para que todo fuera transformado por el poder de Su presencia.

Moisés necesitaba tener la seguridad que Dios caminaría siempre con ellos.

Es más, él le dijo: si tu presencia no está con nosotros, no nos saques de este lugar. Para qué vamos a avanzar a esa tierra que fluye leche y miel si tú no estás allí.

Para qué deseamos tener casas hermosas y muy bien decoradas si Dios no está en ellas.

Para qué grandes templos y basílicas si no hay una nube de gloria porque Dios no llena ese lugar.

Prefiero quedarme en un lugar sencillo, pero que la gloria de Dios nos llene y su bendición alcance a cada uno de los que allí estamos.

¿Estás preparado/a para pedirle al Señor que te muestre su gloria?

Porque si tú pides eso, muchas cosas van a cambiar en tu vida.

La revelación de la gloria de Dios tiene efectos poderosos en aquéllos que la reciben y oran para tener entendimiento de ello.

Una vez que recibimos una revelación de la gloria de Dios, nuestra adoración no puede evitar cambiar. ¿Por qué? ¡Ver su gloria cambia la manera en la que vivimos! Afecta nuestro semblante y conducta, cambiándonos de "gloria en gloria", haciéndonos más como Él.

Así que esto no es para todos. Es solo para quienes en realidad tienen una verdadera sed de Dios y un deseo profundo de ver un avivamiento a su alrededor.

¿Eres tú uno de ellos/as?

Si es así, entonces dile hoy al Señor: ¡Que venga tu gloria! Transfórmame hoy.

Oración:

Amado Salvador, este es un día de transformación para mi vida. El apóstol Pablo me recuerda que soy transformado de gloria en gloria en la misma imagen, como por el Espíritu del Señor. (2 Corintios 3:18)

Esta revolución en mi vida espiritual me hace desearte cada vez más. Anhelo tu presencia, anhelo tu bendición, anhelo tu poder, anhelo tu amor. Si, Señor, anhelo verte cada día: Muéstrame tu gloria. Amén.

febrero

De mañana

"Hazme oír por la mañana tu misericordia, porque en ti he confiado." (Salmo 143:8)

Cada soldado al escuchar en la mañana el sonido de la diana, se despierta, se pone en alerta, prepara todas sus cosas y se presenta delante de su superior para esperar las instrucciones.

De alguna manera cada creyente es como un soldado que al amanecer se prepara para nuevas batallas y debe escuchar las instrucciones de quien lo puede guiar para alcanzar las victorias prometidas.

El Señor conoce la estrategia, Él tiene el poder para vencer porque Él ya venció por nosotros y sabe lo que más te conviene en este día específicamente.

Por eso sin duda la mejor estrategia del creyente es la de prepararse en la mañana, esperar las instrucciones del Señor y luego lanzarse a un nuevo día lleno de la presencia y el respaldo de quien lo envió.

En este día Dios ha hecho sonar su alarma. Esta mañana los pájaros cantaron, los cielos se abrieron de nuevo para traer un rocío especial sobre la tierra. La naturaleza se alineó para saludar a su Hacedor y todo está preparado para convertirlo en un día especial.

Dios solo espera que te presentes delante de Él para darte la bendición divina y enviarte bajo su protección mientras contempla con agrado cómo vas ganando cada batalla en este día que hizo para ti.

Oración:

Señor Jesús, tú eres Hacedor de maravillas. Cada mañana cuando abro mis ojos descubro lo grandioso de tu creación y recibo tu misericordia renovada. Tengo delante de mí un día para disfrutar y lo recibo como un regalo maravilloso de tu gracia, y al conocer tus maravillas me gozaré sabiendo que todo lo has hecho para mi deleite. Amén.

Más denuedo

*"..........concede a tus siervos que con todo denuedo
hablen tu palabra, mientras extiendes tu mano
para que se hagan sanidades y señales y prodigios
mediante el nombre de tu santo Hijo Jesús"
(Hechos 4:27b-28)*

El verdadero creyente levanta un clamor diario a los cielos para ser más lleno de la presencia divina y poder testificar con cada acto de su vida. El creyente que confía en Dios no pide cuevas para ocultarse o refugios donde esconderse mientras pasan las dificultades, o una montaña a solas para morar mientras el mundo se destruye.

De ninguna manera.

El creyente se levanta cada día pidiendo nuevas oportunidades para servir, nuevas personas a las cuales compartirles el evangelio de la gracia divina, nuevos lugares para conquistar en nombre del Dios Altísimo.

En este día, El Señor te invita a vivir en esa nueva dimensión del amor divino.

El amor que te motiva a vivir en la plenitud de nuevas aventuras con Dios.

El amor que va más allá de cualquier barrera humana y sobrepasa el entendimiento de los sabios, pero llega a lo más profundo de los corazones abatidos y necesitados.

Pídele hoy al Señor de la misma manera que pedían los discípulos. Más denuedo, más valentía, más voluntad. Más de su presencia, porque entonces no habrá nada ni nadie que te detenga y mientras tú obras a favor de aquellos necesitados, Él levanta su mano de poder y llena de gloria el lugar en donde estás, con sanidades, señales y prodigios que le muestran al mundo el poder de nuestro Dios victorioso.

Oración:

Señor Jesús, mi oración a ti en este día es por más denuedo y valentía para compartir el mensaje de salvación y hacer tu voluntad. Sé que el Espíritu Santo que mora dentro de mí es el motor que me impulsa a diario a vivir experimentando la pasión y el amor por mi prójimo, por lo tanto, hoy me levantaré, con tu ayuda, para hacer la obra para la cual he sido creado/a maravillosamente por tu mano. Amén.

Fuego del cielo

"Entonces cayó fuego de Jehová y consumió el holocausto, la leña, las piedras y el polvo y aun lamió el agua que estaba en la zanja. Viéndolo todo el pueblo, se postraron y dijeron: ¡Jehová es el Dios, Jehová es el Dios! (1 Reyes 18:38-39)

¿Qué harás en este día para testificar de la grandeza de tu Dios?

¿Qué palabras saldrán de tu boca y qué pensamientos que lleguen a tu mente se convertirán en una obra de agradecimiento y honor al Señor que está contigo?

Cuando Elías pidió a Dios que consumiera con su fuego todo lo que él había dispuesto para el sacrificio, lo hizo pensando en que el nombre del Dios Altísimo fuera exaltado por todo el pueblo. Y así sucedió. Todos terminaron clamando y reconociendo que el Dios de Elías era el verdadero.

Por eso la pregunta para ti hoy es: ¿Será glorificado Dios con tus actos, pensamientos y palabras en este día?

¿Vendrán los demás afirmando que tu Dios es el real porque han sido testigos de tu vida transformada y ahora eres un testimonio permanente del poder de Dios?

Hoy El Señor te invita a reflexionar en cada acto de tu vida y a buscar que este día en particular se convierta en una gran oportunidad para que el nombre del Señor glorioso sea de nuevo reconocido, honrado y enaltecido en tu vida acorde con su voluntad y soberanía sobre este mundo.

Entonces el fuego de Dios se hará evidente y tú reflejarás en tu rostro, el fulgor de quienes saben que con su vida glorifican abundantemente al Creador de este universo, El Eterno, el Dios Altísimo, el Alfa y la Omega, el principio y el fin de todas las cosas.

Oración:

Señor, hazme en este día un instrumento eficaz en tus manos para glorificarte en cada acto de mi vida. Hoy quiero pedir como Elías, que caiga fuego del cielo para respaldar a tu siervo/a y que los demás puedan ver que adoro al Verdadero Dios, Aquel que tiene el poder para enviar fuego desde los cielos, Aquel que respalda a sus hijos en cada batalla que pelean a diario. Amén.

Mis ovejas

"Mis ovejas oyen mi voz, y yo las conozco y me siguen" (Juan 10:27)

Ser una oveja del redil del Señor no es solamente pertenecer a un grupo de redimidos que caminan bajo el amparo de Dios. Las ovejas de este redil se han familiarizado tanto con su Pastor, que escuchan su voz cuando les habla y le siguen. Por lo tanto, siempre hacen su voluntad y Él las cuida, las protege del lobo feroz que anda merodeando alrededor para cazar a la que se quede a la deriva.

Qué privilegio más grande poder estar bajo el cuidado de un Pastor que nos defiende, nos alimenta, nos guarda en todo momento.

Por eso el creyente cada día se levanta con la seguridad de no estar solo.

Sabe que se enfrenta a un mundo rudo, desafiante y peligroso, pero siempre tiene a su lado quien lo lleva de su mano, le habla para dirigirlo y le promete seguridad y cuidado permanente.

Hoy puedes enfrentarte al mundo con tranquilidad.

Este día estás en las manos de tu amoroso Pastor quien conoce cada detalle de tu vida y sabe por dónde debes andar.

Levántate con nuevo ánimo. Emprende nuevas aventuras. Desafíate a ti mismo a lograr grandes cosas. Llénate de valor para hacer lo que hace tiempo tenías que hacer y lo estabas postergando, porque en cada segundo de este día maravilloso, tu Dios te acompaña, te respalda y te da nuevas fuerzas...... "y yo les doy vida eterna; y no perecerán jamás, ni nadie las arrebatará de mi mano".

Oración:

Ser oveja de tu redil es el mayor privilegio que pueda tener como ser humano. Hoy quiero agradecerte por hacerme parte de este rebaño que camina siempre contigo, a quienes tú cuidas y que saben reconocer tu voz. Hoy quiero vivir bajo tu cuidado, bajo tu amparo, bajo tu vara y tu cayado, bajo tu dirección. Sé que contigo estoy en el lugar más seguro y soy oveja de tu propiedad. Amén.

Escrito está

"..........escrito está: Al Señor tu Dios adorarás y a
Él solo servirás" (Mateo 4:10b)

Miles de años atrás se promulgó una palabra en el Monte Sinaí que sigue trayendo su eco y que lo hará por la eternidad: "no tendrás dioses ajenos delante de mi" (Éxodo 20:3).

Esa palabra se pronunció sobre un pueblo que tendía a la idolatría y que desviaba su llamado de adorar al Único Dios verdadero.

En este día, el eco de esa voz es aún más fuerte. Esa voz retumba en cada rincón de este planeta en una convocatoria constante que la naturaleza obedece y los cielos anuncian, y los ángeles reverencian.

El enemigo tentó a Jesús para que se postrara delante de él y le adorara, pero la palabra escrita fue el respaldo del Señor para callar esa voz mentirosa que lo envolvía en sus deseos malignos.

Por eso cada día es una nueva oportunidad para callar la voz del engañador de este mundo que nos invita a desviar la verdadera adoración.

Cuando adoras a Dios, estás repitiendo las palabras de Jesús ante el enemigo: "Escrito está: Al Señor tu Dios adorarás."

Este es un día para alabar a Dios y solo a Él. Un día en que los hijos de Dios levantamos nuestros cánticos y nos unimos en un solo deseo de alabanza a quien debe ser glorificado.

Un día en que contemplaremos de nuevo la mano de un Dios poderoso que pide de sus hijos su devoción pero que reparte bendiciones abundantes a quienes a Él se acercan.

Espera tus bendiciones, adóralo a Él.

Oración:

Señor Jesús: mi vida es para adorarte. Hoy me uno a los ángeles del cielo que adoran sin cesar al que está sentado en el trono de gloria. Se también que un día estaremos personas de toda lengua, raza y nación adorando al Cordero inmolado que ha llegado al escenario de los cielos victorioso, sobre la muerte y sobre el enemigo, y lo haremos usando vestiduras blancas que simbolizan la pureza que tendremos por causa de tu sacrificio en la cruz del calvario. Amén.

Ay de mí si no anunciare el evangelio

*"....porque me es impuesta necesidad; y ¡ay de mí si
no anunciare el evangelio!"*
(1 Corintios 9:16b)

Con toda seguridad que en nuestros tiempos los cristianos gozamos de más comodidades, de mayor educación, de medios de transporte, de tecnología avanzada, de grandes ventajas para comunicar el mensaje de salvación.

Pero la pregunta que debemos hacernos es: ¿Tenemos ese mismo espíritu de urgencia, esa convicción profunda que impulsaba a Pablo y a los discípulos de aquellos tiempos, para buscar la salvación de los perdidos?

¿Sentimos esa misma pasión de amor personal con relación a nuestro Señor y a la obra que nos encomendó a todos los creyentes?

Tal vez nuestra vida cristiana de hoy no está respondiendo adecuadamente a los desafíos que este mundo nos presenta.

Sin embargo, El Señor quiere despertar estos espíritus adormecidos y cómodos que se contentan únicamente con su propia salvación y que saben que el mismo sentido de urgencia que tenían aquellos discípulos debe caracterizar a los discípulos de todos los tiempos.

Hoy El Señor habla directamente a tu condición espiritual. ¿Eres salvo? ¿Has sido perdonado de tus pecados? Si es así, gloria a Dios.

Lo que recibiste de gracia ahora lo debes transmitir de la misma manera.

Es día de ponernos en la brecha. Es otro día para emprender nuevos desafíos en esta batalla espiritual. Es un día para que compartas, para que comuniques las verdades del evangelio que es poder de Dios para salvación.

Contágiate hoy de ese sentido de urgencia apostólico y Dios te usará como un instrumento eficaz para comunicar la salvación a quienes Él mismo te ponga por delante.

¡No vas solo, Dios va contigo!

Oración:

Amado Dios, sé que en este día tengo un desafío por delante. Sé que mi boca debe ser usada para compartir el mensaje de salvación y es eso lo que quiero hacer. Quiero ser como tus primeros discípulos, que a donde iban siempre llevaban el mensaje en sus labios y eran grandemente usados bajo el poder del Espíritu Santo. Tú estás conmigo, hoy anunciaré tus maravillas. Amén.

Un día de ganancia

*"porque para mí el vivir es Cristo y el morir es
ganancia" (Filipenses 1: 21)*

Tienes delante de ti un nuevo día para vivir. Pero ¿Cómo lo
enfrentarás? ¿Cuál es la expectativa que tienes para hoy? ¿Tienes
sueños que se están cumpliendo? ¿Tienes metas que estás alcanzando?

Es posible que la vida de un hombre transformado por el poder de
Dios te pueda servir como guía para enfrentarte hoy a lo que vendrá.

Pablo sufrió persecuciones, naufragios, azotes y encarcelamientos,
pero siempre tuvo una mira en su vida: agradar a Cristo.

En medio de sus luchas diarias podía observar más allá y regocijarse
en El Señor.

¿Por qué este gozo que tengo, este amor, estas prisiones, este
clamor, esta confianza?

¡Porque para mí el vivir es Cristo!

Ahora que estoy preso, ahora que estoy en la peor situación, ahora
también será magnificado Cristo en mí. Porque aunque la perspectiva
sea difícil, tengo una esperanza. Porque en mi debilidad, mi Señor
se hace fuerte. Porque en mis luchas diarias tengo de lado a Aquel
que nunca ha perdido una batalla. Porque aunque no tenga nadie
alrededor, al final del día sabré que nunca he estado solo.

Por eso sé que nada podrá separarme del amor de Dios que es en
Cristo mi Señor.

Es posible vivir en Cristo. Es posible disfrutar la alegría en Cristo.

Que el descanso sea en Cristo, que el dolor sea en Cristo, que cada
momento de este día, puedas reconocer la grandeza de Aquel que ha
venido a morar en tu interior y que al final de esta jornada, cuando
necesites reposar de tus labores, puedas entender que has vivido un
día de ganancia porque El Señor ha dirigido tus pasos.

Oración:

Mi amado Salvador: hoy me recuerdas que el mayor motivo de mi existencia es vivir para ti, es agradarte a ti, es anunciar con libertad que ahora tú estás en mí y yo en ti. Quiero contarle al mundo estas verdades que han transformado mi alma. Quiero disfrutar de tu presencia y a medida que avance este día, sabré que tú me guías por sendas de justicia por amor a tu nombre. Tú eres quien cuida cada paso de mi vida. Amén.

"Levántate y resplandece"

"Levántate y resplandece; porque ha venido tu luz,
y la gloria de Jehová ha nacido sobre ti"(Isaías 60: 1)

Quizás no existe en este mundo un contraste más grande que el que forman la oscuridad y la luz.

Cuando la luz ilumina un lugar que ha estado oscuro, todas las cosas se pueden percibir diferentes porque son expuestas y ya no están más en las tinieblas.

Nuestro mundo de hoy es un mundo de oscuridad, tinieblas, engaño y mentira.

Sin embargo, a pocas personas les gusta estar en tinieblas. Aman la luz pero no saben cómo llegar a ella. Contrastan sus vidas y saben que son incompletas pero son incapaces de moverse hacia donde la luz del Señor puede alumbrarlos y transformar sus vidas.

Pero ¿Qué ha declarado Jesús sobre la vida de cada creyente?

Él lo dijo hace más de dos mil años y lo repite cada día a quienes le escuchan: "Ustedes son la luz del mundo".

Y esa luz no se esconde, por el contrario, has sido diseñado para iluminar, para cambiar los lugares oscuros, para traer vida en los ambientes de muerte, para reflejar la luz que Cristo te ha regalado.

Con esa Palabra de Dios sobre tu vida, debes entonces prepararte para alumbrar.

¡Levántate y resplandece; porque ha venido tu luz!

Hoy puedes ayudar a cambiar la vida de alguien.

Hoy puedes contribuir a transformar este mundo con una palabra de aliento, de esperanza y de amor divino.

Hoy puedes hacer que este mundo sea un poco mejor porque El Señor te va a usar como un instrumento en sus benditas manos, para que termine la oscuridad y brille una nueva luz a donde vayas hoy.

Quiero proponerte algo en este día. Piensa en alguna persona que está en oscuridad. Piensa en alguien que necesita de Cristo Jesús. Ora primero y luego ve. Dale lo que tú ya tienes, bríndale el amor que Dios ha colocado sobre ti. Aliéntalo con una palabra diferente. Tráele luz para que su vida sea diferente hoy. Si todos los días hiciéramos lo mismo, este mundo sería diferente y cada uno de nosotros cumpliríamos cabalmente con los propósitos divinos.

Sí, en este día: levántate y resplandece porque Dios está contigo, ¿Acaso necesitas más luz?

Oración:

Dios mío, tu Palabra me impulsa para no quedarme quieto/a sin hacer tu voluntad. Hoy quiero levantarme para alumbrar y resplandecer en este mundo de tanta oscuridad. Reconozco que hay muchos que están perdidos, sin rumbo, no saben a dónde ir y sus vidas carecen de propósitos eternos. Por eso quiero en este día que tú me dirijas a las personas apropiadas para compartirles estas verdades transformadoras. Tú has dicho que yo soy luz en este mundo y la luz tiene que resplandecer. Eso es lo que quiero hacer en este día. Amén.

Háblame Señor

"Entonces Samuel dijo: Habla, porque tu siervo oye" (1 Samuel 3:10b)

No saber reconocer la voz de Dios es una de las quejas más frecuentes que tenemos.

Queremos hacer la voluntad de Dios, anhelamos tener una relación más estrecha con nuestro Creador, pero... ¡cuánto nos cuesta entender cómo Él nos habla, cuándo lo hace, y, sobre todo, qué nos dice!

En ocasiones el silencio de nuestro Señor es mayor que nuestra paciencia, y a veces sus respuestas nos parecen extrañas o sin sentido.

Entonces nos surgen más inquietudes: ¿cómo saber que Dios me está hablando? ¿Cómo no escuchar la multitud de voces que se confunden con la suya —incluso con la mía — que procuran llevarme hacia otros destinos?

Dios siempre habla y los que estén más cerca de Él serán los que mejor lo escuchen.

El Señor llama por nombre a sus ovejas y las saca del redil. Y cuando ha sacado fuera todas las propias, va delante de ellas; y las ovejas lo siguen porque conocen su voz.

« ¡Habla, que tu siervo escucha!», es una respuesta directa al trono de Aquel que sabe cómo hablarnos.

Es la necesidad del alma del creyente que necesita escuchar esa voz que le guía cada día.

Es el clamor de un pueblo cansado de escuchar otras voces que los desvían, los engañan y los perturban. Sí, Señor, háblanos hoy. Danos la seguridad de tu divina presencia, aliéntanos en este caminar porque nuestras fuerzas se agotan y podemos caer.

Háblanos y enséñanos el siguiente paso que debemos dar para que no nos apartemos del camino que tu deseas para nuestras vidas.

Háblanos con esa poderosa voz que creó los cielos y la tierra. Con esa voz que echó fuera demonios, sanó a los enfermos, abrió la vista a los ciegos y consoló a los afligidos.

Necesitamos escuchar tu voz: Habla Señor, tus siervos escuchamos hoy.

Oración:

Amado Señor: sé que tú me hablas en este día. Quiero ser obediente a tu llamado, caminar en tu voluntad, entender tu voz entre miles de voces que hoy escucharé. Sé que como una oveja de tu redil puedo escuchar tu voz y seguirte y también sé que al seguirte no habrá nada ni nadie que me pueda arrebatar de tu camino perfecto. Te agradezco por darme en este día una nueva oportunidad para vivir en obediencia a tu Palabra. Amén.

Dime con quién andas......

*"Bienaventurado el varón que no anduvo en consejo
de malos, ni estuvo en camino de pecadores, ni en
silla de escarnecedores se ha sentado" (Salmo 1:1)*

Cada día es en realidad un precioso tesoro para disfrutarlo y vivirlo de la mejor manera.

Es un regalo divino para acercarnos a nuestros sueños, para regocijarnos con el esplendor de la creación de Dios, para dar una palabra al necesitado, alentar al que sufre, consolar al que llora, alimentar al hambriento, calmar la sed del sediento y llenar nuestras alforjas de preciosas perlas divinas a través de la Palabra de Dios.

Sin embargo hay tantos seres humanos que pierden su tiempo con personas que no los edifican, ni les ayudan, sino más bien los conducen por caminos equivocados que destruyen sus vidas.

También hay otros que escuchan las voces equivocadas que los invitan a hacer el mal, a sumergirse en vicios, a murmurar y criticar a otros, a quejarse por todo lo que pasa alrededor.

Pero cuando hacen eso están pisoteando el regalo de cada día que Dios les ha obsequiado para hacer cosas provechosas y crecer como seres humanos.

¿Para qué seguir el camino de los insensatos?

¿Por qué obedecer a aquellos que nos destruyen?

¿Qué beneficio tendremos si seguimos los consejos de quienes desperdician su tiempo en cosas vacías y equivocadas?

En realidad este es un día para deleitarte en El Señor y esperar que te conceda las peticiones de tu corazón.

Un día de bendición, de nuevos frutos, de alegrías y nuevas esperanzas.

Un día que irás más seguro/a escuchando el consejo de los que aman a Dios, caminarás por los lugares de los bendecidos y te sentarás con los sabios y entendidos en las cosas del Reino.

Y entonces sobre ti, será pronunciada una palabra divina: El Señor dirá de ti hoy: Eres bienaventurado/a y serás como árbol plantado junto a corrientes de aguas, que da fruto en su tiempo, y su hoja no cae; y todo lo que hace, prosperará.

Oración:

Dios mío, quiero caminar contigo y escucharte hablar. Tú eres la fuente de la sabiduría de donde vienen mis propósitos, mi libertad frente al pecado y al temor, mis alegrías, mis bendiciones y mi gozo. En tu Palabra está mi delicia, en ella medito de día y de noche y es por eso que sé que contigo voy por el camino perfecto hacia la eternidad, aquella que solo podemos tomar quienes hemos recibido a Cristo en nuestro corazón. Este es un día que me acerca más a tu presencia eterna, tú eres mi lugar seguro. Amén.

Pedid y se os dará

"pídeme y te daré por herencia las naciones, y como posesión tuya los confines de la tierra" (Salmo 2:8)

Sin duda que existe una clave para acceder al trono de la gracia y hallar la respuesta deseada.

El Señor lo dijo y esto nos asegura tener contestación desde los cielos.

Esa clave que abre las puertas de los cielos para nosotros, es pedir de acuerdo a la voluntad divina.

No hay límites a lo que tú puedes pedir y recibir si lo haces de acuerdo a los deseos de Dios.

Todo se origina en los cielos y se realiza en la tierra.

Por eso cuando tienes una necesidad, una tristeza o tu corazón se aflige por el dolor o la soledad, no buscas alrededor por tu respuesta, sino que elevas tu mirada hacia los cielos y sabes que hay alguien que te escucha y que desea darte lo mejor porque te ama.

Pide hoy. Hazlo con confianza.

Hay ríos de agua viva que fluyen en el interior de los creyentes, hay torrentes de bendición listos para ser entregados.

Las manos del Señor están prestas para poner en las tuyas inmensos tesoros que deben ser usados. Confía en Aquel que todo lo tiene pero desea dártelo.

Cree, pide, confía, descansa hoy en las manos dadivosas del Creador de todo el universo.

Al respirar el aire puro del nuevo día, piensa que es un regalo divino y entonces llénate de seguridad para enfrentar este día.

Pide y recibirás herencia celestial. Serás poseedor del favor de Dios.

No hay límites para los que piden de acuerdo a la voluntad divina.

Bienaventurados todos los que en Él confían.

Oración:

Dios amado: es grandioso saber que podemos acercarnos con confianza hasta tu trono y elevar nuestras oraciones con confianza, sabiendo que si lo hacemos de acuerdo a tu voluntad, tú nos oyes. Te pido entonces, que a través del Espíritu Santo, en este día sea guiado/a a entender cómo deben ser mis oraciones para que lleguen a tu presencia. De una cosa estoy seguro/a que aunque no sé como pedir, el Espíritu intercede por mí con gemidos indecibles. Amén.

Vivir con pasión

"Venid en pos de mí, y os haré pescadores de hombres" Mateo 4:19.

Matthew Henry dijo lo siguiente: "Para mí sería mayor felicidad ganar un alma para Cristo, que granjear montañas de oro para mí mismo".

David Brainerd, padre de las misiones, escribió: "No me importaba dónde y cómo vivía o cuáles eran los sacrificios que tenía que afrontar con tal de ganar almas para Cristo. Esto era el objeto de mis sueños mientras dormía y el primero de mis pensamientos al despertar".

Dwight L Moody dijo: Si Jesús llevó la cruz y murió por mí, ¿no debería estar dispuesto a tomarla por Él y salvar vidas?

En este día habrá miles de hombres y mujeres que Dios usará para traer a alguien a los pies de Cristo. Caminarán sin importar cuánto tengan que hacerlo.

Orarán como si el mundo dependiera de ellos, pero confiarán en Dios como el que sabe que nada puede hacer sin la ayuda divina.

Ellos vivirán este día con pasión renovada, con ganas de servir, con fuerzas nuevas que reciben los que esperan en El Señor.

Ellos saben que un alma ganada para Cristo es un inmenso tesoro que también ayudará a cambiar muchas otras vidas.

Y tú, ¿cómo vivirás este día? ¿Lo harás con pasión por servir y compartir tu nueva vida en Cristo? ¿Te levantarás con ánimos renovados y deseos de salir a enfrentar este mundo difícil, pero sabiendo que el gran poder del Creador está contigo?

Sin duda cada día tiene sus propios desafíos. Pero puedes enfrentarlos de dos maneras: una forma es con incertidumbre, desaliento, preocupación y desánimo. Pero la otra es con pasión, con vigor y denuedo.

Con ese entusiasmo que manifiestan los que han encontrado el mayor tesoro y saben que sus vidas están llenas de riquezas divinas y nuevas fuerzas espirituales.

Vamos. Sí, vamos, anímate, este es un nuevo día para disfrutarlo, El Señor está contigo.

Oración:

Dios mío, hoy quiero pedirte que me presentes oportunidades para compartir el mensaje de salvación con alguien que aún no lo conozca. Quiero ser parte del crecimiento de tu reino. Quiero ser un testigo preparado para compartir el evangelio en medio de este mundo descreído y vacío. Úsame como un instrumento eficaz en tus manos, no hay mayor privilegio que ser usado por ti. Amén.

Sacia mi alma

"Porque sacia al alma menesterosa y llena de bien al alma hambrienta" (salmo 107:9)

Hay muchas personas hoy en día que, pudiendo vivir en la limpieza y en el orden, en la belleza y en la paz, en la luz de la palabra y sus bendiciones, prefieren vivir en medio de desperdicios y desechos morales y en la oscuridad que el mundo representa.

Vivir en borracheras, en drogas y delitos; andar ocultando con vergüenza una doble vida; practicar descaradamente toda suerte de aberración moral, adulterios, abandono de hijos, desfalcos monetarios y traición de confianzas, es vivir entre la basura.

Vivir en medio de chismes y discordias, de peleas, de insultos y maltratos, es vivir desperdiciando tus días.

Pero hoy El Señor quiere mostrarte una forma diferente de vida.

Cristo quiere librarte de toda basura moral.

Él quiere darte una vida limpia.

Él quiere que vivas en armonía y paz.

Quiere proporcionarte una completa y total libertad.

Aceptemos el hogar de Dios.

No vivamos más en los basureros de este mundo. Sólo en Cristo hay verdadera pureza.

El sacia el alma necesitada que le busca sin doble cara, sin doble moral, sino con sinceridad y fidelidad.

El desea en este día saciar tus anhelos de vivir en plenitud, de disfrutar del gozo de los redimidos, de saludar cada día en paz y en armonía.

¡Sonríele hoy a la vida! Eres bienaventurado.

¿Quién como tú, pueblo rescatado por el Señor? Él es tu escudo y tu ayuda; él es tu espada victoriosa. Tus enemigos se doblegarán ante ti; y tú hollarás sobre sus alturas. (Deuteronomio 33:29)

Oración:

Gracias Dios amado, por regalarme este día para disfrutarlo a plenitud. Es un obsequio maravilloso de tu gracia, y lo recibo con la alegría que tiene un niño cuando destapa ansioso cada regalo que le dan.

Señor, tú no cesas de bendecirnos, de derramar la abundancia de tu gracia sobre nosotros, de librarnos de temores y de hacer que nuestra vida tenga un especial significado cada día. Por eso hoy quiero vivirlo en armonía y plenitud contigo. Quiero mostrarle al mundo que sí es posible ser feliz cuando caminamos con Aquel que creó los cielos y la tierra, y nos regala cada día lleno de misericordias nuevas. Amén.

No temas

"No temas, porque yo estoy contigo; no desmayes, porque yo soy tu Dios que te esfuerzo; siempre te ayudaré, siempre te sustentaré con la diestra de mi justicia" (Isaías 41: 10)

¿Cómo sería un día sin temor alguno?

Si tu vida no estuviera tan llena de temores, ¿qué harías en un día cualquiera?

Quizás te lanzarías en un paracaídas y disfrutarías del viento fuerte soplando sobre tu rostro, o bucearías en las profundidades de los océanos, conociendo las maravillosas criaturas que Dios hizo y que permanecen en los lugares más recónditos.

Tal vez le declararías tu amor a esa persona a la que no te has atrevido a hacerlo por temor al rechazo. Caminarías por parajes solitarios, compartirías tu fe, enfrentarías este día con tranquilidad, no habría gigante que se te opusiera, no habría fieras que te asustaran, ni lugares oscuros que te aterrorizaran. Tus palabras serían confianza, fe, tranquilidad, paz, sosiego, seguridad, libertad y serenidad.

¿Te das cuenta de lo que te estás perdiendo por temor?

Dios le dio a Abram una orden. Le dijo algo parecido a esto: "Prepara tu equipaje, dile adiós a todas las personas que conoces y a todo lo que te hace sentir cómodo y ve al lugar que te mostraré".

Si Abram hubiera doblado sus rodillas al temor, el resto de la historia nunca se hubiese convertido en pasado. Él nunca hubiese experimentado a Dios como su escudo y gran galardón.

Abram nunca hubiera recibido su gran recompensa.

Por eso El Señor te invita a disfrutar de la seguridad en Él.

Quizás no hay una frase más repetida en la Biblia para los creyentes que esta: No temas.

¿Por qué la repetiría tanto El Señor?

Porque Él sabe que cuando ponemos nuestra confianza en Él, tenemos escudo, defensa, ayuda permanente y nunca estamos solos.

Sí, vive este día sin temor. Atrévete hoy. Camina en la seguridad de tu Salvador. Respira Su aire, camina en Su mundo, disfruta lo que Él ha hecho para ti.

Aligera tu paso dejando atrás los temores, porque Él está contigo, nunca te dejará, siempre te sustentará con la diestra de Su justicia.

Oración:

Este es el día que ha hecho El Señor para disfrutarlo y vivir sin temor. Quiero experimentar tu seguridad, tu cuidado y tu reposo. Sé que has hecho este día para que lo viva en la tranquilidad que me da tu compañía. Sé que anhelas lo mejor para mí y que harás todo lo que sea necesario para librarme de todos mis temores. Por eso este día lo viviré en la paz que viniste a regalarme, en la plenitud y armonía que has puesto en mi interior y me gozaré al saber todo lo que hoy recibo de parte tuya. Amén.

Sé una luz en este día

*"así alumbre vuestra luz delante de los hombres,
para que vean vuestras buenas obras, y glorifiquen a
vuestro Padre que está en los cielos" (Mateo 5: 16)*

No hay duda de que el mundo de hoy en día tiene mucho de oscuridad.

No podemos negar que el pecado ha llenado de tinieblas la perfecta creación divina.

Si abres un periódico esta mañana, encontrarás tantas muestras de decadencia moral y de sufrimiento por causa del pecado, que puedes llegar a deprimirte y pensar que este mundo no tiene esperanza.

Por causa de la oscuridad de este mundo, vino Jesús para traer luz, para iluminar lo que estaba en tinieblas. Por eso con Cristo recibimos también el reflejo de la luz divina.

Tú puedes optar hoy por usar ese reflejo para iluminar el camino de otros, porque El Señor ha declarado sobre ti que eres una luz para el mundo.

Pero ¿cómo podemos poner este versículo en práctica?

Nuestra luz debe brillar, pero ¿cómo hacemos que nuestra luz brille mejor?

Dios pondrá delante de ti hoy, nuevas oportunidades para alumbrar.

¿Las aprovecharás? ¿Cumplirás en este día con ese deseo de Dios para este mundo?

Cuando tú obras con generosidad, con amor, con actitudes honestas sin esperar nada a cambio, haciendo el bien por los demás, expresando palabras de edificación, sirviendo a quien lo necesita y regalando de gracia lo que has recibido, no solo eres un instrumento en las manos de un Dios maravilloso, sino además brillas en medio de tanta oscuridad.

Al empezar este nuevo día, proponte servir más que antes. Desafíate a ayudar a alguien en necesidad, extiende tu mano para aliviar el cansancio de quien esté agobiado, expresa palabras que levanten al que está atribulado, comparte con alguien más las maravillas que ya Dios puso en tu interior.

Si todos los seres humanos hiciéramos algo así cada día, entonces la oscuridad sería insostenible.

Una intensa luz brillaría en cada rincón de este mundo, porque cada hijo de Dios alumbraría todo lo que tuviera a su alrededor.

Sí, este es un día para cumplir con esa Palabra de Jesús. Al fin y al cabo, la noche no es eterna, se acerca un nuevo día, es hora de alumbrar.

Oración:

Este es un día para brillar con la luz que Cristo ha traído desde los cielos y ha colocado en mi interior. Al levantarme hoy sabré que Dios quiere usarme para traer luz en medio de tanta oscuridad, y Él mismo ha irradiado de su propia luz en mi interior. Así debo de alumbrar para que también otros sean alcanzados por el poder extraordinario de la luz de Cristo. Este es un día para levantarme y resplandecer, así quiero vivirlo. Amén.

"Esperando en Él"

"Oh Jehová, de mañana oirás mi voz; de mañana me presentaré delante de ti y esperaré" (Salmo 5:3)

Nuestro mundo está lleno de impaciencia. Es posible que esta mañana tengas tu pensamiento en las miles de cosas que tienes que hacer.

Los compromisos, los horarios de trabajo, la congestión del tráfico, la agenda llena de cosas por realizar. Y sin duda deseas tener muchos logros y cumplir con las metas propuestas.

Esta es la vida del común de las personas.

Sin embargo, el afán de cada jornada nos puede convertir en autómatas que caminan tras el éxito, pero se olvidan de Aquel que puede respaldar cada paso de sus vidas.

Dios prepara cosas maravillosas para los que están ocupados con Él. Él hace esto para aquellos que saben esperar, porque confían en sus promesas.

Esperar en Él significa que he ordenado el centro de mando de mi vida y que nada estará en desacuerdo con la voluntad de Dios cuando Él habla o dirige.

¿Quién gobernará tu vida en este día? ¿Quién te dará fuerzas nuevas y oportunidades para llegar a donde querías llegar?

Solo Dios lo puede hacer. Solo El Señor puede aligerar tus pasos, abrir caminos que parecían obstruidos, llevarte a los lugares indicados y presentarte a las personas correctas.

Por eso en este día, organiza tus prioridades. Preséntate primero delante de Él y espera. Aprende pacientemente a confiar en El Dios que ordena el universo y no cesa de crear cosas nuevas para sus hijos.

Llénate primero de la presencia del Señor y luego ve y enfrenta al mundo, pero vestido con la armadura del cristiano, preparado para la batalla, dispuesto a enfrentar cualquier gigante que se quiera interponer.

Descubrirás entonces que "ni es de los ligeros la carrera, ni la guerra de los fuertes, ni aun de los sabios el pan, ni de los prudentes las riquezas, ni de los elocuentes el favor; sino que tiempo y ocasión acontecen a todos" (Eclesiastés 9:11).

¿Estás muy afanado/a en este día? Ve primero donde El Eterno, el que ha creado los tiempos, y tendrás un día en el que todas las cosas fluirán porque has sabido esperar en Aquel que dirige tu vida de la mejor manera.

Oración:

Esperar en ti es la mejor alternativa que tengo en este día. En este mundo de incertidumbres, de afanes, de movimiento continuo, tú me enseñas a reposar tranquilamente, mientras espero tu respuesta para realizar las cosas que debo enfrentar hoy de la mejor manera. No quiero mover ni un paso si aún no tengo tu respuesta, pero cuando ella venga, entonces me lanzaré a la aventura de vivir un día en la voluntad divina y de avanzar en el camino que conduce al Reino celestial. Amén.

Escúchalo a Él

*"si oyereis hoy su voz, no endurezcáis vuestros
corazones como en la provocación" (Hebreos 3:15)*

¿Has escuchado hoy la voz de Dios? ¿Te ha dicho algo tu Creador al empezar este día?

Con seguridad Él te ha hablado, pero quizás no has reconocido su voz en medio de las tareas que estás realizando.

¿Qué clase de palabras crees que Dios le dirigiría hoy a un hijo suyo?

Sin duda serían palabras de aliento para que reconozcas la fuente de tu fortaleza; de motivación para hacer todo con alegría y esfuerzo; de seguridad para que sepas que no estás solo; de ternura para que puedas entender que eres importante para Él; de esperanza para que no te desanimes en el camino; de respaldo para que puedas reconocer que siempre tienes a alguien que mira todo lo que haces; de serenidad para que aprendas a mirarlo todo con asombro y agradecimiento; de regocijo para que sepas que Él comparte tus logros, tus alegrías y éxitos; de consuelo para que experimentes Su presencia en momentos de soledad; y especialmente, Él te diría palabras de amor como solo un Padre puede darle a su más preciado tesoro, por quien está dispuesto a dar la vida.

Sí. Sin duda Dios te ha hablado hoy y te ha dicho todas esas palabras.

Él ha hablado y todo el universo se dispone a obedecerlo, pero ¿qué de ti?

¿Estás listo/a para obedecer la voz del Señor que se levanta esta mañana sobre todo lo creado y pronuncia una bendición eterna sobre sus hijos?

¿Estás listo/a para compartir todas tus cosas con Aquel que te invita a escuchar su voz esta mañana?

Si oyes su voz, no la ignores, no tapes tus oídos, porque no es cualquier voz.

Es la de Aquel que todo lo creó, que tiene el poder para darte el mejor de los días, para cambiar tu lamento en baile, para llenar de nuevo tu cántaro de alegría y de nuevas fuerzas.

Sí, Él es el Dios Altísimo y Soberano de este mundo y toda la creación le obedece cada día.

¿Lo harás tú hoy?

Oración:

Dios amado, mi más grande deseo de este día es ser obediente a tu voz. Es maravilloso poder escucharte desde el momento mismo en que abro mis ojos cada mañana. Descubrir que tengo un día por delante que es un regalo de tu gracia, me llena de regocijo y me alienta para empezar con la mejor disposición de obediencia, reconocimiento y humildad. Este es el día que tú hiciste para que yo me regocije en él. Así quiero vivirlo con el gozo que se tiene al saber que tú estarás conmigo en todo momento de este hermoso regalo de bendición divina. Amén.

Descansando en la paz de Dios

*"En paz me acostaré y así mismo dormiré porque
solo tú Señor me haces vivir confiado" (Salmo 4:8)*

El Señor le dijo a Josué que meditara de día y de noche en el libro de la ley, guardando todas las cosas mandadas en él y haciendo todo de acuerdo a lo que estaba escrito, y entonces tendría un camino de prosperidad y todo le saldría bien. (Josué 1:8)

Pero este tipo de prosperidad no es la que el mundo vende hoy en día, u otro tipo de evangelio que solo hace énfasis en propiedades y bienes materiales.

La palabra prosperidad en el hebreo significa: "alcanzar el propósito para el cual fuimos creados".

En Jerusalén, los judíos se saludan diciéndose: Boker tov, que significa buenos días. Erev tov significa buenas tardes o layla tov que significa buenas noches.

La palabra tov del hebreo significa bueno o "alcanzar el propósito por el cual fuiste creado".

Así que cuando un judío te saluda a cualquier hora del día, lo que quiere en realidad decirte es que en todo momento, a cualquier tiempo, los propósitos de Dios se cumplan en ti.

Y por eso después de vivir todo un día de relación con Dios, su oración al acostarse es: en paz me acostaré y así mismo dormiré porque solo tú Señor me haces vivir confiado.

Un judío reconoce que Dios está siempre obrando en su vida, en todo momento, al levantarse, en el transcurso del día, al atardecer y al anochecer y por eso su deseo para los demás es el mismo.

Así que la verdadera prosperidad es vivir a la luz de la presencia de Dios, cumpliendo sus propósitos y llenando nuestra vida de la voluntad divina, siempre agradable y perfecta.

Es amar como Él te dice que ames, es vivir como Él te dice que vivas, es obedecer cuando Él te habla, es servir a tu Señor sin resistencia, es fomentar tu cercanía con el Dios que vive y reina para siempre. Cuando vives un día así, al final del mismo, cuando llega el momento del descanso, sabes que has cumplido con la voluntad de

Dios, y que la paz de Él te rodeará mientras duermes y te preparas para otro día de bendiciones.

Así que en este día, te deseo gran prosperidad. Pero aquella verdadera, la que te permitirá hoy "alcanzar el propósito para el cual fuiste creado/a".

Oración:

Señor Jesús, caminar en tu voluntad puede ser en ocasiones muy difícil, pero es necesario para lograr los propósitos en mi vida. Enséñame en este día el camino adecuado y transitaré por él con confianza y a buen resguardo. Quiero vivir al calor de tu presencia y en la noche cuando llegue el tiempo para reposar, sé que tú estarás conmigo y me regalarás un placentero descanso en tu regazo de amor. Amén.

La familia de Jesús

"Porque todo aquel que hace la voluntad de mi Padre que está en los cielos, ese es mi hermano y hermana y madre." (Mateo 12:50)

La familia se define como una comunidad de amor y de solidaridad en la que se resaltan los vínculos de consanguinidad o de afinidad.

Es decir, personas unidas por lazos en los que debería siempre primar la colaboración mutua, el entendimiento, la comprensión, la ayuda y por supuesto por encima de todo esto, el amor de unos con otros.

Pero los familiares de Jesús no se definen por consanguinidad, ni por raza, pueblo, nación, lengua, color o sexo. No. Los familiares de Jesús se definen por una sola condición: Los que hacen la voluntad del Padre.

Esos son los verdaderos familiares del Señor. Los que se han unido a la familia real de Dios que se identifica por su obediencia incondicional, por el amor entre unos y otros sin envidias, ni celos, ni contiendas, ni engaños.

Son los que abren su corazón a diario para decirle al Señor: Heme aquí. Estoy listo para hacer tu voluntad. Envíame donde me quieres enviar, dirígeme por tus sendas donde hay seguridad, aclárame los caminos por los cuales quieres que transite y lléname de tus fuerzas para cumplir con tus propósitos de gloria en este mundo.

El Señor quiere invitarte en este día a ser parte de la gran familia de los que caminan con Jesús.

Pero debes entender lo que esto significa: Vivir en humildad y no en soberbia. Amar en lugar de odiar. Obedecer en lugar de estar en rebeldía. Creer en lugar de dudar. Vivir en la libertad de la esclavitud del pecado. Atreverte a confiar en lo sobrenatural de Dios. Mostrar en este mundo un poder que no es tuyo sino que viene de los cielos. Misericordia en lugar de sacrificios. Ayuda en lugar de antipatía. Consuelo en lugar de quejas. Paciencia en lugar de desespero. Gozo en lugar de melancolía y derrota. Bondad en lugar de frialdad. Templanza en lugar de debilidad y paz en lugar de guerra.

¿Estás dispuesto/a a ser parte de esta familia en este día?

Puede ser muy desafiante. Cuesta sacrificar los deseos de la carne y andar en el Espíritu. Pero no estás solo/a en esta lucha, tienes toda una familia que te apoya y un hermano mayor que te da el respaldo de los cielos.

A ti también en este día, Jesús quiere llamarte hermano/a. ¿Estás dispuesto/a a hacer la voluntad del Padre?

Oración:

Dios de los cielos, hoy levanto mi mirada a ti para pedirte que seas mi sustento mientras intento cumplir con tu voluntad. Sé que tu estas allí para ayudarme, darme soporte cuando lo necesite, alejándome de las tentaciones que me invitan a seguir mi propio caminar, y acompañándome a través del Espíritu Santo para hacer de este día, un día especial en compañía de la familia de Jesús. Amén.

"En esto pensad"

*"por lo demás hermanos, todo lo que es verdadero,
todo lo honesto, todo lo justo, todo lo puro, todo lo
amable, todo lo que es de buen nombre; si hay virtud
alguna, si algo digno de alabanza, en esto pensad"*
(Filipenses 4: 8)

Lo que ocupa el pensamiento de cada ser humano, determina su acción.

Continuamente llegan a nuestra mente diferentes cosas, ideas creativas, imágenes novedosas, figuras que no pueden concebirse, sino en la mente.

Así mismo nuevos retos, aspiraciones, deseos de mejorar, planes para el futuro, sueños por cumplir. También llegan recuerdos, memorias que nos llevan a nuestro pasado para vivirlo de nuevo y por supuesto, también vienen a la mente diferentes tentaciones, malos pensamientos, malos deseos y cosas que no edifican ni construyen, sino que destruyen y causan mal en quien los tiene, llenándolo de rencor, deseos de venganza y malos propósitos.

Esos malos pensamientos son la estrategia más sutil que ha usado Satanás a lo largo de la historia para reducirnos a simples esclavos del pecado, y engañarnos para que no nos levantemos como verdaderos guerreros, hijos de un maravilloso Rey. Su campo de batalla es nuestra mente y si no disciplinamos nuestros pensamientos, seremos derrotados fácilmente.

Por eso Pablo nos alienta a "transformarnos por medio de la renovación de nuestro entendimiento y de esta manera podremos comprobar la buena voluntad de Dios agradable y perfecta para nuestra vida" (Romanos 12:2).

¿Podrías examinar tus pensamientos en este día? ¿Cuánto ocupas de tu tiempo para recordar cosas desagradables que aún te causan daño? ¿Cuánto tiempo empleas en aumentar rencores, en alimentar deseos de venganza, en nutrir esas tentaciones que te alejan de la voluntad divina o en fomentar malos pensamientos que no te ayudaran a crecer más como ser humano y como hijo de Dios?

¿Estás desperdiciando el precioso tesoro que tienes que se llama tiempo, dejando de lado lo que es verdadero, lo que es honesto, lo que es justo, puro y amable o digno de alabanza?

¿Qué tal si este día lo dedicaras a fomentar buenos pensamientos y cosas edificantes que te permitieran afrontar tu vida con mejores argumentos y deseos renovados de ver algo mejor para tu futuro?

Lo que hoy estés pensando puede llegar a ser tu futuro, así que empieza hoy a preparar algo mejor para los días por venir a través de una mente pura, llena de cosas gratas y productivas.

Dios quiere transformarte y tiene que empezar por tu mente. Vale la pena dejarte moldear por Él.

Si así lo crees, "en esto pensad".

Oración:

En este día Señor, quiero pedirte como lo hizo David: Examíname, oh Dios, y conoce mi corazón; pruébame y conoce mis pensamientos; y ve si hay en mí camino de perversidad, y guíame en el camino eterno (Salmo 139:23-24). Que mi corazón te pertenezca, que mis pensamientos me conecten siempre contigo y que mi camino me conduzca a tu presencia gloriosa. Amén.

Perseguidos por el bien

*"Ciertamente el bien y la misericordia me seguirán
todos los días de mi vida" (Salmo 23:6)*

¿Qué esperas de este día en particular? ¿Tienes ya una agenda llena de actividades por cumplir?

¿Cuáles son las expectativas que tienes al empezar esta nueva jornada? ¿En qué o en quién has puesto tu confianza?

En muchas ocasiones nuestra vida puede parecer como un intento desesperado por mantenernos a flote mientras todo alrededor se consume bajo una lluvia de desaliento, de luchas infructuosas, de fracasos o esfuerzos que no logran lo que necesitamos cumplir.

¿Te has sentido así alguna vez?

Puede ser que estés pasando uno de los momentos más duros de tu vida y la pura realidad es que no sabes ni qué hacer, pero hoy El Señor te dice en el hermoso salmo del buen pastor que no es necesario vivir de esta manera.

Que tu vida no es necesariamente una lucha sin cuartel a la cual debes sobrevivir a diario.

Por el contrario, El Señor te promete que el bien y la misericordia te siguen todos los días y que tu morada permanente es en la casa segura de tu Buen Pastor.

Por eso este no es un día de derrota, ni de desaliento, ni de desánimo. No.

Por el contrario este es un día de victoria en Cristo Jesús.

Así como su misericordia se renueva esta mañana para ti, también hay mucho bien siguiendo tu vida para llenar tus alforjas y prepararte para recibir esas bendiciones que han sido dispuestas para los que le aman.

Que Dios bendiga tu vida con nuevas realizaciones. Que rías llenando temprano tu espíritu de alegría. Envía una flor a alguien que amas, dale un beso a tus seres queridos, envía un mensaje de aliento a tus amigos, cómprale un detalle a quien te espera y llénalo de sorpresas gratas, escribe un poema, compón una canción, inspírate en la belleza de la naturaleza y ante todo levanta tu mirada al cielo y agradece, porque Dios ha puesto a tu disposición toneladas de bendiciones que te seguirán a lo largo de este día.

Oración:

En tu Palabra recibo la seguridad de tu amor, de tu misericordia y de tu anhelo de llenarme de bendiciones. Por eso, hoy Señor, quiero despojarme de temores, de angustias y sentimientos de fracasos, y entrar en la dimensión de tu presencia donde el bien y la misericordia me seguirán todo el tiempo. Recibo ese regalo maravilloso que viene de tus manos benditas y me alisto para vivir un día especial rodeado por tu gracia y tu amor incomparable. Amén.

En las alas del ángel

"El ángel de Jehová acampa alrededor de los que le temen y los defiende" (Salmo 34:7)

¿Tienes la necesidad en este día de sentirte protegido/a, custodiado/a, de que los peligros sean alejados, de que puedas moverte con seguridad a donde quiera que vayas?

Por supuesto que sí.

Cuando se hizo una encuesta para determinar las necesidades que un ser humano debe satisfacer, se halló que sin duda una de las importantes aparte de la comida, el vestido y el resguardo, es la de sentirse seguros.

Hay personas que se sienten atrapadas en cárceles de incapacidad.

Hay quienes creen que no son importantes para nadie.

Hay quienes no se atreven a salir a la esquina de su casa porque los temores los tienen apabullados. ¿Cuántas veces hemos escuchado quienes nos dicen: nadie se preocupa por mí, estoy luchando solo mis batallas, me siento abandonado/a?

A lo mejor tú mismo/a lo has repetido alguna vez.

Pero hoy El Señor tiene un mensaje para ti: nunca estás solo/a. El ángel del Señor está contigo.

Los guerreros del pueblo de Israel cuando salían a la batalla tenían conciencia de algo muy importante. No les importaba tanto si el ejército enemigo era muy grande, si estaba mejor equipado, o si tenía más armas de ataque. No, en realidad lo más importante para ellos era saber que Dios estaba con su pueblo.

Cuando salgas a tu batalla diaria, antes de cruzar la puerta de tu casa para salir a enfrentar todo lo que viene, ponte en las manos del Señor, no pienses que afuera hay enemigos que te quieren dañar, piensa que tienes contigo a un Dios poderoso que cuida cada uno de tus pasos.

Encomienda hoy tus caminos en sus manos poderosas y ten presente a lo largo del día que no estás solo/a, que Dios está contigo.

Eres propiedad divina, has sido comprado/a por precio. Tu tranquilidad parte de saber que estás todo el tiempo en la mente de

Dios. Que ya es Cristo quien vive en ti, y que Él mismo ha enviado hoy a sus ángeles para que te cuiden.

Envuelto/a en el amor divino, eres mantenido/a a salvo y estás seguro/a. Dios siempre está contigo como una presencia protectora y amorosa.

Escucha lo que El Señor te está repitiendo en este nuevo amanecer: Yo soy tu escudo, soy tu amparo y tu fortaleza.

Oración:

Hoy te agradezco porque a través de tus palabras me reafirmas que tienes cuidado de mí. Ya no puedo sentirme solo/a o abandonado/a. Aunque el mundo entero se aparte de mí. Aunque no sienta la compañía de alguna otra persona. Incluso, aunque me desprecien o me ignoren, tengo una certeza en mi corazón: ¡tú estás conmigo! y eso me da la seguridad para vivir este día bajo tu amparo y cuidado. Gracias Señor por mantenerme bajo tu protección constante. Amén.

Pureza de labios

*"el que quiere amar la vida y ver días buenos,
refrene su lengua de mal; y sus labios no hablen
engaño" (1 de Pedro 3:10)*

Durante el transcurso de este día, por tu boca saldrán miles de palabras.

Hoy podrás usar tu boca para levantar oraciones y alabar al Señor, para consolar al afligido, para respaldar a tus hijos en sus actividades, para edificar la vida de alguien, para compartir las verdades de la Palabra de Dios, para traer un mensaje de esperanza a quien está en depresión, para inundar de bendiciones los lugares que visites y las personas con quien hoy te encuentres en tu lugar de trabajo, caminando por las calles, en el salón de clase y por supuesto, también en tu hogar.

Pero también es posible que uses tu boca para maldecir, para quejarte por la economía, el clima, las enfermedades, la soledad, la tristeza o cualquier otra situación por la que atravieses.

Podrás así mismo con tus palabras traer murmuraciones, críticas y calumnias.

¿Te das cuenta del poder que tienes en la boca?

Poder para edificar o para destruir, para bendecir o para maldecir, para traer vida o para traer muerte, para levantar o para derribar.

¿Cómo usarás hoy este poder? ¿Si pudieras hoy contar las palabras que salen por tu boca, podrías afirmar sin temor a equivocarte que estás usando adecuadamente ese poder que Dios puso sobre ti? Jesús afirmó que lo que contamina al hombre no es lo que entra, sino lo que sale de su boca, porque a través de ella se manifiestan intenciones malsanas, blasfemias, falsos testimonios y malos pensamientos.

Muchos no son usados, o son usados sólo de manera muy limitada por Dios, porque de sus bocas salen dos cosas opuestas: lo dulce y lo amargo. Sus bocas pronuncian muchas palabras que no son de Dios, al mismo tiempo que pronuncian la Palabra de Dios.

Por eso en este día, El Señor te llama a usar tus labios con pureza.

Desafíate a ti mismo hoy a hablar solo palabras edificantes, sazonadas con la gracia del Señor, purificadas por tus buenos pensamientos, llenas de gozo y de amor hacia los demás.

No contribuyas a la contaminación del mundo, por el contrario, a través de tus labios, hoy puedes cambiar la vida de alguien, levantar a quien está en tristeza y ayudar a alguien que necesita escuchar palabras de vida que lo llenen de motivaciones nuevas.

Sí, usa tu boca este día de la mejor manera y estarás con ello alabando a Dios, pues al fin y al cabo la alabanza es el "fruto de labios que confiesan su nombre" (Hebreos 13:15).

Oración:

Amado Señor Jesucristo, mi anhelo para este día es usar bien mi boca para proclamar tus maravillas. Ayúdame a ser de bendición para otros a través de las palabras que pronuncio. Permíteme traer edificación y aliento al necesitado; consuelo al afligido; perdón a quien he ofendido; reconciliación a quien se ha alejado; expresiones de amor a los demás, y especialmente concédeme poder hablar palabras que exalten tu grandeza, poder y majestad. Amén.

La motivación de mi vida

*"nada hagáis por contienda o por vanagloria; antes
bien con humildad, estimando cada uno a los demás
como superiores a él mismo" (Filipenses 2:3)*

¿Cuál es el motor que impulsa tu vida todos los días?

Piensa por un momento. ¿Serán solo tus ambiciones personales? ¿Serán solo deseos de sobresalir o ansias de fama o de dinero? ¿Será únicamente un deseo de demostrarle a alguien que tú puedes lograr grandes cosas?

O tal vez tienes grandes sueños que forjaste desde mucho tiempo atrás y hoy en día te sirven como motivación diaria.

Lo que sea que motive tu vida, determinará en gran manera la forma como vives cada día.

Este mundo necesita personas determinadas a hacer lo mejor por los demás. Personas que no centran su vida en sí mismas, sino que tienen la capacidad de ofrecer una mano amiga, quitarse el abrigo para favorecer a alguien que tiene frío, compartir su propia cena con el hambriento, o entregar parte de su tiempo para ayudar al necesitado, socorrer a las viudas, visitar a los enfermos, orar por los desvalidos y escuchar al que necesita desesperadamente desahogarse de sus temores o tristezas.

De acuerdo con los estudios realizados acerca de lo que camina normalmente una persona cada día, se estima que son diez mil pasos los que da, y que en total puede llegar a caminar unos ciento ochenta y cinco mil kilómetros durante una vida entera, lo que equivale a dar más de cuatro vueltas alrededor de este gran planeta que habitamos.

Pero la pregunta para cada uno es: ¿Estás usando tus pasos con sabiduría? ¿Estás yendo por caminos adecuados en el cumplimiento de los propósitos divinos para tu vida?

Hoy El Señor nos invita a encontrar las verdaderas motivaciones para tener una vida realizada, llena de gozo y de paz. Él quiere que sigamos sus caminos y que el estímulo que tengamos sea el de servicio, entrega, ayuda, solidaridad, paciencia, fe y especialmente el mayor de ellos que es el amor.

No hagas nada guiado por deseos de venganza, por disputas o peleas.

Más bien usa tus pasos adecuadamente en este día. Camina decididamente guiado por la mano de Dios. Piensa en seguir el ejemplo de Jesús, quien no se aferró a su gloria, más se humilló y pensó en nosotros y por lo tanto, hoy podemos disfrutar del gozo de los redimidos, la paz que sobrepasa todo entendimiento y la seguridad de quien mora bajo la sombra del Omnipotente.

Fíjate bien hoy en cada paso que das. Dios está en cada uno de ellos.

Oración:

Te pido Señor, que en este día guíes mis pasos hacia lugares adecuados. Dame oportunidades para servir de la mejor manera, para dar sin reparos, para amar sin desconfianza, para entregar lo mejor de mi vida en tu obra. Permite que el trabajo de mis manos te glorifique y que muchos puedan recibir bendiciones a través de mí, como un instrumento de tu amor y de tu paz. Amén.

Hechos a la manera de Dios

"porque somos hechura suya, creados en Cristo Jesús para buenas obras....." (Efesios 2:10)

Mírate hoy por un momento frente al espejo. Lo que ves, no es obra de la casualidad, ni de una explosión, ni de una coincidencia de los elementos del mundo. De ninguna manera.

Lo que ves es nada menos y nada más que una creación divina.

El Señor se inspiró para hacerte y estuviste en las manos del Alfarero, quien planeó y moldeó cada parte de ti.

Pero no es solamente tu aspecto físico lo que responde a un modelo celestial. Es en realidad todo tu ser. La complejidad de un ser que tiene una imagen en los cielos, que tiene el aliento espiritual dado por Dios y que fue creado con un propósito específico.

Eres un milagro verdadero y tienes un camino por recorrer para dejar huellas de bendición sobre los que te rodean.

Pero Dios no ha dejado de crear en ti.

El empezó una buena obra y la va a perfeccionar hasta el día final.

Estás en un constante proceso de perfeccionamiento y hoy avanzarás un poco más en esos deseos celestiales.

Por eso, el día que tienes por delante no es un día cualquiera. No. En realidad es un paso más hacia la eternidad. Es una nueva oportunidad para crecer y convertirte en ese ser humano que El Señor tuvo en mente desde que te envió a este mundo.

Y los pensamientos de Dios para ti son de bien y no de mal para darte el fin que siempre has esperado. Por eso cuida cada paso que des hoy. Camina con la firmeza que pueden tener los que andan con la mirada puesta en el objetivo final.

Este es un día de victoria con Cristo. Día de misericordias que surgieron en los cielos para hacerse evidentes en la tierra. Día de grandes realizaciones que ya estaban en la mente de Dios para que se cumplieran en ti. Día de batallas ganadas y triunfos anhelados.

Eres una obra en construcción. Baja la velocidad, hay un obrero celestial que trabaja dentro de ti.

Oración:

Señor de los cielos, hoy puedo comprender la naturaleza de tu gran amor. Me has tenido en tus manos desde siempre. Te pertenezco y sé que tú estás haciendo lo mejor de mí cada día. Por eso ningún día es en vano. Hoy me acercaré más al objetivo propuesto, avanzaré en los propósitos divinos y seré guiado/a por tu mano para dar un paso más en mi destino eterno. Gracias por regalarme un nuevo día para cumplir con los propósitos por los cuales fui creado/a. Amén.

Un amor sin igual

"con amor eterno te he amado............"
(Jeremías 31: 3)

Hoy eres receptor/a de un amor sobrenatural.

Eres lo más valioso para Aquel que te creó y que cuida cada paso que das en este mundo, y que luego seguirá extendiendo ese amor para recogerte y llevarte a las alturas en Su divina compañía, para compartir contigo esa eternidad anhelada.

Por eso este es un día de agradecimiento a Aquel que te ama desde siempre y para siempre.

Al empezar esta jornada y al leer este mensaje, levanta tu mirada a los cielos y exprésale al Señor cuán agradecido/a estás por esa manifestación constante de afecto celestial.

Eres amado/a. Tu vida es muy valiosa para El Creador de todas las cosas.

No hay nada en este mundo que se pueda comparar con el amor que Dios pone en ti todos los días.

Alza tu mirada hacia los cielos y únete al coro de ángeles que adoran al Creador.

El universo entero le reconoce, los cielos cuentan la gloria de Dios y el firmamento anuncia la obra de sus manos.

Disfruta este día con Aquel que te ama incondicionalmente y ha dispuesto todo para hacer que en cada momento tú puedas experimentar la realidad de un amor que nunca cesa.

Sí, El Señor repite para ti estas palabras hoy: "con amor eterno te he amado".

Recibe estas palabras y da gracias.

Conéctate hoy a la eternidad de Dios.

Oración:

Señor Jesús, puedo experimentar en este día tu amor incondicional. Sé que viniste desde los cielos mismos para darme tu amor, la salvación y vida eterna. No puede haber un amor más grande. Pero no solo me has dado esos regalos maravillosos. En realidad cada día recibo de tu paz que sobrepasa todo entendimiento. Recibo tu misericordia que se ha renovado esta mañana. Recibo el calor de tu presencia constante. Sé que en este día he recibido todo cuanto necesito para seguir adelante. Cómo no darte la gloria y la honra. Amén.

Yo y mi casa

"escogeos hoy a quien sirváis...pero yo y mi casa
serviremos a Jehová"
(Josué 24:15)

Al final del libro de Josué, después de haber peleado cantidad de batallas para poseer la tierra prometida, después de que ellos habían contemplado la mano de Dios tumbando los muros de la gran ciudad de Jericó, y habían visto detenerse el sol y la luna para ellos vencer, y una y otra vez fueron testigos del poder y del favor de Dios, Josué se da cuenta de algo que lo desalienta. Muchos seguían solo mirando atrás. Muchos seguían pensando en lo que habían vivido anteriormente pero no en lo que estaban recibiendo en aquel lugar de parte de Dios.

Muchos no podían aceptar las bendiciones presentes y solo contemplaban lo que habían sido sus vidas en el pasado.

Así que él se planta delante de todo el pueblo para decirles: Decídanse a quién van a servir: si a los dioses a quienes sirvieron vuestros padres, cuando estuvieron al otro lado del río, o a los dioses de los amorreos en cuya tierra habitáis. Decídanse si se van a quedar añorando las tradiciones antiguas, la religiosidad de quienes no pueden avanzar en su vida espiritual.

Decídanse si van a seguir en lo pasado, lo que significó para muchos su muerte espiritual. Decídanse porque yo ya hice mi decisión: Yo y mi casa serviremos al Rey de reyes, yo y mi casa serviremos a Jehová.

Con toda seguridad durante este día, lo quieras o no, vas a servir a uno o varios señores.

Pero puede ser el señor del materialismo o del egoísmo o el señor del placer, de la vida fácil, quizás el del orgullo o el de la ira, el desconsuelo, el desaliento, la tristeza o cualquier otra condición que se quiera enseñorear de tu vida hoy.

Pero la vida es de decisiones fuertes y radicales.

Si continúas entregando tu vida a esos señores, pronto te darás cuenta de que no valían la pena, porque jamás podrán satisfacer los anhelos más profundos de tu corazón y de tu espíritu.

¿A quién vas a servir hoy?

El Señor te invita a tomar una decisión más apropiada para tu vida.

¿No estás cansado/a de una vida vacía y sin sentido? ¿No te agotas por tratar de satisfacer tus anhelos que cada vez parecen más lejanos? ¿No te parece que cada vez que sirves a alguno de estos señores, al final de todo, tu vida queda más vacía?

Por eso, El Señor de señores te invita hoy a quitar de en medio tanta idolatría. Este es un día para vivirlo en plenitud y la única manera de hacerlo es cuando te entregas en las manos de Jesús, quien llena tu vida completamente.

Sí, la vida es de decisiones grandes y este es el día para hacer la decisión más importante de tu vida. Sirve a Jesús. Él ha sido declarado Señor y Rey y la creación entera se inclina ante Su majestad.

Sírvele a Él y todo lo demás serán solo añadiduras.

Oración:

Gracias Jesús por ensenarme la verdadera adoración. No quiero servir a nadie más sino a ti. No quiero perder mi tiempo en adoración a ídolos o al materialismo. Quiero usar este día para tu gloria y honra. Sé que solo tú la mereces y no hay nadie más que pueda reemplazarte en mi corazón y en mi adoración. Hoy quiero vivir para alabar tu nombre. Amén.

El Rey de Gloria

"Alzad oh puertas, vuestras cabezas, y alzaos
vosotras, puertas eternas y entrará el Rey de Gloria.
¿Quién es este Rey de Gloria? Jehová el fuerte y
valiente. Jehová el poderoso en batalla"
(Salmo 24:7-8)

La revista Forbes publica anualmente un listado con los hombres más poderosos del planeta.

Políticos, millonarios hombres de negocios, personas con gran influencia en los gobiernos o en la sociedad.

Sin embargo con todo su poder, con todo su dinero, con toda su influencia, no pueden cambiar un corazón humano. No pueden sanar un alma herida. No pueden transformar el odio en amor. No pueden traer arrepentimiento, perdón, reconciliación ni paz.

Los hombres de negocios pueden ofrecer trabajos muy necesarios.

Los educadores sabios pueden ofrecer conocimientos acerca del mundo.

Las técnicas sicológicas avanzadas pueden ayudar a la comprensión propia.

Todo eso es bueno. Pero ¿puede alguna de estas opciones transformar verdaderamente el corazón humano?

Solo existe un poder en este difícil mundo en el que habitamos que consigue hacerlo.

Es el poder del amor de Jesucristo, el amor que conquista el pecado, limpia la vergüenza, sana las heridas, reconcilia a los enemigos, remienda los sueños rotos y finalmente cambia al mundo, vida por vida.

Él puede ofrecernos la paz que sobrepasa todo entendimiento, el amor que rompe barreras entre los seres humanos y el poder que vence en todas las batallas.

El Señor puede transformar este mundo y tú puedes ser parte de esa obra monumental.

Ponte de su lado. Hoy Él está consolando al afligido, sanando a los quebrantados de corazón, construyendo puentes para quienes desean la verdad, levantando al que el mundo desprecia, rompiendo cadenas de adicciones y vicios destructivos, dando un lugar a los marginados y olvidados de este mundo.

Él no se ha detenido en su obra, hasta ahora trabaja y hoy te invita a trabajar con Él.

Sí, vamos levántate. El Rey de Gloria está entrando y la batalla de este día nos conducirá con Él de nuevo a la victoria. Él nunca ha perdido una batalla y hoy está conquistando tu corazón.

Ahora El poderoso de Israel habita en ti. Estás destinado a la gloria eterna.

Oración:

Señor amado, que gran privilegio que tengo en este día de vivirlo en tu compañía. Tú sigues obrando en medio de este mundo de maldad, de desconcierto, de desilusiones, de angustias. Pero tú estás trayendo consuelo, paz y armonía. Hoy quiero ser un instrumento en tus manos para realizar esa tarea. Ayúdame a usar los dones que me has dado para bendecir otras vidas, y al final del día cuando me recueste para descansar, sabré con toda certeza que ha sido un día productivo porque tú estuviste conmigo en cada instante. Amén.

Marzo

Alguien toca tu puerta

"he aquí, yo estoy a la puerta y llamo; si alguno oye
mi voz y abre la puerta, entraré a él y cenaré con él y
él conmigo" (Apocalipsis 3:20)

¿Has recibido en alguna ocasión una visita sorpresa?

Quizás estás en tu casa un día sin esperar a nadie, tu casa en desorden, nadie te ha anunciado una visita, pero de repente suena la puerta. No tienes ni idea de quién puede estar al otro lado.

Es más, ni siquiera estás preparado/a para recibir a nadie, por el contrario no deseas que nadie te moleste. Pero abres la puerta y te encuentras a una persona que no esperabas.

¿Cómo será tu reacción? ¿Qué le dirás? ¿Le cerrarás la puerta en la cara?

Podemos tener diferentes reacciones, especialmente dependiendo de quién encontremos del otro lado de la puerta.

¿Y si es El Señor quien viene hoy a visitarte? ¿Cómo lo recibirás? ¿Lo despedirás simplemente como a alguien más?

Por alguna razón la tradición nos ha hecho creer que nosotros somos los que siempre tenemos que buscar a Dios, ya que Él es evasivo y difícil de encontrar. Pero la Biblia nos dice lo contrario y nos presenta a un Dios que no se cansa de buscarnos.

Dios buscó a Adán en el Edén, salió al encuentro de Gedeón, de Moisés, de Elías y muchos más. Así mismo, Dios te busca a ti, y lo único que tienes que hacer es estar atento y responder cuando Él golpea a tu puerta; tener el corazón abierto para dejarlo entrar.

Día tras día va pasando y Dios sigue mirando, mirando, mirando… ¿no hay nadie que quiera invocar su bendición? ¿Sobre quién puede derramar su gracia? ¿Hay alguno que esté interesado? ¿Hay alguien que desee abrir la puerta de su corazón para que Él entre en toda su plenitud y la gracia maravillosa inunde una nueva vida?

En este día, El Señor te invita a estar atento a su venida. Él quiere entrar en tu casa para que puedas disfrutar de las bendiciones eternas y se puedan cumplir los anhelos más profundos de tu corazón.

Él está llegando a tu vecindario y recorre lugar por lugar trayendo el gozo de la salvación.

¿Estás listo/a para recibirlo?

A propósito: ¿Escuchaste que alguien está tocando a tu puerta?

Oración:

Señor Jesús, hoy quiero estar atento/a a tu llamado. Sé que tus ojos buscan por aquellos que te anhelan y deseas compartir tu tiempo con cada uno. Tú estás a la puerta y no quiero hacerte esperar. No solo abro mi puerta, también abro mi corazón para que tú entres en él, lo examines y mires si hay en mí un camino equivocado y me guíes en el camino eterno. Amén.

Fueron oídas tus palabras

"......no temas; porque desde el primer día que
dispusiste tu corazón a entender y a humillarte en la
presencia de tu Dios, fueron oídas tus palabras......"
(Daniel 10:12)

¿En cuántas ocasiones has orado y parece que Dios no te escucha? ¿Has experimentado el vacío del silencio del Señor y piensas que tus oraciones no han llegado hasta el trono de gloria?

Si te has sentido así, no eres la única persona que lo ha experimentado.

Todos pasamos por momentos de una terrible sensación en los que creemos que nuestras oraciones no tienen respuesta y nos culpamos por nuestra falta de fe, o nuestra falta de consagración en las cosas del Señor, o pensamos que nuestras necesidades no son tan importantes como para que Dios les ponga atención.

Pero no es así. Dios escucha las oraciones de sus hijos.

Como un padre amoroso Él siempre tiene atento su oído al clamor de quienes se acercan a Él con sincero corazón. Y como Él conoce todo de nosotros, Él sabe muy bien cuál es la respuesta adecuada.

En ocasiones el silencio es la mejor respuesta. En otros momentos verás cómo de una forma inmediata viene lo que estabas esperando, y te llenas de regocijo, y en otras debes guardar paciencia ante la negativa del Señor, pues es indudable que tiene un propósito mayor para ti en cada situación.

Al empezar este nuevo día puedes tener la seguridad de tu conexión divina.

Él escucha y te invita a confiar en sus respuestas. Llegará para ti el tiempo en que entenderás más claramente por qué has tenido que pasar por las situaciones que has pasado, por qué se te detuvo cuando lo que querías era seguir adelante, por qué conociste personas que no sabías que iban a influir tanto en ti pero eran mensajeros enviados del Señor con palabras de aliento y de consuelo, y también sabrás por qué a veces la respuesta a tus peticiones no fue la que esperabas, porque había mejores cosas que Dios estaba preparando para ti y aún no las podías ver.

Y entonces todo cobrará sentido, las situaciones se te aclararán, tu visión se ampliará y podrás avanzar, y podrás responder a los propósitos eternos.

Sí, Él habita en las alturas, en el trono de gloria desde donde gobierna, pero también habita en el corazón de quienes le buscan con sinceridad y confianza.

No dudes. En este mismo instante, Dios está haciendo algo para ti y pronto lo sabrás.

Tus palabras han sido oídas. No temas, no desmayes, Él te levantará con la diestra de Su justicia y nuevas fuerzas llegarán a tu vida.

Oración:

Sé que tengo una esperanza sólida cuando creo en ti Señor Jesucristo. Sé que si diste tu vida por mí, ¿Cómo no escucharás también mis oraciones, mis suplicas, mis ruegos? Hoy tengo esta certeza. Tú no solo me escuchas, sino también intercedes por mí ante el trono de la gracia. Qué maravillosa bendición que tengo al saber que mis oraciones son escuchadas, han subido hasta los cielos y han sido colocadas en las mejores manos. Gracias Señor Jesús. Amén.

Derrotando a los gigantes

*"tú vienes a mí con espada, lanza y jabalina; mas
yo vengo a ti en el nombre de Jehová de los ejércitos,
El Dios de los escuadrones de Israel, a quien tú has
provocado" (1 Samuel 17:45)*

La victoria de los hijos de Dios dependerá siempre de la fuerza de quien los envía.

A medida que el mundo avanza, se presentan nuevos desafíos difíciles de enfrentar. Situaciones tan complejas que se asemejan a los gigantes imposibles de vencer.

Sin embargo, Dios está levantando hombres y mujeres valientes con corazón de guerreros que enfrentan las batallas con las armas de Dios y siempre salen vencedores.

David venció a Goliat de la manera en que ningún ser humano sobre la tierra lo hubiera pensado.

Tan solo este valeroso jovencito que no resistió que el nombre del Señor fuera blasfemado y que se levantó con furor sobre el enemigo que amedrentaba al pueblo de Israel, logró lo que muchos otros hombres de guerra no habían alcanzado.

Mientras todos se escondían por miedo al Gigante, David acabó para siempre con ese enemigo y engrandeció el nombre de su Señor.

¿Eres tú uno de estos miembros de las nuevas generaciones victoriosas? ¿Estás listo para enfrentar esos gigantes y vencerlos en su propio terreno pero con las armas de Dios?

En este día, El Señor quiere llevarte a un terreno de victoria en donde puedas levantar el nombre de Dios en alto, y al derribar esos gigantes proclamarle al mundo que hay un Dios poderoso que vence en todas las batallas.

Lo importante no es lo que dice el enemigo. Goliat vociferaba todo tipo de maldiciones, pero David había entendido la grandeza de su Dios.

Si en este día tienes que enfrentar a uno de estos gigantes, mira primero hacia los cielos. Reconoce la grandeza de Aquel que ha creado todas las cosas. Observa la majestad sublime del que puso cada estrella y cada astro, cada planeta del universo. Imagina los poderosos ejércitos que acompañan tu caminar de cada día y entonces mira a ese gigante y dile con voz que retumba: ¿Quién es este intruso en mi vida que se atreve a desafiar a un hijo de Dios? y ve con seguridad, porque Dios ya te ha otorgado la victoria.

Oración:

Este es un día de victoria para mí. Señor, tú peleas por mí y siempre sales victorioso. Por eso mi oración en este día es para que me ayudes a descansar en Tu poder, en Tu majestad, en Tu autoridad. Quiero vivir con la seguridad que tú me das al ir delante de mí en cada batalla que tengo que enfrentar. Soy un/a guerrero/a de tu poderoso ejército. Tú eres el comandante en jefe. La victoria está asegurada en ti. Amén.

Un amor sin igual

"porque de tal manera amó Dios al mundo…"
(Juan 3:16)

La afirmación del amor de Dios recorre toda la Biblia en múltiples formas. Amando a la humanidad perdida y preservándola a través de Noé. Amando a Abraham y dándole promesas de bendición eterna. Amando a David y concibiéndolo como un hombre de acuerdo a su corazón. Amando a su pueblo y liberándolo de la esclavitud, llevándolo por el desierto hacia la tierra prometida. Amando a sus discípulos, a la mujer adúltera, al centurión que le aceptaba, a la viuda que lloraba, al leproso que se quejaba, a la mujer enferma que buscaba tocar su manto, a las multitudes hambrientas de comida y de palabra, a los pecadores arrepintiéndose, a los que lo golpeaban y escupían, a quienes lo clavaron a una cruz y a quienes contemplaron su muerte y su resurrección.

En todo esto, estabas también tú. En la mente de Dios estabas contemplado tú desde el principio, desde la creación del mundo y en este día el amor de Dios sigue siendo el mismo para ti.

El mismo amor que tuvo por su madre María. El mismo amor que tuvo por sus amigos, por sus cercanos, por Lázaro a quien levantó de la tumba, es el mismo amor que desea que tú experimentes y te está llamando solamente a que lo aceptes.

Eso es todo lo que tienes que hacer. Aceptarlo. Recibir su amor.

¿Estás dispuesto a recibir hoy ese amor divino en toda su dimensión?

Hay muchas cosas que en mi mente finita no puedo entender, pero que debo aceptar por la fe.

Yo no sé cómo funciona la electricidad, pero aun sé que es muy difícil vivir en la oscuridad.

Yo no sé cómo funciona el sistema digestivo, pero sé que aun sin saber cómo funciona, debo comer para seguir adelante.

Yo no puedo entender la dimensión del amor de Dios, pero sé lo que Él me pide, que abra mi corazón y reciba ese amor y que al hacerlo, tendré un destino de eternidad en su compañía.

Por eso no es necesario que lo entiendas en toda su dimensión.

Así que en este día aunque no lo comprendas cabalmente, solo acéptalo como un regalo divino, como el más grande obsequio que viene de un Dios lleno de amor para dar.

¿Quieres recibirlo? Extiende tus manos, Él las llenará.

Oración:

Aunque he buscado el amor en diferentes lugares, hoy entiendo que no hay una fuente superior que mi Señor. Tú eres la fuente, el dador, el canal, el origen del amor y por lo tanto, no puedes jamás ser superado. Por eso hoy recibo ese amor tuyo manifestado de tantas formas diferentes. No lo puedo comprender en toda su dimensión, pero sé que no hay nada ni nadie que me pueda separar del amor de mi Dios que es en Cristo Jesús Señor nuestro. Amén.

En la casa de mi Padre

"Y si me fuere y os preparare lugar, vendré otra vez,
y os tomaré a mí mismo, para que donde yo estoy,
vosotros también estéis" (Juan 14:3)

Un artista insatisfecho con su trabajo le dijo un día a su esposa, me voy a buscar inspiración para pintar mi obra maestra.

Viajó por muchos países, vio cosas hermosas pero no encontraba lo que andaba buscando.

Un día salió a pasear y vio una novia saliendo de su boda y le preguntó: ¿Qué es para ti lo más hermoso del mundo? Ella sin titubear dijo, por supuesto, el amor. Pero ¿Cómo pintar el amor?

Continuó su camino descorazonado y encontró a un soldado que volvía de la guerra y le preguntó: Para ti ¿Qué es lo más hermoso del mundo? Por supuesto la paz, respondió el soldado. Pero ¿Cómo pintar la paz?

Siguió buscando y encontró a un pastor y le preguntó lo mismo, y él le contestó: Por supuesto que la vida. Pero ¿Cómo pintar la vida?

Desesperado y frustrado volvió a su hogar, cansado de su cuerpo y de su espíritu.

Su esposa lo recibió con mucha ternura y calor. El artista encontró el amor del que le había hablado la novia.

En su hogar todo respiraba tranquilidad y seguridad, era la paz de la que le había hablado el soldado.

De repente, vio a sus hijos que venían corriendo hacia él para abrazarlo y besarlo, y encontró la vida de la que le había hablado el pastor.

Toda la inspiración que necesitaba la había encontrado en su hogar.

No hay un lugar más acogedor que nuestro propio hogar. Podemos visitar hermosos países, caminar por ciudades espectaculares, observar hermosos paisajes, llegar a lugares paradisiacos, pero aun con todo su atractivo, siempre experimentaremos la necesidad de retornar al lugar donde nos esperan nuestros seres queridos.

Por eso Dios está diseñando en el más allá un hogar para sus hijos. Es un hogar en donde reina el amor, la paz y la vida eterna, porque está siendo diseñado perfectamente por el Divino Arquitecto.

Y hoy El Señor nos invita a convertir nuestros hogares en lugares donde Su presencia sea continua como un anticipo de lo que viviremos en la eternidad.

Este es un día hermoso para vivirlo de la mejor manera. ¿Saludaste a los tuyos con un beso? ¿Expresaste palabras de amor y no de reproches? ¿Alegraste la vida de quienes te rodean con un bonito detalle? Vive este día como una expresión perfecta de lo que será tu eternidad. Al fin y al cabo hoy estás más cerca de ella.

Oración:

La seguridad de mi vida no es solamente que tengo un hogar terrenal, sino que al partir de este mundo también tendré un hogar celestial preparado directamente por mi Señor Jesucristo. Te doy gracias Señor por semejante privilegio. Saber que por la eternidad disfrutaré de tu presencia me llena de gozo desde ahora mismo porque sé que nunca me faltará el calor de hogar en la casa de mi Padre celestial. Amén.

Nunca estás solo/a

"Cuando pases por las aguas, yo estaré contigo
y si por los ríos no te anegarán. Cuando pases por
el fuego, no te quemarás, ni la llama arderá en ti"
(Isaías 43:2)

Es posible que en ocasiones vengan a tu mente situaciones difíciles que has afrontado.

Piensa por un momento lo peor que te llegó a suceder. En ese momento te lamentaste y lloraste, quizás gritaste y dijiste por qué a mí, por qué a mí.

Parecía que no había esperanza y el silencio de Dios era demasiado duro para ti. Y tú decías, dónde está mi Dios, por qué no ha venido, por qué no me escucha, mira mi condición, no puedo estar peor.

Pero Dios no se había ido, ni se había distraído. Él estaba ahí, aunque no te diste cuenta, Él te confortó, aunque no lo notaste, Él te susurró al oído palabras de consuelo, aunque no podías verlo, Él no se apartó de tu lado.

En ese momento de gravedad en el hospital o en aquel momento en que tu familiar se fue para siempre y tú solo tenías lágrimas en tu rostro, en ese momento cuando te dijeron que ya no te necesitaban más en el trabajo, cuando tu hijo se fue de la casa, o cuando caminabas solo y pensabas que no eras importante para nadie, o cuando tu esposa te miró con desprecio y te dijo: me voy para siempre.

Pero Él nunca te abandonó.

Ese es el verdadero milagro de este mundo. Un Dios tan grande y majestuoso que colocó con sus manos las estrellas, los astros, los planetas y que tiene el poder sobre todas las cosas, es el mismo que camina de tu lado, te cuida, te protege y te libra de tu condición perdida y te lleva hacia el camino de salvación eterna.

En medio de una generación maligna, perversa, fría, egoísta e individualista somos cuidados por las manos de nuestro Señor.

El enemigo acecha pero no tiene nada que hacer con los hijos de Dios.

Por eso en este día tú caminas con seguridad. Tus pasos son firmes, estás siempre protegido/a por la diestra del Señor.

Por eso puedes reafirmar hoy con total certeza: yo sé que aunque pase por aguas profundas no voy a perecer, yo sé que aunque los tiempos sean malos, Él no me soltará de su mano, yo sé que aunque la tristeza me domine, Él enjugará toda lagrima de sus hijos, yo sé que aunque pase por el fuego, no me voy a quemar, porque Él lo dijo y eso me basta.

Nunca estás solo/a, Dios está contigo todos los días hasta el fin.

Oración:

La seguridad de tu presencia me reconforta todos los días de mi vida. Hoy elevo mi mirada al cielo dándole la gloria a mi Dios por darme el regalo maravilloso de su compañía. Aunque el mundo entero me abandone, no hay manera alguna que El Señor lo haga porque Él lo ha prometido. Camino con seguridad porque tú me has repetido una y otra vez que no tema, que no estoy a la deriva en medio de este mundo, por el contrario, la verdad más grande de mi vida es que tú estás conmigo. Amén.

Mirando hacia el futuro

"¿hasta cuándo llorarás a Saúl, habiéndolo yo desechado para que no reine sobre Israel?"
(1 Samuel 16:1)

Ante la desobediencia del rey Saúl, la orden del Señor para Samuel fue: ponte de pie ahora porque vamos a buscar lo nuevo, lo presente y lo que es mejor para el futuro.

¿Por qué sigues aferrado al pasado? ¿Por qué siempre miras hacia atrás, en lugar de mirar hacia adelante a las cosas que Dios está haciendo nuevas? ¿Hasta cuándo seguirás atado a la unción que ya pasó? ¿Hasta cuándo seguirás amarrado a lo que ya no edifica, ni construye, ni bendice?

Disfrutamos las cosas del pasado y dimos gracias a Dios por ellas, pero ahora hay algo nuevo para nosotros.

Hay quienes aún se siguen lamentando por aquel negocio que no hicieron, o por aquella palabra que no dijeron, o por aquella decisión que no tomaron, y aunque ya ha pasado el tiempo y deberían estar viviendo el presente con toda la intensidad, aún siguen refugiados en el pasado.

Vidas que no se superan y así como siguen viviendo en el pasado, no solo siguen sufriendo por las mismas cosas de ayer, sino que también afectan a quienes tienen al lado.

La vida es una sola y no se detiene jamás. Lo de ayer ha marcado nuestra vida, pero ahora hay cosas por vivir, un presente para disfrutarlo al máximo, algo nuevo y fresco de Dios que se levanta para nosotros cada mañana.

A lo mejor en tu vida solo ha habido desprecio. A lo mejor no te han tenido en cuenta y simplemente te tratan sin consideración o no te han valorado en lo que tú sabes y hay un potencial que aún está por ser mostrado en este mundo.

Pero Dios tiene propósitos para ti. Y el que era despreciado va a recibir el aceite nuevo que se está preparando, y el que no era nada para el mundo se convierte en el ungido de Dios que ha sido llamado para cambiar a su familia, o a su comunidad, o a su ciudad, o a su estado, o a la nación entera.

Lo necio del mundo escogió Dios, para avergonzar a los sabios; y lo débil del mundo escogió Dios, para avergonzar a lo fuerte; y lo vil del mundo y lo menospreciado escogió Dios y lo que no es, para deshacer lo que es. (1 Corintios 1: 28)

No te desalientes. No te desanimes. A lo mejor en este momento de tu vida no sabes ni qué será de ti el día de mañana, pero mira hacia adelante, ya no mires atrás, hay todo un mundo de bendición y de unción que va a ser derramado sobre ti y serás conocido en el reino de los cielos, y el favor de Dios estará contigo.

Oración:

Amado Dios, sé que me renuevas a través de Cristo Jesús. Si estoy en Cristo soy nuevo y tus misericordias me alcanzan cada mañana. El bien y la misericordia me siguen y soy parte de la ciudadanía del pueblo escogido, estoy bajo tus pactos, me pertenecen tus promesas y tengo esperanza y Dios en este mundo. Por lo tanto, hoy solo puedo reconocer la obra de tus manos, sabiendo que aunque mi pasado no haya sido el mejor, mi presente y mi futuro contigo son de plenitud y de armonía en tu presencia. Amén.

Dios te está buscando

"Recorred las calles de Jerusalén, y mirad ahora
e informaos; buscad en sus plazas a ver si halláis
hombre, si hay alguno que haga justicia, que busque
verdad; y yo la perdonaré" (Jeremías 5:1)

Dios siempre que va a hacer algo en la tierra, busca un hombre o una mujer. Dios no busca un ángel o un ejército celestial para llevar a cabo esa labor que Él desea realizar. Él busca un hombre o una mujer pero que sean diferentes, que sepan escuchar su voz y que obedezcan a su Palabra.

Pero ¿Dónde están los hombres y mujeres que se despertarán para aferrarse a Dios? ¿Dónde están aquellos que dicen: he puesto mi confianza en Dios y así el mundo entero se ponga en mi contra yo voy a seguir a mi Señor y haré lo que Él me diga?

Y El Señor ni siquiera está buscando multitudes, Él busca uno solo, uno que haga justicia, uno que haga el bien desinteresadamente, uno que ame al Señor por encima de todas las cosas, uno que no se detenga porque hay obstáculos en el camino, sino que sabe que con Dios cualquier obstáculo ya está vencido.

Una y otra vez El Señor repite lo mismo. Por causa de los justos yo traigo perdón, por causa de los justos yo traigo misericordia, por causa de los justos yo traigo restauración, pero ¿dónde están?, ¿adónde se han ido?, encuéntrenme uno, uno solo para que por amor a él, se despliegue toda mi compasión y mi amor por la humanidad.

Examínate en este día y mira qué es lo que se opone a que tú seas ese hombre o esa mujer de Dios y ponlo en el altar del Señor, porque tú puedes ser ese que Dios anda buscando.

Él conoce lo genuino y lo aparta de lo falso.

No hay garantías de buena vida, ni de placeres sin fin. No hay garantías de una vida sin obstáculos.

Pero eso sí, la historia dirá que cuando Dios estaba buscando a un hombre o una mujer y sus enviados recorrían todos los lugares, de repente todo se detuvo. Un ángel le dijo a otro: paren ya. No sigan buscando, lo hemos hallado. Aquí está, nadie lo había visto pero nosotros lo hemos descubierto.

Es un valiente, no se asusta con el primer obstáculo. Es decidido, tiene amor por los demás, es un intercesor, se para en la brecha no para acusar a los demás, sino para levantarlos en oración delante de Dios.

Aquí está, lo hemos encontrado. Díganle al Señor que envíe su misericordia, díganle al Señor que envíe su perdón, porque aquí hay un justo que ha podido cambiar el curso de la destrucción que venía.

¿Eres tú esa persona?

Oración:

Dios de los cielos, sé que tus ojos recorren toda la tierra para mostrar tu favor para quienes tienen un corazón perfecto para ti. Hoy quiero ser esa persona. Quiero ser quien tú andas buscando. Sé que solo puedo hacerlo con tus fuerzas, bajo tu amparo y tu fortaleza. Sé que tú puedes facultarme para hacer de este día un día de excelencia en tu servicio, dando lo mejor de mí para hacer de este mundo algo mejor. Oro confiando en tu poder y en el gran amor que siempre me has dado. Amén.

Una nueva oportunidad

"Este es el día que hizo El Señor; nos gozaremos y
alegraremos en él" (Salmo 118:24)

Imagínate por un momento a un hombre que está moribundo. No hay más remedio, ya está para morir aunque está muy joven y tiene la sensación que hubiera podido hacer más en esta vida. Sin embargo, el diagnóstico es muerte. No hay nada que hacer, se va a cerrar esa historia en este mundo, la enfermedad avanza y todo se hace irreversible.

Las posibilidades de recuperación se reducen y todos están esperando solo ese momento en que cierre sus ojos para siempre. Hay mucho dolor en él y entre quienes le rodean.

Pero de repente El Señor hace algo maravilloso. La mano de Dios se extiende y este hombre que estaba moribundo, a punto de irse de este mundo, es sanado completamente.

Nadie puede entenderlo, se preparaban para la muerte y ahora celebran la recuperación.

Todo estaba perdido pero ahora delante de ellos este hombre se levanta con todo vigor, con toda energía, con gran fortaleza y ni siquiera se levanta pesadamente sino que literalmente, salta de su cama lleno de vida.

Déjame preguntarte: ¿Se iría de aquel lugar aburrido y triste para irse a quejar de los médicos, de las enfermeras, del trato del hospital, de la comida que no le gustó, del poco brillo del piso, de los cuadros que había en su cuarto y del vecino que roncaba mucho?

No. Nada de eso. Qué le va a importar eso en realidad. Él vive ahora diferente. Ha sido rescatado cuando nadie daba nada por él. Todos hablaban de él como el desahuciado, ese era el apelativo que le habían puesto.

Pero para Dios había otro apelativo. No era el desahuciado sino el renacido, el nacido de nuevo, el rescatado. El mundo no tenía esperanza en su recuperación, pero Dios tenía otros planes y lo levantó como una persona cambiada, transformada, lista para seguir adelante.

John Harold Caicedo   153

Ahora déjame hacerte otra pregunta: ¿Cómo sería de ahí en adelante la vida de este hombre?

¿Sería una vida de solo amargura, tristeza y depresión? No creo.

Después de haber pasado por una experiencia de esas, con seguridad que cada mañana se levantaría agradecido con Dios. Cada mañana diría: Señor, gracias por este nuevo día, voy a vivirlo con toda intensidad, con todo amor. Voy a vivirlo con alegría y con agradecimiento en mi corazón.

En realidad, para él cada día sería toda una experiencia maravillosa porque sabía de dónde había sido rescatado.

Este es el día que Dios hizo para ti. Vívelo con toda intensidad, pasión, amor y agradecimiento.

Si tú has venido al Señor, también tú has sido rescatado. Dale gracias a Dios por ese milagro.

Oración:

Señor, sabiendo que tú me has dado una nueva oportunidad para vivir, hoy quiero vivirlo con toda intensidad, quiero vivirlo con acción de gracias, con alabanza a tu nombre, con deseos de alcanzar a otros para tu gloria. Cada día cuenta y hoy me has dado este regalo de vida, lo usaré de la mejor manera. Amén.

Mudado en otro hombre

"Entonces el Espíritu de Jehová vendrá sobre ti con poder, y profetizarás con ellos, y serás mudado en otro hombre" (1 Samuel 10:6)

Estamos en tiempos gloriosos de la historia de la iglesia.

Si tú lees el Antiguo Testamento te darás cuenta que cada vez que El Espíritu Santo venía sobre un hombre, este era mudado, era transformado, recibía el poder para enfrentar los enemigos.

Otoniel, Gedeón, Sansón, David y muchos otros recibieron poder con el cual hicieron cosas que ellos no podían entender. Derribaron gigantes, acabaron ejércitos enemigos, dirigieron al pueblo con sabiduría. No eran solo ellos, no era en sus fuerzas, no era su intelecto ni su estrategia, era el poder que había venido de lo alto y que los había mudado en otros hombres.

Y lo mismo sucede en el Nuevo Testamento con todos aquellos que recibieron poder desde lo alto y lo mostraron en este mundo.

Por eso el Pedro que predicó en Pentecostés no era el mismo inseguro que pescaba en el mar de Galilea, había sido mudado en otro hombre.

Por eso los discípulos que propagaron el evangelio en todos los lugares y desafiaron a las autoridades que se les oponían, y al imperio que los perseguía, no eran los mismos discípulos asustados que se habían escondido cuando Jesús fue tomado preso y llevado a la cruz, habían sido transformados.

Por eso el Pablo que testificaba hasta en las cárceles y que soportaba las persecuciones, los azotes, los golpes, las humillaciones, no era el mismo Saulo perseguidor de los cristianos.

¿Qué había pasado en todos ellos? ¿Cuál era la diferencia? ¿Qué los había mudado en otros hombres?

El poder que vino de lo alto los transformó y ya no fueron los mismos nunca más, ahora tenían sobre ellos el favor celestial. Tenían el poder que había venido directamente de los cielos para ellos.

¿Lo tienes tú? ¿Estás también a punto de ser mudado en otro hombre u otra mujer?

Todos necesitamos de ese gran poder que viene desde los cielos. Es el poder que todo lo cambia. Es la diferencia entre tener un argumento o tener una unción fresca y poderosa. Es la diferencia entre saber de Dios y conocerlo por los libros, o experimentar la realidad de un Dios vivo que venció a la muerte, venció a la enfermedad, venció al pecado, venció al maligno, venció en este mundo y además desea que todos nosotros seamos investidos del mismo poder con el cual Él venció.

Entonces, ¿Estás listo/a para ser mudado en otro hombre o en otra mujer? ¿Estás listo/a para recibir poder desde lo alto?

Que este sea el día de tu transformación. Hay un poder especial esperando por ti.

Oración:

Amado Dios, nos diste un regalo maravilloso a través de la presencia y el poder del Espíritu Santo. Por eso hoy quiero ser investido/a del mismo poder que recibieron los discípulos en Jerusalén, pues desde aquel momento sus vidas fueron transformadas para siempre y sirvieron sin detenerse al Dios de los cielos. Ese es mi anhelo también. Quiero servirte sin reservas, sin temores y con poder de lo alto, este es el día de transformación. Amén.

Mi mayor herencia

"........vino uno corriendo, e hincando la rodilla
delante de Él, le preguntó: Maestro bueno, ¿Qué haré
para heredar la vida eterna? " (Marcos 10:17)

Supongamos que mañana al amanecer te han quitado todo lo que tenías: casa, carro, bienes, todas las propiedades, hasta tu ropa, entonces ¿qué tan rico serias?

Hay personas que de la noche a la mañana lo pierden todo, en una catástrofe, en una quiebra, etc. Y recién en esas circunstancias empiezan a descubrir que tenían otro tipo de riquezas mayores.

Déjame preguntarte: ¿Alguna vez te has negado algo que tú querías, solamente para ver avanzar la obra de Dios? ¿Alguna vez has sentido la necesidad de sacrificar algo tuyo solo para ver que otras vidas fueran alcanzadas? ¿Puede acaso haber algo más emocionante, más importante que colaborar en cambiar el destino eterno de una vida, del Infierno al Cielo, de ganar un amigo eterno y ganar un alma eterna para Jesús?

Las posesiones materiales tienden a hacer que se apegue a este mundo el corazón del hombre.

Si el interés principal de una persona está en las cosas materiales pensará en términos de precio y no en términos de valor; pensará en términos de lo que se puede conseguir con dinero.

Y bien puede ser que olvide que hay cosas más valiosas en este mundo que el dinero, que hay cosas que no tienen precio, y que hay cosas preciosas que no se compran con dinero.

Cuanto más tenga una persona, mayor será la responsabilidad que se le imponga.

¿Usará lo que tiene egoísta o generosamente? ¿Lo usará como si fuera el dueño indiscutible, o recordando que es Dios quien se lo ha dejado en depósito?

Heredar la vida eterna, entrar en el reino, y ser salvado, son imposibles para cualquier ser humano, pero no para Dios, que es bueno y desea la salvación de todos. Por lo tanto, todos hemos de depender únicamente de Dios.

El que confía en sí mismo y en su riqueza nunca puede estar seguro de salvarse.

El que confía en el poder salvador y en el amor redentor de Dios puede entrar gratis en la salvación y esta es la verdad que sigue siendo la base fundamental de la fe cristiana.

¿Y tú que harás para heredar la vida eterna?

Solo Cristo te la puede dar. Ven a Él en este día y lo tendrás todo.

Oración:

Señor, reconozco hoy que mi mayor tesoro eres tú. Que no hay nada ni nadie en este mundo que puedan desplazarte del primer lugar de mi corazón. Tenerte a ti, Señor Jesús es en realidad tenerlo todo, y es por eso que conocerte ha sido para mi vida el mayor descubrimiento posible que día a día me llena de gozo y de alegría. Hoy quiero disfrutar de tu compañía, no hay nada mejor para quien confía en ti. Amén.

La rendición es completa

"y estando en la condición de hombre, se humilló
a sí mismo, haciéndose obediente hasta la muerte, y
muerte de cruz" (Filipenses 2:8)

En las Olimpiadas de París de 1924, un atleta escocés de 22 años ocupó los titulares de los periódicos cuando decidió decir no al yo y sí a Dios. Eric Liddell tomó una decisión que para la mayoría de la gente hubiera sido inconcebible: salir de su mejor evento, la carrera de 100 metros, porque las carreras eliminatorias se celebrarían un domingo.

Mientras más competidores estaban participando en las eliminatorias, Liddell estaba dedicado a la prédica de un sermón en una iglesia cercana.

Posteriormente, Lidell se inscribió en la carrera de 400 metros, carrera para la cual no tenía entrenamiento. Enfrentó el reto y terminó cinco metros por delante de su competidor más cercano, batiendo una nueva marca mundial.

Su obediencia en París fue solo una de una serie de rendiciones hechas durante toda su vida que le hicieron merecedor del aplauso del cielo.

Después de su triunfo olímpico regresó a la China, donde se había criado, para trabajar como misionero. En 1943 estaba interno en un campo de concentración japonés en la China, adonde continuó sirviendo a Dios y ministró con gozo a sus compañeros de prisión.

Mientras todavía estaba en el campo, Liddell sufrió un tumor cerebral que destruyó su cuerpo y lo dejó parcialmente paralizado.

El 21 de febrero de 1945, Eric se encontraba acostado en una cama de hospital, luchando para poder respirar y pasando de un estado de conciencia a un estado de inconciencia.

Finalmente sufrió convulsiones. La enfermera que había estado a su lado lo tomó en sus brazos mientras él lograba pronunciar sus últimas palabras. Dijo con una voz apenas perceptible: Annie, la rendición es completa.

Eric Liddell entró en coma y luego pasó a la eternidad, adonde el siervo dobló rodilla ante el Maestro que tanto amó y por quien había trabajado tan fielmente.

Cuando hablamos de la vida cristiana, hablamos de rendición de cada aspecto de nuestra vida a los designios divinos.

¿Qué nos pide El Señor que rindamos? La respuesta es: todo.

La rendición cristiana significa que vamos a Él bajo sus términos, sabiendo que hemos aceptado voluntariamente y con alegría Su señorío sobre nuestras vidas.

En este día rindamos nuestras vidas a Dios en totalidad. Él nos dará la fuerza para vencer durante esta etapa de nuestras vidas.

Oración:

"Ya no me pertenezco, sino que tuyo soy. Ponme a tu voluntad, y con quien tú quieras. Ponme a hacer, ponme a sufrir. Déjame ser empleado por ti o echado a un lado por ti, exaltado por ti o abatido por ti, ya sea que me llenes o que me dejes vacío, que tenga yo todo, o que no tenga nada. Libre y sinceramente cedo todo a tu placer y disposición. Y ahora, oh Dios glorioso y bendito, Padre, Hijo y Espíritu Santo, tu eres mío y yo tuyo. Que así sea. Amén" (Juan Wesley).

Un pueblo especial

*"Porque tú eres pueblo santo para Jehová tu Dios;
Jehová tu Dios te ha escogido para serle un pueblo
especial, más que todos los pueblos que están sobre la
tierra" (Deuteronomio 7:6)*

Desde el capítulo 12 del libro de Génesis a través de la elección de Abraham, El Señor ha mostrado su intención de tener un pueblo que haga la verdadera diferencia en este mundo tan lleno de contaminación.

La intención de Dios era crear un pueblo diferente, una nación de gente que señalara a otros el camino hacia Dios y Su prometida provisión de un Redentor, Mesías y Salvador.

El Señor les dijo que ellos serían un reino de sacerdotes y de gente santa. Les señaló el fin para luego mostrarles cómo alcanzarlo.

Les dijo lo que iban a llegar a convertirse y luego los llevó de su mano para mostrar cómo se vive en un constante descubrimiento de la voluntad divina.

¿Cómo debería ser entonces ese pueblo? ¿Cuáles deberían ser las características del pueblo que camina de la mano de Dios?

Dios no quiere que seamos iguales a todo el mundo. Y esa diferencia tiene que ser en nuestra forma de pensar, de hablar y de actuar. Esto tiene que ser visible a los que están a nuestro alrededor, tiene que ser algo notorio, y que la gloria de Dios se haga evidente entre su pueblo.

Muchas veces nos preguntamos ¿por qué será que no avanzamos en nuestra vida espiritual? ¿Por qué será que nuestros hijos no se motivan por la Palabra de Dios? ¿Por qué nuestras iglesias no crecen como deberían crecer ni tienen una presencia de Dios más poderosa?

Y nos damos cuenta de que el espíritu contaminante de este mundo se ha metido en todas partes incluso en las iglesias mismas.

El enemigo tiene atrapados a tantos jóvenes y adultos en las garras de la tecnología, de la dependencia de lo novedoso, de las imágenes sensuales que dañan la mente y en filosofías que llenan al ser humano de confusión y le impiden fomentar una relación más cercana con el Dios vivo que dicen amar.

Hombres y mujeres narcotizados por el mundo. El mismo efecto que tienen las drogas ahora lo tienen tantas cosas que están narcotizando a la humanidad. Narcotizados con celulares y videos que no pueden parar de usar o de programas de televisión que no pueden parar de ver.

Y todo esto también está contaminando a la iglesia en general.

Por eso es necesario que no se nos olvide quiénes somos.

Somos un pueblo especial que debe mostrar en todo lo que hace la santidad de Aquel que nos lleva de su mano hacia un destino de salvación eterna. ¡Que no se nos olvide!

Oración:

Padre, hoy te pido que me ayudes a recordar siempre que he sido apartado para tu gloria. Que soy parte de un pueblo que camina de tu mano destinado para manifestar tus virtudes. Que he sido llamado a ser luz y sal de esta tierra. Permíteme entonces glorificarte en cada acto de mi vida. Amén.

Un mundo hambriento de esperanza

"Luego se dijeron el uno al otro: no estamos
haciendo bien. Hoy es día de buena nueva, y nosotros
callamos; y si esperamos hasta el amanecer, nos
alcanzará nuestra maldad. Vamos pues, ahora,
entremos y demos la nueva en casa del rey."
(2 Reyes 7:9)

Una de las cosas más significativas que hemos podido notar por estos días quienes estamos al tanto de los acontecimientos, es que el mundo está hambriento de una esperanza real.

A medida que se escuchan las noticias de lo que sucede alrededor del mundo, nos damos cuenta que empieza a cundir el desespero, la desilusión, la angustia en muchas personas.

Sin duda se necesita una esperanza real.

Esta era la misma situación que se vivía en Samaria en tiempos del profeta Eliseo.

Completamente sitiados por el enemigo por mucho tiempo, muriendo de hambre literalmente y a punto de claudicar.

Pero, cuando las cosas se veían peores, fue cuando Dios obró de manera sobrenatural para cambiar todo ese oscuro panorama en un solo día.

Llevaban tantos días en esa situación desesperada que necesitaban escuchar algo diferente, una esperanza para soportar un día más.

Y esa noticia llegó primero a través del profeta Eliseo quien trajo palabra de Dios y luego en acciones sobrenaturales que permitieron que en un solo día, aquellos que se estaban muriendo de hambre, tuvieran abundancia.

Este mundo está hambriento de esperanza y Dios tiene una respuesta para nosotros.

Él no va a hacer grandes maravillas para que creamos, Él va a hacer grandes cosas, porque creemos que Él es poderoso y lo puede hacer.

El siempre responde a aquellos que tienen fe y se acercan a Él creyendo que es galardonador de los que le buscan.

Tenemos esperanza. Tenemos a Jesús.

¡En el siempre hay esperanza!

Oración:

Señor, en este día se renueva mi esperanza porque te tengo a ti Jesucristo. Si te tengo a ti lo tengo todo, por lo tanto sé que este será un día de abundancia de bendiciones, de gracia y de sustento para mi vida. Amén.

Renunciando al mundo o renunciando a Jesús

Así, pues, cualquiera de vosotros que no renuncia a
todo lo que posee, no puede ser mi discípulo.
(Lucas 14:33)

La Biblia no hace distinción entre dos clases de discípulos que siguen a Cristo: unos que lo dejan todo por seguirlo a Él y otros que mantienen un pie con El y el otro pie en el mundo.

Hay una sola clase de discípulos, una sola.

Jesucristo dijo en Lucas 14:33 que "cualquiera de vosotros, que no renuncie a todo lo que posee por causa de mí no puede ser mi discípulo"

Eso no quiere decir que todos lo que siguen a Jesús deben vender todas sus pertenencias y quedarse viviendo en la indigencia.

O que deben dejar su profesión, su carrera, pero si significa que ahora su vida tiene una prioridad y no es nada en este mundo, sino que su prioridad es Cristo y nadie más.

Cuando una persona realmente se convierte a Cristo, en realidad deja de ver todas las cosas como sus posesiones, porque él o ella se convierten en una posesión de Jesús.

Si yo soy de El entonces todo lo mío en realidad a Él le pertenece.

Esa fue la declaración de Pablo: lo que era para mí ganancia, lo he dejado atrás y lo he perdido todo por la excelencia del conocimiento de Cristo mi Señor.

El mundo separa a los indeseables, Jesús va tras ellos.

El mundo se aparta de los que considera demasiado poco, pero Jesús se sienta a cenar con ellos para compartirles las buenas nuevas de salvación.

Dios ve, no lo que somos, sino lo que podemos llegar a ser.

Si Cristo necesitaba un apóstol, ¿por qué no seleccionó a uno de los fariseos?

Si necesitaba un evangelista, ¿por qué no escogió a uno de los escribas?

Pero El no obra como el mundo entero lo haría, El escoge a los imperfectos para perfeccionarlos, El escoge a los defectuosos para pulirlos, El escoge a los desahuciados del mundo para revivirlos.

Por eso es que también a nosotros nos escogió.

Porque nosotros éramos eso exactamente: Imperfectos, defectuosos, desahuciados, pero ahora por su gracia vivimos para la gloria de Dios, si es que hemos abierto nuestro corazón a Jesucristo.

Así que solo tenemos dos opciones o renunciamos al mundo para seguir a Jesús o renunciamos a Jesús para seguir al mundo.

Los dos caminos no llevan al mismo destino

¿Por cuál de ellos quieres transitar?

Oración:

Señor, en este día elevo una oración delante de ti, en reconocimiento de quién es mi verdadera prioridad. El haberte conocido me ha revolucionado espiritualmente, por lo tanto, sé que ahora mi vida solo tiene sentido cuando hago tu voluntad y me someto a tus designios perfectos. Gracias porque me has hecho parte de los tuyos, por tu inmensa misericordia, Amén.

Nacer de nuevo

"No te maravilles de que te dije: Os es necesario
nacer de nuevo" (Juan 3:5)

En medio de la oscuridad de la noche un hombre judío fue a buscar a Jesús para hacerle algunas preguntas porque estaba muy inquieto por lo que Él estaba haciendo.

Nicodemo era un miembro muy conocido y muy respetado del Sanedrín. Como fariseo conocía perfectamente la ley y la teología de su pueblo, por eso Jesús lo llamó maestro de Israel.

Nicodemo le dice a Jesús: "Sabemos que has venido de Dios como maestro; porque nadie puede hacer estas señales que tú haces, si no está Dios con él" (Juan 3:2)

Es decir él estaba ponderando las obras milagrosas. Estaba reconociendo que Jesús era diferente y que las obras que hacia no podían ser hechas por alguien a menos que hubiese sido un enviado del cielo.

Pero el Señor le contesta que lo importante no son las señales y los milagros, sino el cambio radical en la vida de una persona. Es decir, algo que solo se puede describir como un nuevo nacimiento.

¿Qué es eso? ¿Qué significa nacer de nuevo? Nicodemo siendo maestro de la ley, conocedor y sabio en las cosas de la Escritura no entendía nada de lo que Jesús le estaba diciendo.

Lo único que se le ocurrió decir a este hombre, lo único que se le vino a la mente fue la idea del nacimiento físico que todos tenemos. Volver a entrar en el vientre, pero esto es imposible.

El nacer de nuevo no es el resultado del esfuerzo humano, sino el resultado de la gracia y el poder de Dios. El que ha nacido de nuevo tiene a Cristo, la fuente inagotable, tiene la vida.

La experiencia del nuevo nacimiento no es una religión, no es una lista de actos morales, no es un movimiento al que te unes, no, nada de eso. Es en realidad una experiencia diaria, una vivencia continua con Cristo el autor de esa vida nueva.

El nuevo nacimiento te hace participante de esa naturaleza divina que antes no tenías.

Si antes eras incapaz de amar a alguien, ahora desbordas de amor por los demás.

Si antes eras incapaz de perdonar, ahora vas donde aquel que te ofendió y extiendes tu perdón.

Si antes solo pensabas en ti, ahora vives para servir, vives para dar, vives para ofrecer tu vida para ayudar al que lo necesita.

A través del nuevo nacimiento, eres participante de la naturaleza divina y estás capacitado/a para hacer lo que antes era imposible para ti.

Por eso la pregunta fundamental para saber si eres un/a convertido/a es: ¿Has nacido de nuevo del agua y del Espíritu? Si aún no lo has hecho, Jesús te llama para que abras tu corazón a Él.

Lo que es nacido de la carne sigue siendo carne, pero lo que es nacido del Espíritu te une, te hace partícipe de la naturaleza divina.

Oración:

Señor, hoy te doy gracias por haber abierto las puertas del cielo para mí. Soy participante de ese reino desde cuando abrí mi corazón para que tú habitaras en Él y ahora sé que nada ni nadie me podrán separar del amor de Dios, que es en Cristo Jesús. Por eso en este día, al agradecerte por mi nuevo nacimiento, te pido que me ayudes a consagrarme enteramente para hacer tu voluntad de aquí en adelante, como un compromiso real hasta que me llames a tu divina presencia. Amén.

Buscando respuestas

"¿Qué pues diremos a esto? Si Dios es por nosotros,
¿Quién contra nosotros? (Romanos 8:31)

Hace tiempo atrás tuve una conversación con un familiar y me dijo lo siguiente: la verdad es que estamos viviendo en tiempos de mucha incertidumbre.

¿Qué significa eso exactamente?

La incertidumbre tiene que ver con el desconocimiento de lo que vendrá, de no tener respuestas adecuadas para los desafíos que tenemos a diario.

La vida es en realidad una pregunta constante.

¿Cuáles son tus preguntas hoy en día?

¿Qué hay en tu corazón que aún no ha sido respondido?

Pablo, al igual que cualquiera de nosotros, vivió impulsado por encontrarle significado a lo que hacía, anhelaba saber que estaba en el camino correcto, meditaba en los hechos que lo rodeaban a diario y seguía hacia adelante estimulado por el deseo de hacer la voluntad divina.

Por esa razón en este pasaje del maravilloso capítulo 8 del libro de romanos, el apóstol se desafía a encontrar respuestas que le den firmeza en su caminar y que a su vez nos sirvan a todos los creyentes en cualquier época de la historia o cualquier lugar del mundo para tener la certeza de nuestra posición en Cristo Jesús.

Todo ser humano necesita vivir con una esperanza real. Todos necesitamos experimentar en nuestra vida diaria seguridad y confianza.

La mujer viuda que llora en silencio, el joven que piensa que los demás lo han desechado y no es importante para nadie, el prisionero que purga una larga condena, la mujer que ha sido abandonada, el empleado a quien sacaron de su lugar sin explicaciones, los niños que han perdido a sus padres.

Todos necesitamos tener respuestas para mantener la esperanza, y nosotros los creyentes, sabemos que si hay respuestas porque tenemos a un Dios que dio su vida para que no perdamos esa esperanza, sino que ahora nos levantemos con mayor valentía y proclamemos que Cristo vive y es poderoso para hacer lo que Él quiera porque no hay nada imposible para El.

Dios quiere llenar en este día tu corazón de nuevas esperanzas, confía en El.

Él es la respuesta a todas nuestras inquietudes.

Oración:

Señor, gracias por ser la respuesta que tanto buscaba. Sé que este mundo tiene demasiadas inquietudes y temores por lo que pueda venir, pero yo me refugio en tus brazos de amor, bajo tu amparo y por eso enfrento mis días con la seguridad de saber que tú eres la respuesta a todas mis preguntas. Amén.

En el nombre de Jesús......que predica Pablo

"pero algunos de los judíos, exorcistas ambulantes, intentaron invocar el nombre del Señor Jesús sobre los que tenían espíritus malos, diciendo: Os conjuro por Jesús, el que predica Pablo." (Hechos 19: 13)

En tiempos como los que estamos viviendo aprendemos cada día, no solo acerca de nuestras respuestas emocionales, sino también acerca de nuestras respuestas espirituales.

Sabemos que debemos tener una buena capacidad e inteligencia emocional para responder a los desafíos que las circunstancias nos están planteando ahora.

Pero ¿Qué acerca de nuestra capacidad espiritual?

¿Estamos preparados para hacer uso de los recursos espirituales que Dios ha colocado a nuestro alcance?

Algunos solo quieren tomar atajos en su progreso espiritual y se fían de la espiritualidad ajena, por lo tanto no están capacitados para soportar los grandes retos.

Cuando Pablo visitaba Éfeso, Dios se estaba moviendo con gran poder de tal manera que muchos eran sanados y se hacían milagros extraordinarios en aquel lugar.

Ese poder era evidente en Pablo de tal manera que algunos exorcistas ambulantes intentaron usar una fórmula para lograr su cometido, pero fueron grandemente avergonzados.

Nuestra vida espiritual requiere de algo más que formulas y repeticiones de frases.

Nuestra vida espiritual debe estar marcada por la consagración y búsqueda constante de la santidad.

El respaldo de Dios no viene solo porque quieras usar su nombre, sino porque seas conocido en ese mundo espiritual.

Cuando llegan las tormentas de la vida, no te salvará la santidad o consagración de tus líderes, tus maestros o tus hermanos en la fe.

Es tiempo para que te fortalezcas en El Señor Jesucristo y no tengas que usar simples formulas, sino más bien expresiones que salen del fondo mismo de un corazón que ha sido traído a la luz de la presencia refulgente del Señor.

Oración:

Amado Jesús, sé que tú eres Todopoderoso y que además me diste el privilegio de ser instrumento en tu manos benditas para traer bendición a otros. Hoy quiero ser usado/a por ti de acuerdo a tus propósitos en gloria, disfrutando del respaldo que me das en tu divina presencia. Amén.

El lado bueno de las pruebas

"Y sabemos que a los que aman a Dios, todas las
cosas les ayudan a bien, esto es, a los que conforme a
su propósito son llamados" (Romanos 8:28)

Cuando sufrimos podríamos pensar que Dios nos ha abandonado, que su misericordia no fue suficiente o que no hay justicia para nosotros desde los cielos.

Pero cuando aprendemos a ver la vida desde el ángulo de los propósitos divinos, encontramos que Dios en realidad ha venido trabajando en nuestras vidas para alcanzar propósitos aún mucho más grandes.

Este versículo poderoso del libro de Romanos es quizás uno de los más conocidos y citados de la Escritura. Pero a la vez también mal interpretado.

La esperanza del creyente no es que escaparemos de las angustias, de la muerte, del hambre o de las dificultades, sino que el Dios Todopoderoso hará que cada una de nuestras agonías sea un instrumento de su misericordia para nuestro bien.

Las pruebas, los problemas, los momentos difíciles, tienen la intención de parte de Dios de cumplir en nosotros los propósitos que Él está realizando de convertirnos cada día más como Jesús.

La Biblia nunca le oculta al creyente que pasará por pruebas o tribulaciones.

Es parte de la experiencia de la vida misma. Pero también nos asegura que todo tiene un propósito de parte de Dios.

Y sabemos dice Pablo, ya lo sabemos, no es una incertidumbre, no es una probabilidad, es una seguridad, sabemos.

¿Qué es lo que sabemos?

Que a los que aman a Dios todas las cosas les ayudan a bien, esto es, a los que conforme a su propósito son llamados.

No nos gustan las pruebas, eso es cierto, pero El Señor nos enseña que nuestra vida está encaminada a logros mayores y es por esto que necesitamos ser formados cada día más en el fuego para ser moldeados de acuerdo a los propósitos divinos.

Dios está trabajando en nuestras vidas. Él está creando la mejor versión de nosotros mismos.

Oración:

Señor Jesús, sé que hay ocasiones en que me llega el desaliento y la debilidad a causa de las pruebas de la vida. Pero tú me enseñas hoy que siempre hay un propósito mayor para mí y por lo tanto seguiré creciendo y aprendiendo de cada una de ellas. Gracias Señor. Amén.

La fuente del agua viva

"....Señor, dame esa agua, para que no tenga yo
sed, ni venga aquí a sacarla" (Juan 4:11b)

La Biblia asocia la vida muchas veces con ríos o aguas que fluyen, que traen refresco continuo sobre aquel que toma de esas aguas.

Los profetas describieron un río que salía del templo en Jerusalén. Ezequiel describe un río que fluye desde el templo que había crecido tanto que nadie podía cruzarlo, que era fuente de vida para árboles y peces. Zacarías escribe: "En aquel día fluirá agua viva desde Jerusalén".

El Señor Jesús dijo que los que creen en Él, de su interior fluirán esos ríos de agua viva.

No desde el templo, no desde Jerusalén, sino desde el interior del que cree.

En la conversación con la mujer samaritana, Jesús le dice: "... Si conocieras el don de Dios, y quién es el que te dice: Dame de beber; tú le pedirías, y él te daría agua viva" (Juan 4:10).

Intrigada y dudosa, y al ver que Jesús no llevaba recipiente para el agua, la mujer volvió a preguntar: "... ¿De dónde, pues, tienes el agua viva?" (Juan 4:11).

En una extraordinaria promesa, el Señor entonces declaró ser la fuente de agua viva, el manantial de vida eterna, diciéndole: "... Cualquiera que bebiere de esta agua, volverá a tener sed; "más el que bebiere del agua que yo le daré, no tendrá sed jamás; sino que el agua que yo le daré será en él una fuente de agua que salte para vida eterna" (Juan 4:13-14).

Abundancia que fluye desde tu interior. Palabra que no se detiene. Unción que se esparce por donde quiera que tú vayas. Ríos que inundan de bendición tu vida y la de quienes son tocados por ti.

Así como en el pozo de Jacob, también en la actualidad el Señor Jesucristo es la única fuente de agua viva, el agua que apagará la sed de aquellos que sufren de la sequía de verdad divina que tanto aflige al mundo.

Ese debe ser el cristiano de todos los tiempos. Tomando siempre de la fuente del agua viva. Fortaleciendo su vida con la voz que viene de los cielos.

Vida nueva, corrientes que no se detienen, torrentes de bendición que no cesan y la palabra cada vez haciéndose más viva en nuestro interior.

Hay muchos pozos hoy, pero están secos. Hay muchas almas hambrientas que están vacías. Pero si vamos a Jesús y lo tomamos a Él y a su Palabra, encontraremos ríos de agua viva para bendición.

Oración:

Señor amado, te doy gracias por ser esa fuente inagotable del agua viva. Hoy más que nunca quiero acercarme a ti y beber de esa agua que calme mi sed para siempre. Mi propósito es nunca alejarme de tus caminos. Si así lo hiciera moriría de sed. Por eso hoy me reafirmo en seguir tu camino, el único camino que lleva a la vida eterna. Amén.

Errando el blanco

"No todo el que me dice: Señor, Señor, entrará en el reino de los cielos, sino el que hace la voluntad de mi Padre que está en los cielos" (Mateo 7:21)

En los Juegos Olímpicos de Verano de 2004, un atleta estadounidense llamado Matthew Emmons estaba muy encaminado para alcanzar la medalla de oro en rifle de tres posiciones cincuenta metros.

Emmons estaba listo para su disparo final. Se encontraba tan por delante de los otros competidores que lo único que tenía que hacer era enviar una bala a cualquier lugar dentro del círculo interior del blanco. Eso le daría la medalla de oro.

Se preparó de manera mental. Contuvo la respiración. Apuntó y disparó.

La bala atravesó justo el blanco. Pero se quedó sorprendido cuando no sonó el tono que indicaba una diana. ¡Emmons entonces comprendió que disparó en la diana equivocada!

De la primera posición y de una medalla de oro casi garantizada, cayó hasta la octava posición.

El disparo adecuado dio en la diana indebida.

Todos nosotros tenemos solo una vida por vivir, pero sería desastroso que por no escuchar adecuadamente lo que Dios nos quiere decir, terminemos dando en el blanco equivocado al final de una vida desperdiciada.

Un día tú estarás delante de un juez mayor que cualquier otro que oficiara jamás en unos Juegos Olímpicos. ¿Qué le dirás si Él te dice que en tu vida diste al blanco equivocado?

Curiosamente una de las definiciones de pecado es precisamente errar el blanco.

La pregunta para cada uno de nosotros es: ¿Estaré avanzando en los propósitos divinos? ¿Estaré escribiendo una historia unida con la voluntad divina?

La mayoría de la gente no tiene sentido de destino, solo se mantiene a flote y sin saber si está más cerca de su visión, de su sueño, si se está aproximando al cumplimiento de los propósitos por los cuales Dios lo/la envió a este mundo.

La historia de este mundo se está escribiendo con aquellos que se rinden al Señor sin condiciones y saben que están siendo dirigidos por Él para llevar a cabo propósitos mayores.

No te contentes con menos. Si no estás haciendo la voluntad de Dios para tu vida, simplemente estás errando el blanco y un día te llamarán a cuentas por lo que hiciste mientras viviste en este mundo.

Oración:

Señor Jesús, ayúdame a confiar en ti para que me someta continuamente a tu voluntad para mi vida. Haz Señor que busque siempre el agradarte, pues al fin y al cabo tú me formaste y soy tu criatura. Te agradezco hoy porque no solo me formaste, sino también has permitido que al conocerte tenga un destino de vida eterna y pueda vivir en el gozo que solo los redimidos por la mano del Señor podemos experimentar. Amén.

¿Gente de poca fe?

"Y si la hierba del campo que hoy es, y mañana se echa en el horno, Dios la viste así. ¿No hará mucho a vosotros, hombre de poca fe?" Mateo 6:30

La fe no consiste únicamente en creer que Dios existe.

La fe en la Escritura implica hacer algo en respuesta a esa creencia.

Implica obediencia y aceptación de lo que Dios ha dicho y también entendimiento de sus atributos. Implica además comprender su sacrificio y vivir de acuerdo a nuestra nueva condición en Cristo.

Implica descansar en Dios y confiar en El en todo tiempo, aun cuando las cosas no parecen ir muy bien.

Sin fe desagradamos a Dios. Sin fe no tenemos una vida de victoria. Sin fe carecemos de certezas en este mundo y vivimos a la deriva.

¿Cómo podríamos nosotros definir lo que en realidad es la vida cristiana?

La vida cristiana no es en realidad una vida llena de obstáculos, agotadora e imposible de llevar.

Ni tampoco es una vida de legalismo que a diario se nos introduce para que cumplamos muchos requisitos que nos den acceso al cielo. Eso no es lo que Cristo nos enseñó.

Más bien, Él nos mostró una manera de vivir con gozo, con expectativa por mejores cosas, con alegría ante el porvenir, con esperanza de cosas mejores. Él nos enseñó a vivir una vida de fe.

Por eso no basta con que creas en Dios, tienes que creerle a Él. Tienes que creer en su palabra. Tienes que creer en sus promesas.

La fe es la certeza de lo que se espera, la convicción de lo que no se ve.

La fe te traslada del lugar del problema al lugar de la solución. Te permite ver más allá pero con ojos diferentes.

Por eso, para tiempos como estos Dios está buscando gente de fe.

¿Eres tu uno/a de estos/as?

Oración:

Señor Jesús, mi oración para este día es que sea más fortalecido en mi fe para enfrentar las batallas de cada día. Permíteme que a lo largo de esta jornada pueda mostrarle a quien sea necesario que tú me has dado una fe suficiente para superar barreras y derribar gigantes, Amén.

Buscando una esperanza real

"Pablo, apóstol de Jesucristo por mandato de Dios nuestro Salvador, y del Señor Jesucristo nuestra esperanza" (1 Timoteo 1:1)

Mi hija es profesora de una escuela intermedia para jóvenes entre 11 y 14 años aproximadamente.

Al terminar uno de los periodos, sus alumnos le regalaron un pequeño libro con algunas notas que le escribieron.

Ella me dio el librito para que lo leyera. La mayoría de los alumnos que son apenas unos jovencitos empezando a vivir, escribieron cosas como estas: "Te agradezco mucho por haberme escuchado en un momento crítico de mi vida"; "en realidad te aprecio porque me ayudaste a salir de mi angustia y mi depresión"; "te doy gracias porque fuiste el apoyo que necesitaba en este momento difícil de mi vida".

Y así como estas, otras notas en las que se notaba un gran sufrimiento por parte de estos niños que aún despiertan a la pubertad y tienen toda su vida por delante.

Los jóvenes que viven en nuestro alrededor, tienen todo lo que un adolescente quisiera tener. Toda la tecnología, los teléfonos, vehículos muchos de ellos, comodidad en sus casas, cuartos propios, ropa nueva, zapatos de marca, videos y cuanta cosa se les viene a la cabeza, ¡pero no son felices!

Por el contrario estamos viendo una generación de jóvenes en depresión, en tristeza, en angustia permanente, en crisis existencial, con intentos de suicidio, con vicios a los que se aferran para encontrar salidas a sus vacíos, con problemas que ellos mismos no saben cómo confrontar.

Los padres siguen trabajando largas jornadas para seguir comprando cosas que no van a llenar ese vacío de su juventud.

Muchos jóvenes lo tienen todo pero no son felices. Por el contrario, viven resentidos, viven deprimidos y terminan buscando en los vicios, en las drogas, en las pandillas, una respuesta para sus interrogantes.

Este mundo necesita desesperadamente una esperanza real. Esa esperanza tiene un nombre, se llama Jesucristo, nuestra única y verdadera esperanza.

Él no nos abandona, sino que está presto a nuestros ruegos y podemos acudir en cualquier momento y su línea nunca está ocupada.

Es nuestro Señor, quien nos conforta, quien nos ayuda, quien nos consuela.

Los tiempos difíciles se vencen siempre con la plenitud del amor que Jesús vino a entregar a cada uno de los suyos. Recibe en este día esa plenitud y vive de aquí en adelante con gran esperanza.

"Cristo en nosotros, la esperanza de gloria" (Col. 1:27b).

Oración:

Señor amado, en este día deseo renovar mi intención de ayudar a quien clama en necesidad. Sé que el mundo te necesita y yo puedo ser parte de un cambio real en la vida de alguien cuando comparto de ti, Señor Jesucristo, la única esperanza real a quien podemos aferrarnos. Ayúdame para no ser indiferente, sino que pueda compartir con los demás la esperanza de gloria. Amén.

Confiando de nuevo en El

*"Confía en Jehová, y haz el bien; y habitarás en la
tierra, y te apacentará de la verdad"* (Salmo 37:3)

Si tú eres una persona convertida, eso significa que una vez le confiaste tu vida al Señor.

Un día El Señor te atrajo con su amor y abriste tu corazón y dijiste Señor entra en mi vida y hazla de nuevo.

Y El empezó el trabajo, lentamente, pacientemente.

Cuando caías Él te levantaba, cuando te extraviabas Él te encontraba de nuevo, cuando desfallecías encontrabas una mano en la que te apoyabas para encontrar nuevas fuerzas.

Y tal vez por circunstancias en la vida llegaste incluso a dudar de tu fe.

Pudiste preguntarte: ¿vale la pena esto? ¿No hubiera sido mejor quedarme cómo estaba?

Hasta más problemas he tenido desde que he venido a Cristo y tengo mucha oposición.

Han pasado los años, han venido situaciones difíciles, han llegado los problemas y has tenido que lidiar con ellos.

Incluso puede haber sido que por causa de todo eso perdiste ese fuego interior que tenías desde el principio. El enemigo susurra al oído de los creyentes para decirles: no eres importante para nadie, Él no te ama, te abandonó cuando más lo necesitabas, te dejó solo y tú habías puesto tu confianza en Él y mira ahora tu vida.

Pero la pregunta hoy para ti es: Ahora que le conoces más. Ahora que has vivido tantas experiencias con El. Ahora que has soportado dolores, fracasos, tristezas, malos momentos: ¿serías capaz, de confiar de nuevo en El?

Porque algo pasa cuando tú has sido quebrado/a pero sobrevives.

Algo pasa cuando a pesar de los golpes de la vida, tú permaneces.

Algo pasa cuando el cristiano se mantiene firme aun en los peores momentos de su vida.

Tu misión se alcanza, tu carácter se fortalece y te preparas para más grandes retos de la mano del Señor.

¿Le alabarías hoy aunque no estés en el mejor de tus momentos?

¿Le alabarías hoy aunque te sientas resquebrajado aun?

¿Le alabarías hoy aunque sientas que todavía sientes dolor en tu interior?

Algo pasa cuando le alabamos en momentos difíciles, porque esa alabanza convertirá el lamento en baile y la tristeza en alegría.

Dios no ha terminado contigo, Él tiene mucho más para ti. Él ha reservado el mejor vino para el final de la fiesta y ese vino nuevo está a punto de ser derramado en odres nuevos, en vasijas de honra listas para recibir la frescura que mana del cielo sin detenerse.

Por eso es hora de confiar de nuevo en Él.

Ya has aprendido que puedes confiar en Él y descansar en su amor infinito.

Oración:

Señor, desde que te conocí he ido aprendiendo que tú me has dado una nueva naturaleza para resistir los problemas de la vida y seguir luchando con valor y con entrega. Sé que ahora soy una nueva criatura, preparada para levantarse de nuevo después de cada caída y para seguir caminando con valentía en esta vida, mientras tú estás conmigo. Amén.

Viviendo una vida desafiante

*".... yo he venido para que tengan vida, y para que
la tengan en abundancia" (Juan 10:10)*

¿Sientes que en tu vida estás cumpliendo con los propósitos para los cuales fuiste creado/a?

O tal vez tu vida es solo de total aburrimiento y sin desafíos en cada jornada.

¿Cómo justificarnos delante de Dios, cuando seamos llamados a rendir cuentas por lo que hicimos mientras estuvimos aquí? ¿Cómo justificaremos haber tenido vidas aburridas, sin desafíos, cuando Dios nos llamó a algo diferente?

¿Tener vidas llena de opresión, de miseria y de temor, cuando El Señor nos ofrece una vida en libertad, en abundancia y en su poder?

¿Tener vidas que se contentan con lo natural, cuando han sido dotadas de lo sobrenatural?

Un cristiano no debe vivir en temor. Un cristiano no debe vivir en cadenas. Un cristiano no debe vivir en tormento. Un cristiano no debe vivir en angustia.

Todo eso ya lo tomó El Señor y aunque el enemigo vino para matar, robar y destruir, nuestro Señor Jesucristo vino a darnos una vida diferente, una vida en la que se manifiesta continuamente lo sobrenatural, una vida en abundancia.

Hace algunos años un pastor puso a la puerta de su iglesia el siguiente rótulo: esta iglesia o tiene un avivamiento, o tiene un funeral.

Creo que deberíamos desafiarnos de esa manera. Nosotros como gente de fe, no tratamos con cuestiones superficiales, no.

Nosotros tratamos con las almas de los seres humanos, el destino eterno, el poder de un Dios que puede sanar, que puede liberar, que puede transformar vidas, que puede abrir los ojos de los ciegos y perdonar nuestros pecados.

Estas no son cosas superficiales, esto es lo más profundo en el ser humano.

Por eso también deberíamos desafiarnos a nosotros mismos: o tenemos un avivamiento, o tenemos un funeral. Las cosas de Dios no se deben jamás tratar de manera superficial.

El llamado es a vivir de una forma desafiante. El reino de los cielos sufre violencia y solo los valientes lo arrebatan (Mateo 11:12).

Oración:

Espíritu Santo, mi oración hoy es por un verdadero avivamiento. Anhelo un despertar espiritual propio y de todos los que te seguimos y compartimos tu nombre. Creo que es tiempo para que el pueblo cristiano se levante y resplandezca en medio de tanta oscuridad y somnolencia. Sí, creo que es tiempo de avivamiento. Lléname hoy de tu Santo Espíritu, lléname hoy de ese fuego divino. Amén.

Escogidos y bendecidos

"...Jehová ha entregado toda la tierra en nuestras manos; y también todos los moradores del país desmayan delante de nosotros" (Josué 2:24b)

El libro de Josué fue escrito para mostrarnos lo que un Dios tan grande puede hacer con un pueblo al que ha escogido para bendecir.

El tema de este libro no es que Josué tomaba la tierra prometida, no. El tema de este libro es Dios tomando la tierra y Josué y el pueblo recibiéndola de parte de Dios.

Por eso al final de su carrera, Josué se levanta y desafía a todo el pueblo: Ustedes miren a quién van a servir, si a los dioses a quienes sirvieron sus padres cuando estuvieron al otro lado del río, o a los dioses de los amorreos en cuya tierra están habitando ahora. Pero sepan que yo ya hice una decisión y es la decisión más importante de mi vida, yo y mi casa serviremos al Rey de reyes y Señor de señores, yo y mi casa serviremos a Jehová.

Como parte del pueblo de Dios, tú y yo somos gente de conquista. El Señor nos planta en un lugar y es Él quien va tomando su tierra y nosotros vamos recibiendo de sus manos el lugar donde el nombre de nuestro Dios tiene que ser glorificado.

¡Hay un territorio por poseer, hay un llamado por cumplir, hay una tarea por realizar!

Por eso te pregunto hoy:

¿Se te olvidó que eres un/a conquistador/a para Cristo Jesús?

¿Se te olvidó que has sido comisionado/a por el mismo Señor de señores para entrar a poseer la tierra en la cual habitas?

¿Se te olvidó que a través del Espíritu Santo has sido dotado/a de un poder sobrenatural?

Recuerda hoy que tú has sido escogido/a y bendecido/a por Dios para hacer lo que solo los hijos de Dios pueden llegar a hacer.

Así que levántate y recibe hoy lo que El Señor está tomando para ti y está entregando en tu mano.

Al final solo podrás glorificar a Dios por las victorias que día a día te regala.

Oración:

Rey de mi vida, mi Señor Jesús, yo soy tu pertenencia y deseo honrarte con cada acto de mi vida. Tú me libraste de la posesión del enemigo y de la muerte eterna. Hoy decido servirte con todo mi ser, y me comprometo a amarte con todo mi corazón, con toda mi alma, con todas mis fuerzas y con toda mi mente. Deseo ser siempre fiel a tu llamado y a tu voz. Quiero ser guiado por tu mano de poder y renuncio a la idolatría, a la religiosidad, a las tradiciones inútiles, a una vida sin propósito, porque sé que en ti tengo todo cuanto necesito para ser feliz. Amén.

¿Te olvidaste?

"Yo soy Jehová tu Dios, que te saqué de la tierra de Egipto, de casa de servidumbre" (Éxodo 20:2)

El creyente debe aprender cómo debe confrontar las batallas de su vida y debe saber que no es en sus propias fuerzas, sino en la fuerza de Aquel que jamás ha perdido una batalla.

Pero a veces me pregunto: ¿Por qué personas no pueden retener las cosas de Dios?

¿Por qué será tan fácil perder la fe? ¿Por qué la gente anda alegre hoy y mañana anda triste?

¿Por qué son salvos hoy y mañana viven como impíos? ¿Qué está pasando con el pueblo de Dios hoy en día?

La gente es buena para retener las cosas malas, las malas costumbres, sus antiguas formas de pensar, las malas palabras, eso sí lo retienen... pero las cosas de Dios no.

Nadie vio mayores milagros de liberación que la generación de Moisés.

Comenzó con diez plagas temibles que cayeron sobre Egipto. Enjambres de langostas, invasiones de ranas, ríos de sangre, tinieblas tan negras que eran palpables – todas estas cosas trajeron caos y confusión sobre los egipcios–. Mientras que todo el tiempo el pueblo de Dios se sentaba seguro en su campamento, protegido de todo.

Esos mismos israelitas vieron la nube de gloria asentarse detrás de ellos, escondiéndolos del ejército del Faraón que se aproximaba. Ellos vieron cómo el cielo nocturno se encendía con un pilar de fuego, calentándolos durante las noches frías en el desierto. Y ellos vieron un mar entero abrirse ante ellos, con muros altos a cada lado. Ellos caminaron a través de esas olas amuralladas sobre tierra seca. Y luego vieron cómo el ejército del Faraón fue destruido en forma sobrenatural, mientras esos mismos muros de agua cayeron estrepitosamente sobre sus perseguidores, aniquilándolos.

¡Cuán grandes liberaciones experimentó Israel!

Sin embargo, no las entendieron. De hecho, pronto las olvidaron todas. Solo tres días después de su liberación milagrosa, ellos acusaron a Dios de llevarlos al desierto para que murieran de sed.

La generación del presente también es una generación que se ha olvidado de Dios. Viven como si Él no existiera y sus vidas nunca llegan a la plenitud. Deambulan por el mundo en busca de explicaciones y respuestas, pero la respuesta no la pueden hallar sin reconocer a Aquel que afirmó que era el camino, la verdad y la vida.

Así que te pregunto en este día: ¿Te has olvidado de dónde te sacó El Señor? ¿Lo olvidaste? ¿Olvidaste que estabas muerto/a y Él te dio vida? ¿Olvidaste que nadie daba un peso por ti y ahora te has convertido en un especial tesoro? ¿Te olvidaste que eras un/a desahuciado/a para el mundo, un/a mentiroso/a, un/a pecador/a, y ahora sobre tu cabeza hay un título que dice: Santo/a de Dios? ¿Lo olvidaste?

Un corazón agradecido jamás olvida al que lo ha llenado de bendición.

Un corazón renovado por la presencia de Dios jamás podrá dejar de reconocer cada día de su vida a Aquel que lo sacó de las tinieblas y lo llevó a su luz admirable.

¿Eres tú uno de estos/as? ¿O ya lo olvidaste?

Oración:

Señor Jesús, sé que amas de tal manera que hasta diste tu vida por mí. Sé que soy importante para ti y por eso tú deseas entrar en mi casa y cenar conmigo. Este será sin duda un momento inolvidable. Las puertas de mi alma estarán siempre abiertas para ti, tú eres mi Señor y Salvador y eres siempre bienvenido a mi vida y a mi hogar. Junto con mi familia deseo en este día ofrecerte lo mejor. Nuestro hogar será el tuyo, cada rincón de nuestra casa será también para ti. Amén.

Cuenta conmigo

"Después oí la voz del Señor, que decía: ¿a quién enviaré, y quien irá por nosotros? Entonces respondí yo: Heme aquí, envíame a mi" (Isaías 6:8)

Si hiciéramos una encuesta entre muchas personas con esta sola pregunta: ¿Estás caminando en la voluntad de Dios? Piensa por un momento cuáles serían sus respuestas ¿Cuál sería la tuya en particular?

¿Podrías afirmar hoy con certeza: sí, sé que estoy haciendo lo que Dios quiere de mí, estoy escribiendo un presente con la pluma de Dios y un futuro de acuerdo a su voluntad?

¿Podrías decir eso con absoluta seguridad?

La pasión por Cristo produce gozo espiritual, produce entrega total, produce una verdadera alabanza y adoración, produce obediencia y arrepentimiento.

Cuando hay pasión por Cristo no importan las distancias que haya que recorrer para hacer la voluntad de Dios. No existen obstáculos demasiado difíciles y no hay pero...

No importa que se tengan pérdidas materiales, sociales o religiosas por seguir a Cristo.

Aquel que ha visto la gloria del reino dice como decía el Apóstol, "todo lo tengo por basura por amor a Cristo".

No más excusas entonces. O sigues a Cristo y haces lo que Él haría, o simplemente estás haciendo lo que a ti bien te parece, pero no cumples con lo que El Señor tenía pensado para ti.

¿Dónde se originan tus visiones? ¿Lo que piensas o proyectas en tu vida tiene una fuente celestial o tiene una fuente simplemente natural?

Este es un día para decir: ¡Señor cuenta conmigo!

Ni siquiera te imaginas lo que puedes llegar a alcanzar, porque nada es débil cuando está en las manos del más fuerte, nada es vacío cuando está en las manos de Aquel que todo lo llena en todo. Cualquier cosa es posible cuando se está en las manos de Aquel para el cual nada es imposible.

John Harold Caicedo

Y déjame decirte algo: Dios siempre que va a hacer algo en la tierra, busca un hombre o una mujer.

Dios no busca un ángel o un ejército celestial para llevar a cabo esa labor que Él desea realizar.

Él busca un hombre o una mujer pero que sean diferentes, que sepan escuchar su voz y que obedezcan a su Palabra.

Hombres y mujeres con una visión celestial para que hagan lo que Él quiere hacer.

Pero ¿Dónde están los hombres y mujeres que se despertarán para aferrarse a Dios?

¿Dónde están aquellos que dicen: he puesto mi confianza en Dios y así el mundo entero se ponga en mi contra, yo voy a seguir a mi Señor y haré lo que Él me diga?

¿Serás tú? ¿Será que Dios finalmente lo/la ha hallado?

Si es así, estás unido/a a la voluntad del Señor y tu vida será un gran testimonio en este mundo necesitado de Dios.

Oración:

Padre, sé que a veces el enemigo trata de confundirme y engañarme diciéndome que no valgo nada, que no sirvo para nada o que no vale la pena lo que hago porque al fin y al cabo eso no es importante para nadie. Pero hoy descubro que he sido importante desde antes de la fundación del mundo porque tú ya me tenías en mente y me hiciste de acuerdo a tu diseño divino. Soy hechura tuya, por lo tanto debo seguir cada día las instrucciones del fabricante. Ayúdame en este día a ser obediente a tu voz, soy tu oveja y escuché que me hablabas desde el amanecer. Gracias por haberme hecho con tus manos perfectas. Amén.

Renovados por Cristo

"No os conforméis a este siglo, sino transformaos
por medio de la renovación de vuestro entendimiento,
para que comprobéis cuál sea la voluntad de Dios,
agradable y perfecta" (Romanos 12:2)

En Cristo hemos sido reconciliados con Dios, hemos sido perdonados, hemos sido justificados delante del Padre (2 Cor.5:18-21). Hemos nacido de nuevo, tenemos vida eterna, estamos en el proceso de la santificación, tenemos una nueva manera de vivir, tenemos una nueva identidad, ya estamos completos para poder vivir la vida de abundancia que Cristo nos da.

Pero para que todo sea una realidad, tenemos que asumir esto en nuestra mente y aceptarlo por fe, mediante la renovación de nuestro entendimiento; cambiando nuestra vieja forma de pensar.

Por eso es tan importante que te preguntes para qué has sido equipado/a.

A lo mejor hay un/a libertador/a en ti que fue llamado/a para estos tiempos de apostasía.

A lo mejor hay en ti un/a evangelista que ha sido equipado/a para llevar el mensaje por el mundo y transformar miles de vidas con el poder del evangelio.

Quizás hay un ti un/a héroe de las nuevas generaciones que se levantan con la autoridad divina para traer alivio a quienes están en necesidad.

Quizás te estás perdiendo de muchas cosas para las que fuiste dotado/a y aún estás en el terreno de la duda y de la incertidumbre.

Y hoy podrías preguntarte como lo hizo un día Moisés: Y ¿Quién soy yo? ¿Quién soy yo para transformar vidas o traer alivio en este mundo? ¿Quién soy yo para anunciar un mensaje divino? ¿Quién soy yo para levantar en alto la bandera de las nuevas generaciones de creyentes que proclamen que Cristo es El Señor de sus vidas?

Si hay en tu interior ese fuego, si hay en tu interior esa llama que no se extingue, es Dios hablándote en tu propia zarza. Hay una zarza en tu interior que no se apaga, es Dios motivándote y levantándote en estos tiempos para que construyas parte de la historia de lo que Él quiere hacer en este mundo.

Tienes que saber que Dios te ha comprado. Él te compró por precio de sangre, de su bendita sangre derramada en aquel lugar en las afueras de Jerusalén para que tú pudieras llegar a entender lo importante que eres para Dios.

Tu vida tiene un precio. Y es el precio más costoso que jamás se haya pagado por alguien.

Tú lo vales todo para El Señor y te valora tanto que Cristo mismo se ha ido adelante de ti para preparar una morada para que donde Él esté, también tú estés con Él por la eternidad.

Afirma tus pasos, mira hacia adelante y empieza a andar. Cuando te pregunten "¿tú quién eres?" puedes afirmar con confianza que eres un/a hijo/a de Dios, que eres alguien por quien Cristo dio su vida.

Toma la decisión de vivir para Dios, de echar a un lado todo lo que te estorbe, todo lo que te distraiga, todo lo que desvíe de tus propósitos divinos.

Es hora de que te apropies de tu verdadera identidad en Cristo Jesús.

Oración:

Señor, en este día ofrezco a ti mi vida de santidad y pureza. Ayúdame en este caminar diario de crecimiento y sanidad espiritual. Abre mis ojos para que pueda comprender que el pecado me aparta de ti, pero el arrepentimiento me conduce de nuevo a tus caminos perfectos. Sé que tomado de tu mano podré ser guiado a lugares de santidad donde el pecado no tendrá sobre mí su señorío. Confío en tu poder y me entrego en tus manos sanadoras, en Cristo Jesús. Amén.

Lo sobrenatural de Dios en mí

*"Testificando Dios juntamente con ellos, con señales
y prodigios y diversos milagros y repartimiento del
Espíritu Santo según su voluntad"* (Hebreos 2:4)

Cuando tú ves solo con tus ojos naturales, las expresiones que salen de ti son por lo general de frustración: El mundo está muy complicado, las enfermedades son mortales, los crímenes abundan, los pecados están por todas partes y te abrumas con lo que ves.

Pero cuando Dios pone en ti una visión celestial, entonces descubres que el esclavo puede ser libre, que lo incompleto puede completarse, que el enfermo puede sanarse, que lo que se odia puede llegar a amarse, que lo sucio puede limpiarse, que lo malo puede ser cambiado y convertido en algo bueno.

Es Dios obrando, entonces, a través de ti.

Es El Señor despertando en ti anhelos por algo mejor, son visiones celestiales que te dicen que las cosas pueden cambiar para bien y que Dios te tiene en cuenta para esos propósitos.

Sin embargo, el cristiano de hoy en día se contenta con poco.

A pesar de tener al Dios creador de todas las cosas, el Dios poderoso que no conoce de límites ni de incapacidades, el creyente se satisface con solo un poquito de su presencia, un poco de su gloria, un poco de su poder.

Y nos perdemos de la manifestación maravillosa de una vida llena de propósitos, de unción y de frutos abundantes, simplemente porque hemos perdido la expectativa de ver a Dios en acción en nuestras vidas.

Con el tiempo, los seguidores de Jesús deberían parecerse menos a sí mismos y más al Señor.

La verdad es que hay seres humanos que harían lo que fuera por encontrar una mina de oro, arriesgarían hasta sus vidas por hallar un tesoro escondido, pelearían con alguien sin cesar por recibir una herencia, harían hasta lo imposible por acumular más dinero, matarían a quien fuera necesario por conquistar un territorio. Pero cuando se trata de las cosas de Dios, entonces esto pasa a un segundo plano, ya no es tan importante, no les interesa mucho buscar de su presencia o experimentar el gozo de contemplar el rostro de Dios en medio de sus vidas.

Así que es hora de que nos preguntemos: ¿En realidad estamos motivados por las mismas cosas que están en el corazón de Dios?

Si no es así, aún nuestra vida está fuera de su voluntad y seguimos siendo guiados por ojos naturales.

¡Aún carecemos de lo sobrenatural de Dios en nuestras vidas!

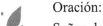

Oración:

Señor de los cielos, hoy elevo una oración a ti pidiéndote que seas mi fortaleza, mi pronto auxilio, mi escudo y mi libertador. Al enfrentar este día reconozco que a veces me faltan fuerzas o encuentro motivos para desalentarme. Pero te pido Señor que renueves mis fuerzas, me des tu aliento y seas el refugio al cual acudo cuando necesito renovarme. Sé que en ti puedo confiar y al caminar día a día, tendré que regresar una y otra vez a ti para que me ayudes a completar fielmente esta jornada. Al final sabré que siempre estuviste conmigo y te daré la honra y la gloria. Amén.

Un espíritu superior

"Pero Daniel mismo era superior a estos sátrapas
y gobernadores, porque había en él un espíritu
superior; y el rey pensó en ponerlo sobre todo el
reino" (Daniel 6:3)

Daniel fue un hombre que vivió en medio de la contaminación de un reino pagano. Sin embargo, su vida fue la fiel demostración de lo que un hombre o una mujer de Dios puede hacer aun en medio de tanta corrupción, idolatría y vicios mundanos.

Por eso es un ejemplo para el cristiano de todas las épocas que aspira a mantenerse puro en medio de un mundo contaminado.

A pesar de que existía mucha inteligencia entre los hombres de aquella época y que ocupaban cargos importantes, nunca nadie igualó siquiera a Daniel en su sabiduría para enfrentar las cosas que tenía que responder a cada momento.

El Espíritu de Babilonia había atrapado a todo el mundo conocido de ese entonces. Un espíritu pagano e idólatra que corroía todo porque no se escuchaba en ningún lugar oraciones ni alabanzas al Señor. Solamente Daniel y sus amigos se mantuvieron fieles en la búsqueda del Dios Altísimo.

El rey Nabucodonosor tuvo un sueño y nadie se lo podía interpretar. Ni los astrólogos, ni los magos, ni los sabios de la región podían hacer algo para interpretar ese sueño del rey.

Nabucodonosor tenía todo lo que el mundo de hoy busca. Tenía poder, tenía fama, tenía riquezas, tenía influencia, tenía mando sobre su gente, podía ir a donde quisiera y tenía servidores en todas partes. Pero era un hombre sin paz en su corazón. Y no encontraba respuestas en los demás.

Porque siempre es así. La humanidad se mata por conseguir cosas materiales pero siguen sin tener paz en su corazón. Sus casas están llenas de artículos costosos que poco usan.

¡Finalmente la sabiduría del mundo se tiene que inclinar ante la santidad!

El rey tuvo que buscar a un hombre como Daniel que tenía un espíritu superior al resto de la gente y él le da a conocer lo que significan esos sueños de Nabucodonosor.

¿Quién era el que tenía las respuestas? No era el mundo y su ciencia, no eran los astrólogos, magos, hechiceros, ni hombres entendidos en letras, ni sabios. No.

La respuesta siempre la han tenido los que encuentran la revelación divina, los que buscan a Dios aunque el mundo entero los persiga o se burle de ellos, porque tienen el Espíritu de Dios y no el espíritu del mundo.

Por eso es tiempo de que el pueblo de Dios entienda que solo la consagración al Señor y la obediencia a su Palabra nos permitirán poseer también, como Daniel, un espíritu superior, y entonces tendremos respuestas para este mundo de tanta oscuridad e ignorancia.

Oración:

Amado Dios, necesito de tu fuerza y tu poder para consagrarme por entero a tu voluntad soberana. Sé que no es fácil dejar atrás malos hábitos y cualquier cosa que me aleja de ti, pero quiero pedirte que me ayudes en estos propósitos de crecimiento espiritual y obediencia radical a tu Palabra. Dame Señor el poder para convertirme en ese ser humano que cumpla los propósitos para lo cual fui creado por ti. Que este sea un buen día para empezar una nueva travesía que me llevará a estar en el centro mismo de tu voluntad. Amén.

Abril

¡Tenemos acceso!

*"Acerquémonos, pues, confiadamente al trono de
la gracia, para alcanzar misericordia y hallar gracia
para el oportuno socorro" (Hebreos 4:16)*

El día más solemne del año litúrgico judío era el Día de la Expiación.

Era el único día del año en que el Sumo Sacerdote entraba en el Lugar Santísimo, en el que moraba la misma presencia de Dios.

Nadie entraba allí excepto el sumo sacerdote, y sólo ese día. Cuando lo hacía, la Ley establecía que no debía permanecer en el Lugar Santísimo más de lo imprescindible, «para que no se aterrara Israel.»

Era peligroso entrar a la presencia de Dios, y si uno se quedaba allí más de la cuenta podía caer fulminado. En vista de esto, entró en el pensamiento judío la idea del pacto.

Dios, en Su gracia y de una manera totalmente inmerecida por el hombre, se acercó a la nación de Israel y le ofreció una relación especial con Él. Pero este acceso exclusivo a Dios estaba condicionado a la observancia de la Ley que Dios había dado al pueblo.

Así es que Israel tenía acceso a Dios pero sólo si cumplía la Ley.

El quebrantarla era pecado, y el pecado levantaba una barrera que impedía el acceso a Dios.

Lo que la humanidad necesitaba era un sacerdote perfecto y un sacrificio perfecto, alguien que fuera capaz de ofrecerle a Dios un sacrificio que abriera el camino de acceso a Él de una vez para siempre.

Eso que decía el autor de Hebreos, es exactamente lo que Cristo ha hecho.

Él es el Sacerdote perfecto porque es al mismo tiempo perfectamente humano y perfectamente divino. En Su humanidad lleva al hombre a Dios, y en Su divinidad trae a Dios al hombre. No tiene pecado.

El sacrificio perfecto que presenta a Dios es el sacrificio de sí mismo, un sacrificio tan perfecto que no necesita repetirse nunca.

Ya no es por intermediación del sumo sacerdote. Ya no es a través de sacrificios, ya no es por intervención de alguien. No, nada de eso.

¡Jesús lo hizo por nosotros, tenemos acceso, tenemos entrada al trono por la obra que Jesús hizo en este mundo a favor de nosotros!

Recordemos esta poderosa palabra: "acerquémonos". Vengamos con confianza, hay un camino hacia el trono, hay una vía de salvación, hay una verdad que nadie puede cambiar: se llama Jesucristo, Él es El Mesías, El Hijo de Dios y Él ha abierto ese camino por el cual podemos transitar con alegría y confianza porque nos dirige sin rodeos hasta el trono de la gracia divina.

Oración:

Señor Jesús, te doy gracias por tu obra perfecta hecha a mi favor. Hoy solo quiero alabar tu nombre y exaltarte por tanto amor. Sé que mi vida te pertenece y que si confío plenamente en ti, tú harás conforme a tu voluntad en mí y por lo tanto, seré llamado bienaventurado y alcanzaré los propósitos para los cuales fui creado. Amén.

Sanados para glorificar a Dios

"y alzaron la voz diciendo: ¡Jesús, Maestro, ten misericordia de nosotros!" (Lucas 17:13)

En su caminar, con destino a Jerusalén, Jesús pasa por una humilde aldea y de pronto le salen al encuentro diez leprosos, de aspecto horrible debido a la enfermedad, sin ninguna posibilidad de curación; se sentían tan despreciables que tuvieron que pararse de lejos.

Además, no les era permitido acercarse a alguien. Vivían en pleno aislamiento.

Ellos al ver pasar a Jesús, gritaron a viva voz: ¡Jesús, Maestro, ten misericordia de nosotros!

Jesús no tenía ninguna obligación de detenerse ante ellos y escucharles, sin embargo, él comprende la situación de cada uno de ellos y sin ningún trámite los envía a los sacerdotes. Es en el camino donde se produce el milagro: ¡fueron limpiados!

De pronto uno de ellos, tan sólo uno de los diez sanados, regresó glorificando a viva voz a Dios y con toda reverencia y humildad, para dar gracias al Señor Jesús.

Pero lo asombroso de este relato es que este personaje era un extranjero, un samaritano.

La enseñanza que Jesús quiere dar a sus discípulos se encuentra en la pregunta al samaritano: ¿Y los otros nueve, mis compatriotas, dónde están?

Hoy en día hay muchos que caminan por el mundo recibiendo bendiciones a granel: Alimento en sus mesas, techo donde resguardarse, salud para trabajar, familias que los rodean y acompañan, dinero en su cuenta bancaria, amigos que los apoyan, y tantas otras cosas que a diario reciben.

Son regalos de la gracia divina que El Señor extiende para la humanidad. Sin embargo muchos de aquellos que reciben esos milagros de Dios, nunca regresan a Él para decirle: ¡Gracias Señor!

¿A dónde se han ido? ¿Están muy ocupados en sus propios quehaceres y no tienen tiempo para Dios? ¿Serás tú uno de aquellos?

Si Dios te busca hoy, tendrá que preguntar también: ¿A dónde se ha ido?

Este es un buen día para recomponer el camino. Para volver al Señor con gratitud en tu corazón y expresarle reconocimiento a un Dios que no cesa de llenar tu vida de bendiciones.

Un corazón agradecido es un deleite en las manos de un Dios lleno de bendiciones para dar.

Oración:

Señor, gracias por todo lo que me das todos los días. Quiero tener en este día un corazón lleno de agradecimiento al recibir tantas bendiciones de parte tuya. Como tu pueblo en el desierto a quien alimentabas y satisfacías sus necesidades, así mismo sigues tú obrando conmigo. Por eso hoy quiero decir en alta voz: Gracias Señor por tener cuidado de cada detalle de mi vida. Amén.

Con Cristo en mis tormentas

"Y subió a ellos en la barca, y se calmó el
viento; y ellos se asombraron en gran manera y se
maravillaban" (Marcos 6:51)

Cuántas veces nuestra vida se parece a una barca zarandeada por las olas a causa del viento contrario. La barca zarandeada puede ser el propio matrimonio, los negocios, la salud...

El viento contrario puede ser la hostilidad y la incomprensión de las personas, los reveses continuos de la vida, la dificultad para encontrar casa o trabajo.

Quizás al inicio hemos afrontado con valentía las dificultades, decididos a no perder la fe, a confiar en Dios. Durante un tiempo nosotros también hemos caminado sobre las aguas, es decir, confiando plenamente en la ayuda de Dios.

Pero después, al ver que nuestra prueba era cada vez más larga y dura, hemos pensado que no podíamos más, que nos hundíamos. Hemos perdido la valentía.

Este es el momento de acoger y experimentar como si se nos hubieran dirigido personalmente a nosotros las palabras que Jesús dirigió en esta circunstancia a los apóstoles: "¡Ánimo!, que soy yo; no temáis".

Recuerda que Jesucristo un día en este planeta, en el espacio y el tiempo, en el mar de Galilea fue caminando sobre el agua unas millas viendo a sus discípulos cansados y perplejos, manifestándoseles a ellos con su gloria como el Dios vivo.

Caminó hacia ellos porque los amaba y les dijo: "¡Tengan ánimo!"

Cualquiera que sea la tormenta, los peligros y temores que te alarman, Jesús te está diciendo: "¡Ten ánimo!"

¿Si Dios está contigo, quien puede estar en tu contra? "¡Ten ánimo!"

Mayor es el que está contigo que el que está con ellos. "¡Ten ánimo!"

Cuando Cristo está presente, la tormenta se convierte en calma, el tumulto deja paso a la paz, lo imposible se realiza, lo insoportable se hace soportable y se superan las limitaciones sin sucumbir

¿Hay alguna tormenta hoy en tu vida? ¿Estás experimentando tiempos difíciles que parecen abatirte? Entonces detente por un momento. Mira al horizonte. En medio de esa terrible tormenta Jesús está caminando hacia ti y te librará.

Si Cristo está en tus tormentas, la calma llegará pronto y tu vida reflejará la paz que solo Él te puede dar cuando navega contigo.

Oración:

Mi seguridad eres tu Señor Jesús. De la misma manera que calmaste el corazón afligido de tus discípulos en el mar de Galilea, así mismo me regalas hoy tu paz, tu tranquilidad, tu serenidad. Camino confiado/a porque sé que estás conmigo. Tú eres mi mayor seguridad y hoy entiendo que cuando esté en medio de mis tormentas, tú vendrás a mí caminando sobre ellas para decirme: Ten ánimo. Lo recibo hoy de parte tuya. Amén.

La vida o la muerte

*"a los cielos y a la tierra llamo por testigos hoy
contra vosotros, que os he puesto delante la vida
y la muerte, la bendición y la maldición; escoge
pues, la vida, para que vivas tú y tu descendencia"
(Deuteronomio 30:19)*

Un viejo cacique de una tribu estaba teniendo una charla con sus nietos acerca de la vida.

Les decía: ...- una vieja pelea está ocurriendo dentro de mí, es entre dos lobos; uno de los lobos es maldad, temor, ira, envidia, dolor, rencor, avaricia, arrogancia, culpa, resentimiento, inferioridad, mentiras, orgullo, competencia, superioridad, egolatría.

El otro es bondad, alegría, paz, amor, esperanza, serenidad, humildad, dulzura, generosidad, benevolencia, amistad, empatía, verdad, compasión y fe.

Esta misma pelea está ocurriendo continuamente dentro de ustedes y dentro de todos los seres de la tierra...- Los chicos se quedaron pensativos, y uno de ellos preguntó a su abuelo:

¿Cuál de los lobos ganará? ...y el viejo cacique respondió simplemente...-"el que alimentes más."

Cada día de nuestra vida nos enfrentamos a una disputa en nuestro interior.

Cada ser humano libra una batalla en la que se confronta permanentemente en cuanto a sus decisiones y la forma cómo estas afectan su futuro.

Y muchas de ellas son solo actos repetitivos que se han convertido en hábitos malsanos con los que finalmente son atraídos a la obediencia a sus pasiones y a su carnalidad, más que a la obediencia en su vida espiritual.

El sentido de la bendición y la maldición bíblico está ligado al concepto de vida y muerte.

Las expresiones que salen de la boca del ser humano pueden proferir vida a través de bendiciones, adoración y oraciones, o pueden proferir muerte a través de maldiciones, blasfemias y palabras soeces. Hoy Dios sigue poniendo la vida y la muerte delante del ser humano.

En Juan 5:40 Jesús dijo; "y no queréis venir a mí para que tengáis Vida".

El plan de Dios es bendecirnos, habilitarnos para prosperar en la vida en todos los sentidos. La única manera de lograrlo es por medio de la obediencia a su Palabra.

La vida la escogemos cuando aceptamos a Cristo como Señor, pero la bendición la escogemos cuando decidimos ser obedientes a lo que el Señor nos dejó en su Palabra.

E igualmente escogemos la muerte cuando despreciamos la vida que Cristo vino a dar y la maldición cuando desobedecemos a sus mandamientos.

Así que este es un día de opciones para ti. ¿Qué vas a escoger?

Escoge la vida, escoge la esperanza, escoge la virtud, escoge la verdad, escoge a Cristo y lo tendrás todo.

Oración:

Señor Jesús, en este día quiero manifestarte mi amor incondicional, mi entrega voluntaria, mi decisión inquebrantable de seguirte y obedecer tu voluntad. Sé que a lo largo del día surgirán muchos obstáculos para que lo logre, pero también sé que con tu fuerza y tú compañía podré vencer en cada una de mis batallas. Amén.

Como a ti mismo

"Y el segundo es semejante: Amarás a tu prójimo
como a ti mismo." (Mateo 22:39)

Déjame hacerte una pregunta: ¿En este momento de tu vida, puedes considerarte como un instrumento que Dios usa para traer renovación en este mundo?

Dios nos ha dado la vida para gastarla, y no para conservarla. Si vivimos con mucho cuidado, pensando siempre en primer lugar en nuestro propio provecho, facilidad, comodidad y seguridad; si nuestro único propósito en la vida es prolongarla lo más posible, manteniéndola libre de problemas lo más posible; si no realizamos ningún esfuerzo nada más que en provecho propio, estamos perdiendo la vida todo el tiempo.

Pero si empleamos la vida en beneficio de los demás, si nos olvidamos de la salud, y del tiempo, y de la riqueza, y de la comodidad en nuestro deseo de hacer algo por Jesús y por las demás personas por las que Cristo murió, estamos ganando la vida todo el tiempo.

La misma esencia de la vida consiste en arriesgarla, en utilizarla, no en salvarla y ahorrarla.

Es verdad que este es el camino de la fatiga, del agotamiento, del darse hasta lo último -pero es mejor siempre quemarse que oxidarse-, porque ese es el camino que conduce a la felicidad y a Dios.

Imagínate a Abraham emprendiendo una mudanza sin saber a dónde iba; a Noé construyendo un barco cuando nunca había llovido; a David enfrentándose sin armadura a un gigante de tres metros; a Ananías yendo a ministrar a Saulo de Tarso, el terrible perseguidor de la iglesia; a Ester entrando en la presencia del rey corriendo el alto riesgo de caer atravesada por las lanzas de la guardia real; a Gedeón enfrentándose con un insignificante ejército de trescientos hombres a los madianitas con sus miles. ¿Eres tú como uno de ellos? ¿Puede contar contigo El Señor cuando busca sus instrumentos para traer bendición sobre este mundo?

Debemos correr el camino que Dios ha puesto frente a nosotros con toda la fuerza que Él provee, y con la segura y apacible protección de Su gracia.

En este día corre con la motivación de darle gloria y honor a Él con todo tu corazón, alma, mente, y fuerza.

Continua corriendo bien, y con un ardiente deseo de terminar la carrera, pues al final del camino recibirás el reconocimiento de Dios que te dirá: bien, buen siervo y fiel... entra en el gozo de tu Señor.

Que así sea.

Oración:

Saber que tú me has escogido para ser partícipe de la extensión de tu reino es el más grande privilegio que jamás he podido recibir. Por eso me dispongo para ser un instrumento útil en tus manos. Quiero desgastarme por ti, usar mis dones para bendecir a otros, utilizar todos los recursos que me has dado, Señor, para avanzar en obediencia hacia el cumplimiento de tu voluntad. Amén.

Un mundo en necesidad

"Porque tuve hambre y me distéis de comer;
tuve sed y me distéis de beber; fui forastero y me
recogistéis" (Mateo 25:35)

Todos somos responsables por lo que sucede en el mundo. Algunos por su maldad y otros por su silencio, falta de solidaridad y poco compromiso con su vida espiritual.

A cada momento debo preguntarme: ¿Qué estoy haciendo para crecer espiritualmente y prepararme? ¿Estoy siendo una voz que desea llevar buenas nuevas en lugar de miedo y angustia? ¿Estoy ayudando a alguien en necesidad?

La primera comunidad cristiana tenía un proyecto común: anunciar y vivir conforme con el evangelio de Cristo.

No pensaban en sus intereses personales y por tanto, se interesaban en los demás.

Que nadie pasara hambre, que no faltara nada en ninguno de los hogares y experimentaron el sentido de solidaridad y amor en acción que Cristo vino a enseñarles.

Dios, un día ideó un bello escenario -el mundo- y lo regaló a sus hijos para que lo compartieran y fueran felices. Dios quiso que el corazón humano fuera como un inmenso pozo, pero no un pozo de codicias y ambiciones, sino un pozo de agua fresca que sirviera para quitarnos la sed, y que el agua alcanzara también para nuestro vecino. Este fue el plan de Dios para el mundo.

Por eso no podemos ser ciegos y sordos ante el sufrimiento de los demás, que son millones y que día a día siguen experimentando el dolor de sus padecimientos, hambre, desnudez, falta de abrigo, falta de atención e incluso el desprecio de un mundo egoísta.

El mundo necesita desesperadamente un cambio, una voz diferente que se levante por encima de tanta angustia y pueda proclamar que sí hay esperanza cuando vamos a la fuente misma.

Los pesares de la gente son los pesares de Cristo. Los pesares de la gente deben ser nuestros pesares. No podemos pasar por el mundo de una manera egoísta solo pensando en lo que nos beneficia, en lo que nos sirve a nosotros, sino que nuestra vida debe mostrar ciertamente la presencia del Señor todos los días.

Entonces: ¿Qué vas a hacer en este día por este mundo necesitado? ¿Aportarás algo hoy para que alguien en este mundo tenga un pequeño alivio o un plato de comida o un lugar para resguardarse?

Si cada uno de nosotros hiciera su tarea, este mundo cambiaría radicalmente.

Hay alguien esperando por tu ayuda, no lo ignores. Dispón tu corazón para hacer la obra que Dios te ha encomendado.

Este es un buen día para empezar a hacerlo. Alguien te lo agradecerá.

Oración:

Haz lo que sea necesario, Señor, para ayudarme a confiar verdaderamente en ti como mi mayor tesoro. Preferiría perder mi seguridad material y ganar el reino de los cielos que ganar el mundo y perder mi alma. Todo lo que tengo es tuyo- mi vida, mi familia, mi tiempo, mi dinero, mis posesiones, mi futuro- y quiero administrarlo de acuerdo a tu voluntad, aun cuando signifique perderlo. Amén. (John Piper)

¿Crisis u oportunidad?

"pero los que fueron esparcidos iban por todas partes anunciando el evangelio" (Hechos 8:4)

Es interesante, pero fue necesaria una persecución para que la Iglesia abandonara la seguridad de sus lugares de reunión y se lanzaran a compartir las buenas nuevas en todos los lugares a donde iban.

La crisis hizo que los cristianos rompieran con su centralismo y se iniciara la expansión del Reino por la predicación del evangelio.

¿Necesitaremos una persecución en cada generación para atrevernos a expandir el evangelio? ¿Necesitaremos más momentos de crisis para sacar de todo esto nuevas oportunidades para crecer?

En tu caso personal ¿Estás pasando en este momento por una tribulación, una dificultad enorme?

Antes de maldecir tu suerte y pensar que Dios se ha olvidado de ti, piensa por un momento si en realidad puede ser una linda oportunidad para aprender algo, para crecer en alguna área de tu vida o para fortalecer tu fe como creyente.

Las crisis pueden ser una oportunidad para sentir el amor de Dios, para ser transformados cada vez más a su imagen y para que puedas brindar consuelo a otros. Las crisis son como huracanes. Tú no los produces ni tienes control sobre la situación, pero ocasionan destrozos. Cuando el huracán viene, arrastra con todo lo que es débil, con todo árbol que está podrido, pero los que están bien cimentados se mantienen estables porque a través del tiempo se han fortalecido para aguantar la fuerza impetuosa de los vientos.

La crisis no viene a destruir, sino a revelar la fuerza interior de cada persona y muestra qué tan profundos son los cimientos del verdadero cristiano, que deriva su fortaleza no de sus propias habilidades, sino del poder de Dios.

Cuando vengan las tormentas, los espíritus serán revelados.

Por eso, si en este día estás pasando por un momento difícil, tu matrimonio no funciona, tu economía no prospera, las cosas no están saliendo como querías, antes de tomar decisiones apresuradas, detente un momento y piensa. Quizás estás frente a una gran oportunidad para crecer y fortalecerte, y entonces podrás sacar el mejor provecho de todo esto.

No te desesperes, no te dejes llevar por la angustia. Mira la luz al final del túnel y camina hacia allá, pronto te darás cuenta de que sí había una oportunidad esperando por ti. Aprovéchala.

Oración:

Te doy gracias Señor porque sé que todas las cosas ayudan a bien de los que aman a Dios, los que de acuerdo a tu propósito hemos sido llamados (Romanos 8:28). Por eso en este día sé que aunque en muchas ocasiones las cosas no salen como yo quiero, tú estás trabajando para darme el mayor provecho posible aun en momentos como ese. Hoy descanso en ti y en tus propósitos, sé que me llevas por buen camino y tus caminos son siempre mejores que los míos. Amén.

Multiplicados por la mano de Jesús

"Y tomó Jesús aquellos panes y habiendo dado
gracias, los repartió entre los discípulos, y los
discípulos entre los que estaban recostados; así
mismo de los peces cuanto querían" (Juan 6:11)

En el conocido pasaje de la alimentación de los cinco mil, descubrimos en la reacción de sus discípulos a dos clases de personas con pensamiento y decisiones diferentes.

Están los de la escuela de Felipe y los de la escuela de Andrés.

Desafortunadamente muchos creyentes pertenecen a la escuela de Felipe y solo hablan de imposibilidades. Lloran diciendo que todo es un desierto, que es demasiado tarde y que la gente no puede ser alimentada.

Hablan con poca fe y hablan de lo imposible que es hacer esto o aquello. Ven imposibilidades en todas partes. Se mueven en el terreno de lo negativo mirando primero todos los obstáculos, las carencias, las dificultades y las imposibilidades, pero niegan con su pensamiento y sus acciones el poder de Dios.

Pero también están los de la escuela de Andrés. Son los que dicen: Señor quizás no tengo mucho pero lo pongo para tu obra. Quizás no soy el mejor pero estoy dispuesto. A lo mejor no soy el más habilidoso, pero cuenta conmigo. Son los que usan lo que Dios les dio, pero al unirse a la voluntad soberana y al poder de Dios, encuentran multiplicación divina.

Son prosperados por la mano de Dios. Quizás solo tienen un par de peces y cinco panes, pero en las manos del Señor se convierten en alimento para miles porque vienen de la fuente de la provisión y del sustento.

No se detienen ante el primer obstáculo. Cuando vienen las pruebas no se quedan lamentando, sino que buscan en ellas las oportunidades y desarrollan un plan de acción.

Es la escuela de los que logran objetivos grandes. Han unido su voluntad a la voluntad soberana, han unido su pensamiento al gran poder de Dios y se mueven en el terreno de lo que Dios puede hacer, no en la incapacidad que el ser humano tiene.

Este es un día para que le creas al Señor. Es día de matricularte en la escuela de los que creen, de los que confían en Dios y su mano de poder.

Es día de venir delante de Dios y decirle: Señor, esto es todo lo que tengo, pero sé que en tus divinas manos vendrá la multiplicación, lo que parecía insignificante se tornará en abundancia, lo que nadie consideraba importante ahora es algo que impacta. Estos proyectos en los que nadie creía se convierten en realidad, esos sueños que parecían imposibles ahora se cumplen y al final cuando veamos todas estas obras maravillosas que vienen de la mano de Dios, terminaremos glorificando al Dios de los imposibles, al Dios maravilloso que multiplica, que sana, que transforma, al Dios que toma tan solo dos peces y cinco panes y alimenta multitudes hasta que sobra.

Oración:

Tus manos Señor, son manos multiplicadoras, son manos de bendición que reparten con liberalidad, son manos de amor que se extienden para dar sin reparo. Hoy quiero decirte que confío en ti sin reservas. Sé que así como multiplicaste aquel día los peces y los panes, también multiplicarás para mí el sustento diario, el cuidado de los míos, las bendiciones anheladas. Gracias Señor por tus manos que multiplican de manera milagrosa. Amén.

El adiós de un viejo hombre

"sabiendo esto, que nuestro viejo hombre fue crucificado juntamente con él, para que el cuerpo del pecado sea destruido, a fin de que no sirvamos más al pecado" (Romanos 6:6)

La típica frase: "ES QUE YO SOY ASÍ" hace evidencia de una persona que todavía no ha entendido que debe morir cada día para que en él o ella viva Jesús. Que no se trata de ser quienes somos por lo que hemos vivido toda nuestra vida, se trata de tener la identidad y de hacer las cosas como las hubiese hecho Jesús estando en nuestro lugar.

Cuando venimos a Cristo, nacemos de nuevo en nuestro espíritu pero seguimos viviendo en nuestro viejo cuerpo. Y desde ese momento comienza una batalla entre lo que es carnal y lo que es espiritual. Para el hombre viejo las dificultades son siempre demasiado graves, las tentaciones demasiado fuertes, las personas demasiado egoístas, la carne demasiado apetecible y la vida demasiado corta.

Cuando nacemos de nuevo, el viejo hombre está derrotado.

Pero la Palabra nos dice que está en nosotros el tomar acción al respecto.

Debemos disponer nuestro corazón a morir a esa infinidad de pecados, actitudes, situaciones, lugares y en general todas esto que todavía tenemos arraigado, y que es necesario sacar de nuestra vida.

Esto es un proceso, que requiere una búsqueda diaria de Dios. Requiere que nos dejemos moldear por el Espíritu.

Si no estamos dispuestos a dejarnos moldear por el Espíritu, en cuanto a nuestra manera de pensar, de sentir, de actuar, no vamos a poder romper con el viejo vicio y por eso es que hay tantos cristianos que parecieran estar continuamente viviendo en un desierto.

¿Para qué permitir que entren en ti rencores que se instalan como ponzoña en tu interior?

¿Para qué permitir que entren las disputas, las malas relaciones, o imágenes que dañan tu mente, que te llevan a fantasías malsanas?

¿Para qué dejar que el veneno penetre en tu vida y no te deje vivir en paz?

Ser un nuevo hombre es vivir una experiencia viva cada día en El Señor. Es ser tocado por el Espíritu, es sentir una voz que te habla diciéndote que no puedes quedarte siendo el mismo de siempre, que es hora de cambiar, que te esperan mejores cosas, pero que solamente hay un camino, una verdad y una vida: Jesucristo, el único camino al Padre.

Por lo tanto, si alguno está en Cristo, es una nueva creación. ¡Lo viejo ha pasado, ha llegado ya lo nuevo! (2Co 5:17). Y aunque nuestra naturaleza pecaminosa (la carne, el pecado, etc.) todavía está muy presente en nosotros, su dominio sobre nosotros ha terminado.

Oración:

En este día me acerco a ti Señor, con la confianza de saber que en ti soy renovado/a para una vida llena de tu presencia y de tu gozo. Hoy quiero vivirlo como esa nueva criatura que tú has creado en mí, dejando atrás todo lo que no me sirve para cumplir con los propósitos por los cuales tú me sacaste de la oscuridad y me trajiste a la luz, me sacaste de la muerte y me trajiste a la vida. Este es un día para disfrutar la plenitud de mi nueva vida en ti. Amén.

La oración que llega hasta los cielos

"y orando, no uséis vanas repeticiones como los gentiles, que piensan que por su palabrería serán oídos" (Mateo 6:7)

Cada grupo humano tiene alguna forma de oración. Las tribus remotas presentan sus ofrendas y luego oran por cosas de todos los días tales como salud, la comida, la lluvia, los hijos y la victoria en las batallas. Los incas y los aztecas fueron al extremo de sacrificar a seres humanos a fin de atraer la atención de los dioses. Cinco veces al día los musulmanes modernos detienen cualquier cosa que estén haciendo, conduciendo, tomando café, jugando futbol, cuando llega la llamada a la oración.

Oramos porque queremos agradecerle a alguien o algo, por las bellezas y glorias de la vida, y también porque nos sentimos pequeños, impotentes y a veces con miedo.

Oramos por perdón, por fuerza, por un contacto con Aquel que es, por la seguridad de que no estamos solos. Pero al orar debemos hacernos algunas preguntas muy importantes: ¿Cómo son nuestras oraciones? ¿En realidad podríamos decir que nuestras oraciones llegan a los cielos, rompiendo ataduras de impiedad, traspasando las potestades del enemigo y clavándole un puñal de muerte al enemigo cuando abrimos nuestras bocas para clamar a los cielos?

La oración que llega hasta los cielos surge de corazones quebrantados y genuinos que no cesan de orar hasta ver respondidos sus ruegos. Las almas se están perdiendo a diario y el clamor del que ora debe ser hecho en las lágrimas del que siente el desgarro de su propia alma cuando uno solo de los seres humanos pasa a ser un habitante eterno del infierno.

En este día deseo colocar sobre tu vida esta oración franciscana para que te motive a una vida más profunda de oración: Que Dios te bendiga con una incomodidad por las respuestas fáciles, las medias verdades y las relaciones superficiales, para que puedas vivir con intensidad en tu corazón.

Que Dios te bendiga con enojo contra la injusticia, la opresión y la explotación de la gente, para que puedas trabajar por la justicia, la libertad y la paz.

Que Dios te bendiga con lágrimas para derramar por los que sufren dolor, rechazo, hambre y guerra, de modo que puedas extender tu mano para consolarlos y convertir su dolor en alegría.

Y que Dios te bendiga con suficiente necedad para creer que puedes determinar una diferencia en el mundo, para que puedas hacer lo que otros dicen que no se puede hacer, para traer justicia y bondad a todos nuestros hijos y a los pobres.

Sí. Que Dios te bendiga de esa manera.

Oración:

Hoy recibo Señor, de parte tuya un desafío para dar lo mejor de mí. Quiero gastarme por ti, darlo todo para ser un instrumento de bendición en tus manos para quienes me rodean. No dejaré pasar este día en vano. Hare lo que tú quieras que haga, iré donde tú quieras que vaya, ayudaré a quien tú quieras que ayude y al final del día tendré la seguridad de estar en tu voluntad, de haber sido alguien a quien tú puedes usar para bendecir otras vidas. Amén.

Alcanzando tu tierra prometida

"....vete de tu tierra y de tu parentela, y de la casa
de tu padre, a la tierra que te mostraré"
(Génesis 12:1)

¿Te has detenido alguna vez a mirar los rostros de la gente?

Al caminar por las calles, sentado en alguna mesa o quizás en un aeropuerto mientras esperas la hora de salida.

Algunos rostros reflejan tristeza, tal vez por la falta de un ser querido. Otros muestran incertidumbre y preocupación.

Miradas solitarias, otros que miran solo hacia el piso, no porque se les haya perdido algo, sino porque el agobio de sus vidas les impide si quiera levantar su cabeza.

Y también otros felices, parejas tomadas de la mano, padres alegres disfrutando del tiempo con sus hijos, abuelos sonrientes con sus nietos.

Cada rostro con su historia. Cada individuo en el viaje de su vida, busca encontrar paz, serenidad, sabiduría. Cada uno se dirige a su tierra prometida personal, mientras busca lidiar con lo que aún le falta. No saben cuánto les falta ni en qué parte del camino están, pero sí desean llegar algún día a ese lugar de promesas mejores.

¿Qué dirán los demás cuando ven tu rostro? ¿Reflejas un rostro de esperanza, de seguridad, de paz interior y serenidad? ¿Caminas bajo la luz de una palabra que ilumina tu jornada diaria?

Habrás visto esas personas que siempre las encuentras con una sonrisa en sus labios. Te agrada estar en su compañía porque siempre tienen algo bueno que decir.

Has visto por el contrario a quienes siempre tienen un rostro de amargura y tristeza. Quizás han tenido golpes tan fuertes en sus vidas que solo reflejan una condición interna de su corazón maltrecho.

Pero nos fue otorgada una vida, un cuerpo, un tiempo, un propósito, y para llevarlos a cabo, Dios nos dio la herramienta más poderosa que puede tener el ser humano: La fe.

Ya mismo podemos comenzar a caminar y entrar en nuestra tierra prometida para alcanzar paso a paso nuestro territorio, como el pueblo de Dios lo hizo por mano de Josué.

El tiempo de conquistar ha llegado para los hijos de Dios. Tenemos la Palabra del Señor en la que podemos confiar, y la seguridad de su divina compañía en cada jornada.

Contamos con expresiones que han salido de la boca del Creador del universo y que fortalecen nuestros pasos día a día. No todo será fácil. Habrá batallas que pelear, murallas que derribar y enemigos que vencer, pero en todo momento sobre ti estará el valor de una promesa divina.

Es un buen tiempo para conquistar, para tomar tus promesas, para creer en lo que Dios puede hacer contigo.

Oración:

Amado Señor, hoy quiero descansar en tus promesas perfectas. Sé que las has dicho para que yo viva en tranquilidad y gozo mientras enfrento cada situación de mi vida diaria. Sé que la única manera para vivir sin temor es estando bajo tu amparo y fortaleza, y reconozco que es eso precisamente lo que tú me quieres dar en este día. Lo recibo con agradecimiento en mi corazón. Amén.

Avivando un cementerio

"me dijo entonces: Profetiza sobre estos huesos
y diles: Huesos secos, oíd palabra de Jehová"
(Ezequiel 37:4)

En medio de la indolencia de muchos de los creyentes de nuestros días nos preguntamos en ocasiones:

¿Tenemos dolor en el corazón por los seres humanos que perecen sin Cristo en sus corazones?

El peso de pensar que un promedio de 100 personas mueren sin Cristo en el mundo a cada minuto que pasa, ¿no es un motivo para sentirnos apesadumbrados? ¿No debemos, en este mismo momento, levantar los ojos a Dios y decirle: « ¡Ay de mí si no anunciara el Evangelio!»?

Para levantar a esta generación adormecida por el entretenimiento, la lujuria, la pereza, la falta de conciencia y la insensibilidad se necesita más que simples quejas o expresiones de pesar.

De la misma manera que no se levantan huesos secos con órdenes humanas, necesitamos consagración personal y fortaleza del Espíritu Santo para levantar a estos huesos secos de hoy que cada vez más se están secando en el desierto, aunque creen que están yendo por un camino de salvación. Desesperadamente se necesitan hombres y mujeres inspirados. Creyentes con almas impulsadas por El Espíritu son indispensables para esta generación perversa y dominada por toda clase de pecado e injusticia.

Los hombres necesitan ser una columna de fuego. Hombres guiados por Dios para guiar a un pueblo desviado. Pablos llenos de pasión para levantar a tímidos Timoteos. Hombres encendidos en llama para brillar.

El mundo de hoy en día, tal como en todos los tiempos, necesita de aquellos que levanten la bandera de la vida cristiana y que proclamen con su vida que hay esperanza para el mundo, porque la llama del Dios viviente no se ha apagado.

Si en este momento de tu vida todo parece desolación y muerte, ¿cuál es la noticia para ti hoy?

¡Hay esperanza!

¡Si Dios pudo traer un cementerio de huesos muertos a la vida, Él puede insuflar vida a tu situación!

¡No importa cuál sea la situación, hay esperanza de una resurrección!

Si has estado pensando que tu situación es desesperante, la economía está mal, la relación con tu pareja no se soluciona, la enfermedad no desaparece y por el contrario avanza, no encuentras trabajo aunque has estado buscando por tanto tiempo, no pierdas la fe.

Hay esperanza, el mismo Dios que levantó vida en un valle de huesos secos, puede hoy cambiar tu situación y lo que antes era tristeza pronto se convertirá en gozo y podrás alabar al Señor de los imposibles.

Oración:

Dios mío, sé que tu Palabra puede traer avivamiento en mi vida. Al escucharte este día, mi corazón vibra de emoción sabiendo que tú tienes cuidado de mí, que siempre me das esperanza y que hoy será un día especial en tu compañía. No cambiaría por nada ni nadie el calor y la seguridad de tu compañía. Amén.

Los excelentes de Dios

"mas vosotros sois linaje escogido, real sacerdocio,
nación santa, pueblo adquirido por Dios, para que
anuncies las virtudes de aquel que os llamó de las
tinieblas a su luz admirable" (1 Pedro 2:9)

Somos personas sujetas a pasiones, a problemas de carácter, a malos hábitos, a formas desordenadas de vida, propensos al pecado, nos enfriamos con facilidad, perdemos el rumbo como las ovejas que se extravían y nos falta fe para obedecer a Dios sin condiciones en todo momento.

De hecho nos atrevemos a juzgar y criticar a los demás por sus fallas, sin advertir que las nuestras son aún mayores y fácilmente señalamos al que se desliza, al que fracasa en su intento por mejorar y apuntamos y destruimos a los que no son perfectos de acuerdo a nuestra propia opinión.

Pero ninguno de los seres humanos que Dios ha usado a través de todos los tiempos, fueron perfectos, todos fallaron en una o muchas oportunidades, pero Dios no los descalificó para su obra, los levantó de nuevo y les dio segundas oportunidades.

Porque Dios no mira como mira el hombre, sino que Dios mira al corazón y pone sobre nuestras vidas la abundancia de su misericordia divina.

La excelencia en los seres humanos la determina El Señor, y si Él ha dicho que tú eres parte de su linaje escogido, de su real sacerdocio, de su nación santa y de su pueblo adquirido, es porque te ve con ojos diferentes.

El mundo te puede ver como sea, como un fracasado, como un loco, como un fanático, como un acabado, pero eso no es lo importante, porque los ojos de excelencia de Dios han visto en ti algo que los demás no han visto. Para Él eres excelente y tan excelente eres que cuando partas de este mundo te va a llevar a su lado para que estés con Él por la eternidad.

El cielo se está poblando con personas como tú. Dios no es un Dios de mediocridades sino de excelencia. No es un Dios de tiempos parciales sino que es un Dios eterno. Dios no es un Dios de muertos sino de vivos y si tú vives en Cristo Jesús, Él te ha dado eternidad en tu corazón.

Eres preciosa pertenencia del Dios Altísimo, entonces vive como tal, aprópiate de la palabra y créela porque fue dada por Dios para ti.

Mira todo lo que Dios ha dicho de ti: Eres la niña de sus ojos. Eres la luz del mundo. Aunque andes en valle de sombra de muerte, no temerás mal alguno, porque Él estará contigo, su vara y su cayado te infundirán aliento. El bien y la misericordia te seguirán todos los días de tu vida. Él ha cambiado tu lamento en baile.

Jehová es la fortaleza de su pueblo. Los que esperan en Jehová tendrán nuevas fuerzas, correrán y no se cansarán, caminarán y no se fatigarán. Los que buscan a Jehová no tendrán falta de ningún bien. Repítelo. Métalo en tu mente y en tu corazón. Vívelo cada día. Vuélvelo carne en ti. Camina como un bendecido. Porque Dios lo ha dicho y si Él lo dijo, tú lo crees y si lo crees, entonces es parte de tu vida ahora. Eres excelente para Dios.

Oración:

Señor, hoy reconozco que no tengo ningún mérito para ser llamado por ti, salvado/a por ti, restaurado/ por ti. Es tu misericordia y tu gracia la que se impone día a día en mi vida para permitirme vivir ahora como un/a hijo/a de Dios, escogido/a, transformado/a y preparado/a para una eternidad en tu compañía. Amén.

Hacedores de la palabra

"pero sed hacedores de la palabra, y no tan
solamente oidores, engañándoos a vosotros mismos"
(Santiago 1:22)

¿No es frustrante para un padre que le diga al hijo que le obedezca, y este cuando cruza la puerta de la casa hace lo que quiere y se mete en grandes problemas? ¿No es frustrante para un maestro de escuela que trate de guiar a sus alumnos con buen aprendizaje pero unos deciden ignorarlo, otros se burlan de lo que enseña y otros simplemente duermen mientras el maestro trata de dar lo mejor de sí mismo? ¿No es frustrante que un consejero desee ayudar a alguien pero esta persona no atiende lo que se le pide y siempre toma decisiones equivocadas?

Por supuesto que todo esto llena de frustración.

Y entonces me pregunto qué sentirá El Señor con sus hijos, que leemos la palabra, escuchamos los mensajes, pero después decidimos por nosotros mismos y terminamos solo siendo oidores pero no hacedores de la palabra, con lo cual nos engañamos a nosotros mismos.

Dios no está buscando solo oidores entretenidos con una verdad que transforma, pero no llevan a la práctica lo que aprenden.

Pregúntate hoy de una manera bien consciente si las decisiones que tomas a diario son impulsadas por lo que Dios te ha hablado en su palabra, o simplemente por lo que a ti te parece.

¿Por qué conformarnos con un propósito menor cuando la palabra nos habla de propósitos mayores? Cosas mayores que estas harás, le dijo Jesucristo a sus discípulos. Él nunca los limitó, todo lo contrario. Recibirán poder cuando venga sobre ustedes El Espíritu Santo, vayan, sanen a los enfermos, levanten a los paralíticos, liberen a los endemoniados, compartan la palabra y transformen las vidas con esa palabra santa.

¿Por qué estar simplemente tranquilos con lo poco, cuando Dios prometió lo mucho? ¿Por qué conformarnos con la debilidad cuando la palabra de Dios nos habla de un poder sobrenatural? ¿Te das cuenta de lo que nos estamos perdiendo por no ser hacedores de un mensaje que transforma las vidas de quienes lo ponen en práctica?

Al comenzar este día hazte estas preguntas: ¿En realidad me interesa lo que Dios dice en su palabra y lo sigo? ¿Tiene valor para mí la palabra que viene de los cielos y la traduzco en hechos de mi vida diaria? Quizás es un buen momento para tomar una decisión que cambiará tu vida para siempre: es el momento de convertirte no solo en oidor sino en hacedor de la Palabra de Dios, por tus frutos serás conocido.

Oración:

En este día Señor, quiero no solamente escucharte hablar, sino también ser obediente a tu voz. Quiero ser hacedor/a de la palabra bendita y poderosa que viene directamente desde los cielos para mi bendición. Sé que al llevar a cabo esta palabra, mi vida será transformada porque tú la enviaste para cumplir con tus propósitos eternos. Amén.

Dios ha sido fiel

"Si fuéremos infieles, Él permanece fiel; Él no puede negarse a sí mismo" (2 Timoteo 2:13)

Sin duda alguna los seres humanos necesitamos tener alguien en quien confiar. En un mundo de tanto engaño y mentira, en el que los seres humanos tratan de sacarse ventaja entre sí, necesitamos tener un ancla de confianza que nos permita tener seguridad y tranquilidad.

Las personas cambian y quien hoy te recibe, mañana te desprecia; quien hoy te acompaña, mañana te deja en soledad.

Sin embargo, El Señor permanece fiel para siempre.

Cuando Israel estaba en el desierto, no había supermercados o tiendas de comestibles. No había ni siquiera una brizna de hierba a la vista. Pero Dios hizo llover maná del cielo para que el pueblo tuviera pan, y Él hizo que las aves cayeran desde el cielo para que tuvieran carne; Él hizo que el agua brotara a borbotones de una roca; y Él, sobrenaturalmente, mantuvo sus zapatos y ropa intactos para que no se desgastara en cuarenta años de uso.

En el Antiguo Testamento, leemos que un profeta hambriento fue alimentado por un cuervo. Un barril de comida y una botella de aceite se mantuvieron abastecidos sobrenaturalmente, y un ejército enemigo huyó al oír un ruido extraño dejando detrás suficientes suministros para alimentar a toda una ciudad de israelitas muertos de hambre.

En el Nuevo Testamento, leemos que el agua se convirtió en vino. El dinero fue encontrado en la boca de un pez para pagar impuestos. Y más de cinco mil personas fueron alimentadas con sólo cinco panes y dos peces.

Todos estos milagros de provisión nos gritan: "¡Dios es fiel. Puedes confiar en Él!"

Cada necesidad fue provista. ¡Dios puso a prueba la fe de los suyos y Él se mantuvo fiel!"

El punto es que cuando Dios dice: "Confía en mí", ¡lo dice en serio!

Dios desea bendecir sus hijos, esto es una verdad inobjetable. Él es el dador de todas las cosas buenas. "Toda buena dádiva y todo don perfecto desciende de lo alto, del Padre de las luces, en el cual no hay mudanza, ni sombra de variación" (Santiago 1:17).

Por eso la invitación constante del Señor es para confiar en Él y en su fidelidad eterna.

De la misma manera que Dios ha cuidado de los suyos a través de toda la historia, lo hará contigo en este día.

No temas, hay provisión para ti, aunque aún no la veas. Ya ha sido dispuesta de manera sobrenatural para tu vida, pronto llegará y entonces, levantarás de nuevo tu mirada hacia los cielos y exaltarás al que nunca falla y dirás al final de este día: ¡Gracias Señor, siempre has sido fiel!

Oración:

Señor, tu fidelidad es mi confianza y refrigerio. Saber que tengo en los cielos a un Dios Soberano y lleno de amor por los suyos, me permite hoy vivir en completa paz, en maravillosa armonía con todo lo que tú has hecho. Gracias Señor por mantenerte fiel en tus promesas constantes. Amén.

Yo conozco tus obras

"Yo conozco tus obras, que ni eres frío ni caliente.
¡Ojalá fueses frío o caliente! Pero por cuanto eres
tibio, y no frío ni caliente, te vomitaré de mi boca"
(Apocalipsis 3:15-16)

En el libro de Apocalipsis, El Señor le habla a una comunidad de personas santas. Le habla a una iglesia. Los considerados nacidos de nuevo. Le habla a la iglesia Laodicea. ¿Qué les dice El Señor?

"Yo conozco tus obras, que ni eres frío ni caliente. Pero por cuanto eres tibio, y no frío ni caliente, te vomitaré de mi boca."

Y enseguida agrega: "Porque tú dices: yo soy rico y me he enriquecido y de ninguna cosa tengo necesidad". En palabras de hoy en día ellos estaban afirmando: somos bendecidos.

Pero ¿qué les dice El Señor?

"y no sabes que tú eres un desventurado, miserable, pobre, ciego y desnudo".

Son palabras bastante fuertes para aquellos que creen que van por buen camino. Eran parte del cuerpo de Cristo, cantaban himnos, adoraban los domingos, disfrutaban de beneficios materiales y sin duda se creían mejor que los paganos, y sin embargo, estaban a punto de ser vomitados por El Señor.

Entonces ¿qué era lo que ellos tenían que hacer?

Tenían que confrontar sus vidas y tomar medidas radicales, no simplemente cosas superficiales.

Tenían que darse cuenta de que sus vidas no estaban acordes con lo que Dios pedía de ellos como iglesia. Lo que necesitamos es más de Dios en nuestra vida y menos de nosotros mismos.

Significa que debemos morir al yo. Morir a nuestra propia imagen, para que la imagen de Dios se haga real en nosotros. Tenemos que morir hoy y dejar que de aquí en adelante sea Cristo quien viva en nosotros.

Entonces te pregunto: ¿Eres una persona dócil? ¿Eres una persona sensible?

Ser gobernado por El Espíritu de Dios es mucho más que simplemente asistir a una iglesia y conocer versículos bíblicos y vivir más o menos de acuerdo a ciertas convicciones personales que te han enseñado. En realidad, debes morir y resucitar con Cristo.

Así que este es un día para reflexionar en tu caminar con Dios.

Quizás esto no es lo que esperabas, pero hoy es tiempo de morir. Morir a tu orgullo, a tu egoísmo, a tu ambición, a los deseos malsanos de tu carne, morir a tu impaciencia, a tu mal carácter, a toda sombra de iniquidad.

Pero entonces se levantará en ti una persona transformada. Una persona íntegra que reconoce sus debilidades pero que sabe que su fuerza está en Aquel que es poderoso para transformar su vida para siempre y los ángeles cantarán: ¡Bienaventurado!, y estarás más firme que nunca en las manos de un Dios Santo.

El que tiene oído, oiga lo que El Espíritu dice.

Oración:

Señor Jesús: mi anhelo es obedecer cada palabra que tú me das y recibir cada promesa que tú deseas entregarme. Yo sé que tú sabes todo de mí, por lo tanto te pido que me dirijas para tomar las decisiones apropiadas en cada momento, y a honrar y glorificar tu nombre con cada paso de mi vida. Amén.

Limpios y perfectos

"Así que, amados, puesto que tenemos tales
promesas, limpiémonos de toda contaminación de
carne y de espíritu, perfeccionando la santidad en el
temor de Dios" (2 Corintios 7:1)

Cuántas veces hemos visto a personas que aman al Señor, que leen la palabra, que intentan vivir vidas llenas de la plenitud de Cristo, pero una y otra vez se enfrentan a una realidad que les impide vivir en la plenitud esperada.

Cuántas veces vemos a hermanos en la fe que aún llevan pesadas cargas y que dicen: yo ya vine a Cristo, ya lo recibí en mi corazón, ya fui limpio de mis pecados, ya soy salvo, pero aún no logro vivir mi vida cristiana como quisiera vivirla, libre de ataduras, una vida espiritual enriquecida por un constante diálogo con Dios. En fin, una vida esperada conforme a las promesas de Dios.

¿Es que han fallado las promesas? ¿Es que no eran ciertas para nosotros? ¿Acaso eran solo para algunos pero no nos alcanzaron a nosotros los cristianos del siglo XXI?

Por supuesto que no es así. Las promesas de Dios son para los que se acercan a Él en cualquier momento.

Pero seguimos viendo a miles de cristianos que viven atados a la depresión, a la soledad, a pensamientos suicidas, a la mediocridad, que jamás prosperan en lo que se proponen, que no viven en esa gloria prometida sino en una constante frustración.

Parejas que no logran entenderse, hombres que no salen de algún vicio, mujeres que siempre están deprimidas. ¿Te has preguntado por qué?

Quizás tú seas uno/a de ellos/as y en tu rostro se refleja en ocasiones esa carga terrible que parece que no se puede quitar. Cristianos desanimados, frustrados, dolidos, llenos de rencores, llenos de tristeza. No avanzan, no progresan, no crecen espiritualmente hablando. Sus vidas se han estancado y su espíritu se ha adormecido.

No hay duda de que el mundo es atractivo y nos cautiva a diario para someternos a los designios de su voluntad. Pero si algún día queremos hacer una verdadera diferencia en este mundo, necesitamos no conformarnos a este siglo, sino renovar nuestra mente hacia los designios divinos.

Es tiempo de limpiarnos de toda contaminación. Es momento para que los creyentes hagamos una diferencia. Es el tiempo de la renovación de nuestra mente y de nuestro espíritu para comprobar la buena voluntad de Dios, agradable y perfecta para nosotros.

Limpiémonos, perfeccionémonos, asumamos el reto de vivir una vida de acuerdo a los principios cristianos.

El mundo necesita ver lo que puede suceder con alguien que le cree a Dios con todo su corazón.

¿Eres tú esa persona?

Oración:

Señor, hoy quiero ser esa persona con decisión para vivir en santidad y pureza delante de ti. Sé que con tu ayuda este día será diferente. Podré alejarme de las cosas que me hacen daño o causan mal a otros a través de mí. Podré avanzar en el camino de superación que tú has puesto delante de mí, dejando atrás para siempre esa vieja naturaleza y tomando lo nuevo que tú has preparado para mí hoy. Amén.

¿Qué haces aquí?

"Y allí se metió en una cueva, donde pasó la noche.
Y vino una palabra de Jehová, el cual le dijo: ¿Qué
haces aquí, Elías? (1 Reyes 19:9)

El escenario de este relato es bastante singular.

En el monte Horeb hay una cueva y dentro de ese lugar hay un profeta. Es una escena rara.

Elías no era un hombre que acostumbraba a esconderse. Por el contrario acababa de vencer a 450 profetas falsos en el Monte Carmelo, no había tenido ningún temor, sintió el respaldo de Dios en aquella cima.

Pero ahora en lugar de estar celebrando felizmente esta gran victoria, se encuentra escondido en el fondo de una cueva lleno de temor y en soledad total.

No vemos allí a Elías celebrando una victoria, vemos a un hombre lamentándose y angustiado.

Elías tenía su alma turbada. Manifestaba gran tribulación y el Señor no se aparece en la turbulencia del viento recio, ni en el terremoto, ni en el fuego, pero si en el silbido apacible.

Elías necesitaba sentir de nuevo la voz de Dios que le decía: Aquí estoy contigo. Yo soy el que puede mover el viento con toda intensidad, yo soy el que puede producir un terremoto y que la tierra se estremezca, yo soy el que puede levantar fuego impresionante y Yo soy también quien puede aparecer en el silencio del silbido apacible y delicado.

Cada uno de nosotros necesita escuchar la voz de Dios que nos levante, que nos transforme, que remueva nuestro interior.

Hay días en los cuales deseamos meternos en la cueva como Elías, ocultarnos de los demás, quedarnos en la soledad, en el silencio, que nadie nos hable, que nadie nos moleste, y El Señor nos dice: ¿Que estás haciendo aquí?

Elías está huyendo del acoso de Jezabel pero siente que no tiene a nadie que lo pueda respaldar.

Lo interesante es que ante estas dudas del profeta, El Señor realiza algunas manifestaciones en la naturaleza llenas de poder celestial. Primero un grande y poderoso viento que rompía los montes, luego un terrible terremoto y enseguida un gran fuego. Imagínense ustedes a este profeta escondido en una cueva, deprimido, aislado, con temor por la persecución, pero enfrentando ahora estas manifestaciones de la naturaleza tan impresionantes. ¡Pero en ninguna de ellas se manifestó Dios!

Es como si El Señor le dijera a Elías. Tu interior puede parecer como un terremoto o como un fuego, pero yo no me presentaré a ti de la manera en que está tu interior, porque quiero traerte paz en tu corazón, vendré a ti en un silbo apacible.

Quizás tu vida parezca hoy un terremoto, un viento fuerte o un fuego que no se apaga. Pero Dios aparecerá de nuevo en tu vida para decirte: ¿Qué estás haciendo aquí? Ese no es tu lugar.

Y lo podrás escuchar esta mañana en el silbo apacible y delicado de la presencia de Dios.

En el hallarás descanso para tu alma.

Oración:

Amado Dios, sé que hay momentos en mi vida en los cuales quisiera esconderme de los demás y simplemente quedarme a solas. El temor, la frustración, la ansiedad, la angustia me envuelve y parece que no encuentro respuestas. Pero hoy, Señor, tú me aseguras de nuevo que en ti puedo encontrar descanso para mi alma, Amén.

Investidos de poder desde lo alto

"He aquí, yo enviaré la promesa de mi Padre sobre vosotros; pero quedaos vosotros en la ciudad de Jerusalén, hasta que seáis investidos de poder desde lo alto ". (Lucas 24:49)

El cumplimiento de la promesa que Jesús pronunció sobre sus discípulos cambió el mundo para siempre. De ahí en adelante todo ser humano que está lleno del poder del Espíritu Santo, cada vez que se para delante de otros a compartir la palabra, o cuando testifica o comparte su fe, o cuando usa sus dones, o cuando pone manos sobre otros, se convierte en un canal a través del cual Dios obra directamente en los demás.

No son sus palabras, son palabras divinas, no es su poder, es poder de los cielos, no son sus habilidades, son dones celestiales, y tampoco es su honra, la honra es para Aquel que lo envía con ese poder.

Poder desde lo alto. Es el poder que todo lo cambia.

Es la diferencia entre tener un argumento o tener una unción fresca y poderosa.

Es la diferencia entre saber de Dios y conocerlo por los libros, o experimentar la realidad de un Dios vivo que venció a la muerte, venció a la enfermedad, venció al pecado, venció al maligno, venció en este mundo y además desea que todos nosotros seamos investidos del mismo poder con el cual Él venció. Las palabras de Jesús nos dirigen a vivir vidas sobrenaturales aun en un mundo natural, a mostrar el favor de Dios que viene a llenar nuestras vidas, para que también nosotros seamos esos testigos que salen por el mundo predicando y anunciando sus virtudes, y siendo usados por un Dios que no conoce de límites, ni de escasez, ni de cansancio, ni de temor, sino que manifiesta siempre su favor para quienes le buscan con sincero corazón.

La maldad acecha, la envidia emponzoña, los resentimientos nos consumen y la impotencia nos doblega. Semejante crisis que vivimos hoy en día debería hacernos desesperar y conducirnos al trono de la gracia. Necesitamos de un aposento alto, donde podamos honradamente escudriñar nuestros corazones, consagrarnos de nuevo a Cristo y recibir la plenitud del Espíritu Santo, a fin de hacerle frente al mundo, con toda su degradación moral, pero investidos de fe, valor y poder. Y debe inundarnos un gozo que contagie a los demás.

Lo que se necesita es más del Espíritu del Señor.

Así que en este día, antes que hagas cualquier otra cosa: inclina tu rostro delante de Dios y pídele que te de poder de lo alto, y entonces saldrás a conquistar el mundo con una autoridad diferente, porque no es tuya sino que viene de los cielos para ti.

Oración:

En este día, Señor, inclino mi rostro delante de ti para pedir la llenura del Espíritu Santo. Quiero ser tu testigo, quiero llevar tu mensaje con quien quiera que hoy me encuentre, quiero ser un discípulo obediente a tu mandato de compartir las buenas nuevas. Pero sé que necesito poder desde lo alto para realizarlo y esa es mi oración para este día. Lléname de ti Señor. Amén.

Pozos de agua viva

"Mas el que bebiere del agua que yo le daré, no tendrá sed jamás; sino que el agua que yo le daré será en él una fuente de agua que salte para vida eterna"
(Juan 4:14)

Los soldados de la legión francesa, eran mundialmente temidos, eran valientes y cuando venía el enemigo ellos tenían un lema: "Si vacilo, empújame, si caigo, levántame y si retrocedo, dispárame."

¿Te das cuenta? Si lo aplicamos a la vida cristiana sería como decirte: Párate detrás de mí y no dejes que dude, empújame, empújame, no me dejes vacilar, no me dejes titubear.

Unos con otros apoyándonos, unos con otros levantándonos como hermanos en Cristo que nos ayudamos. Unos con otros, entendiendo que ya es tiempo de que los cristianos mostremos lo mejor de cada uno.

¿Sabes cómo nos ha enredado el enemigo?

Cada uno de nosotros tenemos preciosos tesoros que Dios ha puesto en nuestro interior.

Tenemos dones maravillosos para edificar el cuerpo de Cristo, hemos sido dotados de inteligencia, de habilidad, de poder de lo alto, de muchas posibilidades, de recursos, de inventiva, de poder creativo, de muchas, muchas cosas.

Pero el enemigo nos ha puesto a criticarnos los unos a los otros, a mirar lo que hace el hermano para caerle encima y juzgarlo con severidad.

Nos ha desviado de lo que tenemos que hacer y ha enredado nuestra vida distrayéndonos, haciendo que nos peleamos entre nosotros, mientras el mundo se pierde y los dones que tenemos siguen ocultos sin edificar a nadie.

¿Sabes qué es eso? Pozos secos. Aguas estancadas.

¿Sabes cómo huelen las aguas estancadas? Hieden, huelen mal. No pueden ser tomadas, más bien contaminan y pudren.

No podemos seguir siendo esas aguas estancadas y nauseabundas. No podemos seguir siendo agentes de sequedad y muerte.

John Harold Caicedo

239

Tenemos que levantarnos en el nombre del Señor y tomar posesión de lo que el enemigo ha querido usurpar.

Dios te dice hoy: basta ya, no más estarse cruzado de brazos sin hacer lo que te mande a hacer.

Es hora de estar dispuesto. Haz obra de evangelista, de misionero, de ministro, de siervo de Dios. Ve y alcanza a muchos para Cristo Jesús. Brilla con la luz que yo te he dado. Levántate y resplandece. No te quedes tranquilo mientras el mundo se pierde.

Donde quiera que llegues, algo sucederá porque tú tienes a Cristo morando en tu interior, y donde quiera que llegue Cristo, allí todo es transformado.

Hoy es el día para abrir esos pozos de agua viva que ahora están en tu interior y a quien quiera que hoy le compartas este mensaje y lo acepte, no tendrá sed jamás.

¿Por qué morirnos de sed al lado de la fuente del agua viva?

Oración:

Señor Jesús, no quiero ser agua estancada que se pudre sin ser útil. Quiero en este día fluir en El Espíritu y llevar buenas nuevas que refrigeran y transforman el alma humana. Quiero vivir en la plenitud de aquel que ha conocido la verdadera fuente del agua viva. Amén.

Una jornada con Jesús

*"Recorría Jesús todas las ciudades y aldeas,
enseñando en las sinagogas de ellos, y predicando
el evangelio del reino, y sanando toda enfermedad y
toda dolencia en el pueblo" (Mateo 9:35)*

¿Te habrás preguntado alguna vez cómo sería un día caminando con Jesús?

Tú siendo un discípulo y escuchando las palabras del Señor que camina al lado tuyo y viendo las maravillas que Él hace.

Estás un día a su lado y le traen a un hombre paralítico. Tú contemplas con tus ojos que aquel hombre que tiene sus piernas totalmente secas, que nunca ha podido caminar, de repente al toque de Jesús empieza a enderezarse y allí delante de ti, se realiza el milagro. Lo ves levantarse y después camina y enseguida corre y salta, y tu corazón se estremece de alegría al ver semejante demostración de poder celestial.

Otro día traen a un hombre ciego de nacimiento y Jesús lo contempla con compasión y toca sus ojos, y estos se abren ante tu mirada atónita, y lo que antes no podía hacer este pobre hombre, ahora lo puede hacer, te mira a ti, mira a todos los que están alrededor, en su rostro se dibuja la alegría más impresionante que jamás antes ha experimentado, y tú estás allí como testigo de semejante obra de misericordia y de poder.

O aquella mujer con el flujo de sangre, o la mujer de la joroba, o los leprosos que llegaron con llagas abiertas y la multitud los rechazaba, y sin embargo, Jesús extiende su mano, los toca y ante tu mirada, esas llagas se quitan y la piel recobra la lozanía, y estos hombres se van de allí completamente transformados. Y como ellos muchos otros que también fueron sanados o todos aquellos que fueron alimentados.

¿Cómo sería esa experiencia de ver hombres y mujeres sanados, liberados, leprosos siendo limpiados, paralíticos que caminan, ciegos que ven, mujeres que reciben todo el favor del Señor, multitudes que corren detrás de Él y también son alimentadas sobrenaturalmente por la mano prodigiosa de Jesús? ¿Cómo sería ver delante nuestro el gran poder que detenía las tormentas, que hacía huir a los demonios, que le permitía caminar sobre las aguas venciendo la naturaleza, y que aún levantaba a los muertos de sus tumbas?

Pero ¿Sabes que es lo más maravilloso? Que aunque Nuestro Señor no está caminando con nosotros hoy en día como en los tiempos antiguos por los caminos de Galilea y de Judea, Él sigue yendo contigo a todas partes porque ahora Él mora en el interior de los que le aman.

¿Cómo será un día con Jesús? Tú lo puedes vivir hoy. Tú lo puedes experimentarlo porque Jesús está contigo en este día. Disfruta esta jornada, El Señor está a tu lado.

Oración:

Amado Jesús, qué maravillosa es una jornada contigo. Saber con toda seguridad que tú caminas conmigo y me das el privilegio de servirte, conocerte y adorarte. Hoy caminaré bajo esa seguridad y estaré atento/a para ver en qué momento un milagro sucede, porque tú estás conmigo. Amén.

Sana nuestra tierra

"si se humillare mi pueblo sobre el cual mi nombre es invocado y oraren, y buscaren mi rostro, y se convirtieren de sus malos caminos; entonces yo oiré desde los cielos, perdonaré sus pecados y sanaré su tierra" (2 Crónicas 7:14)

En este mundo de hoy en día si alguien le hace un mal a alguien, el agraviado busca el desquite, la venganza, la forma de hacerle mal y entonces cada vez más los unos se hacen daño con los otros.

Las guerras son eso precisamente, yo te daño, tú me dañas, yo te hago otro daño peor, pero nunca se termina.

Entonces las personas, los pueblos enteros, las naciones, viven buscando cómo ocasionar el peor daño al enemigo para humillarlo y declararse vencedor.

Y no es verdad, no hay vencedores aunque unos terminen tirados en el campo de batalla y otros celebren, pero no hay victoria, todos son perdedores, unos muertos y otros ocasionando esas muertes. Todos perdedores. ¿Qué significa todo esto?

Que aún no hemos entendido el mensaje de la cruz.

Cristo estando colgado y divisando la humanidad desde ese lugar, no pidió venganza, no dijo Padre hazles daño, destrúyelos, dáñalos como lo hicieron conmigo. No, nada de eso.

Él dijo: Padre, perdónalos porque no saben lo que hacen. Eso es victoria aunque el mundo no lo entienda.

Si queremos que nuestra tierra sea sana tenemos que empezar por ahí. El perdón es el amor en una gran dimensión.

¿Dónde están los buscadores de la paz? ¿Dónde están los pacificadores que trastornan este mundo de violencia y lo cambian por un mundo donde se muestra el reino de Dios y su justicia? ¿Dónde están los jóvenes que se levantan y dicen no a la violencia, no a la rebeldía, no a la droga y los vicios, no a la sensualidad desenfrenada, y le dicen sí a la verdad pura del evangelio y a la vida llena del amor de Dios? Estos son los que van a cambiar este mundo.

El Señor quiere que veamos una tierra sana en su nombre, frescura de vida entre nuestras comunidades, multiplicación de bendiciones eternas, que la esterilidad se convierta en vida nueva.

Él quiere sanar nuestra tierra y pide de nosotros oración, arrepentimiento y búsqueda de su presencia. ¿Dónde están esos buscadores?

Ellos son los que van a cambiar este mundo con su decisión. ¿Estás tú entre ellos?

Oración:

Hoy quiero ser un instrumento en tus manos que colabore en la sanidad de esta tierra en la que habito. Al hacer el bien, al amar y entregar lo mejor de mí, al traer paz a un corazón afligido, al dar un abrazo desinteresado, una palabra de respaldo, contribuiré, así sea en una pequeña porción, a llevar alivio, consuelo, paz y armonía en este mundo tan necesitado. Amén.

Preparados para la batalla

"porque las armas de nuestra milicia no son
carnales, sino poderosas en Dios para la destrucción
de fortalezas" (2 Corintios 10:4)

Los ejércitos de muchos países se arman continuamente. Cada día se compran más armas y entre más potentes sean, más seguros se sienten.

Los países entran en carreras armamentistas, bombas nucleares, armas atómicas, aviones invisibles, radares de alto alcance, satélites para vigilar la tierra, etc., y entre más poderoso sea el ejército, más alto se levanta la voz de este país en el mundo para desafiar a los demás.

El orgullo de cada país es directamente proporcional al tamaño de su ejército y de sus armas y bombas. Pero hay un ejército que no tiene bombas nucleares, no tiene armas atómicas, no tiene radares de alto alcance, tanques de guerra, misiles poderosos, pero que derriba cualquier fortaleza, porque tiene el verdadero poder que es superior a todos los poderes del mundo.

Es el ejército de los escuadrones del Dios viviente que le creen al Señor, y a los cuales Él está preparando para las victorias de cada día y para la victoria final.

Lo importante es que tú seas parte de ese ejército. Está compuesto por mujeres, hombres, adultos, jóvenes y niños. Está compuesto por profesionales, por amas de casa, por estudiantes, por trabajadores rasos, por desempleados, por toda clase de personas sin distingo de razas, de idiomas, de origen.

No importa de dónde vengas, tú puedes pertenecer a él, pero hay un requisito: Tienes que creer en el capitán, y el capitán es nada menos que Jehová: el rey de los escuadrones de Israel.

Las batallas espirituales deben pelearse con armas espirituales.

Como los soldados en la guerra, los cristianos deben ser diestros en el uso de esas armas. Si las descuidan sabrán que es imposible vencer al enemigo.

Los cristianos deben orar para obtener poder y así vencer las fortalezas de Satanás, que como humanos, no pueden derribar. Deben depender del poder y la gracia del Espíritu Santo que lleva a cabo lo que ellos nunca podrían hacer solos.

Abre tu boca hoy al Señor para decirle que tú deseas pelear, no en tus propias fuerzas sino con las armas que Él te dio, esas son las que sirven. ¡Con la ayuda de Dios serás invencible!

Oración:

En este día me levanto como un soldado de los escuadrones del Dios viviente. Sé que hay batallas por pelear y luchas que sostener. Pero también sé que tengo las armas adecuadas, la dirección precisa y la estrategia perfecta para vencer. Este es un día de victoria en Cristo Jesús. Contigo Señor, hoy seré invencible. Amén.

La guerra no es tuya sino de Dios

"...Jehová os dice así: No temáis, ni os amedrentéis
delante de esta multitud tan grande, porque no es
vuestra la guerra, sino de Dios" (2 Crónicas 20:15b)

Es terrible como en momento determinado nuestra vida se puede convertir en un temor constante frente a las circunstancias que nos rodean. Nuestra tendencia puede ser el preocuparnos por todo, más aún cuando vemos que la guerra que estamos tratando de luchar la estamos perdiendo.

Y es que por los afanes de la vida y el temor, muchas veces olvidamos que la guerra no es nuestra, que no está en nosotros la capacidad para vencer o salir derrotados, que nuestras fuerzas no dependen de lo humano ni de lo terrenal, sino que dependen de nuestro Dios.

Y esto no es una invitación a no hacer nada, sino a confiar más en Ël y usar las armas de nuestra milicia, que no son carnales sino poderosas en Dios para la destrucción de fortalezas.

Los muros caen, los enemigos huyen o se confunden y se destruyen entre sí, los mares se abren, el sol se detiene, la luna no avanza, los leones cierran sus bocas, el horno humeante no quema, la piedra da en el blanco perfecto, los muros de la cárcel se estremecen y las puertas se abren, una y otra vez la estrategia diseñada por Dios funciona y el pueblo del Señor declara la victoria.

No temas, no huyas, no te escondas, no te desanimes, la guerra no es tuya. El Dios a quien amas ha resuelto tomar para sí tus batallas y Él nunca ha perdido una guerra.

Quizás estás pasando un momento de esos donde ves a una multitud contra ti. En donde todo te está saliendo mal y donde lejos de salir el sol, ves solo nubes muy nubladas y grises.

Pero es ahí en esos momentos en donde humanamente no se puede hacer nada o en donde nuestras fuerzas son insignificantes frente al adversario cuando Dios sale a nuestro rescate y nos recuerda lo siguiente: "La guerra no es tuya, sino mía".

Al iniciar este día la voz de Dios se levanta majestuosa sobre sus hijos para decirnos: No tengas miedo… No te desalientes… La batalla no es tuya… La batalla es de Dios… Tú no tienes porqué pelear esta batalla... Mantente firme… Ve la salvación que Dios te entregará.

De nuevo, no te desalientes… Anda a enfrentar a tu enemigo... El Señor estará contigo.

Así que toma un nuevo ánimo en este día, Dios ya está peleando por ti y pronto verás la victoria.

Oración:

Gracias Señor por pelear mis batallas. No hay duda de que tú puedes hacerlo mejor que yo. Por eso habito al abrigo tuyo, bajo tu mano de poder y es por eso que hoy tengo la tranquilidad de saber que tú siempre vas delante de mí, venciendo día a día. Amén.

¡Alegrémonos!

"Venid, celebremos alegremente a Jehová;
cantemos con júbilo a la roca de nuestra salvación"
(Salmo 95:1)

A través de la Biblia, vemos una constante muestra de celebración: celebraron los pastores de Belén en las afueras de un pesebre.

Celebró María al contemplar a su hijo envuelto en pañales, mientras los ángeles cantaban: Gloria a Dios en las alturas y en la tierra paz, buena voluntad para con los hombres.

Celebraron las multitudes al ver panes y peces que se multiplicaban y saciaban su hambre, hasta que sobró y tuvieron que guardar más cestas con todo lo que sobreabundó.

Celebró un leproso que vio como de un muñón de su mano, salían dedos y toda su piel retomaba el color natural, mientras los demás se maravillaban de tal acontecimiento.

Celebró una viuda que hacía una comida para todos los invitados al funeral de su hijo, pero terminó atendiendo a todos los que llegaron para verlo resucitado.

Celebró un ciego al que le fueron abiertos los ojos para descubrir las maravillas que todos podemos disfrutar a diario.

Celebró una mujer samaritana que se encontró con el Maestro y descubrió que frente a ella tenía al Mesías largamente esperado, y salió a compartir las buenas nuevas con los demás.

Celebraciones de vida, de amor, de misericordia, de victoria, de milagros divinos. En todas estas celebraciones estaba Jesús en medio.

Por eso si tienes al Señor en tu vida, sin duda tendrás momentos de celebración, pues el amor de Dios se extiende de continuo sobre la vida de sus hijos.

Cuenta hoy tus bendiciones. De muchas maneras las manos de Dios se han extendido sobre tu vida en este día, cubriéndote en todo momento y proveyendo lo que necesitas para seguir adelante.

Si te detienes a mirar con cuidado, descubrirás pronto que tu vida está llena de milagros, porque El Señor está en ti.

Por eso prepara tu celebración porque Dios camina contigo en este día.

Oración:

Amado Jesús, mi corazón se regocija en ti cada día. Hoy recibo de nuevo tus misericordias, me gozo en saber que tus promesas, tus pactos, tu gracia, son para mí. Como hijo/a tuyo/a celebro que día a día caminas conmigo y mi corazón arde como el de los discípulos de Emaús, cuando tú caminabas con ellos. Amén.

Caminando hacia la eternidad

"Y esta es la vida eterna: que te conozcan a ti, el Único Dios verdadero y a Jesucristo, a quien has enviado" (Juan 17:3)

Si nuestro valor está determinado únicamente por las cosas terrenales que poseemos o conocemos, entonces nuestro valor es demasiado limitado.

Sin importar qué tantas cosas hagamos en este mundo, qué tantos bienes poseamos o qué tanto dinero acumulemos, algún día partiremos de él y tendremos un destino basado en la relación que tuvimos con el Salvador de este mundo.

No podemos llevar nada y aun nuestro recuerdo se perderá en las siguientes generaciones, de tal forma que al pasar el tiempo será poca la memoria que se tenga de nosotros.

Sin embargo, la buena noticia es que nuestra existencia no está limitada por nuestro tiempo, sino que está determinada por la voluntad de Aquel que es eterno.

Ignorar la eternidad o el camino de salvación es en realidad la necedad más grande que un ser humano puede manifestar.

Cristo está vivo y ha prometido la vida eterna a los que han confiado en Él.

La resurrección nos da la perspectiva correcta de la vida y la muerte.

Porque Cristo resucitó, también nosotros resucitaremos con Él y reinaremos con gloria para la vida eterna.

Así que cada día es un avance más hacia nuestro país celestial. Hoy estás más cerca que ayer.

¿Estás preparado/a?

Cristo es la vida, si lo tienes a Él, lo has ganado todo.

Oración:

Dios eterno, hoy tengo una seguridad en mi vida que nadie me puede quitar. Es la seguridad de saber que al haber abierto mi corazón a Jesucristo, también he recibido la eternidad en tu divina presencia. Tú vives y vivirás para siempre Señor Jesús, por lo tanto, este es un día más que también cuenta en la eternidad gloriosa de los hijos de Dios. Amén.

El Dios eterno

"¿no has sabido, no has oído que el Dios eterno
es Jehová, el cual creó los confines de la tierra?....."
(Isaías 40:28a)

Un hombre tenía una vida de miseria. Sus días eran oscuros y sus noches largas. No era feliz.

Un día se acercó a su pastor y le preguntó: ¿Por qué soy tan infeliz? ¿Será que tengo algún pecado?

El pastor le contestó: Sí tienes un pecado. ¿Cuál es? Le preguntó el hombre inquieto.

El pastor le respondió: El pecado del desconocimiento.

¿Cómo es eso?, le preguntó de nuevo el hombre al pastor y este le contestó: Es que uno de tus vecinos es el Mesías y tú no lo has descubierto.

Entonces el empezó a buscar entre todos y a preguntarse: ¿Será el de la tienda?, pero no puede ser porque es malgeniado. ¿Será el lechero?, pero no es muy cumplido. ¿Será el del periódico?, pero es muy orgulloso.

Empezó a ver cosas que no había visto antes. El del almacén llevaba las bolsas de las ancianas al auto. A lo mejor era el Mesías. El empleado de la esquina siempre tenía una sonrisa con los niños. A lo mejor era él. La joven pareja que recién se había mudado eran muy amables. A lo mejor era aquel esposo.

Entonces todo empezó a cambiar para él. Su perspectiva se hizo diferente. Se volvió alegre y buscaba lo mejor en las personas.

Si le hablaban, escuchaba. Ponía atención a todo, siempre tenía buena disposición. Después de todo, a lo mejor alguno de los demás era el Mesías, así que tenía que ser amable con todo el mundo.

Tiempo después alguien le preguntó: ¿Cómo es que estás tan feliz? Él respondió: No lo sé, pero todo cambió cuando empecé a buscar al Mesías.

¿Eres una persona feliz? ¿Los que te rodean pueden decir de ti que vives con gozo y buena disposición todos los días?

El Dios eterno está en tu vecindario, está muy cerca de ti. ¿Ya lo viste esta mañana?

Disponte en este día de la mejor manera porque en cualquier momento te puedes encontrar con Él. ¿Estás listo/a?

Oración:

Dios amado, mi vida ha cambiado desde que te conocí. El mejor momento de mi vida fue aquel en el que tú abriste mis ojos y me permitiste conocerte. Por eso ahora vivo para ti, y cada día es una aventura maravillosa, pues ahora sé que tú estás siempre a mi lado y puedo vivir en la tranquilidad que tú viniste a darme como un regalo celestial. Amén.

Dios de maravillas

"has aumentado, oh Jehová Dios mío, tus
maravillas; y tus pensamientos para con nosotros, no
es posible contarlos ante ti. Si yo anunciare y hablare
de ellos, no pueden ser enumerados" (Salmo 40:5)

Es curioso cómo los seres humanos desean ser salvos sin conocer al Dios con el cual desean compartir la eternidad.

Deseamos ver su gloria, sin conocer al Dios de la gloria, hablamos de la presencia de Dios sin buscar al Señor de la presencia, y pedimos la obra de Dios sin encontrarnos con el Dios de la obra que nos atrae hacia Él mismo todos los días con lo que viene de su mano generosa.

Ante la presencia del Señor debo presentarme con manos limpias, con un corazón puro, un espíritu apacible y un alma transparente.

Él es El Dios que hace maravillas a diario. Que renueva su amor y su misericordia para sus hijos. Que cuida nuestro caminar de cada jornada. Que nos alimenta, nos sana, nos protege, nos alienta, nos llena de nuevas fuerzas, renueva nuestras vidas con sus dádivas de amor.

Sí, Él es Dios de maravillas y portentos. De milagros y señales. De nuevos comienzos y grandes victorias. Todos necesitamos aprender que no podemos darle gloria a nadie más que a nuestro Señor Jesucristo. Él está sentado en su trono, reinando con autoridad y con poder.

Todo lo que ves en el exterior es un reflejo de tu interior. Dios está queriendo sanar tus ojos para que aprendas a mirarlo en cada cosa maravillosa que Él ha creado.

Búscalo, anhélalo con todas tus fuerzas.

Cada mañana cuando te levantes exhala un suspiro de agradecimiento y amor, y dispone a disfrutar del regalo que Él te ha dado: la vida misma.

Tú eres una criatura de Dios. Él tiene pertenencia sobre ti. Si estás con Él aprenderás a ser feliz.

Oración:

Señor Jesucristo, cada día es una oportunidad para conocerte más y descubrir tus atributos y maravillas. Sé que la dinámica de mi vida ha cambiado desde que te conocí. No podría disfrutar de este día maravilloso si no fuera porque tú cuidas cada detalle en mi jornada. Y cuando voy a descansar en la noche, puedo decir de nuevo: gracias Señor, me has dado lo mejor de ti y lo he disfrutado. Tú eres mi deleite continuo. Amén.

Cosas mayores que estas verás

"¿Porque te dije: te vi debajo de la higuera, crees?
Cosas mayores que estas verás" (Juan 1:50b)

Una pareja llegó al Hotel Hyatt de Boston para arreglar todos los pormenores para el banquete de su boda. El menú, la vajilla, los cubiertos, los arreglos florales, las fotos. Todos los detalles. Una cuenta bastante grande.

Sin embargo, unos días más adelante el novio se empezó a arrepentir de casarse y rompió el compromiso.

Ella muy triste fue al hotel, pero le informaron que lo que ya había dado no podía ser reembolsado a pesar de ser mucho dinero. Entonces ella, que provenía de un lugar muy humilde, decidió seguir con los planes de hacer un banquete, no de matrimonio, pero sí invitando a todos los indigentes de la ciudad.

Se enviaron invitaciones a las misiones, a los refugios de gente sin hogar, y una noche de verano de 1990 en ese elegante hotel se sirvió una espectacular cena para todos los indigentes, desplazados y personas abandonadas y sin hogar.

Los meseros con sus esmóquines le sirvieron a toda esta gente una gran cena, pastel, postres exquisitos y muchas cosas deliciosas a cambio de nada. La gracia para ellos en plenitud.

Recibieron el amor que necesitaban. Recibieron, no lo que ellos podían alcanzar, sino lo que alguien que sí podía les dio. Cosas más grandes de lo que ellos jamás hubieran imaginado. Es una historia de gracia.

Es también la historia del ladrón en la cruz, que a pesar de nunca asistir a una sinagoga, ni restituir lo robado, es alcanzado por la misericordia del Señor, y recibe las promesas del reino.

Es la historia de los cientos y cientos de extranjeros, mujeres de mala reputación, recaudadores de impuestos, leprosos, ciegos y demás que fueron alcanzados por la misericordia del Señor, mientras los fariseos se escandalizaban y murmuraban contra Él.

Esta es también nuestra propia historia.

Es El Señor cumpliendo sus promesas y llevándonos a ver su gracia manifestada en abundancia sobre nosotros.

Es la gracia de Dios que se extiende nuevamente. Son las promesas divinas que se cumplen.

Alégrate hoy porque la gracia divina estará contigo y cosas mayores que estas verás.

Oración:

Reconozco Señor Jesús, que es tu gracia la que obra en mi vida todos los días para poder recibir tantas cosas que jamás merecería. Saber que me das la salvación eterna, el perdón de los pecados, la reconciliación con El Padre y las bendiciones diarias, es motivo suficiente en este día para darte gloria y honra y obedecerte en todos tus caminos. Amén.

Que tu sí sea sí

"pero sea vuestro hablar: Sí, sí; no, no; porque lo que es más de esto, de mal procede" (Mateo 5:37)

Nadie compraría una botella de agua mineral que diga: 98% agua mineral pura, 2% agua de cloaca.

Nadie se levanta por la mañana, prepara una taza de café, le echa una gota de veneno y se lo toma.

Ningún hombre o mujer desearía tener un cónyuge que tan solo le prometa un 90% de fidelidad.

Ningún empleador contrataría a una persona que tan solo desee comprometerse a trabajar bien en un 80% de su tiempo de labor.

Ningún padre desearía tener hijos que les dijeron que tan solo se van a portar bien un 75% de su tiempo. En realidad todos los seres humanos deseamos que los demás tengan compromisos serios de fidelidad, responsabilidad, entrega y lealtad, y que su palabra tenga valor.

Pero muchas personas permiten gotas de veneno en sus mentes y en sus corazones, y esta pequeña dosis diaria viene finalmente a destruir la vida del creyente y su relación con Dios.

La leucemia, esta terrible enfermedad, comienza tan solo con un cambio genético en una sola célula blanca en la sangre de la médula, pero al final destruye todo el cuerpo.

Así es el pecado. Decimos que un poquito es aceptable. Una pequeña mentira. Un poco de malos pensamientos. Un poco de envidia (envidia sana). Un rencor no sanado y aparentemente olvidado. Hijos y padres que dejan de hablarse por tiempos. Hermanos que nunca vuelven a tratarse por peleas entre ellos.

Es increíble cómo en ocasiones nos permitimos vivir con cierto margen de no compromiso, o creemos que está bien un poco de pecado, porque al cabo nadie es perfecto.

Por esta razón justificamos nuestras malas acciones en lugar de buscar la figura de Cristo como ejemplo a seguir.

Mentiras piadosas, verdades a medias, tratos superficiales, falta de compromiso, traiciones, irrespetos y muchas otras cosas que se viven a diario en las relaciones entre los seres humanos.Pero este mundo está cansado de todo eso.

Se necesitan personas dignas de confianza, que tengan palabra y la respalden con su testimonio, que no tengan dobles vidas o permitan que pequeñas grietas terminen por derrumbar lo que construyeron con tanto esfuerzo.

Por eso, El Señor te llama hoy a ser una persona de compromiso, respeto, fidelidad y entrega y que tu palabra sea un tesoro respaldado por el testimonio de vida firme.

A propósito: ¿Me dijiste que sí?

Oración:

Amado Salvador, sé que viniste desde los cielos, despojándote de tu gloria, tomando forma de siervo, haciéndote obediente hasta la muerte en la cruz y que todo eso lo hiciste por tu compromiso de amor y de misericordia por los tuyos. Ese fue un gran regalo de tu fidelidad. Concédeme Señor ser fiel en este día a tu llamado y vivir de acuerdo a los propósitos para los cuales tú diste la vida por mí. Amén.

Mayo

Los verdaderos discípulos

"En esto conocerán todos que sois mis discípulos, si tuviereis amor los unos con los otros" (Juan 13:35)

Un día un hombre preguntó a Jesús: Maestro, ¿cuál es el mandamiento mayor de la ley?

Él le dijo: "Amarás al Señor tu Dios con todo tu corazón, con toda tu alma y con toda tu mente y amarás a tu prójimo como a ti mismo. No existe otro mandato mayor que éste"(Marcos 12:30)

Nosotros queremos aprender de doctrina, de teología, de fe, de liturgias. Hay quienes todavía están tratando de aprender acerca de sacrificios, pero ¿quién está queriendo aprender acerca de amar más a su prójimo?

No es algo que todo el mundo tenga, no es algo que vendan en la tienda de la esquina.

Sin embargo, El Señor nos dice que es lo más importante, agrega que la forma de reconocer a los verdaderos discípulos es de acuerdo a cómo se aman los unos con los otros.

1 Juan 4:8, dice: "el que no ama no ha conocido a Dios, porque Dios es amor."

Y luego agrega: "si Dios nos ha amado así, debemos también nosotros amarnos unos a otros."

Si la característica más visible de nuestro Señor es el amor, ¿no debería ser entonces también la característica más visible de los que lo seguimos?

Muchos han entendido que la vida cristiana tiene que ver únicamente con Dios y no es así.

Tú puedes amar a Dios con todo tu ser, pero ¿dónde vas a poner en práctica lo que Dios te está dando? ¿Con quién? ¿Contigo mismo? No.

El desafío va mucho más allá. El desafío es ¿qué tanto estás amando a tu prójimo?

¿Será posible que una persona pueda amar a Dios mientras que aborrece a su hermano?

¿Puede ser posible que alguien que genuinamente ha recibido el amor de Dios no sea capaz de manifestarlo a otros?

El hilo conductor que surge desde Dios y se transmite hacia los suyos es el amor, porque Dios es amor.

Esto es maravilloso, no es el poder y ni siquiera es la santidad, aunque por supuesto estamos llamados a ser santos como Dios es santo, pero el ADN del creyente, aquello que nos identifica con nuestro Dios de manera directa es el amor.

Así que el mandato es muy claro: debemos amarnos los unos a los otros, como Jesús mismo nos ha amado.

Recuerda que Él dio su vida por nosotros. No hay mayor amor que este.

Oración:

Bajo la cobertura de tu gran amor me dispongo a vivir en este día, Señor Jesucristo. Sé que tú viniste desde los cielos mismos para darme salvación y vida eterna y por esa causa te sacrificaste en la cruz del calvario. Sé que tu amor sigue extendiéndose sobre mi vida de una manera extraordinaria, por lo tanto hoy recibo con alegría esta gran verdad y vivo como lo que soy, profundamente amado/a por El Señor de los cielos. Amén.

Mirando el futuro con optimismo

"Hermanos, yo mismo no pretendo haberlo
ya alcanzado; pero una cosa hago: olvidando
ciertamente lo que queda atrás, y extendiéndome
a lo que está delante, prosigo a la meta, al premio
del supremo llamamiento de Dios en Cristo Jesús"
(Filipenses 3:13-14)

El Psicólogo Samuel Jones realizó una investigación acerca de cómo las personas ocupaban su pensamiento. Lo sorprendente de este estudio, fue descubrir que la mayoría de las personas vivían pensando en sus pasados más que en sus futuros.

1) El 40%, personas ocupaban constantemente en pensar en su pasado difícil, pasado de fracaso y de vergüenza.

2) El 30%, personas ocupaban su tiempo pensando que no tenían posibilidad de nada y vivían frustradas.

3) El 12%, personas ocupaban la mayor parte de su pensamiento en su trabajo fracasado, en algo que les irritó o sulfuró, y en las heridas a causa de otras personas.

4) El 10%, pasando todo su tiempo preocupadas sobre la salud y por la vida.

5) Solamente el 8%, pensaban de una manera positiva.

¿Cuánto tiempo estamos desperdiciando solo pensando en las cosas pasadas, en lo que nos hizo daño, en lo que nos causó dolor, en personas que no vale la pena tenerlas, ni siquiera en nuestra mente?

Sucesos que no se dieron como esperábamos, sueños truncados, fracasos en el matrimonio o en la economía, y lo malo es que nos quedamos dando vueltas en las mismas cosas pero dejamos de mirar hacia el futuro con optimismo.

Es indudable que la gran mayoría de las personas necesitan ser restauradas, sanadas de los recuerdos y golpes que han dejado marcas dolorosas, traumas que someten nuestra vida a la tristeza, la soledad, el abandono, y sin ganas de vivir.

Otros se vuelven agresivos, intolerantes, duros, amargados, y sin misericordia.

Cuando hay dolor en tu alma, eres un quebrantado de corazón, y estás cautivo de pensamientos que te atormentan, y tus emociones se salen de control, tu alma está enferma, y vives solo impulsado/a por el dolor, y por eso tomas malas decisiones en la vida ¡NECESITAS SER SANADO/A!

Cuando no perdonamos y no nos perdonamos, vivimos atormentados y presos del pasado sin opción de ver un futuro diferente para nosotros mismos y nuestras familias.

Podemos pasarnos el mejor tiempo de nuestras vidas solo en lamentos, evocando malos recuerdos, acordándonos de lo que no hicimos, volviendo a traer a nuestra mente los fracasos que tuvimos o las personas que nos hicieron daño y que no vale la pena que les dediquemos tanto tiempo.

Por eso el llamado de Dios en este día es a confrontar tu vida de una manera diferente.

Prosigue, avanza, aférrate a las promesas divinas, deja que El Señor tome el control de tu vida y confía en Él.

Dios tiene algo especial reservado para los que le aman. Es mi oración que tú seas uno/a de esos/as receptores/as de las bendiciones divinas.

Oración:

Hoy quiero arrepentirme del tiempo que he malgastado en malos pensamientos, en lamentaciones y quejas que no me han ayudado a mirar la vida con optimismo. Por eso te pido Señor que me des tu fuerza para levantarme en este día de una manera diferente, mirando mi vida a la luz de tus promesas divinas. Amén.

Conociendo al Dios Todopoderoso

"Jesús le dijo: ¿No te he dicho que si crees, verás la gloria de Dios?" (Juan 11:40)

Las declaraciones de Jesús en la Escritura se convirtieron en verdaderos desafíos para todas las generaciones de creyentes.

Por ejemplo, El Señor le dijo a Marta al lado de la tumba de Lázaro: "¿No te he dicho que si crees, verás la gloria de Dios?"(Juan 11:40)

También Jesús le dijo a la mujer samaritana: "Si conocieras el don de Dios. Si lo conocieras más profundamente, si supieras quién es el que está enfrente de ti, entonces tú le pedirías y él te daría agua viva" (Juan 4:10).

A Felipe, su discípulo Jesús le dijo: "¿Tanto tiempo hace que estoy con vosotros, y no me has conocido, Felipe? El que me ha visto a mí, ha visto al Padre; ¿Cómo, pues, dices tú: Muéstranos el Padre?"(Juan 14:9).

Palabras que desafiaron a las personas que se encontraron con Jesús para conocerlo más y profundizar en una relación cercana con El Creador del universo.

El gran problema del mundo cristiano de hoy en día es ese desconocimiento del Dios que nos gobierna y que nos ha llamado de la oscuridad a la luz admirable.

Los discípulos expresaron algo tremendo: "¡Vimos su gloria!, gloria como del Unigénito del Padre, lleno de gracia y de verdad" ¿Podrías decir tú lo mismo? ¿Has visto la gloria de Dios?

Es muy interesante que Jesús también le dice a la mujer samaritana que ellos adoran lo que no saben. ¿Cuántas personas en este mundo, estarán en este momento adorando lo que no saben o a quien no deben?

Hay miles de personas en las calles tratando de llevarse a las multitudes para sus sectas de engaño y de mentira. ¡¿Dónde está el pueblo que conoce al Señor todopoderoso?!

Elías permitió que los profetas de Baal adoraran a sus dioses. Se tasajearon la piel, se tiraron al piso, clamaron y clamaron, y no sirvió de nada.

Y cuando ellos terminaron su inútil adoración, Elías convocó a todo el pueblo y les dijo: vengan sean testigos de lo que es adorar al Dios verdadero: "Jehová Dios de Abraham, de Isaac y de Israel, sea manifiesto que tú eres Dios en Israel, y que yo soy tu siervo, que por mandato tuyo he hecho todas estas cosas. Respóndeme, Jehová, respóndeme, para que conozca este pueblo que tú, oh Jehová, eres el Dios y que tú vuelves a ti el corazón de ellos" (1 Reyes 18:37).

Y ¿qué sucedió? Inmediatamente cayó fuego del cielo y consumió el holocausto, la leña, las piedras y el polvo y aun lamió el agua que estaba en la zanja.

No hay duda. El propósito de cada ser humano debe ser el de conocer a Dios de una manera cercana y profunda. Al fin y al cabo: "esta es la vida eterna: que te conozcan a ti, el Único Dios verdadero, y a Jesucristo, a quien has enviado." (Juan 17:3)

Oración:

Qué maravilloso es vivir bajo la verdad de tus palabras, Señor Jesús. Sé que cada una de esas revelaciones también me alcanzan, por lo tanto me reafirmo en la seguridad de ellas para asumir este día como lo hacen los que confían enteramente en ti. Amén.

El silbo apacible de su presencia

*"y tras el terremoto un fuego; pero Jehová no
estaba en el fuego. Y tras el fuego un silbo apacible y
delicado" (1 Reyes 19:12)*

La experiencia del profeta Elías dentro de la cueva a la que había corrido para ocultarse, se convierte en la experiencia de millones de seres humanos que no saben cómo encontrar a Dios en un momento determinado de sus vidas.

Elías vio cómo soplaba un poderoso viento que estremecía los montes y pensó que en medio de esta conmoción estaría El Señor, pero no estaba allí.

Luego sintió un terremoto, quizás como nunca antes lo había experimentado, pero aun en medio de la tierra que se movía, tampoco estaba la presencia del Señor.

Enseguida vino un gran fuego y tal vez el profeta recordaría la zarza ardiente en la que se manifestó El Señor a Moisés y pensaría que en ese poderoso fuego podría encontrar la presencia de Dios, pero tampoco lo encontró allí.

Sin embargo, después de todas estas manifestaciones poderosas en la que no estaba su presencia, vino un silbo apacible y delicado y allí finalmente, el profeta cubrió su rostro con su manto, se puso a la puerta de la cueva y encontró al Señor que le habló y le dio las instrucciones y la seguridad del respaldo divino.

¿Dónde estás buscando a Dios? ¿Será posible que hasta ahora lo hayas buscado en lugares equivocados?

Nuestras vidas no son siempre como queremos. Sufrimos decepciones, momentos complicados en los cuales desearíamos más bien encontrar la cueva más remota y sumergirnos en ella y no volver a salir de allí.

Sí, tenemos cicatrices de los golpes de la vida. Tenemos marcas y huellas que nos ha dejado el trasegar por esta vida que en ocasiones no es como quisiéramos.

Pero siempre tenemos una esperanza, porque aun cuando corramos a escondernos en la cueva, la voz de Dios nos alcanza en aquella oscuridad para darnos el aliento que necesitamos y mostrarnos la gloria de su presencia.

Elías había experimentado muchas veces el poder de Dios sobre su vida, pero en aquel momento él necesitaba algo más de parte del Señor.

Elías había visto literalmente descender fuego del cielo y sabía qué clase de Dios tenía: fuerte y poderoso, pero en aquel momento lo que necesitaba era intimidad con Dios, por eso El Señor no estaba ni en el viento, ni en el terremoto, ni en el fuego; Dios estaba en el silbo apacible y delicado.

¿Dónde está Dios? ¿Cómo lo estás buscando hoy?

Él está muy cerca de ti, de hecho más cerca de lo que crees. Él habita en el interior de aquellos que han abierto su corazón para Él.

Así que hoy quédate en silencio, escucha tan solo el silbo apacible de su presencia que viene de tu interior y alégrate porque El Dios majestuoso siempre está contigo.

 Oración:

Amado Dios, sé que todos los días tú estás conmigo. En los momentos alegres y en los momentos difíciles. En las tormentas y en los tiempos apacibles. Cuando lloro y cuando río. Cuando descanso y cuando trabajo. Por eso en este día descanso en ti sabiendo que eres mi compañía constante. Amén.

Caminando con el Maestro

*"Sucedió que mientras hablaban y discutían entre
sí, Jesús mismo se acercó, y caminaba con ellos"
(Lucas 24:15)*

En el pasaje de Lucas 24:13 en adelante, conocemos que dos discípulos del Señor iban caminando hacia una aldea llamada Emaús. Estos discípulos estaban entristecidos porque Jesús no había sido el Mesías guerrero que ellos habían esperado. Por el contrario, ellos habían recibido un Mesías mejor de lo que sus expectativas contemplaban, ¡pero no se habían dado cuenta!

¡En lugar de obtener a uno que los liberaría de su esclavitud a los romanos, estaban recibiendo un Mesías que los liberaría de su esclavitud al pecado!

Ellos estaban recibiendo un Mesías que estaría con ellos siempre, incluso al final de los tiempos.

No nos resulta difícil sentirnos identificados con estos dos discípulos que vuelven decepcionados a su tierra. También nosotros pasamos por esos momentos en algunas etapas de nuestra vida.

¿No te ha pasado que pones todo su empeño en un proyecto y éste se viene abajo?

¿No te has sentido decepcionado/a por una persona en la cual confiabas?

Invertimos tiempo, ideas, creatividad, ingenio, dinero o esfuerzo y vemos que los resultados no son los esperados; ponemos nuestro corazón en alguien que luego nos abandona.

Es entonces cuando surgen en nuestro interior -y se manifiestan en nuestro rostro- las dudas, la decepción, el cansancio y la desesperanza.

Los dos de Emaús vuelven a su casa destrozados, han sido testigos de lo más monstruoso en sus vidas, han contemplado cómo asesinaban a su Maestro, como lo azotaban, se mofaban, etc.

Nos podemos imaginar cuán grande era su desolación. En ese penar, ese vacío interior, se hace presente el Señor resucitado, se acerca a ellos y les dice ¿De qué hablan?

Su dolor es tal que no le reconocen, no son capaces de darse cuenta que Jesús está hablando con ellos. El caminante no tiene nombre ni rostro. Es uno más. Camina con ellos, dialogan, comprenden. La conversación se da a lo largo del camino.

Es tal la sintonía que se produce entre los discípulos de Emaús y aquel forastero, que cuando llegan a casa le invitan a cenar, a compartir la mesa con ellos. Y después de que Él partió el pan, recién allí descubrieron que ¡era Jesús resucitado!

Descubrir que Cristo camina a su lado es el mayor descubrimiento que un ser humano puede llegar a tener. Es el ciego que ahora ve o el sordo que ahora oye.

Es aquel que encuentra una nueva dimensión de vida, pues de ahí en adelante sabe que nunca estará solo/a porque las promesas del Señor se han hecho ciertas y Él estará todos los días a su lado hasta el fin.

Mi oración para este día es que tus ojos sean abiertos para que puedas darte cuenta que ahora mismo, mientras lees esto y a lo largo de toda esta jornada, El Señor está contigo.

¡Qué gran privilegio!

Oración:

Amado Jesús, a pesar de que caminas siempre a mi lado, hay momentos en los cuales parece que no te reconozco y experimento vacío y soledad. Sin embargo, hoy entiendo que tú nunca me has dejado. Que aunque no pueda verte, tú siempre has caminado conmigo en cada jornada y has cuidado de mí en cada sendero de mi vida. Amén.

El deleite de la vida cristiana

"Deléitate asimismo en Jehová, Y él te concederá
las peticiones de tu corazón. Encomienda a Jehová tu
camino y confía en él; y él hará" (salmo 37: 4-5)

La palabra de Dios nos enseña que el evangelio no solo se predica, sino principalmente se vive y se da testimonio de él.

Debemos recordar que Jesús mismo cuando habló acerca de los suyos, dijo que somos la luz del mundo y que tenemos una tarea muy importante por realizar.

La iglesia tiene que estar preparada para confrontar los retos de hoy en día.

Como guardián de los valores cristianos, tienes que saber qué dice la Biblia acerca de la homosexualidad, de las relaciones sexuales fuera del matrimonio, del aborto, del abuso, de las injusticias, de los desamparados, de cada una de las cosas que hoy en día se pregunta la humanidad y que deberíamos estar en capacidad de responder.

Si no tenemos respuestas para nuestros hijos, para aquellos que están alejados del Señor, para personas que crecen en países donde no se les habla de Dios, entonces la iglesia de Jesucristo y el evangelio poderoso al cual se nos ha enviado a proclamar, se quedará sin ser compartido y muchos jamás conocerán del amor de Dios.

Podemos correr el riesgo de poner el evangelio simplemente como un montón de restricciones y regulaciones para no hacer algunas cosas, y ante este panorama, ¿Quién se sentirá atraído por algo así?

Es importante conservar un equilibrio en la transmisión del mensaje de la palabra de Dios para evitar que se convierta simplemente en un cuadro de prohibiciones o por el contrario, en una oferta ilimitada de posesiones materiales que distorsiona de la misma forma el mensaje crucial del evangelio de Jesucristo.

Cuando se pregunta en una comunidad de cristianos acerca de quiénes en realidad viven en el deleite de las cosas de Dio,s en lugar de considerarlo como una carga, no son muchos los que experimentan ese verdadero deleite. ¿Y si no hallan deleite en el evangelio y su vida cristiana, cómo podemos esperar que compartan este mensaje?

Desafortunadamente para muchos la vida cristiana se ha convertido en una carga muy difícil de sobrellevar.

¿Has experimentado en alguna ocasión el deseo de adorar a Dios solo por el deleite de hacerlo o el anhelo de pasar a solas un tiempo con Él? ¿O solo porque tu interior clama por su presencia?

O únicamente vives en medio de imposiciones, reglamentos, cargas y restricciones.

Sin duda alguna la vida cristiana debe vivirse en el deleite de la presencia del Señor.

Proponte en este día deleitarte en Él. Sin duda que el gozo del Señor inundará tu alma.

Oración:

Amado Jesús, hoy me propongo adorarte, glorificar tu nombre y gozarme en tu presencia. Concédeme por favor el privilegio de experimentar el gozo de tu compañía y de exaltarte por tus maravillas. Sé que tú lo harás y este día lo viviré para alabarte sin reservas. Es el fruto de mis labios que confiesan tu nombre. Amén.

No te olvides de Dios

*"A fin de que pongan en Dios su confianza, y no
se olviden de las obras de Dios; que guarden sus
mandamientos" (Salmo 78:7)*

Hoy en día muchos científicos están en los laboratorios investigando cosas que van a servir para la humanidad y eso está muy bien, ¿pero toda esa sabiduría humana nos acercará más a Dios? ¿Seremos mejores seres humanos porque se desarrollen nuevas tecnologías?

La comunicación avanza a pasos agigantados, ¿eso servirá para comunicarnos más con Dios?

La justicia de los seres humanos trata de modificarse en todas partes, ¿eso nos acercará más a la justicia de Dios?

Se están inventando nuevas formas para hacer dinero, ¿eso nos hará más dadivosos y generosos?

La verdad es que el mundo avanza pero no necesariamente en dirección a la voluntad divina.

En los próximos años el mundo podrá tener más gente con mucho dinero, podrán levantarse grandes investigadores, podrán así mismo desarrollarse avances científicos que nos sorprendan y quizás se volverá común el ir a la luna o gravitar alrededor del planeta.

¡Sin embargo, el corazón humano no se transforma para encontrar admiración en el Creador del universo!

Descubrimos más planetas pero no le damos el crédito al que los puso con su mano.

En los laboratorios se estudian las partículas más pequeñas e imperceptibles para el ojo humano, pero no reconocemos al Hacedor de tantas maravillas.

Analizamos la composición de los elementos del mundo, pero nos olvidamos de agradecer a Aquel que con el poder de su palabra creó los cielos y la tierra y todo cuanto en ella existe.

Hoy más que nunca necesitamos pedirle al Señor que examine nuestro corazón y nos ayude a descubrir si estamos errando o podemos encontrar el camino de la eternidad.

A lo mejor descubriremos que nos estamos alejando cada vez más de su voluntad y de su divina presencia, aunque creamos que lo estamos haciendo bien.

Jesús advirtió acerca de la inutilidad de ganar el mundo entero, pero perder el alma.

Hoy te invito a examinar tus acciones, tus motivaciones, la forma en que estás conduciendo tu vida.

Es posible que descubras que debes cambiar algo en el rumbo por el que estás transitando.

Nunca te olvides de Dios en tu diario vivir.

Oración:

Dios bendito: es mi anhelo de este día glorificarte por tus maravillas y reconocerte en la dimensión de tu grandeza. El propósito de mi vida es entender, aceptar y hacer tu voluntad, por lo tanto te pido que abras mis ojos para reconocer cuando tú hablas a través de tu creación. En ese día me maravillo por todo lo que tú has hecho para mi deleite. Amén.

Dando con generosidad

"....porque Dios ama al dador alegre"
(2 Corintios 9:7b)

Un pastor se jubiló hace unos años atrás debido a un cáncer que lo afectó, del cual El Señor después lo sanó. Pero al momento de su retiro no tenía absolutamente nada en su cuenta bancaria.

Él había dedicado toda su vida a servir al Señor y había sido fiel en sus dádivas pero ahora no tenía ni idea de cómo iría a enfrentar sus obligaciones.

Pero unos días después de su retiro un hombre muy adinerado vino para hablar con él y le dijo: "El Espíritu Santo me ha dicho que tengo que mantenerte a ti y a tu familia hasta que se mueran".

Este hombre no sabía nada de la situación del pastor, no sabía nada de su escasez económica.

Pero El Espíritu Santo sí sabía, así que no lo iba a dejar mal, no lo iba a abandonar en el momento de la necesidad. Mes a mes cumplidamente le llega un cheque por un monto bastante grande con el cual viven muy bien el pastor y su esposa y aparte de eso les alcanza para seguir dando en la obra de Dios.

Un día lo invitaron a predicar y le pidieron si podía predicar sobre el diezmo.

Él recordó que le había prometido a Dios que nunca predicaría sobre algo que él mismo no cumpliera, de tal manera que tuvo que preguntarle a su esposa si estaban fielmente dando su parte en la iglesia, porque ella era la que manejaba todo lo relacionado con sus finanzas.

La esposa le dijo: "déjame hacer las cuentas y te digo exactamente cuánto estamos dando".

Y después de hacer las cuentas notaron que en realidad estaban dando el 32% de sus ingresos a la obra de Dios y ni siquiera se habían dado cuenta. Y nunca les faltaba nada, por el contrario, El Señor les proveía siempre para que pudieran vivir bien.

Hoy en día se debate mucho acerca del diezmo o las dádivas que un creyente debe dar en la iglesia.

Al tomar como ejemplo la iglesia cristiana original leemos que en el libro de Hechos no se habla de diezmo, ¿sabes por qué? ¡Porque lo daban todo!

Si tu lees en Hechos 2 te darás cuenta de que a ninguno le faltaba nada porque todos compartían lo que tenían para que nadie sufriera los problemas de la escasez, y especialmente porque el amor de Dios fluía en sus corazones.

La verdad es que el corazón agradecido también es generoso.

Quizás, si en lugar de discutir acerca de cuánto deberíamos dar, nos interesáramos todos por entregar completamente nuestros corazones al servicio, nos motiváramos por dar frutos abundantes en el amor hacia Dios y hacia el prójimo, nos preocupáramos por el bienestar de todos los hermanos en la fe y nos despojáramos de tanto egoísmo, dejaríamos de debatir cuánto es necesario dar en la iglesia y más bien miraríamos todos los días cuánto nos ha dado Dios.

Él no se cansa de bendecir a los suyos.

¿Y qué de ti? ¿También tienes un corazón lleno de generosidad hacia los demás?

Oración:

Señor amado, te pido hoy que me enseñes a tener un corazón agradecido y generoso. De ninguna manera podría pagar todo lo que recibo de ti y no puedo olvidarme que por tu gracia y misericordia tengo vida para disfrutar y muchas otras cosas que vienen directamente de tu mano generosa. Gracias por darlo todo por mí, incluso tu preciosa vida, Señor Jesús. Amén.

El método de Jesús

"Y le dijeron: ¿Cómo te fueron abiertos los ojos?"
(Juan 9:10)

Cuando un hombre que era ciego de nacimiento fue sanado por Jesús, muchos empezaron a preguntarse cuando lo vieron después: ¿no era este el ciego que se sentaba y mendigaba?

Unos decían sí él es, y otros decían a él se parece.

La obra de Jesús se hizo tan cierta en él, que los que lo veían no lo reconocían.

Él les dijo: sí, yo soy.

Y entonces algunos empezaron a preguntarle: ¿Cómo te fueron abiertos los ojos? ¿Hay alguna manera de que esto pueda suceder? ¿Hay algún método que permita que los ojos de los ciegos sean abiertos?

Sí, pregúntenle a Jesús. Él hizo lodo, me untó los ojos y me dijo: Ve al Siloé y lávate; y fui, y me lavé y recibí la vista.

Hay un método que permite que los ojos de los ciegos sean abiertos.

¿Acaso no dijo El Señor cuándo se levantó en la sinagoga judía que sobre Él reposaba El Espíritu de Dios y que lo había ungido entre otras cosas para abrir los ojos de los ciegos?

¿Acaso no le dijo a Juan El Bautista que el reino de los cielos estaba en acción y muchos estaban siendo tocados por su mano y regresaban a sus hogares transformados?

El método es el método de Jesús. Es el poder del Señor y su misericordia. Es la gracia derramada en plenitud. Es el amor de Dios que se ofrece siempre para quienes abren su corazón a Él.

No son métodos humanos, es el fruto del poder espiritual que permite que a millones de seres humanos alrededor del mundo, en un día como hoy, también sus ojos les sean abiertos y puedan reconocer que Jesús es El Mesías y corran a sus pies para entregar sus vidas para siempre.

¿Ya han sido abiertos tus ojos? ¿Ya puedes ver las realidades espirituales que antes no podías ver?

Si no es así, pídele hoy al Señor que lo haga.

Él quiere hacerlo de nuevo. Él quiere seguir abriendo los ojos de aquellos que aún no han conocido la grandeza de su poder y de sus maravillas.

Oración:

En este día Señor te pido que me permitas ver con ojos espirituales para conocer las maravillas que aún han estado ocultas para mí. Sé que tú tienes el poder para permitirme ver lo que aún sigue oculto para aquellos que no creen. Tú has obrado en mi vida a través del Espíritu Santo para hacerme conocer a Jesús como Mesías, por lo tanto sé que puedo llegar a ver cosas que mi ojo no vio antes y que están preparadas para los que te aman. Amén.

Agua de vida eterna

*"El que cree en mí, como dice la Escritura, de su
interior correrán ríos de agua viva" (Juan 7:38)*

Cuando El Señor vino a este mundo, dio las promesas más extraordinarias para una humanidad perdida, desamparada y sin rumbo.

Por ejemplo Él dijo: "el ladrón vino para robar, matar y destruir, pero yo he venido para que tengan vida y la tengan en abundancia" (Juan 10:10).

Cristo podía prometer una vida abundante, porque Él es la vida.

"Yo soy la resurrección y la vida" le dijo a Marta, "el que cree en mí aunque esté muerto, vivirá" (Juan 11:25)

Solo el dueño de la vida puede prometer más vida.

En Él están contenidas todas las cosas necesarias para que los creyentes podamos vivir esa clase de vida en plenitud que tanto anhelamos.

El salmo 1 nos dice que es "bienaventurado", próspero, bendecido "el varón que no anduvo en consejo de malos, ni ha seguido un camino de pecadores, ni se ha sentado en silla de escarnecedores, sino que en la ley de Jehová medita de día y de noche". Manifestará la abundancia de la vida, "será como árbol plantado junto a corrientes de agua que da fruto en su tiempo y su hoja no cae".

La Biblia asocia la vida muchas veces con ríos o aguas que fluyen, que traen refresco continuo sobre aquel que toma de esas aguas.

También los profetas describieron un río que salía del templo en Jerusalén.

Ezequiel describe un río que fluye desde el templo que había crecido tanto que se podía nadar; nadie podía cruzarlo, que era fuente de vida para árboles y peces.

Zacarías escribe: En aquel día fluirá agua viva desde Jerusalén.

El Señor Jesús dijo que los que creen en Él, de su interior fluirán esos ríos de agua viva (Juan 7:38).

¡No desde el templo, no desde Jerusalén, sino desde el interior del que cree!

En la conversación con la mujer samaritana, Jesús le dice: "... Si conocieras el don de Dios, y quién es el que te dice: Dame de beber; tú le pedirías, y él te daría agua viva" (Juan 4:10).

Intrigada y dudosa, y al ver que Jesús no llevaba recipiente para el agua, la mujer volvió a preguntar: "... ¿De dónde, pues, tienes el agua viva?" (Juan 4:11).

En una extraordinaria promesa, el Señor entonces declaró ser la fuente de agua viva, el manantial de vida eterna, diciéndole: "... Cualquiera que bebiere de esta agua, volverá a tener sed; mas el que bebiere del agua que yo le daré, no tendrá sed jamás; sino que el agua que yo le daré será en él una fuente de agua que salte para vida eterna" (Juan 4:13-14). ¿Sabes lo que eso significa?

Abundancia que fluye desde tu interior. Palabra que no se detiene. Unción que se esparce por donde quiera que tú vayas. Ríos que inundan de bendición tu vida y la de quienes son tocados por ti.

Así como en el pozo de Jacob, también en la actualidad el Señor Jesucristo es la única fuente de agua viva, el agua que apagará la sed de aquellos que sufren de la sequía que tanto aflige al mundo.

Si te acercas a Cristo no tendrás sed jamás. Él es la fuente que te sacia por la eternidad.

Oración:

Señor Jesús, dame hoy de beber de esa agua de vida eterna. Quiero convertirme en un canal a través del cual fluye la vida y la abundancia de la fuente inagotable que viniste a traerme desde los mismos cielos. Amén.

Llamada local

"Cercano está Jehová a todos los que le invocan, a todos los que le invocan de veras" (Salmo 145:18)

El primer ministro israelí Simón Perés visitó en una ocasión la casa presidencial de los Estados Unidos cuando el presidente era Ronald Reagan. Se sorprendió de ver que había tres teléfonos y le preguntó al presidente Reagan: ¿Por qué tienes tres teléfonos, para qué los usas?

El presidente le contestó: El de la derecha es de uso público y me sirve para comunicarme con todos los funcionarios. El segundo es de uso privado para comunicarme con mi familia y mis amigos, y el tercero para comunicarme con Dios.

El primer ministro israelí le dio mucha curiosidad y le pidió si podía usar ese último teléfono y Reagan le contestó que debido a la distancia con Dios, la llamada era muy costosa.

¡Cien mil dólares el minuto!

Tiempo después fue Reagan quien visitó al primer ministro israelí y vio con sorpresa que también tenía tres teléfonos y entonces le hizo la misma pregunta y él le contestó de la misma manera: El de la derecha es de uso público y me sirve para comunicarme con todos los funcionarios. El segundo es de uso privado para comunicarme con mi familia y mis amigos, y el tercero para comunicarme con Dios.

Entonces Reagan le preguntó: Y ¿es muy costosa la llamada?

No, le respondió el primer ministro israelí, es una llamada local, ¡Dios está en medio de nosotros y todos los días nos comunicamos con Él!

¿Qué tan cercano estás de Dios? ¿Qué tanta intimidad y comunión tienes con el Dios Creador del universo?

Unos pueden considerar que Dios está lejos y que la comunicación con Él es difícil y por lo tanto, pedirle dirección en todas las cosas puede ser complicado.

Pero para otros, Dios está en medio de sus vidas, tienen comunicación constante con Él y las decisiones que toman están basadas en esa intimidad o cercanía.

Este es un buen día para reflexionar en cuanto a la cercanía que tienes con el Dios del universo.

Con seguridad te sorprenderás cuando puedas descubrir que Dios está tan cerca de ti, que comunicarte con Él será en realidad la llamada más cercana que hayas podido llegar a realizar en tu vida.

Oración:

Amado Dios, tus promesas siempre han sido de cercanía e intimidad con los tuyos. Esa es la más extraordinaria noticia que hoy puedo recibir. Tú caminas conmigo en este día, me alientas, me sostienes, me ayudas y susurras a mi oído palabras de vida eterna. Gracias por no soltarme jamás de tu mano poderosa. Amén.

No tendrás dioses ajenos

"Viendo el pueblo que Moisés tardaba en descender del monte, se acercaron entonces a Aarón, y le dijeron: Levántate, haznos dioses que vayan delante de nosotros; porque a este Moisés, el varón que nos sacó de la tierra de Egipto, no sabemos qué le haya acontecido" (Éxodo 32:1)

Moisés se encontraba en el monte Sinaí recibiendo de Dios directamente la ley que serviría a todo el pueblo para saber cómo vivir bajo la voluntad del Señor.

Al ver los israelitas que Moisés tardaba en bajar del monte, le dijeron a Aarón: -- Anda, haznos dioses que nos guíen, porque no sabemos qué le ha pasado a este Moisés que nos sacó de Egipto. –

Y Aarón les contestó: -- Quítenle a sus mujeres, hijos e hijas, los aretes de oro, y tráiganlos aquí. --Así, Aarón los recibió, y fundió el oro, y con un cincel lo trabajó hasta darle la forma de un becerro.

Entonces todos dijeron: -- ¡Israel, este es tu dios, que te sacó de Egipto! --

Cuando Aarón vio esto, construyó un altar ante el becerro, y luego gritó: -- ¡Mañana haremos fiesta en honor al Señor!

Al día siguiente, ellos ofrecieron sacrificios. Después el pueblo se sentó a comer y beber, y luego se levantaron a divertirse.

Entonces el Señor le dijo a Moisés: "Anda, baja porque tu pueblo, el que sacaste de Egipto, se ha echado a perder. Muy pronto se han apartado del camino que yo les ordené seguir. Esta gente es muy terca. ¡Ahora déjame en paz, que estoy ardiendo de enojo y voy a acabar con ellos! Pero de ti voy a hacer una gran nación!"

Moisés, sin embargo, trató de calmar al Señor su Dios: --¿Cómo vas a dejar que digan los egipcios: 'Dios los sacó con la mala intención de matarlos en las montañas'? Acuérdate de tus siervos Abraham, Isaac e Israel, a quienes juraste por ti mismo y les dijiste: 'Haré que los descendientes de ustedes sean tan numerosos como las estrellas del cielo, y toda esta tierra que les he prometido a ustedes se la daré como su herencia para siempre.' –

El Señor no hizo daño a su pueblo. Entonces Moisés bajó del monte, trayendo en sus manos las dos tablas de la ley. Dios mismo había grabado lo que estaba escrito en ellas.

En cuanto Moisés se acercó al campamento y vio el becerro y los bailes, ardió de enojo y arrojó de sus manos las tablas, haciéndolas pedazos al pie del monte; en seguida agarró el becerro y lo arrojó al fuego, luego lo molió hasta hacerlo polvo, y el polvo lo roció sobre el agua; entonces hizo que los israelitas bebieran de aquella agua. Y le dijo a Aarón: -- ¿Qué te hizo este pueblo, que le has hecho cometer un pecado tan grande? –

¡El gran Sumo Sacerdote condujo al pueblo a la idolatría y al desconcierto!

Qué desafortunado es aquel que solo trata de darles gusto a los demás sin tener en consideración lo que Dios mismo ha dicho en su palabra santa.

Cuántos Aarón habrá hoy por el mundo desviando al pueblo escogido hacia la idolatría, en lugar de llevarlos a la adoración al Único Dios verdadero.

Por eso hoy más que nunca se necesita de aquellos que se mantienen firmes en la voluntad de Dios sin desviarse ni dejarse influenciar por los demás.

Fortalécete en El Señor y mantente firme en su voluntad. Sin duda hallarás tu recompensa.

Oración:

Gracias Señor por recordarme que mi deber como creyente es mantenerme firme en la fe, en la búsqueda de tu presencia, en los valores que he aprendido en tu palabra y en la búsqueda diaria de tu voluntad perfecta para mi vida. Amén.

Una habitación para El Señor

"Cuando Jesús llegó a aquel lugar, mirando hacia arriba, le vio y le dijo: Zaqueo, date prisa, desciende, porque hoy es necesario que pose yo en tu casa."
(Lucas 19:5)

¿Podría El Señor habitar en tu hogar hoy? ¿Podría El Señor hacer una morada constante en tu casa y encontrar allí adoración y entrega?

Jesús reconoció a Zaqueo subido en un árbol y le pidió que descendiera para ir y compartir con él en su propio hogar.

La esencia de tu vida espiritual no es solo que tú sepas quién es Jesús, sino que seas reconocido por Él.

Ser reconocido por Jesús es saber que tienes un sello especial, es el sello del Espíritu Santo morando en tu interior que Jesús reconoce.

Hoy es necesario que Cristo more en muchos hogares que están en crisis, hogares al borde de destruirse, donde prevalecen el odio, la enemistad, los pleitos, el maltrato, las agresiones físicas y verbales. Muchos para quienes el desaliento los está consumiendo, aquellos cuya fe tambalea, a quienes solo miran oscuro el horizonte, a quienes solo ven las dificultades en el camino.

"Hoy ha llegado la salvación a esta casa" fueron las palabras de Jesús para Zaqueo.

El despreciado del pueblo, el odiado de los judíos, el publicano rico que se aprovechaba de los demás y sin embargo, tuvo un encuentro que cambió su vida para siempre.

Sí, hoy llega la salvación. La obra de Jesús no se ha detenido. Las personas están siendo tocadas por la mano de Dios, hay quienes están tomando decisiones que cambiarán sus vidas para siempre.

Las personas que rechazaban la palabra, ahora están predicándola.

Los que se negaban a escuchar, ahora tienen abiertos sus oídos.

El Pedro que niega a Jesús junto al fuego esta noche, quizás lo proclame con fuego en el Pentecostés de mañana.

El Sansón que hoy está ciego y débil, quizás use su fuerza final para derrotar al enemigo.

Un pastor tartamudo en esta generación, quizás sea el poderoso Moisés de la siguiente.

Dios sigue levantando Zaqueos en todo el mundo que puedan descubrir que aunque el mundo los quiere arrastrar hacia un camino de oscuridad, todavía la luz de Cristo brilla y seguirá brillando porque su palabra se sigue proclamando y los corazones siguen siendo transformados.

¿Podría El Señor habitar en tu hogar en este día? ¿Estás preparado/a para recibirlo hoy?

¿Crees que tendrías que modificar algo sabiendo que El Señor está contigo todo el tiempo en tu hogar? ¿Cambiarías la forma de hablar? ¿De discutir con los tuyos? ¿De comportarte en todo momento?

Sin duda Él quiere habitar entre los suyos, pero solo lo hará donde encuentre un lugar de adoración constante.

Si tú lo tienes, entonces prepárate para que El Señor habite en tu hogar y tu vida sea transformada para siempre por su divina presencia.

Oración:

Señor, qué privilegio más extraordinario es saber que estás con nosotros y nos acompañas en cada jornada. Quiero que mi hogar sea siempre un lugar agradable para recibirte, un lugar donde podamos experimentar la paz que solo Tú puedes traer, y el gozo de saber que el mismo Dios de los cielos ha descendido para habitar entre nosotros. Amén.

La fuente de tus decisiones

*Fíate de Jehová de todo tu corazón, y no te apoyes
en tu propia prudencia.
Reconócelo en todos tus caminos, y él enderezará
tus veredas. No seas sabio en tu propia opinión; teme
a Jehová, y apártate del mal. (Prov. 3:5 – 7).*

Cuando Moisés subió al monte a encontrarse con Dios y tardó mucho tiempo, los israelitas se cansaron de esperarlo y empezaron a tomar decisiones equivocadas.

Acostumbrados como estaban en Egipto a representaciones materiales de los dioses, les era difícil confiar en un ser invisible, y habían llegado a depender de Moisés para mantener su fe.

Ahora él se había alejado de ellos. Pasaban los días y las semanas, y aún no regresaba.

A pesar de que seguían viendo la nube, a muchos les parecía que su dirigente los había abandonado, o que había sido consumido por el fuego devorador.

Moisés subió al monte a buscar la presencia del Señor, pero Aarón no.

Así que la visión que tenía Moisés había sido adquirida desde arriba. Tuvo contacto con Dios y de Él derivaba la perspectiva de lo que veía o hacía.

Aarón adquirió la visión desde abajo. Lo natural, lo humano, lo terrenal.

¡Moisés cada vez que necesitaba tomar una decisión importante, se apartaba del pueblo y buscaba a Dios!

¡Aarón cada vez que necesitaba tomar una decisión importante, se apartaba de Dios y buscaba al pueblo!

Moisés y Aarón observaban el mundo desde dos perspectivas diferentes.

Mientras el uno consultaba con Dios para realizar cualquier disposición, el otro consultaba con el pueblo y se dejaba llevar por lo que ellos decidieran.

El uno buscaba fuentes sobrenaturales, el otro buscaba solo fuentes naturales.

El uno confiaba en la dirección divina, el otro se conformaba con querer agradar al pueblo sin importar incluso si esto iba en contra de lo que Dios mismo quería para los suyos.

¿Cuál es la fuente de donde tomas tus decisiones?

¿A quién consultas cuando tienes que llevar a cabo algo significativo para tu vida?

Moisés y Aarón nos muestran las dos caras de la moneda.

Si solo quieres agradar a los demás, pronto te encontrarás en una encrucijada como la que tuvo Aarón frente al pueblo. Sus decisiones solo trajeron confusión y desvío hacia la idolatría.

Pero si quieres agradar a Dios entonces tienes el ejemplo de Moisés. El subía al monte y bajaba con instrucciones precisas para su vida y para todo el pueblo.

Cada día estás tomando importantes decisiones. ¿Cuál es la fuente de donde las tomas?

Todo tu futuro depende de esto.

Consulta con Dios y sabrás entonces que Él te guiará a vivir sabiamente todos los días de tu vida.

Oración:

Señor amado, hoy quiero buscar en ti la fuente de mis decisiones. Al amanecer de este nuevo día mi anhelo es ser obediente a tu voluntad. Por eso, en la intimidad de tu presencia, me pongo a tu disposición. Haz conmigo lo que tú quieras conforme a tus perfectos propósitos. Si así lo haces, no me desviaré jamás de alcanzar aquello para lo cual fui rescatado/a por ti. Amén.

Creyentes del monte o del campamento

"sino que os habéis acercado al monte de Sion,
a la ciudad del Dios vivo, Jerusalén la celestial,
a la compañía de muchos millares de ángeles"
(Hebreos 12:22)

Hay quienes suben a la presencia del Señor y le consultan para dar el siguiente paso y hay quienes consultan en los demás, o lo que es peor, acuden a brujos, hechiceros, a la cartomancia, a la bola de cristal o cualquier cosa que ofende al Señor y pretenden vivir una vida bajo la bendición divina.

Moisés subía al monte y allí se revelaba Dios para él.

El plan original de Dios era que todo el pueblo subiera a su presencia, no solo Moisés.

Pero la gente prefirió que uno solo subiera mientras ellos seguían alejados de la presencia del Señor.

Ellos se quedaron lejos y desde entonces existe una iglesia del campamento pero no una iglesia del monte.

Una iglesia así se conforma con lo poco.

Una iglesia así termina inclinándose delante de una imagen, porque han despreciado la imagen de Dios. Una iglesia así prefiere encender una vela a un santo o a un ídolo, porque obviamente no han conocido al verdadero Dios ante el cual se inclinan los ángeles del cielo todos los días en reverencia, y los ancianos arrojan sus coronas delante de Él.

De toda una multitud de hombres que salió de la esclavitud en Egipto, solo dos de ellos entraron a la tierra prometida.

Solo dos le creyeron, solo dos buscaron de la fuente adecuada, solo dos entendieron lo que Dios decía y sabían que aunque el enemigo era fuerte, ellos tenían a un Dios mucho más poderoso que los llevaría de su mano hasta el final.

Solo dos. Creyentes del monte, creyentes que sabían buscar en la presencia del Señor para dar el siguiente paso.

En el monte surgió la ley de Dios. El Señor manifestó su dirección pero el pueblo no estaba allí.

Dios quería escribir sus mandamientos en los corazones de ellos, pero se tuvo que contentar con escribirlos en tablas porque el pueblo no quiso subir al monte.

¿Qué clase de creyente eres tú? ¿Perteneces a un grupo de gente que se mantiene lejos de Dios?

O por el contrario, ¿eres de aquellos que suben constantemente a Su divina presencia y beben de la fuente sobrenatural?

Es mi oración que tú seas de aquellos que buscan a Dios todos los días de sus vidas.

Al fin y al cabo, solo en Él encontramos la sabiduría para vivir en plenitud.

Oración:

Amado Redentor. Sabiendo que tú has roto el velo que nos separaba del lugar santísimo, hoy quiero entrar a tu presencia con acción de gracias y a tus atrios con alabanza. Quiero exaltarte y bendecir tu nombre. Tú me has dado acceso hasta el mismo lugar de tu presencia. Qué gran privilegio. Amén.

Decisiones

*"Porque todos los que son guiados por el Espíritu
de Dios, éstos son hijos de Dios" (Romanos 8:14)*

La vida requiere decisiones. Naciones e individuos determinan su futuro por medio de las decisiones que toman.

Nuestras decisiones nos hacen a nosotros y tienen consecuencias profundas en nuestro futuro.

Lo que decidimos en cuanto al matrimonio, la preparación, y los valores morales, nos afectan para toda la vida.

Lo que decidimos en cuanto a Dios determina nuestro futuro en este mundo y nuestro destino en el mundo venidero.

La Biblia nos muestra a personas que tuvieron que tomar decisiones muy importantes que involucraban a muchos otros.

Por ejemplo, Ester fue usada por Dios en un momento muy importante para su nación y cuando parecía que la oscuridad caería sobre ellos y que serían exterminados, ella se levantó valientemente delante del rey y salvó a su pueblo de la desgracia.

Nehemías contempló que la ciudad de sus antepasados estaba destruida, habían sido quemadas sus puertas, solo había desolación y su pueblo estaba en cautividad, en zozobra, en tinieblas, entonces lloró amargamente delante de Dios y habló con el rey para lograr finalmente la restauración de los muros de Jerusalén, el lugar de restablecimiento del pueblo de Dios que estaba cautivo.

David restauró la adoración de un pueblo que había olvidado adorar a su Dios y dispuso que la luz del Señor brillara con poder y sin detenerse todo el tiempo, mientras honraban sin cesar todos los cantores, al Dios de los cielos.

Decisiones importantes, trascendentales.

Hombres y mujeres que trajeron luz a las naciones. Seres humanos usados por Dios para arrebatar de las tinieblas a quienes estaban en cautividad y en zozobra.

Y cuando vemos al mundo de hoy en día, miramos para todas partes y vemos que este mundo de hoy está en oscuridad, que el enemigo está usurpando y llenando de confusión incluso a los creyentes, que reina el caos, que impera el temor, que las personas sufren por su incapacidad para enfrentarse al enemigo, y nos damos cuenta de que hoy más que nunca se necesita de aquellos que se levanten y resplandezcan con la luz de Cristo para todas las naciones.

Sí, este mundo necesita de hombres y mujeres que toman sus decisiones guiados por El Espíritu Santo.

¿Serás tú uno de ellos? ¿Tienes esa luz en tu interior que irradia por donde quiera que pases?

Oración:

Amado Jesús: tú viniste desde los cielos y declaraste que eras la luz del mundo. Bajo tu luz puedo ser iluminado/a para tomar las decisiones que debo hacer en este día sin temor a equivocarme. Además sé que mis decisiones pueden afectar a otros, por lo tanto, te pido sabiduría para hacer tu voluntad. Amén.

El valor de su presencia

*"Y Moisés respondió: Si tu presencia no ha de ir
conmigo, no nos saques de aquí" (Éxodo 33:15)*

Un pastor empezó a ver que la iglesia que él pastoreaba crecía y crecía. Y llegó a estar tan ocupado que ya no sabía qué hacer. Se estaba enloqueciendo.

Empezó a dejar de dormir, luego a tomar pastillas para poder hacerlo.

Un domingo de pascua se convirtieron en un solo servicio más de 500 personas y él se enojó con Dios.

¿Para qué Señor se convierten? ¿Para darme más trabajo?

Perdió la percepción divina, dejó de ser buscador de Dios y se convirtió en un hombre que trabajaba para la obra pero sin buscar a quien debería guiarlo.

De manera increíble en medio de un gran avivamiento, este pastor llegó a pedirle a Dios que lo matara, que se lo llevara, me quiero morir, decía.

Un pastor amigo se dio cuenta de lo que estaba pasando y se puso en la brecha para orar por él, lo llamó y en ese momento en que sonó el teléfono, aquel pastor que estaba en un gran avivamiento había tomado la decisión de suicidarse.

Dios envió a su siervo para que lo llamara en el momento justo y después de que hablaron por teléfono, el amigo se lo llevó a reencontrarse con Dios en la tranquilidad del alejamiento de los demás.

Este pastor pudo darse cuenta de que había perdido la presencia de Dios en su vida, había perdido lo más importante y sus ojos habían empezado a mirar todo desde un punto de vista natural y ya no tenía la capacidad de mirar lo sobrenatural con regocijo.

Él encontró de nuevo el camino de regreso y hoy en día es un líder alegre que sabe que así pierda la popularidad, que puede ser criticado, que puede perder incluso el apoyo de muchos, lo que jamás puede perder es la presencia de Dios en su vida.

David dijo: "una cosa he demandado y esta buscaré: que esté yo en la casa de Jehová todos los días de mi vida, para contemplar la hermosura de Jehová y para inquirir en su templo" (Salmo 27:4).

Él anhelaba esa presencia. Él buscaba y demandaba estar con Dios.

La Escritura dice que en su presencia hay plenitud de gozo.

¿Deseas tú ese gozo en el corazón? ¿Sientes que te estás perdiendo de algo mejor, que quizás la vida tiene algo mejor que ofrecer y que aún hay algo en tu vida sin realizar?

Vuelve al Señor. Busca su rostro como lo hizo Moisés. Busca su presencia.

Sin Él nada tiene sentido, ni siquiera la tierra prometida.

Oración:

Señor, hoy quiero decirte que tu presencia es lo más importante para mí. Sé que estando contigo mi vida tiene otro sentido, puedo mirar cada circunstancia con agradecimiento y cada día se convierte en la más extraordinaria aventura. Tomado/a de tu mano, disfrutaré este día bajo la plenitud y el gozo de tu presencia. Amén.

Vivir y morir por Cristo

"Y el Espíritu y la Esposa dicen: Ven, Y el que
oye, diga: Ven. Y el que tiene sed, venga; y el que
quiera, tome del agua de la vida gratuitamente"
(Apocalipsis 22:17)

Hubo un hombre llamado Hugh McKail quien fue autorizado para predicar por la Iglesia de Escocia en 1661, a la edad de veinte años, y predicó su último sermón en público cuando cumplió veintiuno.

El rey Carlos II miembro de la Inquisición lo persiguió porque anhelaba exterminar toda la iglesia cristiana de aquel entonces.

Después de cuatro años de estarse escondiendo de la intensa persecución, Hugh McKail fue capturado en 1666. Llevado ante el tribunal de Edimburgo, no pudieron forzarlo a que revelara nada respecto a quienes con el profesaban también su fe.

Entonces le sometieron a la llamada "tortura de la bota". Este invento en particular, consistía de dos piezas de madera que se sujetaban a las pantorrillas del acusado, y al ser tensadas por un torniquete, se apretaban hasta hacer que el hueso crujiese y se rompiese. Por supuesto hasta que el hueso se rompía debían pasar largas horas de tortura. Milagrosamente impávido, no pronunció ni una sola palabra que pudiera traicionar a sus compañeros en la fe. Tan pronto como sus inquisidores consideraron que se había recuperado lo suficiente, lo hicieron comparecer ante otra audiencia.

Rehusando declararse culpable de rebelión contra la corona, McKail fue sentenciado a muerte por ahorcamiento.

Al escuchar su sentencia, replicó: "El Señor da, el Señor quita, bendito y alabado sea su Santo Nombre". De regreso a su celda, le dijo a sus amigos: "Éste es mi consuelo, yo sé que mi Redentor vive. Y ahora estoy dispuesto a poner mi vida voluntariamente por la verdad y causa de Dios, de los pactos y la obra de la Reforma, los que fueron en un tiempo considerados como la gloria de esta nación. Por procurar defender esto... abrazo esta cuerda... Y para que sepan cuál es la base de mi estímulo en este trabajo, leeré en el último capítulo de la Biblia".

Y después de leer de Apocalipsis 22, sus palabras finales fueron: "Aquí verán la gloria que se revelará en mí: 'El río puro del agua de la vida'. Aquí también verán mi acceso a la gloria y mi recompensa, porque el Espíritu y la Esposa dirán: 'Y el que tiene sed, venga; y el que quiera, tome del agua de la vida gratuitamente'.

"Yo ascenderé a mi Padre, y a vuestro Padre, a mi Dios y a vuestro Dios, a mi Rey y a vuestro Rey, con los benditos apóstoles y mártires, a la ciudad del Dios vivo, a la Jerusalén celestial, con la innumerable compañía de los ángeles, a la gran asamblea de los primogénitos, ante el Señor que lo juzgará todo, ante los espíritus de los hombres justos hechos perfectos, y ante Jesús el Mediador del Nuevo Pacto, y le expreso a todos mi despedida. Por la voluntad de Dios estaré más cómodo que lo que podrían estar ustedes. Él ahora será mucho más refrescante para mí que lo que es para ustedes. ¡Adiós, adiós en el Señor!".

¡Qué gran confianza! ¡Qué valentía!

La historia del cristianismo se ha escrito con la sangre de muchos mártires como Hugh McKail.

Vale la pena vivir y morir por la causa de Jesucristo.

Oración:

Te doy gracias Señor Jesús por enseñar el camino del sacrificio que muchos han seguido sin titubear. Te agradezco por cada ser humano que con su valentía ha escrito las páginas gloriosas de la iglesia verdadera, la iglesia que tú Señor Jesús fundaste y a la cual pertenezco por tu gracia. Amén.

En el nombre de Jesús

"Os conjuro por Jesús, el que predica Pablo"
(Hechos 19:13b)

Cuando Pablo se encontraba en Éfeso estaban sucediendo grandes milagros y maravillas.

Dice la Escritura que estuvo por dos años en Asia compartiendo el mensaje de salvación y lo escuchaban tanto los judíos como los griegos y se maravillaban de todo lo que estaba sucediendo.

Había sanidades, liberaciones, milagros y un gran derramamiento del Espíritu Santo, así que algunos exorcistas ambulantes intentaron imitar a Pablo en lo que hacía para liberar a quienes tenían espíritus malos.

Este grupo de siete exorcistas ambulantes judíos que iban de lugar en lugar declarando que podían expulsar malos espíritus eran hijos de Esceva, sacerdote principal.

Posiblemente siguiendo el ejemplo de otros exorcistas judíos, decidieron usar el nombre de Jesús en una especie de fórmula: "Os conjuro por Jesús, el que predica Pablo."

Pero su intento falló. El espíritu malo respondió: "A Jesús conozco, y sé quién es Pablo; pero vosotros, ¿quiénes sois?"

Entonces el hombre poseído por el espíritu malo saltó sobre ellos y los dominó a todos. De hecho, usó su fuerza de tal manera contra ellos, que los siete hermanos salieron huyendo de aquella casa desnudos y heridos.

El enemigo conoce quiénes son los ungidos del Señor y quienes no lo son.

Aquel día terminó dominando y avergonzando a estos hombres que intentaban usar el nombre de Jesús pero sin haber tenido ningún tipo de cercanía con Él.

El nombre de Jesús no es como un simple talismán que se puede usar en algún momento de necesidad. Antes de invocar el nombre del Señor, tienes que conocerlo íntimamente, tienes que depender de Él y ser obediente a su voluntad. Porque no eres tu quien puede hacer un milagro, sino Dios mismo a través de aquellos que se han puesto bajo su señorío.

El enemigo también conoce a quienes vienen con unción, poder y autoridad divina y sabe que no puede hacer nada ante ellos. Pero por el contrario avergüenza a todos aquellos que solo usan el nombre de Jesús para lograr sus objetivos personales.

No se puede tener autoridad sin tener una vida en sometimiento. El sometimiento es un arma de guerra espiritual.

Para ejercer autoridad sobre alguien se debe estar bajo autoridad. Para poder actuar con el poder del nombre de Jesús, se necesita estar sometido a su señorío.

Los discípulos tenían el poder de echar fuera demonios porque no iban en su propio nombre, sino en el nombre de Jesús. En otras palabras, eran representantes de Jesús, llevaban la imagen de Jesús en ellos, los espíritus no los veían a ellos sino a Jesús.

Y tú ¿también tienes el mismo poder?

Oración:

Amado Dios, es mi anhelo el someterme completamente a tu voluntad y a tus designios. Quiero conocerte más y ser usado por ti en este día para traer bendición sobre aquellos que la necesitan y a quien tu hoy pongas en mi camino. Amén.

Reyes y sacerdotes

"y nos hizo reyes y sacerdotes para Dios, su Padre;
a él sea gloria e imperio por los siglos de los siglos.
Amén" (Apocalipsis 1:6)

Si tú eres un/a hijo/a de Dios, sometido/a a su voluntad, tienes una investidura sobre tu vida, de tal manera que hasta los demonios la reconocen. ¡Estás vestido/a de la gloria de Cristo!

Tienes sobre ti el respaldo divino, el respaldo de quien te ha enviado y te ha colocado en esa posición de autoridad.

Esa investidura es dada por Dios y dice en el frente: "reyes y sacerdotes para Nuestro Señor".

Esa es la forma como Dios mira a aquellos que se han sometido al señorío de Cristo y no están jugando con su vida espiritual, sino que han tomado acción con valentía para llevar adelante el nombre de Jesús.

La Biblia dice que los demonios tiemblan al escuchar el nombre de Jesús.

Por esto es tan importante que tú sepas claramente quién eres en el reino de los cielos.

Tú portas el nombre que es sobre todo nombre, el nombre que algún día proclamará toda lengua y toda rodilla se doblará ante su divina presencia.

Ese es el nombre al que tú representas y el que portas ahora como un seguidor del Dios vivo.

Cuando tú no conocías al Señor estabas bajo el dominio del enemigo. Tus actos eran gobernados por tu propia carne, por el pecado morando en tu interior.

En esa condición, el enemigo está satisfecho contigo. Te tiene en sus dominios, te tiene donde él quiere tenerte. Muerto espiritualmente, alejado de la ciudadanía de los salvos, fuera de los pactos eternos del Señor, sin esperanza y sin Dios en este mundo.

Pero El Espíritu Santo toca tu vida, te convence de que eres pecador, te trae en arrepentimiento a los pies del Salvador, motiva en tu interior un cambio profundo y entonces comienzas a caminar una nueva vida en la que empiezas a cambiar motivado por El Espíritu Santo.

El enemigo sabe que ya no estás bajo su cobertura y que te ha perdido, pero entonces lo que va a tratar de hacer es simplemente que te sientas cómodo/a y tranquilo/a y no avances en el reino. Que no te comprometas en el servicio, que no te motives por amar a tu prójimo, que te vuelvas solo oidor/a de la palabra, pero no hacedor/a de la misma.

Y aunque el enemigo sabe que ya no te domina, aún no eres un peligro para el.

Pero entonces, tú sigues creciendo, la palabra se hace poderosa en ti. Tus actos, tus pensamientos, tus palabras, tus acciones, tus emociones son dirigidas por El Señor. Sabes que tienes armas contundentes contra el enemigo porque Dios te ha dotado de esas armas poderosas para destruir fortalezas y entonces, es allí cuando el enemigo tiembla ante la presencia de aquellos que son llenos de ese poder espiritual, y huye porque sabe que no tiene nada que hacer contra un pueblo de gente guerrera y valiente que conquista en el nombre poderoso de Jesús.

Tienes que conocer el poder y la autoridad que Dios coloca en los suyos.

Tienes que saberlo. Porque es allí cuando la iglesia de Jesucristo se convierte en ese poder que ningún enemigo puede confrontar porque camina de la mano del Dios vivo, quien va adelante peleando sus batallas.

Oración:

Dios amado, mi deseo más ardiente es ser un instrumento en tus manos para traer bendición, restauración y palabra viva a quien la necesite. Te pido que me uses hoy para tu gloria. Amén.

Apasionados por Cristo

"Pero cuantas cosas eran para mi ganancia, las
he estimado como perdida por amor de Cristo"
(Filipenses 3:7)

A través de la historia ha habido una raza de hombres y mujeres distintos a los demás en cuanto su vida espiritual.

Son aquellos que están apasionados por Cristo y su mensaje.

Son aquellos que están dispuestos a desafiar su comodidad, su inacción, su esterilidad y se movilizan para cumplir los propósitos divinos.

Son hombres y mujeres que contagian con su amor y su anhelo de servir a Dios con todo su ser.

Por otro lado el enemigo trabaja todo el tiempo para usurpar lo que no le pertenece y toma posesión ante la pasividad de muchos que no se despiertan para poseer las promesas divinas y la autoridad delegada por El Creador de Universo.

¡Pero ya es tiempo de despertar de nuestro letargo!

El pueblo cristiano debe plantar la bandera de Jesucristo en cada rincón de este planeta y que el mundo sepa que hay un Dios verdadero ante el cual algún día toda rodilla se doblará y toda lengua confesará su señorío.

Jesucristo vino para unir los cielos y la tierra, el trono de Dios está entre nosotros, anunciamos un reino que fue entregado al Señor con toda autoridad y nosotros hemos sido encargados por Dios para hacer visible ese reino en esta tierra.

El Mesías ya vino, la muerte ya fue vencida, las profecías dadas por los profetas ya se cumplieron, el gobierno y la autoridad le pertenecen al Señor y nosotros estando en Cristo somos más que vencedores en Aquel que nos amó.

Por todo esto deberíamos ser creyentes completamente apasionados por la causa de Cristo.

Dios quiere hoy tocar corazones y vidas que han estado apagadas, hombres y mujeres de Dios que han visto morir su pasión, su deseo, su fervor por estar en Su presencia.

A pesar de las crisis y los momentos difíciles que experimentamos, El Señor siempre se fijará en aquellos que están apasionados por su causa para usarlos en cada momento de la historia.

¿Eres tu uno/a de esos/as? ¿Estás de verdad apasionado/a por Cristo?

Oración:

Amado Salvador, sé que has cambiado mi vida para siempre y es por eso que cada día de mi vida lo quiero vivir apasionado por ti, Señor Jesucristo. Te pido que en este día mi corazón arda al calor de tu inigualable presencia. Amén.

Unción para matar gigantes

"Fuese león, fuese oso, tu siervo lo mataba; y
este filisteo incircunciso será como uno de ellos,
porque ha provocado al ejército del Dios viviente"
(1 Samuel 17:36)

David fue ungido como rey y aunque todavía no tenía la corona, él sabía lo que Dios le había dado, tenía respaldo divino.

David tenía unción de rey y aunque todavía no estaba en el palacio, él ya sabía que podía vencer gigantes en el nombre del Señor.

Y tú como hijo/a de Dios, también has sido dotado/a de la unción espiritual.

Un día vas a tener que usar esa unción. Un día vas a confrontar a un gigante y ¿qué vas a hacer?

Todo el ejército de Israel no pudo vencer a un gigante. Eran muchos pero no podían.

¡Tenía que aparecer un ungido para que el gigante saliera derrotado!

¡Goliat vivió mientras David se lo permitió!

¿Te dice eso algo con respecto a los gigantes que te están confrontando hoy en día?

La unción que El Señor te está dando te hará invencible contra esos gigantes. Ya le está llegando la hora a muchos goliats que todavía estaban vivos porque no había aparecido un ungido para destruirlos, pero le llegó la hora a ese demonio incircunciso que se atrevió a desafiar a los ejércitos del Dios viviente.

Cuántos soldados están hoy en el ejército del Señor sin usar ni una sola de las armas con las cuales han sido dotados. ¡Cuántos!

Aquel día que David enfrentó a Goliat, él había ido para llevarles queso y sándwiches a sus hermanos que estaban, según ellos, en la línea de batalla.

¡El futuro rey de Israel estaba llevándolas la merienda a sus hermanos!

Pero la unción que tenía David no era para cargar queso y sándwiches a sus hermanos, no.

¡La unción era para matar gigantes!

Tú tienes esa unción, pero llevas cargando el queso y los sándwiches por mucho tiempo en lugar de estar en donde te corresponde y estás satisfecho/a con eso.

El enemigo ya sabe quién eres tú en el reino de los cielos.

A propósito, Goliat no nació como un gigante, él también fue un bebé. Pero alguien lo alimentó, lo alimentó hasta que creció y se convirtió en un gigante de tres metros.

Es increíble cómo los seres humanos, incluso los creyentes, vemos los problemas que empiezan a aparecer y no les hacemos caso, más bien los alimentamos, los alimentamos hasta que se nos convierten en gigantes y entonces nos rendimos ante ellos.

Es posible que tengas por ahí alguna situación que merezca que le pongas atención ahora, antes de que se te convierta en un gigante que te va a destruir, o a tu familia, o a tus hijos.

Dios quiere traer una unción que pudra yugos, que cambie el destino de tu familia, de tu comunidad, de los pueblos, una unción que proclame que Jesús es El Señor de las naciones, pero que también es El Señor de tu vida, de tu hogar, de tus pensamientos, de cada hora, de cada minuto, de cada segundo. Sí, Jesucristo es El Señor y no hay nadie como Él.

Así que eres un/a ungido/a de Dios. Estás preparado/a para vencer gigantes.

Oración:

Te doy gracias Señor por darme tu unción y tu favor. Sé que me has facultado para vencer y por lo tanto deseo caminar en este día con la seguridad de que cualquier gigante que se me oponga, lo venceré en tu nombre y todos sabrán que tengo un Dios que me fortalece para enfrentar cada batalla. Amén.

Invencibles con Cristo

"He aquí os doy potestad de hollar serpientes y escorpiones, y sobre toda fuerza del enemigo, y nada os dañará" (Lucas 10:19)

Los hijos de Esceva eran exorcistas ambulantes, es decir, iban por ahí de pueblo en pueblo buscando demonios para expulsar. Qué profesión tan curiosa. Pero seguramente nunca se habían encontrado con un demonio de verdad, porque cuando esto sucedió, no supieron que hacer. Tan solo veían a Pablo a quien Dios usaba de maneras tan extraordinarias para hacer milagros y maravillas y en su mente creyeron que solo usando el nombre como un amuleto lograrían lo que esperaban.

Ese es el camino fácil. Cómprate un amuleto y cuélgatelo y entonces tendrás buena suerte.

Compra una pata de conejo, un escapulario, una herradura, una mata de sábila y te dará buena suerte.

El Señor nunca le dijo a los suyos algo así. Cómprate algo para que te proteja, no.

Pero sí les prometió que estaría con ellos siempre.

¿Para qué una pata de conejo, una herradura o un escapulario, si tengo conmigo al Dios todopoderoso? ¿Para qué cosas que atraigan la buena suerte, si conmigo está el que me ha prometido su bendición y su compañía, todos los días de mi vida?

Pero el precio es tu consagración, es la búsqueda constante del Señor, es tu dedicación y entrega para ser obediente a lo que Él te pida.

¡Sí, hay que pagar un precio, pero vale la pena!

Dios hacia milagros por mano de Pablo. No era el poder de Pablo, no era el poder de ningún apóstol, no es el poder de ningún ser humano, no es el poder de ningún exorcista ambulante. Es siempre, siempre, el poder de Dios el que obra para hacer milagros, para restaurar, sanar y salvar a la humanidad.

Este mundo necesita de aquellos que son conocidos en el cielo y en el infierno. No de los pasivos que se quedaron esperando que alguien más hiciera algo por ellos, sino de los que saben que Dios los envió a este mundo para hacer algo que cambie vidas, que transforme familias o comunidades enteras.

¿Tú sabes que el enemigo conoce la Escritura?

El gran problema es que la conoce más que muchos cristianos.

Así que el enemigo sabe algo muy importante, él sabe que el que está en Cristo es una nueva criatura y esa nueva criatura nacida ahora del Espíritu es invencible por el enemigo.

Él ya lo sabe, pero quizás tu no. Por eso te embota el entendimiento y te mete en problemas para que no sepas quién eres ya en el reino de los cielos.

Por eso el espíritu malo dijo en aquella ocasión: a Jesús lo conozco por supuesto y yo sé quién es Pablo, es un nacido de nuevo, es una nueva criatura, es imposible vencerlo, no hay nada que hacer con alguien así, pero ustedes, que se llaman sacerdotes, que dicen que sacan demonios, que dicen que tienen poder, que se llaman creyentes, ustedes no sé quiénes serán porque sé que no son nuevas criaturas.

Y entonces hicieron lo que quisieron con aquellos que no tenían identidad con Cristo.

¿Eres tú también un/a nacido/a de nuevo?

Si es así, el enemigo sabe que no puede hacer nada en contra tuya porque con Cristo eres invencible.

Oración:

Dios todopoderoso, la mayor seguridad en mi vida no es ningún amuleto que me ponga y en el cual confíe. Mi seguridad eres tú Señor. Tú llenas de tranquilidad y confianza mis días, me reafirmas con tu presencia y me regocijas con tu amor y tu poder. Amén.

Recibiendo el fuego de Dios

"respondió Juan, diciendo a todos: Yo a la verdad
os bautizo en agua; pero viene uno más poderoso que
yo, de quien no soy digno de desatar la correa de su
calzado; él os bautizará en Espíritu Santo y fuego"
(Lucas 3:16)

Juan El Bautista aseguró a quienes le seguían en el desierto: yo los bautizo con agua para arrepentimiento; pero el que viene tras de mí, cuyo calzado yo no soy digno de llevar, es más poderoso que yo, Él os bautizará en Espíritu Santo y fuego.

Recibimos directamente de parte de Jesús un fuego espiritual que nos faculta para enfrentar nuestros días con autoridad delegada por Él.

Si hay poder en la iglesia no es por ningún hombre.

Si hay unción espiritual no es por ningún ser humano.

Es Dios mismo manifestándose a través de vasos disponibles para ser usados. Poder de Dios. Manifestaciones, milagros, maravillas, grandes cosas que solo, solo puede hacer El Señor.

Jesucristo dijo: "El espíritu es el que da vida; la carne para nada aprovecha; las palabras que yo os he hablado son espíritu y son vida". (Juan 6:63)

Si tú escuchas la palabra del Dios Altísimo algo tiene que suceder en ti, debes crecer en tu vida espiritual y en lugar de ser una persona pasiva y fría frente a las cosas del Señor, te podrás levantar como aquel que Dios tenía en mente desde que te creó para que seas alguien que ayude a cambiar el destino de los pueblos con el poder que has recibido de lo alto y la palabra que salió de la boca del Señor.

No le eches la culpa al diablo por tu propia pasividad. El creyente ha sido dotado de poder espiritual.

No me digas que no tienes dones o poder del Señor en tu vida, porque si tú un día abriste tu boca para proclamar que Jesús es El Señor, no fue por tu propia pasividad y frialdad, sino porque El Espíritu Santo obró en ti y te reveló la verdad más grande que se pueda conocer sobre esta tierra que vivimos: que Jesucristo es El Señor, El Único, el Rey de reyes y Señor de señores.

La mayoría de los creyentes siguen en el lado equivocado. Siguen pidiendo milagros cuando podrían estar haciendo milagros en el nombre de Jesús. Siguen pidiendo restauración de sus matrimonios cuando ya deberían estar ayudando a otros matrimonios a restaurarse, siguen pidiendo la leche de bebés, cuando ya deberían estar disfrutando del alimento sólido, siguen pidiendo que oren por ellos, cuando ya deberían ser guerreros de oración que destruyen las artimañas del enemigo, intercesores poderosos que se ponen en la brecha a favor de los que aún no conocen de Cristo Jesús.

Debes anhelar ese fuego espiritual. Pide hoy la unción del aposento alto. La unción que se derramó sobre aquellos creyentes en el día de Pentecostés.

El Señor desea llenarte del Espíritu Santo y del fuego espiritual.

Recíbelo en este día y vive como solo lo pueden hacer los hijos de Dios.

Oración:

Señor Jesús, mi anhelo para este día es ser lleno de tu unción y tu poder para glorificar tu nombre con cada acto de mi vida. Sé que tú me preparas para lo sobrenatural y es únicamente a través de la unción espiritual que podré disfrutar de lo que tú has preparado para los que te aman. Amén.

Nunca te dejaré

*"...como estuve con Moisés, estaré contigo; no te
dejaré, ni te desampararé" (Josué 1: 5b)*

Josué no empieza su liderazgo en Egipto. Él no empieza tratando
de liberar a su pueblo de manos del faraón, no. Eso ya lo había hecho
Moisés.

Josué empieza su liderazgo al lado del río Jordán, en vísperas
de entrar al mayor tiempo de conquista de toda una generación.
Empieza a las puertas de recibir grandes bendiciones. Empieza
sabiendo que ese poderoso Dios que estuvo con Moisés a lo largo de
cada jornada y que tenía tanto poder para abrir mares, poner nubes
que los cubrieran, alzar columnas de fuego, alimentar diariamente a
millones de seres humanos, era el mismo Dios que lo había llamado
y que ahora iba a estar con él en cada jornada de su vida.

"Nadie te podrá hacer frente en todos los días de tu vida" es la
primera de las promesas que salió de la boca de Dios para su siervo.
"Estaré contigo, no te dejaré, no te voy a desamparar jamás".

Así que este es tu tiempo Josué, prepárate porque tú repartirás a
este pueblo la tierra que yo les di por heredad. Levántate, cruza el
río Jordán y entra a una nueva dimensión que no habías visto antes.
Ve a conquistar porque tienes la unción de los cielos. Los muros van
a caer, los enemigos van a huir, los territorios van a ser ganados.
Esfuérzate y sé valiente porque tu tiempo ha llegado.

Y la gente sigue a los ungidos. El pueblo le dijo a Josué: "de
la manera que obedecimos a Moisés en todas las cosas, así te
obedeceremos a ti; solamente que Jehová tu Dios esté contigo como
estuvo con Moisés" (Josué 1: 17).

Esos son los ungidos de Dios, los que caminan de su mano y los
demás lo pueden notar.

Y El Señor le dice a Josué: ve y toma lo que yo ya te di. Yo te he
entregado, como le había dicho a Moisés, todo lugar que pisare la
planta de tus pies, así que solo camina, recorre, donde pises es tuyo,
yo ya te lo entregué, tienes mi palabra, tienes mi respaldo, tienes mi
unción, tienes mi presencia, ve y conquista en mi nombre.

Cuando tú descubres que naciste para heredar la tierra prometida, entonces encaminas tus pasos y nada ni nadie te sacarán de ese lugar de autoridad y de victoria.

Lo más importante es que Josué siempre supo que El Señor lo acompañaría en cada jornada, nunca lo iba a soltar de su mano.

¡Y eso también lo tienes que saber tú!

No importa lo que estés pasando, Dios no te va a abandonar, es su gran promesa, es su palabra, Él se ha comprometido con los suyos y no te dejará jamás.

El Señor te dice hoy: como estuve con Josué estaré contigo, nunca te dejaré ni te desampararé.

Qué gran compañía la que tenemos los hijos de Dios.

Oración:

Amado Dios, esta jornada que emprendo la hago bajo la seguridad de que estás conmigo y que no estoy abandonado/a jamás. Tu compañía me alienta, me reconforta y me da la tranquilidad para afrontar cada paso de este día experimentando el cumplimiento de tus promesas para mi vida. Amén.

Crea en mí un corazón nuevo

"Crea en mí, oh Dios, un corazón limpio, y renueva un espíritu recto dentro de mí." (Salmo 51: 10)

El salmo 51 fue escrito por David en un momento muy difícil para él.

Después de haber caído en pecado con Betsabé y haber sido confrontado por el profeta Natán, David descubre la dimensión de su pecado, pero ante todo la necesidad de ser transformado por Dios, recibiendo un corazón nuevo y limpio.

El reconoce que ha fallado miserablemente y que necesita recibir la misericordia y la piedad de Dios.

Un hombre que fue considerado como el más grande rey en la historia de Israel y que además fue considerado por Dios como alguien conforme a su corazón, se debate ahora entre el dolor y la angustia que el pecado le ha ocasionado.

Cuando David comprendió bien que él era ese hombre pecador al cual Natán estaba señalando, no respondió con cinismo, ni con prepotencia, todo lo contrario. Respondió con arrepentimiento.

Puso su cara contra el piso y empezó a declarar esta oración.

Y Dios lo renovó interiormente y lo sacó de la tristeza y el dolor.

Es realmente esperanzador saber que el pecado no es el final de nuestra historia.

Con Dios siempre tenemos la oportunidad del arrepentimiento genuino y de la renovación interior.

Hoy debemos clamar como lo hizo David: Lávame y seré más blanco que la nieve, vuélveme el gozo de tu salvación y Dios nos declarará bienaventurados porque le veremos tal como es.

Oración:

Gracias Señor por darme el inmenso privilegio de poder llegar a ti en arrepentimiento y ser restaurado/a. Sé que tú eres mi esperanza y puedo acudir a ti en este día pidiéndote que crees en mi un nuevo corazón que ama y que siempre da lo mejor, porque ha pasado por las manos del Alfarero y ha sido hecho de nuevo, Amen.

La indiferencia

*"Porque tuve hambre y no me disteis de comer; tuve
sed y no me disteis de beber" (Mateo 25:42)*

En Lucas capítulo 15 se leen tres parábolas. La de la oveja perdida,
la de la moneda perdida y la del hijo pródigo. En las dos primeras
hay alguien buscando a la oveja perdida o a la moneda perdida, pero
¿quién está buscando al hijo prodigo? Nadie. No hubo nadie que
fuera por él para rescatarlo y traerlo de regreso a la casa del Padre.

¿Cuántos hijos pródigos hay en el mundo esperando que alguien
los saque del chiquero en el que se encuentran? ¿Cuántos están
deambulando hoy en día en las calles sin esperanza, sin aliento, sin
ningún fruto, con la tristeza de ver sus vidas vacías? No podemos
quedarnos con los brazos cruzados.

No podemos seguir siendo indiferentes cuando podemos hacer
algo para que las cosas cambien.

Alguien tiene que ir donde los demás no van.

Alguien tiene que hacer lo que los demás no hacen. Pero la
pregunta es: ¿quién lo hará?

Jesús no admite la posibilidad de la indiferencia dentro de los
cauces de un cristianismo aplicado.

No son bienaventurados los indiferentes, los apáticos, los
insensibles a los que los trae sin cuidado la injusticia o el dolor.
No son bienaventurados los despiadados, los violentos o impíos que
solo anhelan un mundo mejor para sí mismos.

"Bienaventurados los que tienen hambre y sed de justicia, porque
ellos serán saciados" (Mateo 5:6).

¿Acaso soy guarda de mi hermano? El espíritu de Caín es sin
duda, el espíritu que se impone en nuestro tiempo, aun al interior de
las mismas iglesias donde se predica de amor, de compasión, de la
misericordia y de la gracia.

Mientras algunos ostentan inmensas fortunas con las que satisfacen
sus deseos materiales de manera abundante, la gran mayoría del
mundo contempla la indiferencia de los dueños del poder y del
dinero, y el reloj del tiempo y de la muerte, no cesa de moverse

en su tic tac de tristeza, de dolor y de luto. Mientras el 15% de los alimentos producidos en el mundo se tiran a la basura sin siquiera ser abiertos, el 30% de los niños de Somalia padecen por desnutrición.

En el Occidente la gente está muriendo por los problemas relacionados a la obesidad y el colesterol, mientras en el tercer mundo por contraposición es el hambre la que destruye la población infantil y los problemas de salud están más asociados a situaciones de desnutrición y mala alimentación.

¿Cuál será la respuesta del mundo cristiano? ¿Cuál es tu respuesta a esta situación?

Sin duda, El Señor nos desafía para hacer lo que los demás no hacen, pues el corazón del creyente tiene que ser un nuevo corazón sensible a las necesidades humanas.

¿Cuál es nuestra parte entonces, hoy en día ante la situación que agobia al mundo entero?

¿Nos habrá enviado El Señor a ayudar a los necesitados y aún seguimos creyendo que no tenemos ningún recurso para dar?

Levanta hoy tu mirada al Creador y pídele que te oriente en la labor para la cual has sido preparado/a por Dios y entonces pon manos a la obra.

Hay un mundo en necesidad esperando por la manifestación de los hijos de Dios.

Oración:

Dios bendito, gracias por recordarme hoy que no puedo ser indiferente a las necesidades humanas. Por el contrario, si he sido transformado/a por ti Señor, sé que debo vivir con un corazón generoso y abundante, que a diario refleja a Aquel que ha hecho morada en mi interior. Amén.

Queriendo matar un sueño

*"Y soñó José un sueño y lo contó a sus hermanos;
y ellos llegaron a aborrecerle mas todavía"*
(Génesis 37:5)

Hay seres humanos que están siendo guiados por sueños que Dios mismo ha colocado en su interior. Pero así como hay quienes viven de esa manera, también hay quienes se empeñan en tratar de matar esos sueños.

José fue el hijo preferido de Jacob al cual El Señor le dio sueños acerca de su futuro.

Pero mientras él contaba inocentemente esos sueños a sus hermanos, ellos se llenaban de odio contra él y pensaban matarlo.

Matar a José no era solo deshacerse de su hermano menor, también significaba matar su sueño.

José el esposo de María, recibió la revelación de la venida del Mesías a través de un sueño.

El nacimiento de Jesús representó el punto culminante de la historia humana, pues Aquel que vino del cielo transformó el mundo para siempre.

Y aquello que para José representó el momento más importante de su vida, para los enemigos del Mesías se convirtió en una terrible pesadilla y desde el principio procuraron matarlo.

Pero lo que se propusieron, tanto los hermanos de José como los enemigos de Jesús de matar aquellos sueños, se convirtió en realidad en el inicio de grandes historias de salvación.

¿Alguien quiere matar tus sueños?

Si es así, alégrate.

Porque eso significa que Dios quiere usarte para formar a través tuyo una gran historia y el enemigo quiere matar ese sueño, pero no lo logrará.

Así que prepárate porque el resto de tu historia será guiada hacia el cumplimiento de tus sueños y el plan de Dios se cumplirá en tu vida.

Oración:

Amado Jesús, hoy me gozo en tu presencia sabiendo que tú me has dado el privilegio de proyectarme hacia el futuro contigo. Tú has colocado dentro de mí la capacidad de soñar y esperar por el cumplimiento de esos sueños que tú me has regalado. Amén.

Un llamado a la guerra

"Y volverán los oficiales a hablar al pueblo y
dirán: ¿Quién es hombre medroso y pusilánime?
Vaya, y vuélvase a su casa, y no apoque el
corazón de sus hermanos como el corazón suyo"
(Deuteronomio 20:8)

En la antigüedad, sabemos que las batallas no eran como son hoy en día, que con una sola bomba destruyen una ciudad entera.

En realidad en la antigüedad las batallas eran cuerpo a cuerpo.

Por lo tanto, un guerrero no era bueno solo porque tuviera mucha fuerza o habilidad, sino especialmente porque tenía ese componente extra que lo hacía diferente.

¡Era valiente, confiado, esforzado y valeroso!

Por lo tanto, si había dentro de un grupo militar o un escuadrón gente cobarde, apocada, miedosa, no servía para ir a la guerra porque iba a debilitar al escuadrón entero.

La preparación para la guerra no era solamente en artes de dominio de armas, de manejo de instrumentos de guerra, sino era principalmente de búsqueda de fortaleza espiritual.

Ese componente aún no ha desaparecido. Los escuadrones cuando corren juntos cantan canciones de ánimo, de fortaleza, de motivación.

El cuerpo es un escudo, pero de donde viene la verdadera fortaleza es del espíritu.

Por lo tanto la orden era: si hay pusilánimes y miedosos que se devuelvan a casa para que no apoque el corazón de sus hermanos como el corazón suyo.

La Iglesia del Dios vivo, no es la de los que huyen ante el primer ataque, sino la de los que se levantan para reclamar las victorias en su glorioso nombre.

Por eso son solo los valientes los que salen a la batalla y la orden es que se les diga a los pusilánimes y cobardes que se devuelvan para que no destruyan la moral de todo el ejército.

Es posible que se encuentren con enemigos muy grandes y poderosos, con ejércitos más numerosos, pero deben recordar siempre quién está de su lado, no pueden olvidarlo jamás.

No desmayen, no claudiquen, no se rindan, no se acobarden, no se desalienten. Porque Dios va adelante en la batalla.

El nunca deja a sus verdaderos soldados abandonados en medio de la guerra.

El Señor anda buscando un pueblo de guerreros que pelean con valor palmo a palmo y que van ganando sus batallas de la mano poderosa del Dios que hace maravillas.

Él te está llamando a esta guerra, es la hora de los valientes. No temas ni desmayes, El Señor está contigo.

Oración:

Amado Dios, sé que pertenezco a tu glorioso ejército de hombres y mujeres que luchan a diario por obtener la victoria. En este día y bajo tu dirección, me encaminaré hacia el triunfo, avanzando contigo paso a paso y glorificando tu nombre por tus bendiciones constantes, Amén.

Todo ayuda para bien

"Y sabemos que a los que aman a Dios, todas las
cosas les ayudan a bien, esto es, a los que conforme a
su propósito son llamados" (Romanos 8:28)

Estoy seguro de que en los primeros días de su caminar con Cristo, Pablo soportó tiempos terribles; y como muchos de nosotros, probablemente tenía la esperanza de que si tan sólo confiaba lo suficiente en el Señor, Él lo protegería de todo problema.

La primera vez que echaron a Pablo en la cárcel quizás clamó para ser liberado: "Señor, abre estas rejas. ¡Sácame de aquí, por la causa del evangelio!"

De igual manera, su primer naufragio probablemente probó su fe en forma severa. Y su primera golpiza debió haberle hecho cuestionar la habilidad de Dios para mantener su palabra: "Señor, prometiste protegerme. No entiendo por qué estoy soportando esta horrible prueba".

Pero las cosas siguieron empeorando para Pablo.

Creo que para su segundo naufragio, Pablo debió haber pensado: "Yo sé que el Señor habita en mí, así que debe tener alguna razón para esta prueba.

Él me ha dicho que todas las cosas les ayudan a bien a aquéllos que aman a Dios y son llamados conforme a su propósito. Si esta es la forma en que Él va a producir una manifestación mayor de la vida de Cristo en mí, que así sea. Viva o muera, mi vida está en sus manos".

Para su tercer naufragio, probablemente Pablo dijo: ¡Mírenme, todos los ángeles en la gloria! Mírenme, todos los viles demonios del infierno. Mírenme, todos los hermanos y los inconversos. ¡Me voy a hundir una vez más en las aguas oscuras y profundas y quiero que todos sepan que la muerte no puede tenerme! Dios me ha dicho que aún no he terminado, y no me doy por vencido. No voy a cuestionar a mi Señor acerca del porqué soy probado de esta manera. Yo solo sé que esta situación de muerte va a terminar en gran gloria para Él. ¡Así, que observen como mi fe sale tan pura como el oro!"

En palabras simples, nuestras situaciones de muerte pretenden poner fin a ciertas luchas personales. Nuestro Padre nos trae a un punto en donde nos damos cuenta de que tenemos que depender de Cristo completamente, o nunca venceremos.

Él quiere que digamos: "Jesús, a menos que Tú me libres, no hay esperanza. ¡Pongo mi confianza en Ti para que lo hagas todo!".

Sí, tú también tienes que entender esto. Si estás pasando por pruebas, no te rindas. No te dejes caer del todo. El enemigo está matando, robando y destruyendo pero hay alguien más poderoso que ese enemigo, y Él está trayendo para ti una vida nueva llena de bendiciones.

Si este enemigo se quiso meter contigo o con los tuyos, que sepa que se metió con la persona equivocada, porque tú no eres de los que se rinden, sino de los que van adelante con valentía.

Tú no eres de los cobardes que regresan a casa para esconderse, sino de los que dan la cara y dicen: yo sé quién va delante de mí, por lo tanto, no tengo temor, iré adelante, no me rendiré jamás, jamás lo haré. Aun en los momentos más difíciles de mi vida he aprendido que Dios no me suelta de su mano.

Oración:

Dios del cielo, hoy renuevo mi confianza en tu palabra y en tu presencia prometida. Aunque sé que puedo pasar por momentos difíciles, tú me enseñas en este día, que aun en esas circunstancias, no dude jamás que tú estás conmigo. Por lo tanto, hoy descanso en el poder de tu fuerza una vez más. Amén.

El Señor está en control

"Porque sol y escudo es Jehová Dios; Gracia y
gloria dará Jehová. No quitará el bien a los que
andan en integridad. Jehová de los ejércitos, Dichoso
el hombre que en ti confía" (Salmo 84:11-12)

Hace unos años atrás le estaba enseñando a mi hija a manejar automóvil.

Ella iba a sacar su licencia, así que le dije: siéntate en la silla del conductor, enciende el auto, arranca, maneja, ve por las calles, pero yo estoy siempre aquí a tu lado y si hay algún peligro yo tomo el control del auto ¿Está bien?

Ella aceptó las condiciones y encendió el auto. Mientras manejaba parecía una estatua. Sus ojos estaban fijos en la carretera, le pegó a un andén, dio varias curvas mal, arrancaba feo y frenaba peor, el carro se zarandeaba, pero al fin del recorrido llegamos a casa bien.

Ella tenía una confianza, que aunque no supiera manejar muy bien, yo estaba siempre a su lado para tomar el control en caso de algún peligro.

A través de esta experiencia personal, Dios me estaba hablando, y puede hablarte a ti en este día.

Él nos dice: toma el volante de tu vida, maneja, a lo mejor te vas a dar con los andenes, a lo mejor vas a frenar cuando tenías que arrancar o vas a arrancar cuando tenías que frenar, a lo mejor vas a sentir que los peligros son muy grandes. En ocasiones vas a ir muy despacio cuando tenías que ir rápido, o muy rápido cuando tenías que ir despacio, pero quiero que sepas hoy algo, que siempre estoy a tu lado y que si la situación se pone muy difícil yo voy a tomar el control.

Hace tres mil años, el rey David miró su mundo y el Espíritu Santo le ayudó a llegar a una conclusión muy importante. David era un gran guerrero, experimentado en mil batallas, pero sabía dónde debía poner su confianza. El conocía del poder de los carros, los caballos, las armas de guerra. Si alguien sabia de todo esto era precisamente David.

Sin embargo él sabía que no hay mejor lugar para depositar su confianza que en las manos de un Dios poderoso.

Por eso David asegura en el salmo 20: que los enemigos confían en carros y aquellos en caballos, ¿pero nosotros que? Nosotros del nombre de Jehová nuestro Dios tendremos memoria.

Nos acordaremos de Él, cuando estemos sufriendo, nos acordaremos de Él cuándo estemos en lo más fuerte de la batalla, nos acordaremos de Él cuándo sintamos que nuestras fuerzas desfallecen, pero también nos acordaremos de Él cuando la victoria haya llegado y glorificaremos su santo nombre.

Ellos flaquean y caen. ¿Quiénes son los que flaquean y caen? Los que han confiado en sus propias fuerzas, los que aún siguen luchando solos y han puesto su confianza en sus carros y caballos.

Ellos flaquean, sus fuerzas se agotan y se derrumban, pero las fuerzas de nuestro Señor nunca se agotan. Por eso dice el salmista, a pesar de que aquellos flaquean y se caen, ¡nosotros nos levantamos y estamos en pie!

Qué maravilloso que nosotros como creyentes podemos confiar en un Dios tan lleno de poder y de misericordia.

Si dejas hoy todo en manos de Dios verás la mano de Dios en todo.

Oración:

Amado Redentor, gracias por recordarme que es en ti en quien puedo confiar y reposar día a día. Por eso hoy tomo la decisión de abandonarme tranquilamente en tus manos de amor y sé que al final del día podré exclamar con seguridad que solo tú Señor me haces vivir confiado. Amén.

Junio

Gobernados por visiones celestiales

"y soñó: y he aquí una escalera que estaba apoyada en tierra, y su extremo tocaba en el cielo; y he aquí ángeles de Dios que subían y descendían por ella" (Génesis 28:12)

Al recordar el episodio en Betel, donde Jacob llegó cansado de tanto tratar de impresionar a los demás, sabemos que luego vino su agotamiento total. Escogió una piedra como almohada y en aquel lugar recibió una visión celestial que le cambió la vida para siempre.

¡Él necesitaba empezar a ser gobernado por una visión celestial!

La bendición de Dios es única y original. Él te llama y te da visiones para que tu vida llegue al cumplimiento de lo que debes hacer en este mundo, antes de que partas a compartir con Él sus moradas eternas.

En aquel lugar Jacob ve una visión celestial, una escalera que estaba apoyada en tierra y su extremo tocaba el cielo, y ángeles de Dios que subían y bajaban.

¡Si tú tienes una visión del cielo ¿por qué te vas a contentar después con una visión de la tierra?!

¡Si tú tienes una marca del cielo ¿por qué vas a querer tener una marca en la tierra?!

Hay algo poderoso cuando gente imperfecta conoce a un Dios perfecto.

Hay algo poderoso cuando gente llena de pecado, conoce a un Dios Santo, Santo, Santo.

Cuando tú de verdad lo conoces entonces empieza un intercambio. Empiezas a impregnarte de perfección y de santidad, porque Dios ya te vio así, como el producto final y esta obra que ha empezado en ti, Él mismo la va a perfeccionar.

Jacob tiene que llegar a exclamar algo que lo regocija de una manera extraordinaria. Él dice: ¡Dios estaba aquí y yo no lo sabía! Qué suceso tan impresionante.

La promesa de Dios es que Él estaría con nosotros todos los días, todas las horas, todos los minutos, todos los segundos, todo el tiempo hasta el fin. Es una promesa del Señor para los suyos.

Pero es posible que por las situaciones de la vida, por las dificultades, por los dolores que has experimentado, por las situaciones complicadas que has vivido, se te haya olvidado esa promesa.

Y es entonces cuando Dios hace algo para recordarte que siempre ha estado a tu lado, aun en aquellos momentos en los que sentías que estabas solo/a. Tus ojos son abiertos y ahora puedes exclamar como Jacob: ¡Qué tremenda visión, mi Señor ha estado conmigo todo el tiempo y yo no lo sabía!

¡No puedes dejar a Dios fuera porque Él decidió ser parte de tu vida diaria, ¿qué te parece?

La visión que tuvo Jacob fue una llama que encendió definitivamente su pasión por Dios.

El contempló ángeles que subían y bajaban, el contempló al Señor en lo alto de la escalera y ya no pudo volver a ser el mismo de antes. ¿Cómo lo iba a hacer si ya había visto semejante visión celestial?

Así que mi pregunta para ti en este día es: ¿tienes visiones celestiales? ¿Estás siendo gobernado/a por esas visiones?

Si aún no has tenido revelaciones de parte de Dios, pídele en este día que El Señor te muestre una visión celestial y te aseguro entonces que tu vida cambiará para siempre.

¡Qué maravilloso es ser guiado por una visión celestial!

Oración:

Dios bendito, mi clamor de este día es para que tú me des visiones celestiales que transforman. Anhelo conocerte cada día más y si tú quieres mostrarme aunque sea un poco de tu gloria, sé que mi fe será reafirmada y mi convencimiento de que tus promesas son siempre verdadera. Amén.

Soy el/la hijo/a de un Rey

*"Mas a todos los que le recibieron, a los que creen
en su nombre, les dio potestad de ser hechos hijos de
Dios" (Juan 1:12)*

Ildefonso fue un niño que nació sordo. No tenía manera de comunicarse con los demás.

Sus padres hicieron lo que pudieron pero el niño no podía aprender.

El maestro le hacía señas diciéndole: Yo soy José. Y el niño en lugar de responder con su propio nombre también repetía: Yo soy José.

No podía aprender y sus padres se frustraron y llegaron a decir que ni siquiera valía la pena seguir enseñándole porque nunca iba a lograrlo.

Pero un día llegó una maestra diferente y ella cambió todo. Puso dos sillas y se representó a si misma pero luego se cambió al otro lado y representó a Ildefonso y entonces recién ahí el niño entendió que todo tiene un nombre, incluso él, y que esto tenía un significado muy importante para cada persona, era sin duda su identificación delante de los demás.

En el episodio de Peniel, cuando Jacob se enfrenta con el ángel toda la noche y alcanza la bendición por la cual ha luchado, y finalmente El Señor le hace una pregunta: ¿Cuál es tu nombre? ¿Cuál es tu identidad? ¿Cómo te conoce el mundo a ti?

Esto parece sencillo pero no lo es. El nombre significaba todo y en ese caso era Dios diciéndole a Jacob: ¿Quién eres tú?

Sin duda este sería el momento más impactante para la vida de Jacob.

La última vez que a Jacob le habían preguntado su nombre, fue en el momento en que su padre no lo podía reconocer por su ceguera y él mintió asegurándole a Isaac que era Esaú.

Pero ahora, delante del Padre celestial él no puede seguir mintiendo.

Así que Jacob responde con su nombre, que era como decirle: yo soy el suplantador, el engañador, el usurpador. Sin embargo, Dios le responde: no, ese no es tu nombre, ese no eres tú.

Tú tienes bendición desde el vientre de tu madre: tú eres Israel, tú eres príncipe, tú eres hombre de autoridad, tú eres hijo de un Rey, has luchado y has vencido.

Jacob ya tenía una bendición desde antes de nacer pero vivía como si no la tuviera y Dios le tiene que recordar quién es para Él, y además le cambia la perspectiva de su vida de ahí en adelante.

Si tú has venido a Cristo Jesús eres hijo/a de un Rey, eres bendecido/a con toda bendición espiritual en los lugares celestiales, eres un/a privilegiado/a y escogido/a para habitar en las moradas santas que Jesús mismo ha ido a preparar para que donde Él esté tú también estés con Él por la eternidad.

Si lo has recibido en tu corazón, de aquí en adelante serás conocido/a como hijo/a de Dios.

¿Habrá acaso algún nombre mejor?

Oración:

Gracias Señor por darme el privilegio de ser llamado hijo/a de Dios. Cada día de mi vida quiero vivirlo como lo que soy. Sin dudar de mi identidad, sin permitir que otros que no te conocen quieran imponer sus dudas sobre mí, sin desviarme del camino que tú mismo me has trazado. Amén.

Mi Hijo amado

"Y hubo una voz de los cielos, que decía: Este
es mi Hijo amado, en quien tengo complacencia"
(Mateo 3:17)

Cuando Jesucristo estaba siendo bautizado se oyó una voz del cielo. Esa voz no dijo: ese es mi profeta, o ese es el rabí, o ese es mi apóstol. No, de ninguna manera.

Porque nada de eso puede siquiera compararse con llamarse hijo.

El título más grande que tú tienes no es el de profeta de las naciones, ni el de apóstol, ni de rabí, ni de maestro, así seas el más renombrado del mundo. El mejor título te ha sido otorgado directamente por Dios: hijo, hija, ese es el mejor título que alguien puede anhelar.

A los que le recibieron, a los que creen en su nombre les dio esa potestad de ser llamados hijos de Dios.

Hay mucho poder en este mundo cuando los hijos de Dios se ponen de acuerdo y eso es precisamente lo que quiere evitar el enemigo.

Por eso cuando buscas consagrarte al Señor, el enemigo empieza a ponerte tentaciones, dificultades, situaciones espirituales que pueden ser conflictivas, puedes encontrarte con muchas cosas que pueden colocarse en tu camino de consagración como obstáculos que te impiden avanzar.

Y lo que te va a ayudar en momentos así, no es creerte muy fuerte y pensar que tú mismo puedes lograr las cosas en tu propio poder. Lo que te va a ayudar es saber quién eres, porque eso ha sido determinado directamente por el Padre de los cielos, el Creador del universo. No hay nada que se pueda comparar a esto.

Jesucristo fue tentado en el desierto por el enemigo: "si eres hijo de Dios di a estas piedras que se conviertan en pan", "si eres hijo de Dios, tírate desde este lugar", si eres hijo de Dios haz esto o aquello. ¡Si eres hijo de Dios!

Pero Jesús sabía quién era, Él no necesitaba demostrarle a nadie nada, Él ya había escuchado la voz más poderosa que creó los cielos y la tierra y esa misma voz había dicho algo fundamental: "Ese es mi hijo amado en quien tengo complacencia".

Y los hijos de Dios necesitamos vivir de acuerdo a nuestra condición.

Tenemos la revelación de la palabra, tenemos la inspiración del Espíritu Santo, tenemos la salvación eterna, tenemos la comunión con los hermanos en la fe, tenemos el amor de Dios en nuestras vidas y aparte de todo esto, El Señor nos ha llamado sus hijos, ¿acaso necesitamos algo más para que ardan nuestros corazones?

Tú eres un/a hijo/a de Dios si has abierto tu corazón a Él, así que vive como hijo/a, deléitate en la presencia del Padre de los cielos y nunca jamás desprecies el haber sido llamado así directamente por El Señor.

Oración:

Gracias Padre. Hoy puedo clamar Abba, porque sé quién soy. Tú me llevaste de mi condición perdida, me hallaste, me diste la libertad y me diste tu bendición. Hoy viviré como lo que soy. Como un/a hijo/a amado/a de Dios/. No puedo perder este privilegio. Amén.

Conforme a mi corazón

"...He hallado a David hijo de Isaí, varón conforme
a mi corazón, quien hará todo lo que yo quiero"
(Hechos 13:22b)

Le hemos dejado al gobierno o las entidades privadas lo que nosotros deberíamos estar haciendo todos los días como iglesia del Dios vivo.

¿Qué hay de los pobres? ¿Quién cuida a los que están enfermos o agonizantes? ¿Quién visita a los prisioneros? ¿Quién vestirá al desnudo? ¿Quién albergará al huérfano? ¿Quién oirá al que sufre? ¿Quién dará agua al sediento, alimento a quien tiene hambre, o ayudará al marginado? ¿Quién lo hará? Únicamente los que siguen una visión del reino de los cielos lo hacen.

Son bienaventurados los que tienen hambre y sed de justicia. Los que no viven solo para satisfacer sus deseos egoístas, sino que tienen un camino donde saben que Dios camina con ellos.

Martin Luther King no podía soportar que hubiese avisos en los lugares públicos que dijeran: solo para blancos y se movilizó para pelear por la justicia racial, y sabía además que era algo que Dios también anhelaba.

La madre Teresa de Calcuta fue llamada la santa de las alcantarillas porque rescató de aquellos lugares terribles de suciedad a hombres, mujeres y niños rechazados por los hospitales locales y que literalmente, agonizaban en las calles. En su corazón estaba ayudar al necesitado, y ella sabía que también en el corazón de Dios está lo mismo. Ni siquiera ganaba dinero por lo que hacía, sus pacientes no tenían nada que darle, pero ella sabía que había alguien que le había puesto en su corazón un anhelo por cambiar miles de vidas y lo llevó a cabo.

Billy Graham se dio cuenta de que su vida misma no tendría sentido si no se ocupaba en proclamar el evangelio para salvar a millones de seres humanos alrededor del mundo y además sabía que eso estaba en el corazón de Dios. ¿Cómo va a morir gente sin conocer el amor de Dios? decía él, y por eso empeñó todos los días de su vida mientras pudo, en compartir el poderoso mensaje de salvación.

Bob Pierce estuvo en el África y vio un día como un niño moría de hambre mientras hacía fila para que le dieran algo de comer, y se volvió a los Estados Unidos para conseguir recursos para ayudar a los niños hambrientos. Fundó World Vision y su lema era: aunque me cueste la vida lo haré, aunque me cueste la vida estos niños comerán.

Él sabía también que Jesús mismo encomendó a los suyos a dar de comer a los hambrientos y de beber a los sedientos, y sabía que esto llenaba el corazón de Dios.

¿Qué es lo que te mueve a ti? ¿En dónde está tu corazón ahora?

¿Dejarás simplemente que lo hagan otros?

¿O serás movido por ese nuevo corazón que Dios está transformando en ti para que puedas conocer lo que hay en el corazón de Él?

Es mi oración, que así sea.

Oración:

Amado Señor, tú me has enseñado en tu palabra que es mejor dar que recibir. Hoy me propongo servir, aportar algo en la vida de alguien, bendecir a quien lo necesite, hacer obras de amor y motivarme constantemente por lo que a ti te motiva. Amén.

¿Perspectiva de Dios o de los hombres?

"Pues, ¿busco ahora el favor de los hombres, o el de Dios? ¿O trato de agradar a los hombres? Pues si todavía agradara a los hombres, no sería siervo de Cristo" (Gálatas 1:10)

¿Qué es lo que realmente motiva al cristiano de hoy en día? ¿Hacia dónde apunta? ¿Qué es lo que lo mueve todos los días?

Al estudiar la vida de un hombre como Pablo podemos ver una grandísima motivación por alcanzar a los perdidos. Su vida cambió tanto a partir de la visión celestial que contempló, que llegó a dar esta afirmación tan categórica: "Pero cuántas cosas eran para mí ganancia, las he estimado como pérdida por amor de Cristo. Y ciertamente, aún estimo todas las cosas como pérdida por la excelencia del conocimiento de Cristo Jesús, mi Señor, por amor del cual lo he perdido todo, y lo tengo por basura, para ganar a Cristo" (Filipenses 3:7).

Leemos la historia de un hombre como Daniel y encontramos en él una necesidad impresionante de guardarse de contaminación aun viviendo entre un pueblo pagano e idólatra.

Vemos la historia de un hombre como Josué y nos damos cuenta de que cada día se levantaba para conquistar, para recorrer más y más territorios con tal de alcanzarlos para que el pueblo fuera bendecido y el nombre de Dios glorificado.

Pero entonces me pregunto: y a ti, el cristiano de hoy en día, ¿Qué te motiva? ¿Qué es aquello que te hace levantar de tu cama todos los días con anhelo, con fuerzas renovadas y una gran pasión?

Si tú escudriñas bien a lo mejor vas a encontrar que las cosas que te motivan a ti no son necesariamente las cosas de Dios, sino más las cosas del mundo, y si eso es así entonces podríamos explicarnos de alguna manera lo que está pasando en nuestras iglesias en este tiempo.

¡Dios te ha dado un llamamiento mayor que simplemente llenarte de cosas materiales!

Eso es solo pasajero, eso se arruina y se corrompe.

Tu llamado como hijo de Dios no es a tener closets llenos y carros lujosos y muchos bienes.

Tú tienes un llamamiento mayor, tú tienes una bendición mayor, tú tienes una visión mayor.

Tu perspectiva tiene que ser la perspectiva de Dios.

¡Lo que a Dios le agrada le tiene que agradar a los hijos de Dios!

¡Lo que a Dios le molesta, le tiene que molestar a los herederos del Señor!

¡Lo que Dios quiere para este mundo es lo que nosotros también tenemos que querer!

Pregúntate hoy: ¿estás viviendo para el mundo o estás viviendo para agradar a Dios?

Si vives para agradar al mundo, pronto te vas a frustrar, porque el mundo jamás se sacia, ni se complace. Simplemente vas a estar desperdiciando lo mejor de tu vida en pos de tesoros pasajeros.

Pero si vives para agradar a Dios entonces prepárate, porque Dios mismo va a colocar en ti nuevos anhelos, nuevos propósitos, nuevos retos, nuevos desafíos por enfrentar y tu vida entonces cumplirá con la voluntad de Dios, harás las cosas para las cuales fuiste enviado/a a este mundo.

Con todo mi corazón anhelo que así sea.

Oración:

Dios de los cielos, hoy me recuerdas que debo vivir cada día para agradarte y glorificar tu nombre. No hay mayor placer en este mundo que obedecer tu voluntad y caminar de tu mano en cada jornada. Hoy será un día maravilloso porque viviré para anunciar al que me sacó de las tinieblas y me trajo a su luz admirable. Amén.

Siempre listos para servir

*"y el que de vosotros quiera ser el primero, será
siervo de todos" (Marcos 10:44)*

Un grupo de pastores europeos llegó a una de las conferencias de Northfield del Instituto Moody en Massachusetts a finales de 1800. Siguiendo la costumbre europea de la época, cada invitado ponía sus zapatos fuera de su habitación para que fueran limpiados por los sirvientes durante la noche.

Pero por supuesto era en América y no había sirvientes para esto.

Al caminar por los salones de los dormitorios esa noche, Moody vio los zapatos y estaba decidido a no avergonzar a sus hermanos. Les mencionó la necesidad a algunos de los estudiantes ministeriales que estaban allí, pero con sólo silencio o excusas piadosas se negaron.

Entonces Moody regresó a la residencia de estudiantes, reunió todos los zapatos y solo en su habitación, el evangelista más famoso del mundo de ese tiempo, comenzó a limpiar y pulir los zapatos de todos estos pastores. Sólo la llegada inesperada de un amigo en medio de la tarea reveló el secreto. Cuando los visitantes extranjeros abrieron sus puertas a la mañana siguiente, los zapatos brillaban maravillosamente. Nunca supieron por quién. Moody no le dijo a nadie, pero su amigo le dijo a algunas personas, y durante el resto de la Conferencia, se ofrecieron diferentes hombres a brillar zapatos en secreto.

¿Hasta dónde estás dispuesto a servir a tus semejantes? ¿Estás esperando solo ser servido, pero no deseas ayudar a otros en sus necesidades?

La vida de Jesús fue un ejemplo continuo de servicio a los demás, y su doctrina es una constante llamada a los hombres para que se olviden de sí mismos y se den a los que están en necesidad.

Por eso los ciudadanos del reino del Señor son los siervos que acuden a su llamado, son los dispuestos a caminar la milla extra, son los que están listos a hacer lo que los demás no realizan.

La iglesia de Jesucristo tiene un llamado constante al servicio de la humanidad.

Cristo va a usar a su iglesia para terminar su obra en el mundo. Lo que él comenzó en Galilea y en Nazaret, lo va a cumplir hasta lo último de la tierra por medio de su iglesia. Hasta que él venga, él va a seguir sanando, va a seguir libertando, va a seguir llamando, va a seguir rescatando, y va a seguir juntando para sí a los hombres, con el poder de su vida, con el poder de su autoridad, con el poder de su gloria, por medio de su iglesia.

Sí, los ciudadanos del reino de los cielos están siempre dispuestos a servir obedeciendo el llamado del Maestro.

Vivir en constante disponibilidad a las necesidades de los demás es una forma de imitar a Jesús, quien siendo Dios, no vino a ser servido sino a servir.

Y tú ¿estás listo/a para el servicio?

Oración:

Jesús amado, sé que tú viniste a servir y lo hiciste como el más humilde de los esclavos. Hoy quiero imitarte. Te pido que me presentes oportunidades para ayudar a alguien, para extender mis manos en servicio por quien lo necesite. Quiero dignificar el privilegio de llamarme cristiano/a. Amén.

Olvidar o recordar

*"Cuídate de no olvidarte de Jehová tu Dios,
para cumplir sus mandamientos, sus decretos y sus
estatutos que yo te ordeno hoy" (Deuteronomio 8:11)*

En la Biblia se nos enseñan dos perspectivas diferentes en cuanto al recordar u olvidar.

Por un lado el apóstol Pablo en el libro de Filipenses nos invita a olvidar lo que queda atrás y extendernos hacia adelante para proseguir a la meta del supremo llamamiento de Dios en Cristo Jesús.

Por supuesto que Pablo se refiere a olvidar lo que nos ha estorbado, lo que nos ha detenido, lo que nos ha alejado de cumplir con la voluntad de Dios y por el contrario, centrarnos en hacer aquello por lo cual El Señor nos tiene aún en este mundo.

Pero por otro lado la Biblia nos invita a no olvidar la obra que Dios ha hecho en nuestras vidas.

¡El problema es que hay gente que olvida lo que debería recordar y recuerda lo que debería olvidar!

En la batalla diaria que hay en tu mente, tienes que aprender a soltar de una vez por todas las cosas que te dañaron, que te afectaron, pero tienes que traer siempre a tu mente, la obra que Dios ha hecho y seguirá haciendo en tu vida, la buena obra que Él ya empezó y va a seguir perfeccionando hasta el fin.

Cada vez que enfrentes una crisis, cada vez que enfrentes un gigante, cada vez que un fiero enemigo se acerque, debes recordar todos los milagros que Dios te ha provisto.

¡No olvides las liberaciones que has experimentado!

Por eso El Señor le dice a su pueblo: no sea que entrando en tierra de abundancia se les olviden los días del desierto. No sea que entrando en casa amplias se les olviden los días en que no tenían nada y yo era todo lo que ustedes tenían.

Que no se les olvide que los días cuando venga la provisión de Dios, esta provisión no se convierta en el centro de su vida, sino que Dios siga siendo el centro de sus vidas.

Que no se les olvide que fue mi mano que les trajo hasta aquí.

Que no se les olvide que fui yo quien los llevé por el desierto, que fue mi mano que les liberó del yugo del Faraón, que cuando sus zapatos estaban a punto de desgastarse yo fui el que renové día tras día todo lo que les había dado, que no se les olvide que cuando necesitaron sustento yo abrí los cielos y maná cayó del cielo porque yo soy su Dios, yo soy su protector, yo soy el que les levanta, yo soy Jehová de los ejércitos, ¡que no se les olvide!

¿Cuántas liberaciones milagrosas han sucedido sobre tu vida? ¿Cuán vívidamente mantienes en tu mente los milagros de Dios para ti? ¿Has olvidado la vez que estuviste tan enfermo/a que estabas cerca de la muerte, pero el Señor te levantó?

¿Recuerdas cómo eras antes que Jesús te salvara? ¿Realmente sabes cuan cerca estabas del infierno, algunos quizás cerca del suicidio, otros cerca de ser poseídos por demonios? ¿Recuerdas el milagro, el cambio que tomó lugar, la liberación que te sacó del foso donde te encontrabas?

¿Recuerdas como fuiste liberado de tentaciones, de trampas que el diablo había puesto para ti?

Así que este es un buen día para olvidar lo que ya no debe ocupar más tu mente, pero para recordar la obra que Dios ha hecho y seguirá haciendo en ti. ¡Que no se te olvide!

Oración:

Señor, enséñame en este día a usar mi mente para las cosas adecuadas. Sé que debo olvidar cosas que se han convertido en una carga difícil de llevar para mí, pero también sé que debo recordar las obras maravillosas que tú has hecho en mí, tu gracia y tu amor extraordinario. Amén.

Él puede hacerlo de nuevo

"Sino acuérdate de Jehová tu Dios, porque Él te da
el poder para hacer las riquezas, a fin de confirmar
su pacto que juró a tus padres, como en este día"
(Deuteronomio 8:18)

Mientras las tribus del Israel se preparaban para cruzar el Jordán y entrar en la tierra de Canaán, Moisés les dio su último consejo e instrucción.

Estaban a punto de entrar en una tierra que Josué y Caleb habían descrito como "tierra que fluye leche y miel" (Números 14:8), lo que iba a causar un cambio dramático en las condiciones de Israel, un cambio drástico para una generación que sólo había conocido la desolación del desierto.

Moisés estaba preocupado porque no sabía si su pueblo estaba capacitado para enfrentar ese cambio tan fuerte en sus vidas que estaban por iniciar y entonces habla con todo el pueblo.

"Oye, Israel", dijo, "tú vas hoy a pasar el Jordán, para entrar a poseer a naciones más numerosas y más poderosas que tú, ciudades grandes y amuralladas hasta el cielo".

Escuchen bien: ¡van a poseer naciones más numerosas y poderosas!

La tarea que estaban a punto de empezar, era la más desafiante que esta nueva generación iba a confrontar. Estaban a punto de convertirse en un pueblo conquistador que vencía a naciones enteras que poseían por mucho tiempo estos lugares y que estaban preparadas para las batallas.

Sin duda en un momento como ese se necesita de alguien más poderoso que nos recuerde que no dependemos de nuestras propias fuerzas para enfrentar las batallas de nuestra vida, sino que podemos confiar tranquilamente en El Señor quien nos ha enviado a la conquista y nos respalda en cada combate que libramos.

Así que Moisés les dice lo siguiente: "Cuando Jehová tu Dios te haya introducido en la tierra que juró a tus padres Abraham, Isaac y Jacob que te daría, en ciudades grandes y buenas que tú no edificaste, y casas llenas de todo bien, que tú no llenaste, y cisternas cavadas que tú no cavaste, viñas y olivares que no plantaste, y luego que comas y te sacies, cuídate de no olvidarte de Jehová, que te sacó de la tierra de Egipto, de casa de servidumbre (Deuteronomio 6:10-12).

¡Esa era la clave para este pueblo!

¡Vamos a enfrentar naciones poderosas, vamos a confrontar naciones numerosas y que tienen mejores armas y guerreros que nosotros, pero sabemos, tenemos la absoluta certeza de que quien dirige cada batalla es el mismo que nos libró poderosamente de Egipto, el mismo que nos abrió el mar, el mismo que envió plagas desde el cielo para vencer al Faraón y todo su ejército, sí, es el mismo y por lo tanto no tengamos dudas que si ya lo hizo antes, lo volverá a hacer de nuevo y nos librará de la mano del enemigo!

El creyente aprende cómo debe confrontar las batallas de su vida y sabe que no es en sus propias fuerzas, sino en la fuerza de Aquel que jamás, jamás ha perdido una batalla.

No lo dudes, confía en Él. Él sigue siendo el mismo de ayer, de hoy y de siempre.

Él puede hacerlo de nuevo.

Oración:

Tu poder Señor sigue siendo el mismo de ayer y de siempre. Hoy descanso en ese poder y sé que también me ayudarás en mis batallas de este día. Así como has llevado a tu pueblo una y otra vez a la victoria, sé que así lo harás conmigo hoy y te daré la gloria por tus grandes maravillas. Amén.

Mi porción diaria

"Mi porción es Jehová, dijo mi alma; por tanto en el esperaré" (Lamentaciones 3:22-24)

Cuando miramos los problemas o las crisis, podemos sentirnos abrumados por lo que enfrentamos o las consecuencias que esperamos.

Pero si aprendemos a vivir un día a la vez, el cual lo confrontamos con todas las herramientas que Dios nos ha dado, entonces empezamos a mirar todo en perspectiva y entendemos que para cada día de nuestra vida, El Señor ha preparado una porción perfecta para cada uno de nosotros.

Vivir en el día a día de Dios es alentador, es motivante y reconfortante.

Es saber que El mismo nos ha traído desde el cielo todo cuanto necesitamos para vivir de una manera adecuada y que en todo tiempo somos receptores de esas grandes bendiciones.

El libro de Lamentaciones fue escrito por Jeremías en tiempos angustiosos del exilio.

Sin embargo, en medio de ese ambiente difícil, las misericordias de Dios se renovaban día a día por lo tanto la esperanza se mantenía a pesar de la situación.

Ese es el secreto para tener una vida llena de satisfacciones y gozo.

Vivir un día a la vez, un día que Dios ha preparado para nosotros en la plenitud de su paz, de su amor y de su gracia.

Hoy El Señor te invita a disfrutar plenamente de toda la provisión que Él ha preparado para ti.

Será tu mejor recurso para enfrentar las dificultades que la vida te presenta.

Oración:

Señor Amado, te agradezco por ser mi porción perfecta para cada día de mi vida. Me gozo de saber que tengo el alimento perfecto que sacia mi hambre continua. Jesús, tú eres el pan que vino del cielo para fortalecerme en todo momento. Amén.

Bendice alma mía

*"Bendice, alma mía, a Jehová, y bendiga todo mi
ser su santo nombre" (Salmo 103:1)*

David fue un hombre que siempre recordó las maravillas que Dios había hecho en su vida.

Él escribió cosas como: "Aunque mi padre y mi madre me dejaran, con todo, Jehová me recogerá" (Salmo 27:10).

También aprendió a honrar a Dios y a regocijarse solamente en Él.

Él exclamó en el salmo 103 una preciosa expresión de adoración: "¡Bendice alma mía a Jehová y bendiga todo mi ser su santo nombre! Bendice alma mía a Jehová y no olvides, no olvides, ninguno de sus beneficios".

David nunca olvidó quién lo ayudó a pasar por el valle de sombra de muerte y sabía que la vara y el cayado de Dios le infundían aliento.

Él era un hombre agradecido con Dios y por eso al invitarse a sí mismo a bendecir y adorar al Señor, también él se dice: nunca, nunca olvides, jamás olvides, ninguno de sus beneficios.

A pesar de tu enfermedad, a pesar de tu dolor, a pesar de tu necesidad económica, a pesar de tu sufrimiento, Dios te ha bendecido, Dios te ha ayudado y no puedes dejar de reconocerlo, no puedes olvidar los beneficios que vienen de nuestro Señor constantemente para tu vida.

Y David sigue diciendo: Él es quien perdona todas, todas tus iniquidades.

El Señor no nos señala de la misma manera que lo hace el mundo. El mundo dice: Miren, ahí va un pecador, o el borracho, o el drogadicto, la prostituta.

Él no te señala de esa forma aunque hayas sido el peor de los seres humanos.

Cuando tú vienes a Él, Él te mira con ojos de gracia. Él toma en sus manos la escoria del mundo y la transforma y aunque el mundo te diga pecador, perdido, escoria o basura, El Señor te dice hoy: libre, perdonado, sin cadenas, redimido, eres lo más valioso que yo tengo, eres mi especial tesoro y por ti yo doy mi vida.

Y luego David continúa diciendo: Él es quien sana todas mis dolencias.

Él es quien rescata del hoyo mi vida.

El hoyo de la desesperanza, la angustia y el dolor.

Cuantas veces nuestra vida ha estado en un hoyo así. Sumidos en tristeza sin encontrar respuestas, desesperados en ocasiones y confundidos intentando lograr algo mejor para nuestras vidas.

Pero Él es quien nos saca de esa condición de confusión y tristeza y cambia la perspectiva de nuestras vidas.

Por eso David le habla a su alma y le dice: bendice, alaba, adora, exalta a Aquel que tiene el poder para sanarte, para rescatarte, para hacerte una nueva criatura.

¡Sí, eso queremos hacer todos los hijos de Dios. No detenernos de adorar a Nuestro Dios!

Al fin y al cabo es Él y solo Él quien merece toda la adoración y la gloria por los siglos de los siglos.

¡Bendice alma mía al Señor!

Oración:

Hoy te bendigo Señor con todo mi ser. Estoy agradecido/a día a día por todos los beneficios que recibo de parte tuya y no puedo detenerme de glorificarte y exaltarte por tu gracia y amor sobre mi vida, Amén.

Tu mejor historia

"porque esta noche ha estado conmigo el ángel de
Dios de quien soy y a quien sirvo." (Hechos 27:23)

A menudo leemos en la Escritura diferentes historias o relatos que nos ayudan a reflexionar en cuanto a nuestra propia vida.

No sé cuál de las historias bíblicas recuerdes más.

Quizás la de David y Goliat o la de Josué en Jericó. A lo mejor para ti la historia de Sansón sea muy especial o la de Ester sea muy retadora.

Todas estas historias nos dejan grandes enseñanzas.

Pero hay algo en estas historias que no podemos dejar de lado y es que la gran mayoría de ellas empiezan con noticias difíciles, con desafíos muy complicados, con retos de vida o muerte.

Sin embargo terminaron bien por la determinación de hombres o mujeres que estuvieron dispuestos a enfrentar con valentía esos retos guiados por la mano de Dios.

Goliat era un terrible gigante que deseaba destruir al pueblo de Dios. Los muros de Jericó parecían inexpugnables para el ejército de Israel. Sansón tuvo que enfrentar una y otra vez a los temidos filisteos. Ester tuvo que accionarse a partir de un edicto que pretendía exterminar a todo su pueblo.

Una y otra vez las mejores historias se escribieron a partir de los momentos más difíciles.

¿Y si este tiempo de tanta turbulencia lo quiere usar Dios en ti para que escribas la mejor parte de tu historia? ¿Y si estás en realidad ante la mejor oportunidad para resplandecer tal como Dios te lo ha ordenado?

Pablo vivió un momento extremadamente difícil en medio de una de las más terribles tormentas en alta mar por muchos días y luego enfrentando el rechazo de los habitantes de la isla de Malta cuando vieron que una víbora se le prendió de su mano.

Sin embargo lo que pudo haber sido una terrible historia para Pablo o incluso el fin de su vida, se convirtió en uno de sus mejores testimonios, pues Dios lo usó, no solo para salvar a toda la gente que iba en el barco, sino además para sanar a los enfermos de la isla.

Si tu entiendes que en estos tiempos Dios está escribiendo en tu vida el mejor de tus testimonios, sabrás aprovechar estas circunstancias de la mejor manera y al final Dios te usará de formas que ni siquiera habías imaginado que podría suceder.

Oración:

Me levanto en este día con la convicción de saber que tú estás escribiendo la mejor historia en mi vida. Desde el momento en que me atrajiste a ti con lazos de amor y soy posesión tuya, sé que cada día es una página que se está llenando de la mejor manera porque hace parte de la gran historia de mi vida y ti estas en ella. Amén.

Reinando con Cristo

"Y juntamente con Él nos resucitó, y así mismo nos hizo sentar en los lugares celestiales con Cristo Jesús" (Efesios 2:6)

La nueva vida que hemos recibido como cristianos, es una vida espiritual impartida a través de nuestra identificación con Cristo en su muerte y resurrección.

Esta identificación con Él en su muerte rompió el poder del pecado que mora en nosotros.

Además, nuestra identificación con Cristo en su resurrección resulta en la nueva vida en Cristo.

Cuando nosotros nacimos de nuevo, se nos dio vida espiritual.

Debido a nuestra unión vital con Cristo, su muerte es nuestra muerte, su vida es nuestra vida, y su exaltación es la nuestra. Nuestra posición física puede estar en la tierra, pero nuestra posición espiritual está "en los lugares celestiales en Cristo Jesús".

Nosotros estábamos muertos espiritualmente, y cuando Cristo vino a nuestras vidas recibimos vida espiritual.

Cristo nos dio vida, aun estando nosotros muertos en nuestros delitos y pecados. Él logró esta resurrección espiritual por el poder del Espíritu Santo.

Nosotros somos incluso ahora, identificados como ciudadanos del cielo (Filipenses 3:20).

Debido a que estamos en Cristo, tenemos derecho a los privilegios, las bendiciones y las responsabilidades de los ciudadanos del reino de Dios.

Hemos sido "liberados de la condenación de la ley, del dominio de Satanás, del letargo y la contaminación de la muerte espiritual".

Hemos sido "reconciliados con Dios," hechos partícipes de su Espíritu, como el principio de la vida eterna.

Hemos sido "adoptados" en su familia y tenemos derecho a todos los privilegios de los hijos de Dios en esta vida y la que ha de venir en gloria.

Este es un cambio digno de ser expresado diciendo, "Él nos ha vivificado, levantado y nos ha hecho sentar juntamente con Cristo en los lugares celestiales".

Pablo nos dice: "Como Cristo fue levantado de los muertos, nosotros fuimos levantados con Él por el Padre. Y como Jesús fue llevado al trono de gloria, fuimos llevados con Él al mismo lugar glorioso. Porque nosotros estamos en Él, también estamos donde Él está. Ese es el privilegio de todo creyente.

¡Qué privilegio el que tenemos los cristianos de todas las épocas!

Estamos reinando con Cristo, vivimos en la nueva dimensión del reino de los cielos.

Oración:

Señor, te agradezco hoy por darme semejante privilegio. Mi vida te pertenece y sé que por tu misericordia me has llevado a un lugar de privilegio donde puedo reinar contigo. Permíteme entender la profundidad de estas verdades tan maravillosas para que a diario pueda disfrutar de la obra de amor que tú has hecho en mi vida. Amén.

Cuerpo de tigre, corazón de ratón

"Antes, en todas estas cosas somos más que
vencedores por medio de aquel que nos amó"
(Romanos 8:37)

Una leyenda de la India nos cuenta de un ratón que le tenía terror a los gatos, hasta que un mago aceptó transformarlo en gato. Eso resolvió su temor... hasta que se encontró con un perro, así que el mago lo convirtió en perro. El ratón convertido en gato convertido en perro, se sintió contento hasta toparse con un tigre... de modo que, otra vez, el mago lo convirtió en aquello que lo atemorizaba. Pero cuando el tigre se le presentó con la queja de que se encontró con un cazador, se negó a ayudarlo.

«Te convertiré nuevamente en ratón, porque aunque tienes cuerpo de tigre, tu corazón sigue siendo de ratón», le dijo el mago finalmente.

¿Te parece familiar? ¿Cuántas personas conoces que han construido una apariencia formidable, pero por dentro siguen temblando de temor?

¿Cuántas personas que ya han sido transformadas por un poder sin igual, y sin embargo siguen viviendo como si no lo tuvieran?

Reflexionar sobre la obra de Dios en nosotros, nos hace remitirnos a las páginas de la Escritura para escudriñar acerca de qué es lo que El Señor mismo ha hecho ya en nosotros, y cómo debemos responder a esa transformación que Él mismo ha empezado en nuestras vidas.

Es posible que descubramos que aunque ya hemos sido convertidos en tigres, aún nuestro corazón sigue siendo de ratón y por lo tanto no podemos disfrutar de nuestra nueva condición.

La iglesia del presente parece aún no comprender para qué ha sido formada, equipada y respaldada por Dios. Le tiene temor al enemigo y carece de poder y autoridad espiritual.

La gente hoy en día sigue preguntando: ¿Dónde está el Dios de Elías que envió fuego del cielo para consumir el holocausto y convencer a todo el pueblo que era el único Dios verdadero? ¿Dónde está el Dios de Elías?

Pues Él está esperando a algún Elías que se levante hoy para proclamar con valentía la misma fe de aquel profeta.

El enemigo ha venido como un río. ¿No hay ningún guerrero de Dios, revestido con la armadura del Espíritu Santo, capaz de levantar bandera contra él?

¿Cuándo comprenderemos los hijos de Dios lo que ya hemos recibido de parte de Él?

Aún no vivimos en la plenitud espiritual que deberíamos vivir.

El Señor venció al enemigo, Él te liberó de ese yugo, Él te soltó de las cadenas de opresión del pecado que te agobiaba, Él y solo Él tiene el poder para llevarte de muerte a vida.

Aquel que tiene al Señor en su corazón no puede andar temiéndole a todo, asustado por todo, atemorizado por todo.

Por el contrario, el creyente debe levantarse cada día reconociendo que la obra de Cristo es perfecta y que todos los beneficios alcanzados por El Señor en la cruz nos pertenecen.

Él es un vencedor y el pueblo de Dios debe levantarse cada día proclamando que ¡con Cristo somos más que vencedores!

Oración:

Gracias Señor por tu victoria en la cruz, porque con ella me hiciste también a mi vencedor. Hoy quiero vivir sin temor, reconociendo mi nueva condición en ti y enfrentando con valentía cada suceso que me acontezca a lo largo de este día. Amén.

Dotados de poder y autoridad

*"Habiendo reunido a sus doce discípulos, les dio
poder y autoridad sobre todos los demonios, y para
sanar enfermedades" (Lucas 9:1)*

Jesús ha calmado una tempestad, ha liberado al endemoniado gadareno, ha sanado a la mujer con el flujo de sangre y ha resucitado a la hija de Jairo, y todos estos acontecimientos que no habían sido vistos hasta ese momento por nadie, han causado un gran impacto en sus discípulos.

Las preguntas que ellos se hacen son: ¿Quién es este que aun a los vientos manda y a las aguas manda y le obedecen? ¿Cómo es posible lograr estas cosas? ¿De dónde le viene ese poder?

Pero entonces sucede algo que impacta aún más a estos pescadores de Galilea.

Jesús los reúne para hablar con ellos. Puedo siquiera imaginar cómo sería la conversación entre Jesús y sus discípulos aquel día.

Sería algo como esto: ¿han visto lo que está sucediendo? ¿Se han dado cuenta de que este mundo está cambiando y las vidas de muchas personas están siendo transformadas?

¿Se inquietan por ese poder extraordinario?

Pues bien, yo quiero que ustedes puedan comprender, ¡que ese poder que han visto, no es solo para mí, sino también para quienes me siguen!

¡Reciban poder y autoridad y ahora ustedes vayan y hagan lo mismo!

Puedo imaginar la cara de estos hombres asombrados por esas palabras, pero dispuestos a salir por las aldeas cercanas y los poblados, pero ahora dotados, equipados, preparados con algo que no tenían antes.

El llamamiento para estos hombres había sido: "síganme y los haré pescadores de hombres".

Y ellos estaban aprendiendo que para esa tarea que El Señor les encomendaba, tenían que estar equipados de una forma diferente.

¿Qué se necesita para ser un pescador? Por supuesto tener el equipo de pesca, las redes, los anzuelos, los barcos, las carnadas, etc.

¿Pero qué se necesita para ser pescador de hombres? ¿Puedes hacerlo por medios naturales? ¿Puedes tú mismo ir y preparar el equipo para salir a la pesca de seres humanos? No.

Para alcanzar a millones y millones de almas atrapadas en las garras del enemigo, se necesita algo más que un equipo de pesca, una carnada o un anzuelo. Se necesita en realidad poder y autoridad divinos para hacer lo que no podemos hacer por medios naturales.

Es allí donde El Señor aparece en su plenitud sobre nuestras vidas y nos envía diciéndonos: vayan, hagan discípulos en las naciones, prediquen, compartan este mensaje, pero reciban poder del Espíritu Santo que será su dotación para hacer frente a todo lo que tendrán que confrontar.

Ningún discípulo del Señor es enviado a la pesca de hombres sin estar dotado de poder espiritual.

Es por eso que ahora, si tú eres un/a discípulo/a, tienes algo que no tenías antes, estás dotado/a de poder y autoridad, así que ve y haz tú también discípulos en las naciones.

Esa es nuestra tarea principal.

Oración:

Seguirte mi Dios es sin duda la mejor experiencia de mi vida. Y ser dotado de poder espiritual es el gran desafío que me motiva cada día a usar todos los elementos que tú me das para traer bendición en otras vidas. Este día quiero ser útil en el reino que tú estás edificando con tu poder y autoridad. Amén.

Enviados para transformar el mundo

"y los envió a predicar y para sanar enfermedades"
(Lucas 9:2)

Mientras Jesús desarrollaba su ministerio, sus discípulos veían cómo grandes cosas sucedían en todas partes por donde ellos pasaban. Y en determinado momento El Señor los envía para que ellos puedan seguir expandiendo el reino de los cielos de la misma manera que Jesús lo hacía desde el principio.

Él les dio algunas instrucciones sobre cómo debían ir y luego dice la Escritura que ellos "saliendo, pasaban por todas las aldeas, anunciando el evangelio y sanando por todas partes".

¿Lo que antes no podían hacer, ahora lo hacían con tanta naturalidad?

¿Luego no eran los pescadores rudos de Galilea? ¿Luego no eran estos hombres ásperos que ni siquiera podían comprender lo que estaba pasando a su alrededor?

¡Lo que ellos eran incapaces de hacer antes, ahora dotados del poder y la autoridad de Dios, lo hacían como parte de su rutina diaria!

¿Te habla algo a ti eso? ¿Te dice algo esto, cuando vivimos hoy en día en un mundo lleno de incapacidades, lleno de imposibilidades, en donde todo el mundo anda preguntando: quién nos ayudará, quién nos sacará de esta condición en la que estamos?

Pero nos hemos acostumbrado tanto a lo natural, que le tenemos temor a lo sobrenatural.

Cuando Dios obra a través de ti, lo imposible se vuelve posible.

"Y nosotros no hemos recibido el espíritu del mundo, sino el Espíritu que proviene de Dios, para que sepamos lo que Dios nos ha concedido"...1 Corintios 2:12

Si es que has venido a Cristo de manera genuina ya tú tienes en tu interior algo que no tenías, algo completamente diferente.

Él lo ha querido así y por eso puso los ojos en ti.

Así que si eres un/a hijo/a de Dios es mejor que empieces a acostumbrarte, tal como lo hicieron los discípulos, a vivir en lo sobrenatural de Dios.

Al fin y al cabo tienes un nuevo poder y una nueva autoridad que te permiten hacer lo que antes no podías hacer.

Dios puede obrar a través de ti, ¡que poderoso privilegio tienes ahora!

Oración:

Amado Dios, sé que me has dado autoridad celestial para hacer lo que antes de conocerte no podía. Así que te pido que me ayudes en este día a usar esos recursos para tu gloria. Úsame para ser bendición a otros y para mostrar que tú obras desde mi interior con poder que viene de una fuente inagotable. Amén.

El lenguaje de la cruz

"Desde entonces comenzó Jesús a declarar a sus discípulos que le era necesario ir a Jerusalén y padecer mucho de los ancianos, de los principales sacerdotes y de los escribas; y ser muerto, y resucitar al tercer día" (Mateo 16:21)

En una ocasión Jesús empezó a enseñar que tenía que sufrir a manos de los ancianos, los sumos sacerdotes y los escribas, y que iba a ser condenado a muerte y resucitar a los tres días.

Entonces Pedro lo tomó aparte y se puso a reprenderlo por estas palabras. Jesús reaccionó con dureza diciéndole: "Quítate de mi vista Satanás, porque me eres tropiezo, tus pensamientos no son los de Dios, sino los de los hombres" (Mateo 16:23).

Así como Pedro en ese instante, la humanidad se ha querido apartar de la cruz. A nadie le gusta el concepto del sufrimiento y mucho menos en un mundo que busca placer y autosatisfacción todo el tiempo. El lenguaje de la cruz es un lenguaje que se debe callar.

El mundo sigue repitiendo esa acción de Pedro, el enemigo está colocando en cada corazón un deseo por estar lejos de la cruz. Pero si estamos lejos de la cruz, estamos lejos de Cristo.

¿Quieres seguir a Cristo? ¿Quieres ser conocido como un seguidor de Él? No hay más alternativa, Él dijo: si alguno quiere seguirme tome su cruz. No hay otras formas, no hay otros caminos.

Cuando leemos el Antiguo Testamento, percibimos a un Dios poderoso que derriba imperios, que enloquece a los poderosos, que desaparece naciones enteras de la faz de la tierra, que abre mares, y grandes señales y prodigios son vistos por el pueblo de Dios.

Entonces surge la pregunta: ¿no podría Jesús siendo ese mismo Dios liberarse de ese gobernador que lo humillaba como Poncio Pilato, o de los líderes religiosos que se burlaban de Él, o de esos soldados romanos que lo latigaban y escupían?

Claro que sí, Él tenía el poder para hacerlo. ¿Por qué no lo hizo?

Por amor a ti, por amor a mí, por amor a todos sus escogidos. Por todos ellos, por todos nosotros, Jesús no se bajó de la cruz, ni destruyó a los que lo llevaban a la cruz, porque allí se vivió el acontecimiento que hoy te hace libre y perdonado.

Si Jesús hubiera llamado a una legión de ángeles que lo libraran, lo hubieran podido sacar del sufrimiento de ese momento, pero no habría hoy ningún reino edificándose o creciendo como la semilla de mostaza, ni habría iglesia cristiana, ni habría redención de los pecados, ni salvación eterna.

Por eso no abrió su boca, como cordero fue llevado al matadero, pero sufrió sabiendo la gloria venidera de los que recibiríamos esa grandiosa muestra de su amor.

En la cruz está el hombre que ama a sus enemigos, el hombre cuya justicia es mayor que la de los fariseos, quien siendo rico se hizo pobre, quien dio su manto a quienes le robaron la túnica, quien ora por quienes lo insultan y agreden.

Para entender la obra de Jesús, es necesario que entendamos el lenguaje de la cruz. Es dolor, es sufrimiento, es pasión, pero también es gloria, redención y victoria.

Ese es nuestro lenguaje, ese es el lenguaje de la cruz de Cristo.

Oración:

Amado Jesús, en este día reconozco una vez más que tu sacrificio en la cruz me hizo libre. Puedo vivir sin cadenas de opresión del pecado, porque tú limpiaste mi vida con tu sangre y me diste una nueva vida para disfrutarla en libertad. Amén.

Dotados para el mundo espiritual

"No quiero hermanos que ignoréis acerca de los
dones espirituales" (1 Corintios 12:1)

Cada ser humano que viene a este mundo viene equipado para la vida natural que tiene que confrontar. A excepción de algunas personas que tienen problemas físicos, la gran mayoría de seres humanos pueden ver lo que está a su alrededor, pueden oír los ruidos que el mundo produce, pueden tocar el mundo exterior, pueden comer para que se nutra su cuerpo.

Pero aparte de esas funciones de los sentidos, también pueden respirar. Han sido dotados de pulmones que les permiten sobrevivir, de lo contrario morirían. Su corazón late, su sistema digestivo funciona, su sistema nervioso también, en fin, está dotado de todo lo que necesita para tener una vida natural.

Si algo de esto deja de funcionar, entonces la persona ya no puede sostenerse en este mundo y fallece, llevándose de hecho también los demás órganos que seguían funcionando bien.

Esta es la dotación con la que venimos equipados en nuestro nacimiento natural.

Pero la Biblia nos dice que el creyente genuino, el seguidor de Jesús, debe experimentar un nuevo nacimiento. Eso fue lo que Jesús le dijo a Nicodemo y le aseguró que sin ese nuevo nacimiento no podría disfrutar de los beneficios del reino.

Pero si entonces debemos nacer de nuevo: ¿Cuál es la dotación que necesitamos para poder sostenernos en esa nueva dimensión a la que entramos por ese nuevo nacimiento?

Cuando naciste naturalmente fuiste dotado/a para esa vida, pero cuando naces espiritualmente también tienes que ser dotado/a para esa nueva vida.

Y es aquí donde entra el componente espiritual.

Lo que es nacido de la carne, carne es, pero lo que es nacido del Espíritu, espíritu es, de tal manera que es recién allí en la experiencia del nuevo nacimiento, cuando somos dotados de algo que nos va a permitir vivir bien en la nueva vida que hemos recibido.

El Espíritu Santo empieza a gobernar nuestras vidas, Él nos sella hasta el día de la redención. Empezamos a discernir las cosas espirituales porque dejamos de ser esas personas naturales que no podíamos comprender todo esto y recibimos dones espirituales para poder desenvolvernos en la dimensión de vida espiritual en la que ahora estamos.

El problema con esto es que muchos no tienen la menor idea de que han sido dotados.

No saben que El Espíritu Santo los ha equipado con las herramientas adecuadas para que puedan bendecir a otros, y entonces todos esos dones se quedan errantes, es decir, nadie los usa, nadie recibe el beneficio, nadie puede ser edificado a partir de algo que ya El Espíritu Santo le ha dado generosamente.

Si eres una persona que ha nacido de nuevo, no puedes dejar de usar tu equipamiento espiritual.

Has sido dotado/a para edificar el cuerpo de Cristo y para glorificar a Dios y hay alguien que está esperando bendiciones que van a venir de parte tuya cuando te pongas en acción.

Tienes todo para vivir en la nueva dimensión de la vida espiritual.

Oración:

Dios bendito, este día quiero usar los dones espirituales con los que me has dotado para esta nueva vida que tengo a través de Cristo Jesús. Sé que nacer de nuevo es la experiencia que me permite ver las cosas desde otra dimensión, en la cual el Espíritu Santo dirige mi vida y me permite alcanzar las bendiciones de la vida espiritual preparadas para quienes te amamos. Amén.

Enseñando acerca de las manifestaciones espirituales

"Pero a cada uno le es dada la manifestación del Espíritu para provecho" (1 Corintios 12:7)

Cuando sucedió la reforma protestante en el siglo 16, muchas cosas cambiaron en la iglesia, afortunadamente.

Las personas tuvieron acceso a la Biblia, se quitó mucho de la idolatría, se cambió la forma de la liturgia, se definió la doctrina más bíblica posible y muchas cosas positivas se alcanzaron.

Pero hubo algo muy negativo, porque en el afán de separarse de todo lo que representaba la iglesia de ese tiempo, también algunos dijeron que los milagros y las manifestaciones espirituales habían cesado completamente.

Y un gran sector de la iglesia se fue al otro lado diciendo: Ya no puede haber milagros, cualquier cosa que se salga de la norma no es de Dios, y nos fuimos a la exageración y quitamos cualquier manifestación posible viniendo del Espíritu.

Así que por un lado hay quienes exageran completamente y todo se convierte en un desorden inmanejable, lo cual no está bien, pero también hay quienes descartan completamente que El Espíritu Santo pueda tener manifestaciones en la iglesia, y eso tampoco está bien.

Hay una realidad fundamental que debemos siempre que tener en cuenta: La iglesia es del Señor, Él es quien la guía, la defiende y la preserva.

Es más, Él puede hacer lo que Él quiera porque Él es Dios y la iglesia es su pertenencia más sagrada.

Lo que se hace en la iglesia no debe ser a la manera de los seres humanos, sino a la manera de Dios.

Es Dios enseñando, es Dios restaurando, es Dios perdonando los pecados, es Dios sanando a los enfermos, es Dios llevándonos de su mano a la experiencia más gloriosa que jamás podamos experimentar ¡porque es su iglesia!

Así que lo que tenemos que hacer no es negar las manifestaciones del Espíritu, sino más bien enseñar acerca de ellos.

Por ejemplo, el hablar en lenguas es una manifestación espiritual, pero la Biblia es clara cuando afirma que es para tu oración privada y solo debe hacerse en la congregación cuando hay alguien más que lo pueda interpretar.

No se trata de demostrar quien está más lleno del Espíritu Santo, sino de ver qué tanto del amor de Dios ha penetrado en tu corazón, porque "aunque hables lenguas angelicales, y aunque tengas profecía, y aunque entiendas todos los misterios y la ciencia y aunque tengas toda la fe del mundo, si no tienes amor", dice el apóstol Pablo, "de nada sirve, será solamente como metal que resuena o címbalo que retiñe" (1 Corintios 13: 1-2).

El punto es que hay quienes dicen tener muchos dones del Espíritu pero carecen de amor al prójimo.

Si esto es así, están negando al mismo Espíritu con sus actos, porque Jesús dice: "en esto conocerán que sois mis discípulos, si tuviereis amor los unos con los otros" (Juan 13:35).

Qué importante es que El Espíritu Santo sea quien gobierne a la iglesia.

Pidámosle hoy al Señor que Él derrame de su abundancia sobre todos nosotros y que podamos reconocer su obra.

Al fin y al cabo, Él está equipando a su iglesia para que le represente en este mundo.

Oración:

Amado Dios, hoy te pido que pueda comprender la obra del Espíritu Santo y pueda ser guiado/a por Él para obrar en obediencia a tu voluntad. Sé que así debe ser para los/as hijos/as de Dios, Amén.

Gracias Señor

*"Dad gracias en todo, porque esta es la voluntad
de Dios para con vosotros en Cristo Jesús"*
(1 Tesalonicenses 5:18)

Hay un sentimiento, una emoción o una actitud que solo puede darse de parte de corazones transformados. Este sentimiento o emoción se llama gratitud.

Es muy conveniente que cada uno de nosotros examinemos nuestro corazón y veamos si ciertamente somos agradecidos o no.

En el libro de Malaquías, que es el último del Antiguo Testamento, El Señor dice: Yo os he amado, y la respuesta desagradecida de ellos fue: ¿en qué nos has amado?

Es como el adolescente a quien sus padres se desviven por darle todo, trabajan dos o tres turnos, hacen sacrificios por ellos, le compran todo lo que quiere y un día cualquiera se levanta quejándose diciéndoles: Ustedes no me han dado nada, mejor me voy de aquí.

¿Cómo nos sentimos frente a esto? ¿Qué reacción hay dentro de nosotros cuando vemos tanto desagradecimiento?

La Biblia dice que en los tiempos finales, veremos que los hombres se volverán desagradecidos y amadores de sí mismos. Corazones desagradecidos son parte del carácter de los hombres malos de los últimos tiempos.

Pablo nos exhorta a no estar afanosos por nada sino más bien que nuestras peticiones sean conocidas delante de Dios en toda oración y ruego y con acción de gracias (Filipenses 4: 6).

Esto es muy importante. ¡Antes de recibir el milagro, ya estás dando gracias por él! ¡Antes de recibir la respuesta, tienes la confianza en que El Señor contestará y por eso empiezas a dar gracias aunque todavía no veas esa respuesta!

Eso es fe. Como tienes la certeza de lo que esperas, como tienes la convicción de lo que aún no ves, empiezas a dar gracias aun antes de que tus ojos finalmente vean aquello por lo cual estás orando.

Por eso el reino de los cielos está lleno de corazones agradecidos que no pueden detenerse de adorar al que está sentado en el trono.

John Harold Caicedo

363

Si aún no tienes un corazón lleno de agradecimiento al Señor, pídele hoy a Él que te ayude a cambiar para que empieces a glorificarle por cada día de gracia que Él te regala.

Que este día en especial puedas elevar una oración al Señor de gratitud por tantas y tantas bendiciones que has recibido y seguirás recibiendo.

Dios ama los corazones agradecidos.

Oración:

Dios del cielo, hoy quiero agradecerte por cada día de mi vida, por cada circunstancia, por cada instante que me has permitido experimentar. Quiero mostrar un corazón agradecido para tan grande obra que tú has hecho y seguirás haciendo en mi vida. Amén.

De la angustia a la celebración

"Y al entrar en una aldea, le salieron al encuentro
diez hombres leprosos, los cuales se pararon de lejos"
(Lucas 17:12)

Este pasaje de la Escritura nos presenta un escenario de dolor y de muerte.

Es el escenario de diez hombres leprosos, despreciados, llenos de llagas, con partes de su piel caída, envueltos en pedazos de telas que ocultan las partes de su cuerpo que ya están destrozadas, alejados de sus familias y de todo lo que podía representar para ellos una esperanza de vida.

La lepra era lo peor que le podía suceder a un ser humano en tiempos de Jesús.

Tenía que mantenerse lejos de sus amigos y parentela, debía llevar la maldición de su enfermedad, estaba obligado a publicar su propia calamidad, a rasgar sus vestiduras, y a hacer resonar la alarma para advertir a todos que huyesen de su presencia contaminadora. A los leprosos en aquellos tiempos se les conocían también como los "muertos caminantes", esa era la forma en que los demás los veían.

Estos hombres desde lejos, observan que viene Jesús y saben que por fin tienen una esperanza.

¿Qué harías tu cuando todo parece perdido y tan solo hay una esperanza? ¿No te aferrarías a ella con todo tu corazón?

Jesús no les dice: "sed limpios", "que la enfermedad desaparezca", o "que sean sanados inmediatamente". No, nada de eso. Solo los envía para que vayan a mostrarse a los sacerdotes.

¿Para qué? ¿Para qué ir donde los sacerdotes con la lepra en todo su cuerpo? ¿Qué sentido tendría mostrarles el cuerpo en pedazos? El componente de la fe nunca puede faltar en los milagros de Jesús.

Ellos obedecieron, pero aceptaron que si Jesús los enviaba a hacer eso, era porque ¡algo iba a pasar en el trayecto!

No siempre los milagros son instantáneos. Hay ocasiones en las que pueden ser graduales, poco a poco, pero en el trayecto tú sabes que ya estás recibiendo algo de parte de Dios.

Puedo entonces imaginar a estos hombres que caminan con una esperanza en sus corazones.

De repente el uno mira al otro y le dice: ¡mira lo que está sucediendo!, ¡mira tus manos, mira tu cuerpo, estás sano! ¡Y de pronto es el otro, y el otro y así todos estos hombres son sanados completamente y lo que era un desfile de despreciados leprosos, se convirtió en una fiesta de hombres sanados por el poder de Dios!

Las circunstancias en nuestra vida pueden cambiar radicalmente cuando El Señor está en el asunto.

Lo que era para muchos un día de quejas y lamentos, se puede convertir por el poder de Dios en un día de exaltación y agradecimiento.

Lo que era un porvenir oscuro, se convierte en un futuro lleno de esperanzas.

Lo que era una expectativa de muerte, se convierte en una seguridad de recibir vida nueva.

Sí, Dios puede cambiar tus circunstancias, Él puede convertir en fiesta y celebración lo que antes era un tiempo de angustia y de dolor.

Deseo con todo mi corazón que este día sea para ti uno lleno de esperanzas nuevas, de grandes expectativas, de gozo indiscutible, de vida nueva.

¡Si Jesús está contigo, cualquier cosa buena puedes esperar!

Oración:

Recibo de ti estas palabras Señor y me dispongo a vivir en el gozo y la alegría de saber que puedo contar contigo en todo momento. Saber que he sido rescatado/a del fuego y del sufrimiento eterno, me basta para darte la gloria todos los días de mi vida. Amén.

¿Y dónde están los demás?

"Respondiendo Jesús, dijo: ¿no son diez los que fueron limpiados? Y los nueve ¿dónde están?"
(Lucas 17:17)

En la historia de los diez leprosos sanados por Jesús, notamos que después del milagro solo uno regresó para glorificar a Aquel de quien recibió la sanidad. Solo uno vino y se postró en tierra a los pies de Jesús dándole gracias. Este era un samaritano.

¡Pero el 90 % de los hombres que fueron sanados no regresó para agradecerle a Jesús por semejante milagro!

Jesús preguntó: ¿no fueron diez los que fueron limpiados? ¿Dónde están los demás?

Él preguntó por los otros nueve que no volvieron a dar gracias.

¿Dónde están? ¿Tan pronto se han olvidado de lo que Jesús ha hecho por ellos?

Es el típico actuar de un seguidor que solo busca en Jesús sanidades y bendiciones, pero que no sabe agradecer a Dios por los prodigios y maravillas que recibe a diario.

Quizás hoy también nuestro Señor podría preguntar: ¿Dónde están todos los que han sido salvos? ¿Están glorificando a Dios con sus vidas? ¿Están ahora ayudando a otros? ¿Están dando de gracia lo que han recibido de gracia?

El Señor se sorprende por los corazones de estos hombres que nunca volvieron. Usaron a Jesús para que les diera el milagro y luego siguieron con sus vidas sin glorificar al que lo hizo.

Así que Jesús le dice a este hombre que regresó lleno de gozo: "Levántate, vete, tu fe te ha salvado".

¡Había algo más para el que tenía un corazón agradecido!

Una cosa es que tú recibas un milagro de parte de Dios, pero otra muy diferente es que la plenitud de la salvación llegue a tu vida.

Lo más importante no es ni siquiera el milagro. Lo más importante es la salvación de nuestras almas.

¡Así que a este hombre que regresó al lado de Jesús, la fe le dio nueva piel, pero la gratitud le dio un nuevo corazón, el de un adorador verdadero!

Los demás obtuvieron un milagro y luego no les importó nada más y se perdieron lo principal.

Muchas personas llegan a una iglesia solo buscando un milagro, pero no están buscando lo principal: a Jesús mismo, la salvación de sus almas, el perdón de los pecados, la gracia liberadora sobre sus vidas.

¡Los corazones agradecidos son una fuente que abre nuevas bendiciones!

Cuando empecemos a dar gracias por lo que ya tenemos, empezaremos a abrir el camino para que lleguen nuevas cosas a nuestra vida.

¿Para qué pides un mejor trabajo si aún no has agradecido por el que tienes?

¿Para qué pides más hijos si no le has ofrecido los que ya tienes al Señor?

¿Para qué pides 20 si cuando recibiste 10 te olvidaste quién te los dio?

Hay muchas cosas que están por llegar a tu vida, pero tienes que dar gracias por las que ya tienes.

Empieza hoy a dar gracias. Hay una fuente inagotable de bendiciones para aquel que tiene un corazón agradecido al Señor.

Oración:

Señor, hoy quiero simplemente darte gracias. Gracias por cada día, por tus bendiciones constantes, por tu amor ilimitado, por tu sacrificio en la cruz, por tu misericordia nueva de cada día, por la provisión, por el sustento, por el cuidado que tienes de mí, por eso y por muchas cosas más: Gracias Señor. Amén.

¿Cómo no dar gracias?

"Servid a Jehová con alegría; venid ante su presencia con regocijo" (Salmo 100:2)

Dar gracias a Dios no es una opción más. Es un deber, es un mandamiento, es una forma de aceptar que Dios de alguna forma u otra se manifiesta en nuestra vida.

¿Cómo no dar gracias a un Dios tan lleno de misericordia que nos dice que aunque nuestros pecados fueran como la grana, como la nieve serán emblanquecidos?

¿Cómo no dar gracias a un Dios que promete, que nos libra de las manos de ese enemigo que anda como león rugiente buscando a quien devorar?

¿Cómo no exaltar el nombre del Señor que nos dice que ha venido a darnos vida y vida en abundancia?

¿Cómo no tener corazones agradecidos si el amor y la gracia divina nos dan el regalo de la vida eterna?

El salmo 100 es una de las expresiones de gratitud más hermosas que hay en la Escritura.

Mira lo que dice: "Cantad alegres a Dios, habitantes de toda la tierra. Servid a Jehová con alegría; Venid ante su presencia con regocijo. Reconoced que Jehová es Dios; Él nos hizo, y no nosotros a nosotros mismos; Pueblo suyo somos, y ovejas de su prado. Entrad por sus puertas ¿Cómo? con acción de gracias, Por sus atrios con alabanza; Alabadle, bendecid su nombre. Porque Jehová es bueno; para siempre es su misericordia, Y su verdad por todas las generaciones. Aleluya".

No hay dos Cristos, uno para los despreocupados y desagradecidos, y otro para los consagrados, no.

Hay uno solo, nuestro Señor Jesucristo, quien sana, libera, respalda a los suyos y también pide que tengamos corazones agradecidos y siempre dispuestos para glorificarlo.

No queremos ser esa generación que se queda al margen de las bendiciones.

Por el contrario, queremos ser esa generación que hoy entra al lugar de las promesas y toma para sí la plenitud del poder de Dios manifestado en grandes maravillas.

¿Tienes hoy un motivo de agradecimiento al Señor?

Por supuesto que sí. Y no solo uno, sino muchos motivos para levantar tu mirada a los cielos y dar gracias por tantas y tantas bendiciones que vienen sobre tu vida de diferentes maneras.

Así que en este día regocíjate en la presencia del Señor, sírvele con alegría y ten un corazón agradecido para con Él.

¿Cómo no dar gracias todos los días de tu vida?

Oración:

Amado Dios, mi corazón rebosa de gratitud todos los días al saber que tú eres la fuente inagotable de bendiciones para mi vida. Hoy reconozco que si no fuera por ti, aún seguiría perdido/a en el mundo y sin rumbo. Pero tú me alcanzaste y me diste la nueva vida que hoy puedo disfrutar. Amén.

El juez justo

*"También oí a otro, que desde el altar decía:
Ciertamente, Señor Dios Todopoderoso, tus juicios
son verdaderos y justos" (Apocalipsis 16:7)*

Uno de los males más molestos con los que tenemos que lidiar diariamente es con las injusticias que se cometen en el mundo, muchas de las cuales debemos contemplar con un molesto sentimiento de impotencia en nuestro interior.

Vivimos en un mundo lleno de injusticias, muchas pueden ser pequeñas, como estar haciendo fila por largo tiempo y que de pronto alguien venga y se meta adelante de nosotros descaradamente. O puede ser una injusticia mayor, como en el caso de alguien que ha recibido una herencia y otro viene astutamente y lo despoja. Y así, muchos otros casos que suceden todos los días.

Y a pesar de que nosotros mismos somos injusto,s nos sentimos agraviados e indignados cuando vemos que en el mundo el mal triunfa sobre el bien. Sentimos indignación cuando alguien nos trata injustamente o cuando alguien es tratado así, y nos molesta sobremanera el no poder hacer nada para que las cosas sean manejadas de una mejor manera, para que el malo sea castigado y el justo sea reivindicado.

Así que en realidad los seres humanos somos paradójicos. Por un lado somos injustos, pero por otro lado nos molestan las injusticias. Pero esto tiene su explicación.

El ser humano fue creado a la imagen de un Dios justo y aunque esa imagen fue distorsionada por causa del pecado, no fue completamente destruida.

Aún llevamos en nosotros la imagen de Dios, pero es una imagen distorsionada.

Esa indignación que sentimos ante las injusticias que suceden a nuestro alrededor, es un reflejo imperfecto de esa imagen de Dios que aún tenemos.

Algo en nosotros clama por justicia.

En este mundo caído no todas las historias terminan bien. Muchas veces el malo sale victorioso y el justo sale pisoteado. La injusticia parece ganar y no son las historias con finales como los de las películas y los libros.

Y a veces nos sentimos impotentes frente a esa realidad. ¿Cuánto nos gustaría ver que en el mundo se hiciera justicia?

Pero no una justicia a medias o amañada por intereses de los hombres, no. Nos gustaría ver una justicia verdadera, un juez completamente imparcial que juzgara con equidad cualquier caso que se le presentara. Un juez que no se deje sobornar, que no se deje comprar, que al final, todos podamos afirmar con absoluta certeza: se hizo justicia. ¿Cuánto nos gustaría ver a un juez así?

Pues la Biblia nos enseña que algún día, todos, sin distinción estaremos frente a un juez así.

Todos compareceremos delante de un tribunal en el que seremos sentenciados con justicia, y cuyo veredicto no podrá ser apelado, porque estará basado en una forma perfecta de juicio, pero además, porque no habrá ningún otro tribunal superior a ese.

Algún día se hará una perfecta justicia en este mundo, porque ese día será el mismo Dios quien ejercerá esa justicia sin mancha, sin soborno, sin acomodamiento, sin preferencias.

¿Estás preparado/a para ese juicio perfecto?

Oración:

Amado Jesús, tú eres Dios justo, compasivo y misericordioso. Me apoyo en ti para vivir en tranquilidad, guiado por tu mano hacia la consumación de los tiempos, donde seremos juzgados, y por tu sangre bendita seremos declarados libres. Amén.

Un final feliz

"Enjugará Dios toda lágrima de los ojos de ellos;
y ya no habrá muerte, ni habrá más llanto, ni clamor,
ni dolor; porque las primeras cosas pasaron"
(Apocalipsis 21:4)

Nuestra vida no es una película de cine ni una serie de televisión, pero de igual manera nos motiva el saber que cuando llegamos a Cristo Jesús, se nos asegura que pase lo que pase durante los episodios de nuestra historia, de todas maneras tendremos un final feliz.

Podremos pasar por momentos de angustia, habrá sin duda esos días de dolor, de llanto, de luto, e incluso tendremos que presenciar la partida de seres queridos y situaciones de aflicción. Pero al final, como en esas buenas películas, estaremos del lado victorioso y celebraremos porque ya no habrá más llanto, ni clamor, ni dolor.

Recuerda siempre que estés pasando lo que estés pasando, tu vida se encamina hacia ese final tan anhelado y El Señor morará contigo en la eternidad, y tu gozo será perpetuo.

El ser humano fue colocado por Dios en este planeta para enseñorearse, sojuzgar y dominar en la creación hecha por El Señor. Sin embargo, la humanidad no ha escrito páginas de la historia de la manera más brillante. Hemos contaminado los mares, hemos contaminado el agua potable, hemos dañado los bosques, la capa de ozono tiene huecos gigantes, las selvas han sufrido deterioro, muchas de las especies animales han desaparecido, el clima mundial ha cambiado y los fenómenos naturales se han multiplicado. Hemos hecho de nuestro mundo un basurero y lo que fue creado de una manera tan especial por la mano de Dios, ha sido gradualmente destruido por la mano del hombre.

Todo esto es un reflejo del pecado en el ser humano. Abre los periódicos o escucha las noticias y te darás cuenta de cómo el pecado abunda por todas partes, y cada día aparecen cosas que incluso ni podríamos pensar que sucederían. Pero esa es la realidad en la que vivimos.

Estamos viviendo en un mundo en el que todos los días vemos cosas que afligen el corazón humano. Muchas personas llegan llorando a las iglesias los domingos. Muchos otros ni siquiera entran en ellas porque creen que ya no hay esperanzas. Las personas buscan soluciones por todas partes para mitigar un poco ese dolor y entre más buscan, más encuentran frustración.

El mundo puede prometer muchas cosas. Te podrá decir que puedes llegar a poseer muchos bienes materiales y hasta puedes llegar a tener mansiones y carros de lujo. Pero llegará un momento en el que todas esas cosas pasarán a manos de otros, porque la muerte te separará de todo esto así lo tengas en escrituras selladas y autenticadas. Esas escrituras solo sirven para este mundo.

Pero por el contrario, El Señor te ofrece algo de lo que nada ni nadie te podrá separar jamás: son las riquezas de la gloria de su herencia en los santos.

Las herencias de este mundo las disputan las personas y hasta se matan por recibir una herencia de bienes terrenales.

¡Pero la herencia de los hijos de Dios no te la puede quitar nadie, está preparada para ti y por eso tú serás un habitante de un lugar preparado directamente por El Señor, para que en él habites por la eternidad!

Oración:

Gracias Señor por prometerme una herencia incorruptible, incontaminada e inmarcesible reservada en los cielos (1 Pedro 1:4) y además darme una vida abundante para disfrutar aquí en la tierra. Amén.

Dios puede cambiar tu vida hoy

"Jesús le dijo: Hoy ha venido la salvación a esta casa..." (Lucas 19:9a)

La vida no necesariamente tiene que ser tan rutinaria y aburrida, sino por el contrario puede ser llena de sorpresas, de gratos momentos y aún más, cuando somos hijos del Creador de todo cuanto existe.

La Biblia nos habla acerca de aquellas cosas nuevas que Dios tiene preparadas para los suyos, y por eso todo creyente debe vivir constantemente con expectativa de lo que Él hará.

Él te puede sorprender, puede darle un giro a tu vida en un instante y enviarte hacia una nueva dimensión que antes no habías ni siquiera imaginado.

Me encanta ver cómo Dios obra. Cambia las vidas en un instante. Trae bendiciones cuando nadie se lo imagina. Levanta héroes de gente humilde. Convierte a simples pescadores en tremendos predicadores, convierte a publicanos y recaudadores de impuestos en grandes discípulos, transforma a perseguidores y asesinos en defensores y proclamadores de un Cristo vivo, cambia a mujeres prostitutas y adúlteras en seguidoras de un nuevo reino, convierte a hombre débiles en tremendos guerreros que derriban gigantes.

No hay duda, El Señor sigue transformando vidas en todas partes y la pregunta que debemos hacernos hoy para que sigamos siempre con esa expectativa es: ¿Qué tendrá preparado para cada uno de nosotros? ¡¿Qué estará preparando para cambiar mi vida?!

De repente, aquello por lo cual has estado orando por tanto tiempo, un día llega. ¡Puede ser hoy mismo! A lo mejor te levantaste esta mañana pensando que sería un día rutinario para ti, pero Dios interrumpe esa rutina y te sorprende con algo inesperado, tu vida es transformada y tu fe es fortalecida.

Por ejemplo, la mujer samaritana fue tremendamente sorprendida en un día cualquiera de su vida.

Iba sola al pozo del agua porque ya nadie quería acompañarla. Las demás mujeres la esquivaban, no querían compartir su tiempo con ella.

Pero Jesús la sorprende, se revela delante de ella como El Mesías, la convierte en la primera mujer evangelista y su vida ya no fue la misma de antes.

Sin duda, aquella noche, cuando puso su cabeza sobre la almohada pudo decir: "este fue el día más maravilloso de mi vida, hoy tuve una cita divina, ya nunca seré como fui antes"

¿Y acaso no podrías tú decir lo mismo esta noche?

Dios llega con algo inesperado o con algo que de repente habías perdido la esperanza de tener, pero El Señor te lo concede y al llegar esta noche a tu cama, al poner tu cabeza sobre la almohada, puedes también decir: "hoy mi vida ha cambiado para siempre, tuve una cita divina y ya no seré el/la mismo/a nunca más".

Oración:

Qué maravilloso eres tú Señor, que traes a mi vida momentos sublimes, respuestas inesperadas para seguir cambiando mi vida a tu manera. Haz tu obra en este día sobre mí y que al reposar en la noche yo también pueda decir: Hoy he tenido una cita divina. Amén.

La apostasía de nuestros tiempos

*"Pero yo dije: Ciertamente éstos son pobres, han
enloquecido, pues no conocen el camino de Jehová, el
juicio de su Dios" (Jeremías 5:4)*

Pablo refiriéndose a estos días en que vivimos, escribe: "Pero el
Espíritu Santo dice claramente que en los postreros tiempos algunos
apostatarán de la fe, escuchando a espíritus engañadores y a doctrinas
de demonios" (1 Timoteo 4:1).

La apostasía siempre trajo el juicio y el castigo de Dios.

A causa del pecado y de la apostasía del pueblo en los tiempos del
profeta Jeremías, Dios permitió una terrible sequía en el país. Ellos
buscaban agua por doquier, pero volvían con sus vasijas vacías, y se
resquebrajó la tierra por no haber llovido en el país, los labradores
estaban confundidos y los animales morían.

En aquel tiempo de sequía el gran profeta Jeremías clamaba a Dios
en intercesión para que Dios enviara lluvia. Dios le contestó acerca
del pueblo y dijo: "Se deleitaron en vagar, y no dieron reposo a sus
pies; por tanto, Jehová no se agrada de ellos; se acordará ahora de su
maldad, y castigará sus pecados… No ruegues por este pueblo para
bien… Si Moisés y Samuel se pusieran delante de mí, no estaría mi
voluntad con este pueblo; échalos de mi presencia, y salgan… Y
enviaré sobre ellos cuatro géneros de castigo, dice Jehová: espada
para matar, y perros para despedazar, y aves del cielo y bestias de la
tierra para devorar y destruir" (Jeremías 14:10, 11; 15:1, 3).

Lo que llenó la copa de la ira de Dios fue que el pueblo se
dedicaba solo a darse gusto sin buscar en obediencia la presencia
de Dios, no iban en busca de su Palabra ni de su voluntad. Vagaban,
erraban, rotaban, correteaban, desviaban, sin punto fijo en ningún
lugar; espiritualmente hacían lo mismo, no se apoyaban firmemente
en Dios ni en su Palabra, pero a cualquier falso profeta que les
profetizaba bendición, paz, prosperidad, riquezas, fortuna, vanidad,
le creían porque eso querían.

¿No estamos viviendo en nuestros días en condiciones similares?

Aquellas cosas fueron escritas para que nosotros hoy no caigamos
en lo mismo.

Sin embargo, ¿no están muchos en la Iglesia de hoy vagando, sin dar reposo a sus pies, corriendo de un lugar a otro, yendo de un profeta a otro, cambiando de una doctrina a otra; llevados por todo viento de doctrina, buscando la que mejor se acomode a sus caprichos y veleidades?

Hoy como ayer, muchos están vagando, apostatando de la fe, escuchando a espíritus de error y doctrina de demonios.

Y la apostasía traerá siempre el juicio de Dios y su castigo.

Es tiempo de pedirle al Señor por la llenura del Espíritu Santo para poder discernir estos espíritus falsos que están contaminando al pueblo de Dios.

Ahora más que nunca se requiere que cada creyente ore por discernimiento, combata la apostasía y contienda ardientemente por la fe que ha sido entregada de una vez por todas a los santos.

Es la hora para que los verdaderos seguidores de Jesús alumbren con su fe en medio de un mundo de oscuridad y mentira. ¿Lo harás tú?

Oración:

Este es un día para avanzar con paso seguro en tus caminos. En lugar de vagar a la deriva, hoy quiero andar en tu voluntad perfecta y aprovechar cada paso que me lleve a la obediencia a tu mandato de amor. Amén.

Volviendo al Edén original

"y el que estaba sentado en el trono dijo: He aquí,
yo hago nuevas todas las cosas. Y me dijo: Escribe;
porque estas palabras son fieles y verdaderas"
(Apocalipsis 21:5)

Cuando leemos el libro de Génesis y la perfección del Edén donde nuestros primeros padres caminaron felices en compañía de Dios, disfrutando de todas las cosas que habían sido creadas para su deleite, se nos viene inmediatamente un anhelo por obtener algo así de nuevo.

Un lugar donde no había dolor, ni muerte, ni llanto, ni ningún tipo de tristeza, sino todo era armonía, paz y perfección.

Y es por eso que en el fondo de nuestro corazón y de nuestros pensamientos está ese anhelo de volver a algo como ese Edén original.

Estamos cansados de sufrimientos, de tristezas, de violencia. Estamos abrumados por tantos crímenes, guerras, suicidios, pérdidas de seres queridos, ataques terroristas, todas esas cosas que hacen que este mundo de hoy sea tan difícil de confrontar.

Una de las promesas más gloriosas en la Biblia, es que este tipo de situaciones no van a ser por siempre. Mientras las personas, que son esclavas del pecado y de motivos egoístas, sigan teniendo poder y riquezas, este mundo seguirá siendo un valle de lágrimas. Sin embargo, la Biblia promete que el día de la liberación está por venir. Este es el día en que Jesús regresará y establecerá un nuevo reino. ¡Y nunca más habrá dolor sobre esta tierra!

¿Qué sería de nosotros si no existiera una esperanza mejor? ¿Qué sería de nosotros si esto fuera todo y al final tan solo la muerte y una nada eterna?

Pero siempre hay expectativa en el corazón del creyente. Siempre hay una espera por algo mejor de acuerdo a las promesas bíblicas y a las palabras que salieron de la boca de Dios.

Deseamos una tierra perfecta y hermosa, deseamos que todo sea restaurado. Añoramos ese Edén original y la Biblia nos apunta hacia ese futuro que tanto añoramos.

La muerte vino por causa del pecado, el dolor vino por causa del pecado, el sufrimiento vino por causa del pecado, las enfermedades y todas esas cosas negativas que vemos hoy en día vinieron por causa del pecado, pero cuando seamos librados totalmente de esa corrupción del pecado, entonces seremos resucitados en cuerpos gloriosos que no tienen descomposición en ellos.

Por eso dice El Señor que "ya no habrá más muerte, ni habrá más llanto, ni clamor, ni dolor".

¿Te das cuenta todo lo que será eliminado de nuestras vidas?

Ya no pueden estar más, precisamente porque tanto la muerte, como el llanto y el dolor, vinieron por causa del pecado y ya nosotros no tendremos nada que ver con esa corrupción.

Cuando este día llegue, también vendrá el día de la paz eterna. Y no habrá más injusticias sobre esta tierra, ni asesinatos, ni suicidios, ni crímenes violentos, ni esa locura desenfrenada que parece consumir a este mundo.

En lugar de eso, habrá un reino de paz y de amor gobernado por Jesús, el Príncipe de Paz, y en el que estaremos todos los que abrimos nuestro corazón para recibirlo.

Así que no te desalientes. Aunque estés pasando por momentos difíciles, algún día todo esto cambiará y podrás disfrutar de todos los beneficios que solo los hijos de Dios tendrán por la eternidad.

Oración:

Tus promesas nos sostienen y nos alientan. Creer que algún día no habrá más llanto ni dolor, nos hace vivir con la confianza de entender que tenemos a un Dios que al final de los tiempos nos dará la plenitud de la salvación eterna y viviremos con Él por la eternidad. Amén.

Ganándolo todo, pero perdiendo el alma

*"Porque ¿Qué aprovechará al hombre, si
ganare todo el mundo, y perdiere su alma? ¿O
que recompensa dará el hombre por su alma?"
(Mateo 16:26)*

Hay una historia interesante que tiene que ver con la sepultura del famoso rey Carlomagno.

Según la leyenda, pidió que lo sepultasen sentado en posición erguida sobre su trono.

Pidió que su corona fuese colocada sobre su cabeza y su cetro puesto en su mano.

También pidió que le colocasen en los hombros su manto real y que le pusiesen un libro abierto sobre el regazo.

El orgullo del ser humano, el creer que aun después de muerto podría seguir siendo importante para el mundo de esa manera.

Eso sucedió en 814 D.C. Casi doscientos años después, el emperador Otelo decidió averiguar si el pedido de sepultura había sido cumplido.

Envió un equipo de hombres a abrir la tumba y hacer un informe.

Encontraron el cuerpo tal como Carlomagno lo había solicitado. Sólo que ahora, casi dos siglos más tarde, la escena era grotesca. La corona estaba ladeada, el manto apolillado, el cuerpo desfigurado.

Pero abierto sobre los muslos del esqueleto estaba el libro que Carlomagno había solicitado: la Biblia. Un dedo huesudo señalaba a Mateo 16.26: «¿De qué le servirá a un hombre ganar el mundo entero si pierde su alma?»

Cuando el ser humano se olvida del Reino de los cielos, se aferra a la apariencia del mundo, sin darse cuenta de que todo en esta vida es pasajero, efímero y transitorio.

JIm Elliot un misionero americano que murió siendo misionero en el Ecuador escribió estas palabras: "No es necio aquel que entrega lo que no puede guardarse para obtener lo que no puede perderse."

Es un dicho llamativo. No es necio entregar esta vida (que no se puede guardar) para obtener la vida que no puede perderse (la vida eterna).

El apóstol Pablo escribió: "Considero que los sufrimientos del tiempo presente no son nada si los comparamos con la gloria que habremos de ver después" (Romanos 8:18).

En otra carta escribió: "Lo que sufrimos en esta vida es cosa ligera, que pronto pasa; pero nos trae como resultado una gloria eterna mucho más grande y abundante" (2Corintios 4:17).

Lo que está diciendo es que cualquier sufrimiento que tengamos en esta vida no puede compararse con una eternidad en la presencia de Dios.

Sí, no es necio aquel que entrega lo que no puede guardarse para obtener lo que no puede perderse.

No pierdas tiempo en una vida que no puede guardarse si te va a costar la vida que no puede perderse.

Oración:

Dios amado solo tú puedes prometerme una eternidad feliz en tu compañía. Miles de mártires dieron su vida por esta verdad y aun en los últimos momentos de su vida no renegaron, ni se arrepintieron de su fe, porque sabían que tú, Dios del cielo, los esperabas con brazos abiertos. Amén.

La belleza está en los ojos del que mira

*"Y Jehová respondió a Samuel: No mires a su
parecer, ni a lo grande de su estatura, porque
yo lo desecho; porque Jehová no mira lo que
mira el hombre; pues el hombre mira lo que está
delante de sus ojos, pero Jehová mira el corazón"*
(1 Samuel 16:7)

Has hablado alguna vez con un amigo que te habla de una chica y empieza a describirla con palabras como: "tiene ojos como estrellas relucientes, tiene un cabello como una cascada que cae serenamente sobre sus hombros, tiene un cuerpo como de guitarra, tiene una boca que destila miel como un panal," etc., etc. y cuando te la presenta tú dices: ¿Y este dónde le vio todo eso?

A ti en particular no te parece que responde a ninguno de todos estos atributos que tu amigo te dijo pero lo volteas a mirar a él y se ve profundamente enamorado.

¿Por qué puede darse algo así?

Definitivamente debemos aprender algo que es muy importante y es que la belleza está en los ojos de quien mira, en los ojos del observador.

Un famoso filósofo ingles del siglo XVIII aseguró que "La belleza de los objetos reside en la mente de quien los observa".

No hay un concepto uniforme en ese sentido, sino que aquel que mira es el que define su propio concepto y lo que para unos es fealdad, para otros es belleza.

Esta reflexión me hizo meditar. ¿Cómo nos mira Dios? ¿Qué hay en los ojos de Dios para que nos mire con ojos de gracia y de amor?

No es tanto lo que hay en nosotros, sino lo que hay en los ojos de Dios lo que define nuestra naturaleza, y desde ese punto de vista los hijos de Dios estamos llenos de belleza para Nuestro Creador.

Él nos mira de esa manera. Así que aunque para muchos no seas muy agraciado/a o muy lindo/a desde el punto de vista humano, para Dios estás lleno/a de hermosura.

Pero como Dios nos mira de esa manera, Él quiere enseñarnos a mirarnos entre nosotros de la misma manera.

Y es aquí cuando se nos complican las cosas.

Puede ser fácil mirar así a quien te ama, a quien te sirve, a quien te cuida, a quien te respeta.

¿Pero mirar con buenos ojos a los que te desprecian, a los que no anhelan lo mejor para ti, a los que incluso intentan hacerte daño?

¿Cómo debemos amar a nuestro prójimo? La respuesta es: Como Cristo nos amó.

Es la transmisión de la gracia entre unos y otros, es el entendimiento de que soy una nueva criatura en Cristo, capacitada ahora para dar amor de la misma manera que lo he recibido.

En este día recuerda que Dios está cambiando tu visión de las cosas y de las personas. Él quiere poner en ti una nueva perspectiva a través de la cual podrás llegar a ver a los demás con ojos de gracia y de amor.

Recuerda que la belleza está en los ojos del que mira y es por eso que Dios está cambiando completamente tu visión.

Él te está facultando para que aprendas a mirar con ojos sanados por la gracia que miran a los demás desde el interior de un alma llena de belleza.

Oración:

Señor, sé que me miras con ojos de gracia y de amor. Sé que para ti soy la niña de tus ojos, escogido/a, bendecido/a y santificado/a para siempre. Me siento privilegiado/a de ser hijo/a de un Dios tan lleno de misericordia y de amor por mí. Amén.

Tiempo de conquista

"Cuando salgas a la guerra contra tus enemigos,
si vieres caballos y carros, y un pueblo más grande
que tú, no tengas temor de ellos, porque Jehová tu
Dios está contigo, el cual te sacó de tierra de Egipto"
(Deuteronomio 20:1)

En el libro de Deuteronomio se dan leyes al pueblo de Israel sobre el testimonio, sobre las ciudades de refugio, sobre la administración de la justicia y otras más que tenían que seguir para mantenerse fieles a los principios que Dios les ordenaba.

Entre todas estas también aparecen las que tienen que ver con la guerra.

El pueblo de Dios es un pueblo guerrero, es un pueblo que conquista, es un pueblo que avanza victorioso con gente valiente que incluso está dispuesta a dar la vida por la causa del Señor.

Israel estaba a punto de entrar en la tierra prometida. ¡Ya no era tiempo de liberación, todo esto ya había pasado, ahora era tiempo de conquista!

Dios usó a Moisés para ser el libertador de su pueblo de Egipto y llevarlo por el desierto, entregarle la ley, enseñarle sobre el tabernáculo, y muchas otras cosas que cumplió Moisés de una forma muy especial.

Pero ahora, llega un tiempo diferente. Están a punto de cruzar el Jordán para finalmente entrar a la tierra prometida.

Toda una generación ha muerto y esta generación necesita conocer lo que Dios quiere para ellos, porque van a ser los encargados de entrar a conquistar estas tierras llenas de enemigos.

Por eso Dios cambia al líder. Moisés va a morir pero aparecerá ahora Josué para tomar el mando de un pueblo que entra a otra faceta de su historia.

Esto es sin duda muy importante para todos nosotros. Tenemos que saber en qué tiempo de nuestra historia estamos.

Cuando nosotros entendemos eso, más fácil vamos a comprender el llamado del Señor para nuestras vidas. Porque el Gran Libertador de nuestras almas ya vino a este mundo y nos hizo libres. Ya somos libres de toda condenación. Ya somos libres de la potestad del enemigo.

Jesús vino a este mundo y nos hizo libres por su sacrificio en la cruz, es decir que ya no necesitamos más libertadores, ¡ahora El Señor está llamando a una generación de conquistadores!

¡Vayan por el mundo y conquístelo para Cristo Jesús. Anúncieles lo que yo les he enseñado, bautícenlos en mi nombre y yo estaré con ustedes todos los días hasta el fin del mundo! (Mateo 28:18-20)

Este es un llamado para conquistar en el nombre poderoso de nuestro libertador Jesucristo.

Estamos en tiempo de conquista. El Señor nos ha hecho un llamado para movilizarnos compartiendo el evangelio que es poder de Dios para salvación.

Es hora de que se levanten los valientes que caminan de la mano del Señor llevando un mensaje que transforma las naciones enteras.

¿Eres tú parte de este glorioso ejército de valientes?

Oración:

Señor, hoy quiero ser obediente a tu mandato de compartir el mensaje poderoso del evangelio. Te pido que me presentes ocasiones y personas para hablarles de tu gran amor, de la salvación y la vida eterna. Amén.

Julio

Orar sin desmayar

"También les refirió Jesús una parábola sobre
la necesidad de orar siempre y no desmayar"
(Lucas 18:1)

La Biblia nos muestra cómo los hombres de Dios aprendieron a buscar al Señor en oración.

Por ejemplo, Abraham oró delante de Dios a favor de Abimelec y su mujer, debido a que no podían tener hijos y El Señor respondió a esa oración abriendo el vientre de la esposa de Abimelec.

Antes, el mismo Abraham había intercedido a favor de Sodoma, buscando que El Señor librara esta ciudad teniendo en cuenta a los justos que allí habitaban, pero desafortunadamente no se encontró un grupo suficiente para librar a Sodoma y tuvo que ser destruida.

Lo mismo sucedió con Jacob en momentos de incertidumbre. El peleó con Dios en Peniel buscando la bendición y no se fue de aquel lugar hasta que la obtuvo.

Moisés también oró de esta manera y los profetas hicieron lo mismo.

Así que a medida que recorro las páginas de la Biblia me pregunto: ¿Cómo es la oración que llega hasta los cielos? ¿Cómo es ese clamor?

Y no encuentro oraciones superficiales o vacías, nada de eso.

Lo que encuentro son clamores, necesidades profundas, dolor en el vientre, vestirse de cilicio, un gemir desde el fondo del corazón.

Así clamó Ana por un hijo, así pidió Esdras viendo un pueblo contaminado y pervertido.

Así lloró Nehemías por los suyos que seguían indolentes, mientras los muros de la ciudad seguían derrumbados y así se lamentó Jesús al ver a las personas viviendo como ovejas sin pastor, desamparadas, perdidas, rodeadas de religiosos pero sin una vida espiritual fortalecida en torno a Dios y su palabra.

¿Te das cuenta cómo son esas oraciones bíblicas? ¿Se parecen a las tuyas? ¿Estás orando de la misma forma?

Ninguno de nosotros puedes estar tranquilo si los nuestros se están yendo a la condenación eterna. Ninguno de nosotros puede estar tranquilo si nuestros hijos están apartados de las cosas de Dios. Ninguno de nosotros puede cruzarse de brazos mientras el mundo mismo corre enloquecido hacia su perdición.

¡Las batallas espirituales se ganan de rodillas!

Orando y confiando en Dios es como verdaderamente ganamos nuestras batallas, porque asumimos nuestra verdadera posición como creyentes.

Es día de tomar la autoridad que Dios nos ha dado. Es hora de romper con las tinieblas y creer que en Cristo tenemos todas las respuestas que necesitamos.

Hoy puedes retomar tu camino. -Búscalo, dile que lo necesitas –

Deja que su amor te invada, te libere, te llene de su gozo, pelea por esas bendiciones y nunca desmayes en tu vida de oración.

Oración:

Hoy me acerco a ti Señor en oración, súplica, ruego y acción de gracias. Sé que las batallas se ganan de rodillas, por lo tanto hoy me postro en tu presencia para encontrar de nuevo la victoria contigo. Amén.

Al Dios conocido

"porque pasando y mirando vuestros santuarios,
hallé también un altar en el cual estaba esta
inscripción: AL DIOS NO CONOCIDO. Al que
vosotros adoráis, pues, sin conocerle, es a quien yo os
anuncio" (Hechos 17:23)

¿Cuán bien conocemos al Dios en el que decimos creer?

Conocer a Dios personalmente significa sentirse seguro en su presencia y buscar su compañía.

Significa entender lo que Él dice que es y creerle.

Significa vivir en la realidad de su poder y misericordia que no se detienen.

Significa creer que cada palabra contenida en la Escritura es verdad, y que todo aquello que Jesús dijo en ella es realmente la palabra que salió de la boca de Dios y por lo tanto, no es para mí una opción sino un mandato divino.

Significa también que estoy en las manos de un Dios poderoso que cuida de mí y que me desafía a crecer espiritualmente y a dar mis dones para la edificación del cuerpo de Cristo.

Significa que nunca estoy solo en este mundo, pues sus promesas nos dicen que Él estará con nosotros cada día hasta el fin del mundo.

Significa que entiendo que su voluntad para mí es perfecta y que todas las cosas que me pasan me ayudan a bien, de acuerdo con sus propósitos en gloria.

Significa que soy parte de un pueblo redimido que camina hacia un destino de eternidad en su presencia, gracias a la obra más impresionante que se ha hecho a mi favor en una cruz en un monte de Galilea.

Significa que yo soy luz en este mundo y que tengo la potestad de ser llamado su hijo porque lo he recibido en mi corazón y he creído.

Significa que debo renovar mi entendimiento para poder comprobar cuál es su buena voluntad agradable y perfecta para mi vida.

Significa esto y muchas cosas más.

Y al confiar en El Dios que creó los cielos y la tierra y que me sigue amando a pesar de lo que soy, no puedo menos que expresar: Gracias Señor por alumbrar mi entendimiento para creer en ti.

Oración:

Señor, reafirmo mi fe en ti a través de esta oración. Tú me hablas en tu palabra día a día y me reafirmas en tus promesas eternas ayudándome a sobrepasar cada momento que vivo. Quiero conocerte cada día más. Amén.

Dios siempre está trabajando

*"Y Jesús les respondió: Mi Padre hasta ahora
trabaja, y yo trabajo" (Juan 5:17)*

El único sobreviviente de un naufragio llegó a la orilla de la playa de una lejana y deshabitada isla.

Todos los días oraba fervientemente, pidiéndole a Dios que le rescataran, y todos los días miraba al horizonte esperando que algún barco se acercara, pero los días iban pasando y la esperanza se iba apagando.

Aunque agotado y deprimido logró construir una pequeña cabaña con madera del naufragio para protegerse de los elementos y proteger sus pocas pertenencias, que con mucho esfuerzo pudo encontrar en la isla.

Un día al regresar de buscar comida, encontró que la pequeña cabaña se había quemado, el humo subía hacia el cielo. Lo peor que le sucedió fue que había perdido hasta las pocas cosas que tenía.

El pobre hombre estaba consternado, desanimado, confundido y lleno de dolor. Herido y furioso lloró amargamente y le gritó a Dios: ¡¿Cómo puedes hacerme esto?!

Se quejó con impotencia lamentándose de todo lo que le había pasado y de cómo Dios le había quitado todo, aun sus pocas pertenencias. Desconsolado se quedó dormido sobre la arena.

Al día siguiente temprano por la mañana le despertó el sonido lejano de un barco que se acercaba a la isla.

Cuando vinieron a rescatarlo él preguntó cansado y perplejo a los marineros: "¿Cómo sabían que yo estaba aquí?" Ellos le contestaron: "Vimos las señales de humo que nos hiciste…".

Esto nos enseña que a veces es fácil desesperarse y enojarse cuando las cosas nos salen mal.

Pero no debemos perder la fe y la esperanza porque Dios está siempre obrando a nuestro favor y tiene en su control nuestras vidas aun en medio del dolor y del sufrimiento.

Puedes tener una absoluta seguridad en este día. Aunque no lo veas, aunque no lo percibas, aunque no lo escuches, Dios está trabajando en tu vida y pronto verás el fruto de su trabajo en ti.

No te desesperes, El Dios del universo no se ha olvidado de ti.

Oración:

Gracias Señor porque no te has olvidado de mí, por el contrario, cada día tengo la certeza de que sigo recibiendo tu amor, tu compasión, tu misericordia y tu compañía. Hoy celebro todo esto con un corazón rebosante de agradecimiento que no cesa de alabarte. Amén.

El que levanta mi cabeza

*"Mas tú, Jehová, eres escudo alrededor de mí; mi
gloria, y el que levanta mi cabeza" (Salmo 3:3)*

Sin duda que conocemos muchas de las experiencias de David por
los salmos que escribió.

El habla en ellos del gozo, del arrepentimiento, de la adoración,
de la pertenencia al Buen Pastor, de las maravillas de Dios, de la
protección divina, de la misericordia y de la paciente espera, entre
muchas otras cosas.

David es conocido de diversas maneras en la Biblia. Alguna de
ellas como el dulce cantor de Israel, el más grande rey en la historia
de este pueblo; por supuesto, el jovencito que armado del poder
de Dios venció al gigante que nadie podía vencer; el título más
sobresaliente fue el de ser un hombre conforme al corazón del Señor.

Pero su vida no fue siempre de cánticos, de inspiraciones, de
palacios, de servidumbre, de cosas buenas. En realidad David pasó
por momentos muy difíciles, de la misma manera que pasamos todos
los seres humanos en este mundo.

Pero la reflexión es: ¿Cómo respondió David en momentos
difíciles? ¿Qué es lo que debemos hacer cuando sentimos que el
lodo cenagoso de la desesperación nos consume? ¿Cómo son tus
respuestas cuando sabes que las cosas en tu vida son difíciles,
que parece que no encuentras salida, que se te hace difícil seguir
creyendo, seguir confiando en Dios? ¿Cómo respondes?

Y no sé si en este momento de tu vida, algo difícil está pasando.

A lo mejor hoy, en este día, tu hogar es un desierto. A lo mejor
hay solo sequedad, lo que vez a tu alrededor es solo aridez, quizás
es tu economía o tu salud lo que te mantiene preocupado/a y te está
llenando de ansiedad.

Cuando el desaliento se apodera de tu vida, cuando parece que
ya no hay respuestas para tus oraciones, cuando parece que las
promesas de Dios no llegan, cuando todo a tu alrededor se ve tan
complicado, necesitas una palabra que venga directamente del trono
de los cielos para ti.

El Señor es especialista en tomar los pedazos de un corazón partido y volverlos a juntar.

Es especialista en recoger las migajas de una vida hecha pedazos y unirla para que ahora tenga sentido. Es especialista en renovar aquello que todo el mundo dio por muerto.

El sana a los quebrantados de corazón, libera a los oprimidos, abre los ojos de los ciegos, da nueva vida y resucita a los muertos.

David supo todo eso porque experimentó la mano sanadora y poderosa del Señor en su vida muchas veces. Por eso no cesaba de alabar a Dios.

Este día es un regalo de su gracia. Disfrútalo y recuerda que a lo largo de la jornada tienes a uno que es tu gloria y levanta tu cabeza aun en la adversidad.

Oración:

Amado Salvador, entre más te conozco más puedo reconocer la magnitud de tu amor para mí. Sé que en los momentos más difíciles que he atravesado tú has levantado de nuevo mi cabeza y me has ayudado para seguir adelante. Tú sigues haciendo tu obra poderosa en mí. Amén.

Dios ha sido bueno

"Bueno es Jehová a los que en Él esperan, al alma
que le busca" (Lamentaciones 3:25)

Hace unos años atrás al empezar un nuevo año llamé a un amigo que hacía tiempo no veía y le pregunté: "¿Cómo te fue el año pasado?"

El me respondió: Bueno, mi mamá murió después de mucho tiempo de una enfermedad, mi hijo murió trágicamente en mi país, y yo me quedé sin empleo, pero ¡Dios ha sido bueno!

¡Dios ha sido bueno!, dijo él.

¡En el corazón de mi amigo estaba el agradecimiento al Señor por todo a pesar de sus adversidades!

El reconocimiento de que a pesar de sus dolores, de sus angustias, el corazón que siempre ama al Señor, es precisamente aquel del cual puede surgir una expresión de adoración.

De la misma manera hace unos años atrás estaba yo predicando una serie de sermones por cinco semanas sobre la oración. Recuerdo que una amiga muy cercana estaba esperando bebé, su único hijo, y también mi esposa por esos días estaba en embarazo.

Pero nuestra amiga tuvo una complicación en su embarazo e involuntariamente perdió su bebé, y en esa semana cuando yo estaba compartiendo este desafortunado suceso dije que a pesar de estas circunstancias tan adversas era necesario seguir alabando al Señor porque Él siempre es bueno.

La siguiente semana cuando me paré en el púlpito tuve que repetir la historia.

Pero ahora ya no fue nuestra amiga obviamente, sino que mi esposa la noche de aquel lunes tuvo complicaciones y perdió la criatura que tenía en su vientre, y estuvo incluso a punto de perder la vida ella misma.

Y entonces me paré en aquel púlpito para decir, como había dicho una semana antes, desde el fondo de mi corazón, que Dios es bueno y que su misericordia es para siempre, y lo sigo creyendo de verdad.

¿Cómo miras a Dios cuando estás en medio de tus aflicciones? ¿Lo puedes ver de la misma manera que cuando tu corazón está regocijado?

Dios es bueno no solamente cuando recibimos las respuestas que esperábamos, sino aun cuando todo parece que está en nuestra contra.

Dios es bueno y eso no puede ser definido por las circunstancias que estemos viviendo.

Pablo nos dice que "a los que aman a Dios, todas las cosas les ayudan a bien, esto es, a los que conforme a su propósito son llamados" (Romanos 8:28).

El Señor sigue trabajando en nuestras vidas trazando caminos mejores que los que podemos concebir y con pensamientos superiores a los nuestros.

Recuerda en este día que aunque estés pasando por un valle de sombra de muerte, tienes un Buen Pastor que te cuida siempre y te protege.

Esa sigue siendo la experiencia de mi vida y por eso puedo seguir afirmando que tengo a un Dios que es siempre bueno y en Él he depositado mi vida entera con total confianza.

¿Y tú? ¿También has hecho lo mismo?

Oración:

Amado Dios, vivo día a día bajo tu cuidado y protección. La expresión de mis labios es en este día una expresión de agradecimiento: Tú eres bueno y para siempre es tu misericordia. Qué extraordinaria verdad la que me has hecho comprende., Amén.

Esperando con paciencia

"Pacientemente esperé a Jehová, y se inclinó a mí, y oyó mi clamor" (Salmo 40:1)

La paciencia es uno de los valores más importantes que debemos tener, pero sin duda uno de los más olvidados hoy en día en el mundo en el que todo se volvió inmediato.

Si vamos al supermercado encontramos un montón de cosas que ahora son instantáneas: Café instantáneo, leche instantánea, pollo de preparación inmediata, productos para hacer en el microondas, etc., productos rápidos. Así mismo queremos atención inmediata, envíos instantáneos, dinero que llega al otro lado del mundo con un clic en el teléfono. ¿Quién quiere esperar entonces?

Nos desesperamos en la autopista cuando está llena, nos desesperamos en el consultorio del médico mientras nos atienden, en la fila para entrar al cine.

Hoy en día vivimos en la cultura de la desesperación y el mundo exige respuestas inmediatas, y así mismo le exige a Dios respuestas instantáneas.

¿Quién quiere orar por años y años acerca de algo específico? ¿Quién quiere esperar por respuestas divinas en esta cultura de lo inmediato?

Sin embargo David nos insta exactamente a hacer lo contrario. A esperar con paciencia por la respuesta de Dios, a seguir confiando en las promesas divinas, aun a pesar de que no veamos tan pronto la contestación a nuestras oraciones.

David esperó con paciencia y siguió orando, creyendo, aguardando por la respuesta divina.

¿Cuánto tiempo esperó? No sabemos, no conocemos cuánto tiempo estuvo clamando, pero sí sabemos que lo hizo con paciencia.

Él supo esperar por una respuesta y entonces, como resultado de esa espera, él afirma: "se inclinó a mí y oyó mi clamor", y las respuestas celestiales se manifestaron en abundancia.

Por eso él sigue diciendo: "Me hizo salir del pozo de la desesperación, del lodo cenagoso; puso mis pies sobre peña y enderezó mis pasos".

Y como si eso fuera poco, luego vino algo extraordinario: El Señor mismo puso en la "boca un cántico nuevo, alabanza al Señor".

Esa es la obra concreta de Dios en acción sobre la vida de uno que supo esperar.

¿Puedes decir también tú lo mismo? ¿Puedes repetir también en tu experiencia de vida algo similar a lo que dijo David?: Él se inclinó y me oyó. El me sacó del pozo de la desesperación. Él puso mis pies sobre la seguridad de la peña, Él enderezó mis pasos y Él, Él mismo puso un cántico nuevo en mi boca.

Si es así, has aprendido entonces que vale la pena esperar por las respuestas divinas.

No dudes en este día de que Él está escuchando tu clamor y en su tiempo hallarás esas respuestas que Dios tiene preparadas para ti.

Oración:

Ayúdame Señor a ser paciente mientras tú obras en tu medida y a tu tiempo. Sé que todo es para mí beneficio, por lo tanto hoy sabré esperar con fe y tranquilidad, porque tú estás en control y me darás lo que yo necesito en el tiempo perfecto. Amén.

¿Y tú quién eres?

*"Más a todos los que le recibieron, a los que creen
en su nombre, les dio potestad de ser hechos hijos de
Dios" (Juan 1:12)*

Hace años atrás un hombre fue encontrado en una calle de Atlanta, tirado, golpeado, sin identificación, sin nada. Lo llevaron a un hospital y lo sanaron, pero se dieron cuenta de que este hombre desarrolló una amnesia total. ¡No tiene ni idea quién es él! Han pasado más de ocho años y este hombre continúa en la misma condición sin tener ni idea de quién es.

El FBI le tomó sus huellas digitales y le hizo varias pruebas pero no pudo determinar quién era este hombre.

Hicieron un programa en la televisión para ver si alguien lo conocía, pero nadie fue a buscarlo. Se contrató a un investigador privado para que tratara de descubrir la identidad de este hombre pero no lo logró.

Ahora, ¡imagina que esa persona fueras tú!

Hoy en día tú sabes quién eres, quienes son o fueron tus padres, tienes un pasado, tienes un presente con personas que te rodean y que determinan gran parte de las cosas que haces. Tienes una historia y estás viviendo hoy el resultado de lo que has acumulado a través de tu propia vida hasta el presente.

Tienes planes para el futuro, etc.

Pero de repente un día algo traumatizante ocurre en tu vida y cuando te despiertas una mañana, por los próximos ocho años no tienes ninguna identidad, nadie te conoce, tú no conoces a nadie, no sabes de dónde vienes, quienes fueron tus padres, qué era lo que antes te gustaba, no sabes si tienes hijos, o esposo/a ¡Tú identidad ha sido completamente borrada!

Eso sería algo terrible, ¿no te parece? Eso significaría tu pérdida de identidad totalmente.

Esa pérdida de identidad es lo que el enemigo ha estado queriendo hacer contigo para que no sepas quién eres verdaderamente.

Como el enemigo no puede crear nada, lo que le gusta hacer es dañar la perfecta creación de Dios.

Él ha venido para robar, matar y destruir, y lo está haciendo.

Entonces el enemigo sabe que si puede evitar que tú seas tú en los planes de Dios, si puede esconder tu verdadera identidad y la puede distorsionar y puede destruir lo que Dios ha preparado para tu vida, entonces está logrando el cometido y está haciendo que tú vivas, no como aquel/la que fue enviado/a con propósitos a este mundo, sino como alguien que está perdido y no sabe adónde va.

Pregúntate en este día si estás viviendo de acuerdo a los propósitos para los cuales fuiste creado/a.

Es posible que te des cuenta de que tu identidad ha sido distorsionada y que en lugar de vivir como un/a hijo/a de Dios, estás viviendo como un/a extraño/a que no sabe adónde va, ni conoce los propósitos que Dios tenía en mente cuando te envió a este mundo.

No permitas que el enemigo haga de las suyas en tu vida y la de los tuyos.

Si tú has abierto tu corazón a Jesús, tú perteneces a un linaje escogido que camina por el mundo con un destino de eternidad. Y esto, nada ni nadie te lo podrán quitar.

Oración:

Amado Dios, te doy gracias por darme una nueva identidad contigo. Sé que ahora soy un/a hijo/a de Dios por lo tanto. Vivo este día como lo que soy y anuncio las virtudes de Aquel que libró mi vida para siempre de la oscuridad y de la muerte. Amén.

La perfecta creación de Dios

*"Y los bendijo Dios y les dijo: Fructificad y
multiplicaos; llenad la tierra, y sojuzgadla, y señoread
en los peces del mar, en las aves de los cielos, y en
todas las bestias que se mueven sobre la tierra"*
(Génesis 1:28)

Al empezar la Biblia encontramos a un Dios ocupado en crear todas las cosas.

Creó los mares, las estrellas, el sol, los animales y todo lo que conocemos.

Pero Él tenía algo en mente: Que toda esa creación maravillosa sirviera de deleite para alguien.

Para quién: ¿Para Él mismo? Pues no.

Entonces fue cuando creó al ser humano y lo envió diciéndole: todo esto es para ti, disfrútalo.

Se ocupó de cuidar cada detalle, de decorar el mundo con lo mejor, de hacer un planeta especial para que la humanidad viviera. Todo lo creó perfectamente.

¿Para qué? Para que los seres humanos nos deleitáramos, para que viviéramos en medio de esa creación perfecta y fuéramos felices en medio de todo lo creado.

Pero me pregunto: ¿estamos viviendo así? ¿Disfrutamos todo tal como El Señor quería que lo hiciéramos? No.

Yo veo gente amargada, desilusionada, aburrida, quejosa, que no se deleita de la creación sino que se queja de ella, ¿Por qué?

Todo se originó a partir de la distorsión de la identidad que el enemigo produjo en Adán y Eva.

La tentación consistió en decirles: Ustedes pueden ser aún mejores de lo que ya son, seréis como Dios.

Ellos no necesitaban ser como Dios para ser felices y disfrutar de la perfecta creación hecha para ellos, pero el enemigo puso en el corazón de ellos una ambición que no pudieron resistir.

Yo veo a los jóvenes hoy tratando de ser como alguien más, por eso existen todos estos ídolos cantantes, futbolistas, modelos, etc., y hay millones que los siguen y quieren ser como ellos.

De nuevo el enemigo creando ese problema de identidad.

Tú no necesitas ser como alguien más para ser feliz, no, tú ya lo tienes todo.

Tú no tienes que vivir como otro vive, tú no tienes que imitar a nadie más para vivir bien, tú no tienes que intentar demostrarle a nadie lo que tú puedes o no puedes hacer, o de lo que eres capaz. No.

Eso son engaños del enemigo para confundirte y hacer que vivas, no con tu propia identidad, sino buscando siempre parecerte a alguien más.

¡Disfruta hoy de lo que eres!

Tú has sido concebido/a como lo más perfecto de la creación de Dios y todo lo que El Señor ha hecho en la naturaleza es para tu deleite.

Disfruta de estos regalos de la gracia divina.

Oración:

Señor, hoy quiero disfrutar de todo lo que me has dado de manera tan abundante. Disfruto la naturaleza, el aire que respiro, la lluvia cuando cae, el sol que me calienta, las montañas, las nubes, los animales, etc. Sé que este es un día para deleitarme también en tu divina presencia. Amén.

Creados con un propósito

"Porque a los que antes conoció, también los predestinó a que fuesen hechos conformes a la imagen de su Hijo, para que Él sea el primogénito entre muchos hermanos" (Romanos 8:29)

Una de las herramientas que el enemigo usa contra las personas es la opinión negativa de los demás.

Si un padre le dice a un hijo que no sirve para nada, que hubiera sido mejor que no hubiera nacido, que su vida no tiene sentido, o un esposo maltrata a su esposa y le dice que es una basura, que no tiene ningún valor, que su vida no es importante para nadie, sin duda estas palabras se adhieren al alma de la persona y empieza a convivir con ellas como si fueran ciertas.

Pueden ser también los compañeros en la escuela, los amigos cercanos, el jefe en el trabajo, etc.

Quizás alguien fue señalado por su apariencia, por la forma de vestir, por el lugar en el que nació, por la forma como habla o cualquier otra cosa que influya directamente en su autoestima.

También el enemigo usa las heridas y el dolor en la vida para alejar a muchos de los propósitos de Dios. Si el enemigo puede hacer que alguien esté resentido, amargado, culpable o avergonzado, va a saber entonces que no va a usar su verdadera identidad con la que fue creado.

Él también usa la vergüenza para alejar a las personas de Dios. Si trae a la memoria los recuerdos de ese pecado tan terrible y lo convence de que ya no tiene remedio, que no tiene aceptación de Dios, termina saliéndose con la suya.

Y luego sigue repitiendo en la vida de alguien cosas como: nunca podrás hacerlo bien, eres un mediocre, no tienes recursos, mírate en un espejo, jamás llegarás a ser como aquel otro que sí es un triunfador.

El problema con todo esto es que cualquier persona puede llegar a creer en esas mentiras del enemigo al punto que se apropia de ellas y empieza a repetir: yo no valgo nada, no nací para alcanzar nada importante, ya estoy muy viejo/a, nací muy pobre, no tengo educación, no tuve oportunidades en mi vida, soy un/a fracasado/a, soy un don nadie.

Cuando una persona repite todas estas cosas es porque se ha creído las mentiras del enemigo y su verdadera identidad está perdida, está escondida en alguna parte, está sufriendo una amnesia crónica que le impide saber exactamente quién es y lo que puede llegar a lograr en Cristo Jesús.

Entonces el problema es que si ese no soy yo, ¿entonces quién soy en realidad? ¿Quién lo determina? ¿De dónde saco mi verdadera identidad?

El filósofo Blas Pascal en el siglo XVII dijo esto: "solo nos conocemos a nosotros mismos a través de Jesucristo. Fuera de Jesús no podemos saber el significado de nuestra vida, de nuestra muerte, de Dios y de nosotros mismos. Solamente en Cristo lo podemos saber".

Esta es una gran verdad, solo El Señor Jesús nos hace libres de culpas, condenación y fracasos, y es entonces cuando emerge nuestra verdadera identidad de hijos de Dios.

¿A quién le vas a creer?

Vale la pena creerle a Dios. Solo a través de Él sabrás quién eres y cuál es tu propósito en la vida.

Oración:

Señor Jesús, en este día tomo las palabras que vienen directamente de ti para reafirmar mi verdadera identidad. Tú me has amado y has puesto sobre mi vida palabras de aceptación, de valor, de aprobación y con ellas estoy reafirmado/a para vivir en plenitud. Amén.

Tu verdadero valor

*"Todos los llamados de mi nombre; para gloria mía
los he creado, los formé y los hice" (Isaías 43:7)*

Pedro en su primera carta nos señala algunas características que demuestran nuestra verdadera identidad como hijos de Dios y que Él mismo ha determinado para nosotros.

Las frases que usa el apóstol van directamente a lo que somos como pueblo de Dios y por eso él empieza diciendo en ese pasaje: ustedes son.

Hay una versión que lo dice de esta manera: "ustedes son un pueblo elegido, son sacerdotes del rey, una nación santa, posesión exclusiva de Dios. Por eso pueden mostrar a otros la bondad de Dios, pues Él los ha llamado a salir de la oscuridad y entrar en su luz maravillosa. Antes no tenían identidad de pueblo, ahora son pueblo de Dios. Antes no recibieron misericordia, ahora han recibido la misericordia de Dios" (NTV Nueva traducción viviente) (1 Pedro 2:9-10).

El mundo dice muchas cosas acerca de ti y de mí, pero aquí dice que tú y yo somos elegidos.

Aquí dice que somos sacerdotes del Rey, y no de cualquier rey sino del Rey de reyes.

Aquí dice que tú y yo y los que hemos creído en Cristo, somos santos.

Aquí dice que tú y yo somos posesión exclusiva de Dios.

¡Tenemos sentido de pertenencia! Somos propiedad del dueño y creador de este universo.

Y además como si algo faltara para nosotros, también dice que tú y yo hemos recibido misericordia directamente de Aquel que sana, libera y nos da la salvación eterna.

¿Necesitaríamos algo más para definir entonces quiénes en realidad somos?

Hoy puedes tomar una decisión transcendental para tu vida: Creer en la opinión de quienes te menosprecian, te degradan o te juzgan, o creer en la palabra de Aquel que te creó.

¿Qué tanto está dispuesto a dar Dios por ti? La respuesta es todo.

La Biblia dice que por el gran amor del Señor a este mundo, "Él dio a su Hijo Unigénito para que todo aquel que en Él crea no se pierda sino que tenga vida eterna" (Juan 3:16).

El Padre envió a su hijo por ti y por mí. ¿Tienes entonces valor? ¿Eres valioso/a para alguien?

Dios te dice hoy: tú fuiste creado a mi imagen y a mi semejanza. Tienes valor. No por lo que el mundo dice, sino por lo que yo digo de ti. Eres lo mejor de toda esta espectacular creación.

Tú vales más que las plantas, que las estrellas, que el sol, que los planetas, que los animales más gigantes o las montañas más altas. Te formé con mis manos, te hice para mi gloria.

No hay nada que se pueda comparar con lo que tú vales para mí. Tú vales mi sangre derramada, los latigazos recibidos, los clavos en las manos y en los pies, la corona de espinas, mi vida entera.

¿Comprendes entonces cuál es tu verdadero valor?

Oración:

Amado Jesús, gracias por amarte tanto y dar tu vida en mi rescate. Hoy quiero vivir como lo que soy, dignificando tu nombre con mi testimonio y dejándole saber al mundo que he sido rescatado/a de una vana manera de vivir, por lo tanto ahora vivo para Aquel que me dio la salvación eterna. Amén.

¿Identidad en crisis?

*"Os daré corazón nuevo, y pondré espíritu nuevo
dentro de vosotros; y quitaré de vuestra carne el
corazón de piedra, y os daré un corazón de carne".
(Ezequiel 36:26)*

La promesa del Señor acerca de nuestra renovación, no tiene nada que ver con algo exterior, un maquillaje o cirugía facial, sino en realidad es un cambio dramático y total de nuestro interior.

Por ejemplo, Pedro venía de una familia simple de pescadores, pero se convirtió en un predicador con el fuego del Espíritu que traía a multitudes a los pies de Cristo.

Moisés tuvo que ser ocultado por su madre y vivió entre paganos toda su infancia y su juventud, pero después fue usado por Dios para liberar a su pueblo.

Abraham venía de un pasado de idolatría, pero cuando obedeció al Señor recibió la bendición sobre sí y la promesa de bendición para todas las familias de la tierra.

Gedeón era de una familia pobre en Manasés y él era el último de esa familia, pero Dios lo usó para liberar a todo su pueblo de los madianitas.

David ni siquiera era tenido por importante para su padre Isaí, pero se convirtió en el rey más poderoso de Israel y fue considerado como un hombre conforme al corazón de Dios.

Sin embargo hoy hay quienes siguen pensando que porque fueron hijos no deseados, o que fueron producto de una violación, o de una equivocación, no merecen nada, y les cuesta entender que aunque el mundo los haya despreciado, para Dios son un gran tesoro que Él quiere usar.

No es ese pasado lo que determina quién eres, es tu presente con Dios y el futuro lleno de la presencia del Señor en cada momento de tu vida.

Sí, hoy quizás muchos podrán decir: esa violación robó mi identidad, ese abuso robó mi identidad. Ese divorcio robó mi identidad. Ese despido de mi trabajo robó mi identidad, lo que me dijeron cuando era pequeño o adolescente robó mi identidad, la drogas o el alcohol robaron mi identidad, la presión de mis amigos robó mi identidad, el enemigo robó mi identidad diciéndome que tengo que ganarme hasta la aceptación de Dios.

¡Pero hoy Dios quiere decirte algo diferente!

Ya fuiste aceptado de manera incondicional con amor inagotable y no depende de qué también te portaste o no.

El Señor ha dicho que lo vales todo, que hizo el mundo entero para que lo disfrutes, que Él se ocupó de cuidar cada detalle en su creación para que te sintieras bien en ella, y que hará todo lo que sea necesario para llevarte de nuevo a compartir sus moradas para que donde Él esté también estés tú por la eternidad.

Tus errores no son tu identidad, tus fallas y tus fracasos no son tu identidad, el desprecio de los demás no definen lo que tú eres, la forma como los demás te miran no es igual a la forma como te mira Dios.

Tu identidad está dada ahora, si has abierto tu corazón a Jesucristo, como un Hijo de Dios, poseedor de las promesas divinas, inmerso en los pactos divinos y con un destino de salvación eterna.

Debes vivir cada día como lo que en realidad eres en Cristo Jesús, tu único y suficiente Salvador.

Oración:

Gracias Señor Jesucristo por darme una nueva vida y una nueva identidad en ti. Hoy quiero vivir como lo que soy, un hijo de Dios, disfrutando de todas las cosas que tú has creado para mi deleite. Amén.

Visiones de Dios que cambian tu vida

"Y llamó Jacob el nombre de aquel lugar, Peniel;
porque dijo: Vi a Dios cara a cara, y fue librada mi
alma. (Génesis 32:30)

Cuando los tiempos se ponen difíciles, los hijos de Dios sabemos que la respuesta de Dios no tarda.

Tal como le sucedió al profeta Isaías en un año difícil, cuando el rey Usías murió, él pudo tener una visión de Dios que lo transformó completamente, pues su seguridad ya no dependía de lo que veía a su alrededor, sino de lo que había visto en relación a la grandeza de Dios.

Lo mismo sucedió con Eliseo cuando estaba rodeado de enemigos y su criado corría asustado para darle las malas noticias.

Sin embargo el mantenía la calma pues podía ver que a su alrededor había un ejército celestial poderoso que lo protegía.

¡Visiones celestiales, visiones de Dios!

Jacob tuvo una visión que cambió su vida para siempre.

En momentos en los cuáles tenía un gran temor por el encuentro que tendría con su hermano Esaú, tuvo un encuentro con un ángel de Dios con quien luchó por la bendición hasta alcanzarla.

Saulo de Tarso quien perseguía a la iglesia, tuvo un momento de encuentro con Jesús en su camino a Damasco, cuando fue derribado por El Señor, pero el hombre que se levantó de allí no se parecía en nada al que tan solo unos minutos antes galopaba con furia para acabar con los cristianos.

Dios puede darte una visión que puede cambiar tu vida para siempre y cuando los tiempos se ponen más difíciles, es cuando estamos más cerca de ver al Señor y su gloria reflejada en toda la tierra.

En Peniel murió Jacob y nació Israel.

En el camino a Damasco murió Saulo de Tarso y nació el apóstol Pablo.

Estamos en los mejores tiempos para ser realmente transformados por el poder de Dios.

John Harold Caicedo

Pídele al Señor que en estos tiempos tan difíciles te permita ver una visión de su maravillosa gloria.

Oración:

Amado Salvador, esta es mi oración para este día. Así como Moisés exclamó en el desierto: Quiero ver tu gloria, así mismo clamo hoy a ti con la misma esperanza. Sé que una visión de tu gloria será suficiente para que mi vida sea totalmente transformada y no vuelva atrás nunca más. Amén.

Al banquete con Jesús

"...decid a los convidados: He aquí, he preparado
mi comida; mis toros y animales engordados han sido
muertos, y todo está dispuesto; venid a las bodas"
(Mateo 22:4b)

El Señor ha preparado una mesa en los cielos para sus seguidores.

Jesús les dijo a sus discípulos: "Yo, pues, os asigno un reino, como mi Padre me lo asigno a mí, para que comáis y bebáis a mi mesa en mi reino, y os sentéis en tronos juzgando a las doce tribus de Israel" (Lucas 22:29-30)

Cuando el apóstol Pablo nos instruye: Celebremos la fiesta (1 corintios 5:8), quiere decir que entendamos claramente que se nos ha asignado en los cielos con Cristo a su mesa real.

Si Saúl pudo decir de David: ¿por qué no se presenta a mi mesa? ¿Qué se hizo?, ¿No dirá nuestro Señor lo mismo de nosotros, que no tenemos justificación para perdernos el banquete?

Él nos dice: Yo te di un asiento asignado a mi mesa real. Es ahí donde mis siervos ven mi rostro, escuchan mi sabiduría y llegan a conocerme. Es ahí donde les doy a comer el pan de vida y es un gran honor. ¿Por qué lo tomas tan a la ligera? ¿Por qué no ocupas tu asiento?

Andas corriendo, trabajando para mí y hablando de mí; pero ¿Por qué no te sientas conmigo y aprendes de mí? ¿Dónde estás?

La triste verdad es que la Iglesia de Jesucristo simplemente no comprende lo que significa celebrar la fiesta. No entendemos la majestad y el honor que se nos ha concedido al ser resucitados por Cristo para sentarnos con Él en los lugares celestiales. Hemos estado demasiado ocupados para sentarnos a su mesa.

Erróneamente derivamos nuestro gozo espiritual del servicio y no de la comunión con Él.

Hacemos más y más por un Señor a quien conocemos cada vez menos.

Nos desgastamos entregando nuestro cuerpo y nuestra mente a su obra, pero rara vez celebramos la fiesta. Como nos perdemos la fiesta tan a menudo, nuestra generación tiene una visión distorsionada y atrofiada del Señor Jesucristo.

Imaginémonos al Señor mirando hacia la tierra, observando las multitudes que le llaman por su nombre: pastores, misioneros, obreros cristianos, santos de Dios. ¿Qué es lo que el Señor más quiere de todos los que aseguramos estar entregados a Él? ¿Qué es lo que más lo bendice, lo agrada y lo deleita? ¿Que le construyamos algo? ¿Que se inicien más iglesias? ¿Más institutos bíblicos? ¿Más centros evangelísticos? No; Dios, que mora en templos no hechos por manos, quiere mucho más que eso.

La cosa específica que nuestro Señor busca por sobre todo, de parte de sus siervos, es la comunión a su mesa. Esa mesa de intimidad espiritual se sirve cada día.

Celebrar la fiesta significa acercarnos a Él continuamente en busca de alimento, de fortaleza, de sabiduría y de comunión.

Acércate hoy a Su mesa. Hay un banquete preparado para ti.

Oración:

Gracias Dios mío por invitarme a tu mesa para deleitarme en tus manjares. Hoy disfruto de tu presencia y reconozco que no hay un mejor lugar para estar que en tu mesa real, gozándome de tu compañía eterna. Amén.

Yo quiero más de Cristo

*"Pues me propuse no saber entre vosotros cosa
alguna sino a Jesucristo, y a éste crucificado"*
(1 Corintios 2:2)

Pese a tener uno de los llamamientos espirituales más directos que un hombre de Dios haya recibido jamás, Pablo quería aún más. Algo dentro de su alma clamaba: si pudiera conocerle.

No es de extrañar que Pablo pudiera decirle a la iglesia cristiana: Me propuse no saber entre vosotros cosa alguna sino a Jesucristo y a este crucificado (1 Corintios 2:2).

Con eso quería decir: Que los judaizantes mantengan su legalismo, que los que buscan justificarse por las obras se consuman, que piensen que se están adelantando con toda su sabiduría mundana. Por lo que a mí respecta, no quiero saber nada sino a Jesucristo.

A partir de la cruz, todos los gigantes espirituales han tenido en común una cosa: han anhelado más de Dios. Todos han muerto lamentando que todavía conocieran tan poco de Él y su vida. Así sucedió con Pablo, los discípulos y muchos de los antiguos padres de la Iglesia; con Lutero, Zwinglio y los puritanos; con los piadosos predicadores ingleses e irlandeses a lo largo de los dos últimos siglos; hombres como Wesley, Whitefield, Fletcher, Muller, Stoney, Makintosh, Austin-Sparks.

Esa es una potente lista de hombres que compartían la misma pasión: una revelación siempre creciente de Jesucristo. Para nada les importaba el éxito, la ambición, la fama mundana ni lo espectacular.

No oraban por cosas, ni por bendiciones, ni para ser empleados por Dios, ni por ninguna cosa de su yo, sino que más bien pedían solo una revelación de la gloria y grandeza de su Señor.

Uno no puede ir a la batalla en este mundo, donde los demonios gobiernan prácticamente sin oposición, a menos que esté decidido a tener una revelación siempre creciente del poder y la gloria de Cristo.

De otro modo, uno carecerá de impacto contra el reino de las tinieblas. Los principados y potestades del mal pronto se mofarán de uno.

Solamente los que conocen a Cristo a plenitud y con una visión siempre creciente sembrarán el terror en el infierno.

Una persona que tiene una revelación creciente de la grandeza de Cristo no necesita temerle a ningún problema, a ningún diablo, a ningún poder de esta tierra.

Esa persona sabe que Cristo es mayor que todo eso.

Si tuviéramos este tipo de revelación de lo grande que Él es, de cuan ilimitado, inconmensurable e inmenso es, nunca más nos sentiríamos abrumados por los problemas de la vida.

Así que anhela con todo tu corazón conocer más y más de Cristo.

Si lo tienes a Él, lo tienes todo.

Oración:

Señor Jesús, quiero conocerte más, tengo cada día más sed del Dios vivo. Mi alma te busca con pasión y mi ser entero solo se contenta en tu presencia, quiero saber más de ti, amado y perfecto Salvador de mi alma. Amén.

¿Volver a la normalidad?

*"Más entre vosotros no será así, sino que el que
quiera hacerse grande entre vosotros será vuestro
servidor." (Mateo 20:26)*

¿Qué es lo normal para la humanidad y que es lo normal para el cristiano?

¿Anhelamos volver a lo que éramos antes, o estaremos en un proceso de cambio real alcanzando los propósitos que Dios siempre ha querido para nosotros?

Jesucristo en su palabra siempre estableció un contraste entre el mundo y el reino de Dios.

El problema es que la iglesia se adaptó al mundo y ha querido seguir el camino equivocado.

En lugar de ser diferentes al mundo queremos ser como el mundo es.

Lo mismo sucedió con el pueblo de Israel en tiempos del profeta Samuel. Aunque Dios los gobernaba ellos prefirieron parecerse a los demás pueblos de la tierra y pidieron un rey como las demás naciones paganas.

Hay un nuevo reino que es diferente a los reinos de este mundo.

Hay un estilo de liderazgo que no es como los liderazgos que hoy en día vemos por todas partes.

Hay un estilo de vida que es abiertamente diferente al estilo de vida que el mundo quiere enseñar.

Quizás uno de los mayores errores que podemos cometer cuando venimos al Señor es creer que nuestra vida puede seguir siendo la misma que antes.

¿Quién te dijo eso?

Pretender que ahora somos creyentes pero podemos seguir aferrados a las cosas del mundo como si ese gran paso que Dios nos regala no significara en realidad lo más importante para nuestras vidas.

John Harold Caicedo

Hoy en día la gente está ansiando volver a la normalidad. ¿Cuál normalidad?

¿La que teníamos antes en la que quizás como iglesia no estábamos teniendo niveles de consagración y santidad como lo exige el reino de los cielos?

¿La normalidad de tomar en nuestras manos las riendas de nuestra vida espiritual dejando a Dios de último en nuestras decisiones?

Si es esto lo que estamos anhelando, simplemente significa que no habremos aprendido nada y que la iglesia pasará por este tiempo sin crecer espiritualmente, sin madurar, sin hacer la voluntad de Dios.

¿Es esa la normalidad que tú anhelas?

Oración:

Señor Jesús, hoy quiero vivir de acuerdo a tu voluntad en ese nuevo reino que tú viniste a anunciar. Sé que tú sigues trabajando en mi vida día a día y por lo tanto hoy sigues moldeándome a tu parecer. Que gran privilegio. Amén.

Cristianismo o religión

"Pero Él les dijo: es necesario que también a otras ciudades anuncie el evangelio del reino de Dios; porque para esto he sido enviado" (Lucas 4:43)

En alguna ocasión un pastor hizo un ejercicio interesante. Se paró en un lugar público para preguntarles algo a todos los que pasaban por allí acerca de Jesús.

La pregunta era: ¿para ti quién es Jesús? Las respuestas fueron muy variadas tal como 2000 años atrás.

Para unos un profeta, un amigo, un maestro, una persona diferente, un ayudador y para otros, el Mesías, el Salvador del mundo.

La gran mayoría de la gente lo ve como un líder religioso e inclusive muchos cristianos siguen mirando a Jesús de la misma manera. Hemos edificado una religión alrededor de Jesús y entonces eso significa que somos colocados en una caja con las religiones del mundo como una opción más.

Pero Jesús no vino a establecer una religión en este mundo, representada en cientos de denominaciones diferentes con toda clase de normas propias, estatutos internos y estilos de adoración, no.

Él vino para establecer una relación contigo que no se puede comparar con ninguna religión del mundo.

Los grandes enemigos de Jesús fueron los religiosos.

¿Qué dice la Escritura de Jesús? Que era amigo de prostitutas, de publicanos, de pecadores, se sentaba a comer con ellos. ¿Suena muy religioso acaso? Y no dice que fueran ellos los que lo atacaban a pesar de que vino a proclamar arrepentimiento y oposición al pecado.

Pero no eran ellos sus perseguidores ni los que lo llevaron a la cruz, sino los que defendían la ley fueron quienes finalmente se convirtieron en sus enemigos acérrimos.

En 7000 años de historia de la humanidad, cada grupo humano, cada población, cada etnia ha creado su religión o han promovido alguna forma de religión. Porque la religión es el intento del hombre de buscar su Dios y su reino. Pero ninguna religión puede satisfacer esos deseos del alma humana.

La Biblia no se trata de religión. La Biblia nos dirige a la figura de Jesucristo, y Jesucristo no trajo una religión a la tierra.

¿Necesitaba más religión el ser humano? ¡Ya había mucho de eso!

Blancos, negros, chinos, latinos, indios, rubios, anglosajones, todos tienen sus propios sistemas religiosos, incluso, los que se llaman ateos que desarrollan su propia creencia.

¿Pero qué tienen en común todos estos seres humanos? Muy sencillo, tienen un vacío espiritual, pobreza espiritual. Puede haber mucha religión, pero poca espiritualidad.

Y viene Jesús y anuncia algo diferente. No son más ritos, no son más leyes, no son más estatutos, no.

Es el anuncio de un nuevo reino de justicia, paz y gozo en el Espíritu Santo (Romanos 14:17).

El hombre no necesita más religión, porque él nunca perdió una religión.

La religión no puede satisfacer la necesidad íntima del ser humano.

El hombre perdió una relación, y por eso lo único que puede satisfacer ese vacío en el corazón del hombre, es la restauración de esa relación que se había perdido.

¿Tienes una verdadera relación con Jesucristo? Si no es así, corre a sus pies, solo Él te dará la vida eterna.

Oración:

Hoy quiero fortalecer esa relación restaurada en mi vida con El Dios Altísimo. Sé que tú Señor Jesús, viniste desde los cielos para restaurar lo perdido y es por eso que ahora mi vida solo encuentra satisfacción fomentando mi relación contigo. Amén.

La paja en el ojo ajeno

"¿Por qué miras la paja que está en el ojo de tu hermano y no echas de ver la viga que está en tu propio ojo?" (Lucas 6:41)

Un hombre que tenía un grave problema de miopía se consideraba un experto en evaluación de arte.

Un día visitó un museo con algunos amigos. Se le olvidaron los lentes en su casa y no podía ver los cuadros con claridad, pero eso no lo detuvo de ventilar sus fuertes opiniones.

Tan pronto entró a la galería junto con su esposa, el hombre comenzó a criticar las diferentes pinturas. Al detenerse ante lo que pensaba sobre un retrato de cuerpo entero, empezó a criticarlo.

Con aire de superioridad dijo: "El marco es completamente inadecuado para el cuadro. El hombre está vestido en una forma muy ordinaria y andrajosa. En realidad, el artista cometió un error imperdonable al seleccionar un sujeto tan vulgar y sucio para su retrato. Es una falta de respeto".

El hombre siguió hablando y hablando sin parar hasta que su esposa logró llegar hasta él entre la multitud y lo apartó discretamente para decirle en voz baja: "Querido, estás mirando un espejo".

Es fácil mirar en los demás las cosas malas, pero no en nosotros mismos.

Se nos ha hecho tan fácil mirar la paja en el ojo ajeno, el defecto en el otro, sus faltas de carácter, la forma en que habla o se comporta, y nos convertimos fácilmente en aquellos quienes lanzamos juicios contra cualquiera, en lugar de ser aquellos quienes aprendemos a amar a los demás, aunque no sean exactamente como quisiéramos que fueran.

Pero la pregunta es: ¿y quién nos envió a juzgar al mundo? ¿Quién nos dio ese derecho de señalar las faltas en los demás mientras minimizamos las nuestras?

Juzgar, cuestionar, criticar, hablar a espaldas, murmurar, son acciones que se van convirtiendo en parte de la cotidianidad social, sin medir las consecuencias que tienen para los demás.

Pero el libro de Santiago nos llama a la reflexión: "Uno solo es el dador de la ley, que puede salvar y perder; pero tú, ¿Quién eres para que juzgues a otro? (Santiago 4:12).

A veces las vigas que tenemos en nuestros ojos no nos dejan ver que los demás apenas tienen pequeñas pajitas que ni siquiera son tan visibles.

Oración:

Dios amado, Sé que tú me enseñas que puedo ayudar al que va por mal camino, para orientarlo por un camino de bendición. Eso has hecho tú conmigo. Tu gracia se ha impuesto en mi vida y ahora veo también a los demás con ojos de gracia. Amén.

Trabajados y cargados

"Venid a mi todos los que estáis trabajados y
cargados, y yo os haré descansar" (Mateo 11:28)

Cuando tú llegas a tu casa en la noche después de haber estado trabajando durante todo el día, o si eres una ama de casa después de haber tenido un día duro de trajinar haciendo tantas cosas, te das cuenta de que necesitas un descanso.

Es tiempo de dejar todas las labores y permitir que tu cuerpo se relaje y puedas retomar fuerzas para emprender de nuevo la labor.

Pero pregúntate esto: ¿Qué pasaría si nunca pudieras descansar?

Sin duda llegaría un momento en que colapsarías. Caerías, vendría la muerte por agotamiento porque sin duda no hemos sido diseñados para trabajar sin parar, sino que hemos sido diseñados por Dios de tal forma, que necesitamos tomar tiempos de refrigerio.

Esto es hablando únicamente de tu parte física. ¿Pero qué de tu vida espiritual?

Cada uno de nosotros tenemos batallas espirituales que nos agotan. Tenemos luchas intentando sobreponernos a los deseos pecaminosos de la carne, tenemos batallas sabiendo que el enemigo desea destruir la obra perfecta de Dios en nosotros.

Y ¿Qué pasaría si no encontráramos un descanso espiritual?

¿Qué pasaría si no encontráramos una palabra que nos levante, un mensaje que nos ayude, una voz que nos aliente de nuevo?

Sin duda colapsaríamos y llegaría un momento de desánimo total porque no sabríamos como seguir respondiendo a las batallas que de nuevo aparecen en nuestra vida.

El Señor nos conoce completamente y Él ha hecho provisión completa para cada detalle de nuestra vida.

David decía: El Señor, no sólo en delicados pastos me hará descansar, sino además en aguas de reposo me pastoreará.

¡No solo me cuida y me da la provisión que necesito a diario, sino además me lleva a los lugares donde encuentro el verdadero refrigerio para mi alma, aguas de reposo, lugares de tranquilidad!

Los fariseos de la época de Jesús cargaban y cargaban a la gente con más leyes, con más ordenanzas que tenían que cumplir y llegó un momento en que la religión dejó de ser algo que servía para agradar a Dios y se convirtió en una carga peor para todo el pueblo.

Pero El Señor nunca ideó algo así para los suyos, por el contrario, Él vino a ofrecernos una relación a través de la cual quienes nos acercamos a Él encontramos ciertamente descanso y renovación en todo nuestro ser.

Mi oración para ti en este día es que, a pesar de cualquier circunstancia por la que estés atravesando, puedas experimentar el verdadero reposo que te ofrece El Señor.

Hay pastos delicados y aguas de reposo adonde te conduce tu Buen Pastor, déjate llevar.

Oración:

Hoy quiero descansar en las aguas de reposo a las que tú me llevas. Acepto tu oferta de descanso y de refrigerio para mi alma. Mi reposo está en ti y mi gozo está completo en tu presencia. Amén.

Los que esperan en Dios

"Él da esfuerzo al cansado, y multiplica las fuerzas
del que no tiene ningunas. Los muchachos se fatigan
y se cansan, los jóvenes flaquean y caen, pero los que
esperan a Jehová tendrán nuevas fuerzas; levantaran
alas como las águilas; correrán y no se cansarán;
caminarán y no se fatigarán" (Isaías 40:29-31)

Este pasaje de Isaías 40 es uno de los pasajes que yo más repito porque tiene que ver precisamente con esto: Él da esfuerzo al cansado y multiplica las fuerzas al que no tiene ningunas.

Es Él quien nos da nuevas fuerzas, nos renueva cuando lo necesitamos, nos alienta cuando estamos desesperados, nos infunde vida cuando estamos desfalleciendo.

Quizás tú no estás en este momento de tu vida escribiendo la mejor página de tu historia.

A lo mejor este es un momento muy difícil para ti y estás soportando pruebas que no pensaste que ibas a pasar.

Es posible que estés pensando que este tiempo en tu vida ha sido un completo fracaso.

Pero déjame decirte: aunque no estés en el mejor de tus tiempos y tu vida no es la que siempre has deseado, El Señor te asegura que si sabes esperar en Él, tendrás fuerzas renovadas y aun harás cosas que ni siquiera habías pensado que podrías hacer.

Por eso es hora de aprender a descansar en las promesas del Señor.

El apóstol Pablo lo dice de esta forma: "Por nada estéis afanosos, sino (más bien) sean conocidas vuestras peticiones delante de Dios en toda oración y ruego, con acción de gracias. Y la paz de Dios que sobrepasa todo entendimiento, guardará vuestros corazones y vuestros pensamientos en Cristo Jesús" (Efesios 4:6-7).

El salmista lo expresa de la siguiente manera: "Los leoncillos necesitan, y tienen hambre; Pero los que buscan a Jehová no tendrán falta de ningún bien" (Salmo 34:10).

Así que apóyate hoy en las promesas divinas. Habrá nuevas fuerzas para ti, no te hará falta nada de lo que necesitas para seguir adelante, tendrás la seguridad de su protección y su cuidado y además, podrás obtener la paz que sobrepasa todo entendimiento humano.

Nunca te olvides que Él es El Dios eterno que creó los confines de la tierra, "no desfallece, ni se fatiga con cansancio y su entendimiento no hay quien lo alcance".

Sin duda puedes confiar en Él.

Oración:

En ti me apoyo en este día para renovarme mis fuerzas y emprender mi caminar. Sé que al frente de mí tengo desafíos por enfrentar, situaciones que hoy aparecerán y que pueden desgastarme. Pero sé que tú Señor eres la fuente de mi fortaleza y hoy nada me faltará contigo. Amén.

Cada nación bajo su señorío

"para que en el nombre de Jesús se doble toda
rodilla de los que están en los cielos y en la tierra,
y debajo de la tierra; y toda lengua confiese que
Jesucristo es El Señor, para gloria de Dios Padre"
(Filipenses 2:10-11)

En este día, Señor, queremos colocar cada nación bajo tu mano poderosa.

Al orar por los dirigentes y encargados de las leyes, de la justicia y de la búsqueda de igualdad, pedimos que tú los ilumines. Que los guíes con la luz de tu verdad para que resplandezca sobre cada nación tu gloria bendita.

La luz en las tinieblas resplandece y las tinieblas no prevalecen sobre ella.

Oramos para que hombres justos, buscadores de la paz traigan a cada nación a un despertar espiritual que renueve las conciencias e impulse a nuevos logros a partir de los verdaderos valores cristianos; que no piensen solo en intereses personales, sino en los intereses de una nación necesitada de Cristo Jesús, para que esta generación te reconozca y podamos también heredar a las nuevas generaciones un legado de justicia, de paz y de gozo en el Espíritu, una visión de tu reino en este mundo.

Oramos en este día para que la luz del evangelio de la gracia sea conocida en todos los niveles de la sociedad que se rija por los verdaderos valores que Cristo Jesús nos dio en su palabra y a través de los cuales puedan ser realmente transformadas nuestras comunidades, nuestros pueblos, nuestros estados y nuestras naciones bajo los preceptos divinos.

Oramos para que un avivamiento celestial toque los corazones de quienes gobiernan, de quienes deciden por cada nación, de quienes administran los intereses económicos, sociales, morales y de justicia, y que podamos comprender que el verdadero reino es el anunciado en la palabra, es el reino de nuestro Señor Jesucristo quien vive y reina por los siglos.

John Harold Caicedo

Oramos para que el amor de Dios se derrame sobre cada ser humano y nuestro caminar diario sea en la seguridad de tu presencia y tu luz maravillosa. Que cada autoridad, que cada gobernante, que cada alcalde, que cada encargado de cualquier comunidad, sea dirigido a hacer tu voluntad, para que el mundo reconozca que hay un Dios poderoso que está entre nosotros a diario.

Oramos por los que están sin esperanza, por los que están desanimados, por los que están abatidos y desalentados. Oramos por cada ser humano, desde los más pequeños hasta los más ancianos, los ponemos en tus manos benditas de protección y de amor, y que se haga tu voluntad en el cielo y en esta tierra que es propiedad tuya.

Todo esto te lo pedimos, en el nombre que es sobre todo nombre, el nombre que está por encima de cualquier gobernante de la tierra, Aquel ante el cual algún día toda rodilla se doblará y toda lengua confesará su señorío, el nombre de nuestro glorioso Señor y Salvador, nuestro Señor Jesucristo, amén.

Oración:

Dios amado, tu eres Rey Soberano de las naciones y eres dueño de este mundo. Acudo a ti pidiendo en este día que nuestra nación despierte a la realidad de que solo en ti podemos encontrar la luz de la verdad y de la justicia, y a través de tu presencia podremos hallar la verdadera libertad. Amén.

Predicando el evangelio eterno

*"Vi volar por en medio del cielo a otro ángel,
que tenía el evangelio eterno para predicarlo a los
moradores de la tierra, a toda nación, tribu, lengua y
pueblo" (Apocalipsis 14:6)*

Desde los días apostólicos, el enemigo de Dios está tratando de desviar la atención de los cristianos del mensaje predicado por Cristo y los apóstoles.

Antes de terminar el primer siglo de la era cristiana, ya se mencionaba la aparición de fábulas inventadas por los hombres.

El apóstol Pedro predijo que "maestros falsos introducirían errores dentro del cristianismo y así el camino de la verdad sería distorsionado" (2 Pedro 2:1, 2).

Al apóstol Pablo también le fue mostrado que la iglesia cristiana fundada por Cristo caería en un estado de apostasía antes de la venida del Señor.

Debido a ese alejamiento de la verdad, el Señor levantaría sobre la tierra hombres que enseñarían el verdadero evangelio, el que está sostenido por la Biblia.

Pero la pregunta es: ¿quiénes están predicando ese evangelio?

El mundo en que vivimos ha perdido el respeto a las cosas sagradas. Da culto a las criaturas en lugar de darlo al Creador. Glorifica la ciencia. Se enorgullece de sus inventos, practica la idolatría y coloca las tradiciones de los hombres por encima de lo que Dios dice.

El hombre de hoy no respeta ni el nombre de Dios, ni los principios de su Palabra.

Y eso no lo podemos ignorar, pues se está dejando de lado el compartir el evangelio eterno que pregona este ángel en el cielo.

Por eso el cristiano debe cimentar su vida entera sobre la palabra eterna del Dios vivo expresada en el evangelio que debe proclamarse a cada tribu, nación, pueblo o lengua.

Como creyentes sabemos que en el evangelio tenemos toda la verdad que necesitamos para vivir aun en medio de una sociedad descreída, apática y materialista.

John Harold Caicedo

Es por eso que ahora más que nunca tenemos la responsabilidad de reconocer al Señor en todos nuestros caminos, humillarnos delante de Él, adorarle en espíritu y en verdad, porque ciertamente Él es poderoso para vencer a nuestros enemigos, transformar nuestra vida, sanarnos, cambiar el corazón de piedra por un corazón de carne y llevarnos a la salvación eterna.

Todo eso está expresado en el evangelio eterno que debemos predicar con nuestra vida.

¡No te detengas jamás de proclamarlo!

Oración:

Señor, hoy te pido más denuedo para predicar tu palabra, como lo hicieron los apóstoles. Sé que en ocasiones siento temor al rechazo y a la burla, pero reconozco que el evangelio es poder de Dios para salvación y que a través de él podemos conocer el único camino de salvación. Amén.

No dejes de predicar

"Que prediques la palabra; que instes a tiempo y
fuera de tiempo; redarguye, reprende, exhorta con
toda paciencia y doctrina" (2 Timoteo 4:2)

Hace más de treinta años una población de 25000 habitantes en Colombia llamada Armero, vivió la peor de sus tragedias. Cuando estaban durmiendo a media noche, el volcán que está cerca de aquella población hizo erupción, la lava caliente derritió la nieve de las laderas de las montañas y se formó una avalancha de lodo y piedras tan impresionante, que en pocos minutos cubrió toda la población y murieron allí sepultadas más de 20000 personas, gente de toda clase social y económica.

Sin duda ha sido una de las peores tragedias que ha sufrido Colombia y mucha gente pensó que el factor sorpresa fue lo peor, al fin y al cabo si alguien les hubiera avisado, no habría sucedido algo tan terrible, o al menos no en esas dimensiones. Pero la pregunta es: ¿en realidad nadie les avisó?

Días antes tuvieron algunos temblores y se hablaba del peligro de que aquel volcán hiciera erupción en algún momento, pero las personas no creyeron que esto pudiera suceder y seguían durmiendo tranquilamente cuando ya la tragedia se estaba aproximando.

Habían llegado geólogos que advirtieron acerca del inminente peligro y ¿qué hicieron las autoridades? Nada. De hecho más bien, cuando la avalancha misma venía, desde los megáfonos de la iglesia se escuchaba decir que no se preocuparan, que mantuvieran la calma porque nada iba a pasar.

Y entonces sobrevino la tragedia, el lodo taponó el pueblo entero, los miles y miles quedaron sepultados sin tener oportunidad de salir de allí y solo algunos que corrieron a las montañas se pudieron salvar de tan horrible tragedia.

¿No suena esto familiar en cuanto a las advertencias que se han dado desde los mismos cielos a través de la palabra de Dios?

La humanidad ha recibido continuamente advertencias acerca de la necesidad de arrepentirse de sus pecados, sin embargo la gran mayoría de personas siguen ignorando ese llamado y siguen durmiendo tranquilamente, aunque estamos en tiempos de cumplimientos proféticos de la Escritura.

Imagínate cuánto más lamentable, cuánto más terrible será aquel día en que se cumplan los tiempos del Señor y las profecías dadas en la Escritura, y entonces los millones y millones de seres humanos que no creyeron en las advertencias queden finalmente condenados para siempre y alejados del Señor.

Imagínate tus amigos, tus vecinos, tus familiares, personas cercanas a ti que nunca verán a Dios, ¡nunca! Lo que verán será solamente al enemigo de las almas que se burlará para siempre de ellos porque logró engañarlos con las ofertas tentadoras del mundo.

Estar de pie frente al trono blanco, ante la Majestad de las alturas y reconocer simplemente que nunca tuvieron tiempo para Él, que nunca quisieron buscarlo, que jamás les interesó leer su palabra ni obedecer sus mandamientos. Ese sin duda será el peor momento que muchos experimentarán por causa de su incredulidad.

¿Se podrán quejar que nadie les avisó? ¿Podrán decir: a mí nadie me dijo nada?

Nuestra vida debe ser de constante alerta. El creyente no puede seguir dormitando mientras el mundo se sigue cayendo a pedazos y millones de seres humanos quedarán sepultados bajo su pecado, su soberbia y su autosuficiencia. Así que quiero exhortarte hoy: ¡No dejes de predicar!

Oración:

De nuevo amado Dios me acerco a ti para darte gracias por tu palabra y reconocer en ella la fuente de la sabiduría y el poder divino. Hoy quiero compartirla. Te pido que me des oportunidades y me presentes personas para entregarles este maravilloso tesoro que los lleva a la salvación eterna. Amén.

Una vida con pasión

*"Y todo lo que hagáis, hacedlo de corazón,
como para el Señor y no para los hombres"
(Colosenses 3:23)*

Al conocer a tantas personas en el diario caminar de la vida cristiana, nos hemos dado cuenta de que muchas de ellas tienen recursos, tienen talentos, tienen facilidades para lograr muchas cosas, pero les falta pasión para alcanzarlas.

Pareciera de alguna manera que nuestro mundo de hoy está produciendo personas apáticas, que no se conmueven, que no se motivan, ni motivan a otros.

Piensa esto por un momento: durante un día común y corriente de tu vida, ¿Cuántas cosas haces con verdadera pasión? ¿Hay cosas que de verdad haces en las que tienes una grandísima motivación?

O piensa si de pronto tu vida se ha vuelto rutinaria, aburrida, sin sentido, sin dirección, sin motivación alguna.

Esto hace una gran diferencia.

Una vida llena de retos, de desafíos constantes, de metas por alcanzar, nos mantendrá siempre con más anhelos, con más deseos de vivir y de lograr aquellas cosas para las cuales hemos sido creados.

Por el contrario, una vida sin motivaciones, sin propósitos, no es más que un caminar sin rumbo que no da satisfacciones ni produce anhelos por afrontar lo que ha de venir.

No sé si alguna vez tú has sentido que puedes marcar una diferencia en este mundo, que puedes ser una antorcha encendida, una voz que transforma, una persona que logra grandes propósitos.

No sé si lo has sentido, pero tengo una certeza y es que el llamado de Dios es precisamente a marcar una diferencia en un mundo tan apático y frío como el que vivimos hoy en día.

Quisiéramos ver a nuestros jóvenes que se levantan con valentía para pronunciar una palabra que ayude en la vida de otros jóvenes.

Quisiéramos ver a hombres y mujeres que andan encendidos por El Señor, con el fuego del primer amor siempre en sus huesos y que no se detienen de proclamar el evangelio porque saben que en él hay poder de Dios para salvación.

Proponte en este día que cada cosa que hagas, la vas a hacer para agradar a Dios.

Te aseguro que no te faltará la pasión, pues lo harás con excelencia para El Señor a quien sirves.

Oración:

Señor Jesús, mi propósito en este día es glorificar tu nombre a través de cada cosa que haga. Quiero disfrutar de cada actividad que realice, sabiendo que tú estás conmigo y que deseas que yo viva en excelencia. Amén.

Instrumento escogido

"El Señor le dijo: Ve, porque instrumento escogido me es este, para llevar mi nombre en presencia de los gentiles, y de reyes, y de los hijos de Israel" (Hechos 9:15)

En el camino a Damasco, Saulo se encuentra con el Cristo resucitado, se convierte, y recibe una misión especial: la de predicar el evangelio a los despreciados gentiles. Ananías escucha las palabras: Saulo es "instrumento escogido... para llevar mi nombre en presencia de los gentiles".

Pablo mismo cuenta la historia dos veces, ante los judíos de Jerusalén y ante Agripa.

Él dice: "No fui rebelde a la visión celestial" y los capítulos 13 al 28 de los Hechos cuentan la historia de este misionero sin par, el instrumento por el cual el evangelio llegó a los no judíos y últimamente a nosotros.

¿Qué significa ser un instrumento escogido por Dios?

Pablo distaba mucho de ser un hombre piadoso y entregado al Señor. Por el contrario era sanguinario, vengativo y arrasaba con los cristianos sin importar si eran niños, jóvenes o adultos.

Sin embargo, la gracia divina se manifestó en él, y de ser un hombre al que le temían los creyentes, fue convertido en un instrumento en las manos de Dios para llevar la salvación a los gentiles.

Dios nos ha dado la vida para gastarla, y no para conservarla.

Si vivimos con mucho cuidado, pensando siempre en primer lugar en nuestro propio provecho, facilidad, comodidad y seguridad; si nuestro único propósito en la vida es prolongarla lo más posible, manteniéndola libre de problemas lo más posible; si no realizamos ningún esfuerzo nada más que en provecho propio, estamos perdiendo la vida todo el tiempo.

¿Qué habría sucedido al mundo si los médicos y los hombres de ciencia y los inventores no hubieran estado dispuestos a hacer experimentos arriesgados muchas veces para su propia vida?

¿Qué pasaría si todas las madres se negaran a correr el riesgo de traer un hijo al mundo?

¿Qué pasaría si todos los hombres emplearan todo lo que tienen en sí mismos y para sí mismos?

¿Qué pasaría si hombres y mujeres se quedaran en casa viviendo su vida espiritual, y no salieran los miles de misioneros que comparten el evangelio al mundo, transformando naciones enteras a través del poder del evangelio?

La misma esencia de la vida consiste en arriesgarla, en utilizarla, no en salvarla y ahorrarla.

Imagínate a Abraham emprendiendo una mudanza sin saber a dónde iba; a Noé construyendo un barco cuando nunca había llovido; a David enfrentándose sin armadura a un gigante de tres metros; a Ananías yendo a ministrar a Saulo de Tarso; a Ester entrando en la presencia del rey, corriendo el alto riesgo de caer atravesada por las lanzas de la guardia real; a Gedeón enfrentándose con un insignificante ejercito de trescientos hombres a los madianitas con sus miles.

Todos ellos fueron instrumentos útiles en las manos de Dios y alcanzaron cosas que quizás otros no lo hubieran logrado.

Por eso pregúntate hoy: ¿estoy siendo usado/a por Dios? ¿Soy un instrumento eficaz en sus manos?

Si no es así, levántate en este día y ofrécele al Señor tu vida entera.

En sus manos te convertirás en un instrumento adecuado que Dios usará para transformar el mundo.

Oración:

Hoy te ofrezco Señor, mi vida entera. Deseo ser un instrumento eficaz en tus manos benditas. Quiero desgastarme para ti, vivir para ti, glorificarte en cada momento y dar testimonio de la nueva vida que tengo ahora en ti Señor Jesucristo. Amén.

Un clamor del alma

"Por nada estéis afanosos, sino sean conocidas
vuestras peticiones delante de Dios en toda oración y
ruego, con acción de gracias" (Filipenses 4:6)

¿Crees en el poder de la oración? ¿Confías que tus oraciones llegan a los cielos?

La oración que llega hasta los cielos surge de corazones quebrantados y genuinos que no cesan de orar hasta ver respondidos sus ruegos.

Las almas se están perdiendo a diario y el clamor del que ora debe ser hecho en las lágrimas del que siente el desgarro de su propia alma cuando uno solo de los seres humanos pasa a ser un habitante eterno del infierno.

El Hijo de Dios dedicó el último aliento de vida para orar por sus enemigos.

Cuando oras no solo debes tener la convicción de que tus oraciones se elevan hasta el trono de gloria, sino aún más, tu propio ser debe llegar a una conexión divina real que transforma infinitamente tu ser.

Etty Hillesum, la joven judía que llevó un diario durante su encarcelamiento en el campo de concentración de Auschwitz, hablaba de un diálogo ininterrumpido con Dios.

En su diario escribió: "A veces, cuando me paro en alguna esquina del campamento, con mis pies plantados en tu tierra, mis ojos se elevan hacia tu cielo, las lágrimas a veces corren por mis mejillas, lágrimas de honda emoción y gratitud. Y quiero estar allí precisamente en lo más duro de lo que la gente llama horror y todavía poder decir: la vida es hermosa. Sí, estoy en un rincón, agotada, mareada, con fiebre, e incapaz de hacer nada. Sin embargo, también estoy con el jazmín y el pedazo de cielo más allá de mi ventana".

¿Qué hubiéramos escrito nosotros en nuestro diario privado, al estar respirando las cenizas de los hornos donde cada día apilaban montones de seres humanos en un holocausto irracional?

Es hora de que el pueblo cristiano viva en esencia el significado profundo de una oración veraz, sencilla pero entregada con el corazón, que traspasa los techos y se eleva por los cielos, y que es recibida directamente en el cáliz colocado en las manos del Cordero Santo.

Es hora de traspasar nuestra propia limitación y colocarnos en los zapatos ajenos para clamar con un verdadero sentir que golpea, que duele, que nos trae al quebrantamiento por amor a los demás.

Al comenzar este día, hazlo de la mejor manera posible: Dedícate a la oración.

Penetra ese mundo espiritual con tus oraciones, ruegos y acciones de gracias.

La paz abundante y sobrenatural de Dios te acompañará en este día.

Oración:

Hoy quiero ser un/a intercesor/a con la fuerza espiritual de quien sabe que ha recibido la autoridad para alcanzar la victoria con Cristo. Ayúdame Señor a pararme en la brecha, orando sin cesar por todos aquellos que aún no te conocen. Amén.

Conociendo las señales

"......y era el tiempo de las primeras uvas"
(Números 13:20b)

Cuando el pueblo de Israel llegó a la frontera con la tierra prometida, Dios le dijo a Moisés que enviara a un grupo de personas escogidas de cada tribu que tenían un encargo muy especial.

¡No eran ellos los que tenían que decidir el siguiente paso, si debían conquistar o no, pues en realidad esto ya estaba decidido por Dios. Ellos solo tenían que conocer la tierra y dar un informe sobre ella!

Moisés envió a príncipes, gente con capacidad de liderazgo, gente que había visto el poder de Dios desde mucho tiempo antes. Ellos vieron el favor de Dios como nadie lo había visto, el quebrantamiento de Faraón, y todas las demás cosas que habían sucedido, pero aparte de todo eso, eran personas con autoridad en sus tribus, así que lo que ellos dijeran iba a ser muy importante para el futuro de todo el pueblo y de hecho así sucedió.

Moisés les habló claramente y les dio las instrucciones: suban al monte y observen cómo es la tierra y cómo es el pueblo que la habita, si es fuerte o débil, si es poco o numeroso, si sus ciudades son ciudades fortificadas o campamentos, si es terreno fértil o estéril, si hay árboles o no y entonces tomen del fruto del país y regresen acá.

Ese viaje tardó otros cuarenta días, mientras todos esperaban buenas noticias en el desierto donde las cosas eran difíciles a pesar de tener la ayuda de Dios y ver día a día sus milagros.

Pero agrega la palabra allí algo muy interesante: era el tiempo de las primeras uvas.

En el reloj de Dios este era el momento de entrar a la tierra que por tanto tiempo habían estado esperando. Y todo estaba preparado para que se lograra.

El momento del favor de Dios había llegado, era hora de poseer la tierra, de matar gigantes, de tomar ciudades, de derribar fortalezas, de destruir enemigos. Había llegado la hora de gozarse, de conquistar, de dar gracias a Dios por su bondad. Por fin había llegado el día de decirle adiós al desierto y la oportunidad de entrar a un nuevo estilo de vida.

El desierto tenía que ser cosa del pasado, ahora era el momento de tomar las promesas que habían sido dadas por Dios y sin dudar entrar a la tierra esperada.

Cuando estos hombres llegaron a la tierra y la exploraron, descubrieron grandes frutos y constataron la veracidad de las promesas de Dios.

¡Estas uvas eran en realidad una señal de lo que les esperaba!

Sin embargo 10 de estos hombres se amedrentaron al ver al enemigo y trajeron un informe negativo y toda esa generación del pueblo que estaba en el desierto se quedó solo con ese racimo y nunca, nunca pudo degustar de todo lo demás que estaba preparado para ellos. Solo recibieron una probadita pero no tomaron todo lo que estaba para ellos disponible, porque les creyeron a los espías negativos que trajeron un informe desalentador, pero no creyeron lo que Dios había dicho.

¡Debemos estar atentos a las señales que Dios nos da!

Si no lo estamos es posible que nos suceda como a toda esta generación de israelitas en el desierto, podemos perdernos de las grandes cosas que El Señor había preparado para nosotros y que pueden quedarse sin descubrir.

Oración:

Señor, hoy descubro que cada día es una nueva oportunidad para acercarme a tus propósitos. Quiero vivir así en este día. Quiero descubrir lo que tú tienes para mí y disfrutarlo. Quiero conquistar en tu nombre, dejando atrás cualquier temor, porque sé que tú has preparado para mí un lugar de abundante provisión. Amén.

Regocijándonos en tiempos difíciles

"Regocijaos en el Señor siempre. Otra vez digo:
¡Regocijaos! (Filipenses 4:4)

En una ocasión me invitaron a una hermosa celebración de adoración y allí recibí una palabra de Dios realmente impactante.

Medité mucho en ella porque quería estar seguro que era una palabra que no venía solamente de una emoción de alguien más, y El Señor me confirmó días después esa misma voz.

Pero de manera paradójica, después de esa palabra se nos vino una terrible crisis y empezamos a vivir en otras condiciones muy distintas.

Y de nuevo vino a mí el pensamiento: ¿no era verdad entonces esa palabra? ¿Falló El Señor?

No. Él no ha fallado ni nunca lo hará. Lo que sucede es que aunque tengamos que esperar, Dios quiere que nos regocijemos aun antes de ver la palabra cumplida, porque nuestra fe nos permite esperar con certeza lo que Él nos ha dicho.

En el libro de Isaías El Señor da un mandato. Ni siquiera es una recomendación o una profecía, sino un mandato: ¿Cuál es ese mandato? ¡Regocíjate!

Pero ¿A quién le está diciendo que se regocije? ¿A la mujer que tiene muchos hijos y ya está jugando con ellos en su regazo? ¿A la mujer que ya ha fructificado tanto que ya puede contar con tanta descendencia? No. El Señor le da la orden de regocijarse a la estéril, a la que tiene el vientre seco, a la que muchos consideran como maldita porque no puede engendrar, a la que ningún marido quiere porque no le puede dar descendencia.

A esa mujer despreciada y desamparada se le da una orden desde los cielos: regocíjate.

¿De dónde le puede venir el regocijo a una mujer así?

El regocijo no es por lo que ve, sino por lo que verá. El regocijo no es por lo que tiene, sino por lo que tendrá. El regocijo no es por su vientre seco, sino porque de ese mismo vientre que no podía engendrar, ahora vendrá una multiplicación que la obligará a extender su tienda para prepararse para la multiplicación que llegará.

Por lo tanto, es tiempo de regocijarnos, El Señor promete vida aun en medio de los tiempos más secos y estériles, Él es el Dios de los imposibles. ¡Regocíjate!

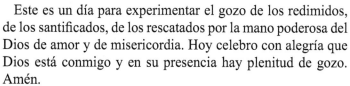

Oración:

Este es un día para experimentar el gozo de los redimidos, de los santificados, de los rescatados por la mano poderosa del Dios de amor y de misericordia. Hoy celebro con alegría que Dios está conmigo y en su presencia hay plenitud de gozo. Amén.

Una segunda oportunidad

"...Entonces Jesús le dijo: Ni yo te condeno, vete y no peques más" (Juan 8:11b)

Hace un tiempo atrás, se reestrenó en el cine un clásico de la literatura mundial llamado Los Miserables. Esta fue una historia escrita por Víctor Hugo y en ella se narra la historia de un hombre muy humilde llamado Jean Valjean, que acosado por las necesidades de traer alimento a su familia decide robar pan para alimentar a su familia y es descubierto, por lo cual lo sentencian a cinco años, pero después le amplían la condena por haber intentado escapar de la prisión varias veces y el termina pagando diecinueve años.

Su pasado como convicto lo abruma y en cada ciudad que pasa, escucha la negativa por ser un ex convicto con un pasaporte amarillo, universalmente rechazado; sólo el obispo Myriel le abre la puerta para ofrecerle alimento y refugio.

Jean Valjean, muestra un odio-amor y resentimiento con la sociedad.

Sin ser muy consciente de sus actos, le roba su vajilla de plata al obispo y huye por la ventana.

Cuando es detenido y llevado por la policía ante el obispo Myriel, éste cuenta a la policía que él le había regalado la vajilla de plata y que aún se había olvidado de darle dos candelabros del mismo metal, consiguiendo así que Valjean quede libre de nuevo. Después dice a Valjean que lo perdona y le ofrece los candelabros de plata, haciéndole prometer que redimirá su vida y se transformará en una persona de bien.

El obispo sabía que si lo acusaba con la policía, después de semejante historial que ya tenía este hombre, lo iban a condenar de por vida, y decide darle una nueva oportunidad.

La historia dice que Jean Valjean se convierte en esa persona de bien que termina siendo benefactor de una ciudad entera, de la cual es nombrado alcalde posteriormente.

La decisión del obispo permitió que este hombre que había sido llevado a la cárcel por tantos años y que en el fondo era un buen hombre que buscaba ayudar a su familia, recibiera una nueva oportunidad en su vida que finalmente, supo aprovechar adecuadamente.

En muchas ocasiones una sola oportunidad es lo que alguien necesita para cambiar su historia y salir adelante.

No solo la mujer adúltera recibió una segunda oportunidad. También la recibieron hombres como David o Pablo, como Pedro o Moisés.

Nuestro Dios es el Dios de las segundas oportunidades.

Si vienes a Él en arrepentimiento genuino y con la disposición absoluta en tu corazón de seguirlo honrando con tu vida, Él no te echa fuera.

Ven con confianza, Él te extiende hoy una nueva oportunidad. Aprovéchala y vive una vida que dignifique continuamente a Aquel que te dio una nueva ocasión para vivir de acuerdo a su voluntad.

Oración:

Señor Jesús, hoy solo quiero agradecerte por darme tantas oportunidades en mi vida. Estando aun muerto en pecados, diste tu vida por mí. Me rescataste por tu gracia para darme el perdón de los pecados y la vida eterna. Me sacaste de la oscuridad y me llevaste a tu luz admirable. Hoy te doy gloria y honra por tantas oportunidades recibidas. Amén.

¿Visiones celestiales o terrenales?

*"Si, pues, habéis resucitado con Cristo, buscad
las cosas de arriba, donde está Cristo sentado a la
diestra de Dios. Poned la mira en las cosas de arriba,
no en las de la tierra" (Colosenses 3:1-2)*

¿Por qué hace la gente lo que hace? ¿De dónde surgen sus motivaciones?

Hay quienes viven para hacer el mal y lo hacen muy bien; hay quienes viven para ayudar a otros; hay quienes viven solo para sí mismos; hay quienes viven en pos de grandes logros y otros que viven como si nada en este mundo los entusiasmara; hay quienes donan su tiempo y esfuerzo para que otros seres humanos sean beneficiados, mientras hay otros, que no hacen nada por nadie y están satisfechos.

Cada ser humano es diferente, cada persona piensa de manera diferente, cada uno de nosotros tenemos proyectos de vida, visiones, anhelos, sueños, ilusiones, etc.

Pero la pregunta que hoy nos inquieta es: ¿de dónde vienen estas visiones o sueños? ¿Por qué hago lo que hago? ¿Por qué anhelo lo que anhelo? ¿Cuáles son mis motivaciones personales?

Al hacernos este tipo de preguntas, descubrimos finalmente algo muy importante: que hay quienes toman para su vida una visión celestial, y hay quienes toman para sí mismos una visión terrenal para vivir.

La fuente de donde tomas tus visiones o proyectos de vida, determinará entonces lo que quieres alcanzar, lo que anhelas lograr y en lo que te empeñas cada día en realizar.

Por ejemplo, si tu interés es solo hacer dinero, conseguir bienes materiales, enriquecerte cada día más sin que te importen los demás, vivir solo para este mundo, entonces tú no tienes ningún tipo de visión celestial o de revelación divina.

Estás haciendo tesoros en la tierra que como dijo Jesús se dañan, se corrompen, se destruyen.

Pero si tú piensas en dar tu prioridad a Dios, si tu mente se ocupa constantemente en ayudar al prójimo, si tu corazón te impulsa a fortalecerte espiritualmente y tu pensamiento está en las cosas de arriba, entonces Dios está obrando en tu vida para darte guía y está contando contigo para ayudarlo a transformar este mundo.

Por eso Él pone en ti visiones, sueños, anhelos pero que se parecen a los de Él y no a los del mundo.

Piensa hoy: ¿hay de verdad algo en tu vida que te desafíe? ¿Hay algo en ti que te mantenga con inspiración? O simplemente te has dedicado a vegetar en el mundo sin un rumbo definido, esperando solo que pasen los días, pero sin tener en tu corazón anhelos por ver algo que cambie tu vida o la de otros seres humanos.

En medio de un mundo caído y corrupto hay una palabra que aparece siempre en la dirección de aquellos que siguen al Señor y es la palabra: restauración.

Hay algo que debe ser restaurado, hay alguien quien debe ser ayudado, hay alguien que necesita algo de parte de quienes tienen relación con Aquel que vino al mundo para rescatar lo que estaba perdido.

¡Por eso tener una visión celestial es mirar el mundo desde la perspectiva de Dios!

Pregúntate hoy: ¿son tus visiones de vida una inspiración celestial, o simplemente te estás acomodando a vivir como el mundo te dice que lo hagas?

De esto dependerá la forma como encausarás tus pasos y si podrás cumplir los propósitos para los cuales fuiste creado/a.

Oración:

Amado Dios, reconozco en este día que debo buscarte antes de tomar cualquier decisión. Deseo hacer lo que te agrada, vivir día a día haciendo tu voluntad y tomando una visión celestial para tomar las decisiones de acuerdo a tus propósitos en gloria. Amén.

Avivando la llama de tu visión

"Por lo cual te aconsejo que avives el fuego del don de Dios que está en ti....." (2 Timoteo 1:6a)

Abraham tuvo una visión celestial que lo llevó a salir de todo lo que tenía e ir en pos de una promesa divina, sin importar todo lo que dejaba atrás. Él solo miraba lo que tenía por delante, pues Dios mismo le había hablado para encender en él una llama inextinguible.

Moisés vio al Señor en una zarza y su corazón quedó impregnado del llamado divino para ir y liberar a su pueblo de la esclavitud.

Pablo recibió un dramático llamado en su camino a Damasco y a partir de ese instante ya no dudo más y obedeció al Señor que lo enviaba a ser el apóstol de los gentiles.

¡Ellos avivaban siempre la llama de su visión!

Pasaban por muchos aprietos, tuvieron difíciles pruebas, pero sabían que Dios estaba en el asunto y por lo tanto, no iban a dejar de luchar hasta lograrlo.

Ahí radica la gran diferencia. ¿Está Dios en todos tus asuntos o no? ¿Has recibido algo de parte de Dios como guía para tu vida? ¿Te ha hablado Dios y tú has entendido el mensaje?

Porque si es así, tienes que luchar por esa palabra, por esa promesa, por esa llama que un día se encendió y que no puedes dejar apagar jamás.

Dios está buscando a alguien exactamente como tú, alguien a quien le entristecen las mismas cosas que a Él le entristecen.

Con toda seguridad hay una misión divina que ya tiene tu nombre y tienes que alcanzarla.

Tu vida no es un experimento divino sino un proyecto de la Providencia para cumplir un propósito en esta generación. El Señor te ha enviado a este mundo con propósitos específicos.

Tú no eres simplemente una persona que vive por la inercia sin importar lo que haces, sino que eres un propósito que Él mismo se tomó el tiempo para crear y luego está perfeccionando en este tiempo.

Pero es posible que por no conocer tu bendición y tu propósito de parte de Dios, estés buscando propósitos donde no deberías.

Este es un buen día para examinar que es lo que en realidad El Señor ha puesto en tu interior y te motiva a diario. Esa llama nunca se puede apagar, porque es la llama de tu visión que no se consume.

Oración:

Señor, en este día mi oración es la misma que hizo David en el salmo 139: "Examíname, oh Dios, y conoce mi corazón. Pruébame y conoce mis pensamientos. Y ve si hay en mi camino de perversidad, y guíame en el camino eterno". Amén.

Buscando bendiciones en lugares equivocados

"Andad en todo el camino que Jehová vuestro Dios
os ha mandado, para que viváis y os vaya bien, y
tengáis largos días en la tierra que habéis de poseer."
(Deuteronomio 5:33)

Jacob recibió la bendición de Dios desde antes de nacer. Cuando Rebeca quedó en embarazo, ella fue a consultar con El Señor porque se dio cuenta de que en su vientre había dos criaturas, pero estas peleaban desde allí adentro.

Así que ella va delante de Dios, y El Señor le dice que dos naciones hay en su interior, dos pueblos que serán divididos desde sus entrañas y que un pueblo será más fuerte que el otro pero que ¡el mayor servirá al menor!

Esto era completamente diferente a lo que siempre sucedía, porque el primogénito, el primer nacido varón, tenía preeminencia y autoridad sobre aquellos que venían en la familia después de él.

El mismo Jacob cuando tuvo sus hijos declaró a Rubén: tú eres mi primogénito, mi fortaleza, y el principio de mi vigor; Principal en dignidad, principal en poder" (Génesis 49:3).

Así que el anuncio del Señor a Rebeca es sorprendente: El mayor servirá al menor.

Por lo tanto, Jacob desde el mismo vientre ya había recibido la bendición del cielo, pero como no la tenía presente, como no vivía de acuerdo a ella, seguía buscando bendiciones terrenales.

Eso sucede en muchas personas. A pesar de que ya han recibido bendiciones celestiales siguen buscando algún tipo de bendición terrenal. ¿Serás tú uno/a de estos/as?

Por qué deberías buscar aprobación en el mundo si ya tienes la aprobación desde el cielo.

Por qué deberías buscar migajas humanas cuando ya tienes abundancia divina sobre tu vida.

Si tú hoy en día eres un creyente, fue por la voluntad soberana de Dios que puso un sello de bendición sobre tu vida y eso significa que nadie te podrá arrebatar de la mano de Dios.

Tienes bendiciones celestiales, no andes buscando en el mundo lo que ya Dios te dio.

Así que la visión y proyección de tu vida tiene que venir de lugares celestiales y no simplemente de lugares terrenales.

Es más, tú puedes tener ya la bendición y aun así seguir viviendo fuera de la misma.

Esaú despreció la primogenitura con todo lo que esto significaba y la vendió a Isaac por un guisado de lentejas.

Y entonces Jacob usurpó la bendición a su padre Isaac cuando este era ya un anciano y no podía ver.

Y esta bendición era irrevocable. Una vez que el padre la daba, ya no se podía quitar o cambiar.

Pero Jacob a pesar de haber recibido esa bendición de su padre, seguía viviendo como si no la tuviera.

Te pregunto hoy: ¿no se parecerá a tu vida? ¿No será que ya sobre ti han sido dadas bendiciones, han orado por ti, has recibido ese respaldo de parte de tu Padre Celestial, pero aún sigues viviendo como si no las hubieras recibido?

No busques más en lugares equivocados.

Nuestro Señor Jesucristo es la fuente de las bendiciones eternas, búscalo a Él y lo tendrás todo.

Oración:

Señor Jesús, hoy quiero encontrarte desde la mañana, seguir tus huellas, caminar en la seguridad de tu presencia, recibir de ti la palabra y tomar mi bendición. Sé que cada promesa tuya es verdadera, por lo tanto, hoy vivo bajo esta realidad: soy bendecido/a. Amén.

Agosto

Más allá de la cruz

"Pero después que haya resucitado, iré delante de
vosotros a Galilea" (Mateo 26:32)

Jesús antes de ir a la cruz le hace una promesa a sus discípulos: "después que haya resucitado, iré delante de vosotros a Galilea". Esta breve oración describe perfectamente la naturaleza de la relación de Dios con el hombre: Él va delante de nosotros.

Nosotros fallamos, Él responde con perdón.

Nosotros traicionamos, Él responde con fidelidad.

Nosotros pecamos y avergonzamos el nombre de Cristo, pero Él responde muriendo en la cruz por nosotros.

Tu pecado no ha tomado por sorpresa al Señor. Así como Él sabía que Pedro le iba a fallar, Él también sabe que cada uno de nosotros fallaremos, no una ni dos veces sino muchas veces, pero esto no lo sorprende, ni tampoco deja de amarnos por nuestras caídas.

Pedro no fue condenado para siempre por su traición. Más bien cuando Jesucristo resucitó les dijo a las mujeres: díganle a Pedro que voy camino a Galilea a encontrarme con él y con los demás.

Era una forma de decir: Pedro, yo sabía que me ibas a fallar, pero no te he dejado de amar por eso. Todo lo contrario, te vas a levantar con el poder del Espíritu Santo, y cuando abras tu boca vendrán por miles a mi camino y cuando declares sanidad sobre las personas, estas serán sanas y hasta tu sombra sanará por donde pases. Pedro, no te preocupes, corre, corre y encuéntrate conmigo en Galilea porque he resucitado y ahora tú vas a apacentar mis ovejas y les enseñarás el camino de salvación. Yo ya vi en tu futuro y será glorioso, vamos Pedro, he resucitado y voy delante de ti a Galilea.

Jesucristo siempre miró más allá de la cruz.

Él vio vidas redimidas, Él vio vidas transformadas, hombres y mujeres que caminarían por el mundo compartiendo un mensaje de vida. Él vio niños adorando, jóvenes evangelizando, adultos dando sus vidas con generosidad, sí, Él siempre vio más allá de la cruz.

Él te vio libre, Él te vio perdonado/a y victorioso/a. Él vio que valía la pena todo el sufrimiento porque después se reclamaría el poder sobre el dolor y la muerte.

Él sigue respaldando la iglesia por la cual dio su vida. Él sabe que la iglesia tiene que pasar por sus momentos difíciles, por sus situaciones complicadas, pero también Él sabe y lo ha declarado, que la iglesia se levantará victoriosa y que los hijos de Dios siempre podemos esperar por los cielos abiertos, y la manifestación gloriosa de un Dios resucitado y vencedor.

Sí, Dios ya ha visto en tu futuro y te está llevando de su mano hacia esa gloria venidera.

Déjate llevar por El Señor. En su compañía siempre hay algo mejor esperando por ti.

Oración:

Gracias Jesús por tu obra perfecta a mi favor. Sé que por el gozo puesto delante de ti fuiste a la cruz. Y tu gozo era ver nuestras vidas redimidas, rescatadas, transformadas. Hoy celebro con alegría que tú vas delante de mí abriendo camino para que yo no tropiece. Gracias Señor. Amén.

Predicando sobre la piedra

"Y hubo un gran terremoto; porque un ángel del
Señor, descendiendo del cielo y llegando, removió la
piedra, y se sentó sobre ella" (Mateo 28:2)

Después de la muerte de Cristo, se reunieron los principales sacerdotes y fariseos ante Pilato para decirle: "Señor, nos acordamos que aquel engañador dijo, viviendo aun: después de tres días resucitaré."

¡Estos hombres seguían asustados por la palabra que habían escuchado de Jesús!

Nos acordamos que Él dijo que se iba a levantar, que iba a resucitar, así que vayan y aseguren la piedra, aseguren el sepulcro para que no lo vayan a sacar de aquel lugar y después digan que resucitó y entonces vamos a tener más problemas que antes.

¡Es decir, que si para ellos era una amenaza estando vivo, si resucitaba entonces ahora la amenaza era peor! Y la verdad es que Cristo sí fue una amenaza para muchos.

Para los religiosos, para los fariseos que no podían mirar más allá de su propia ley, para las castas sacerdotales que no querían ser molestadas, para los que no aceptaban el poder que venía de Él.

Cristo era una amenaza y por eso lo seguían para condenarlo, para eliminarlo, para llevarlo a la muerte.

Porque una persona que está llena de propósitos y de autoridad divina, será siempre una amenaza para los mediocres que solo buscan esconderle la verdad a los demás.

Pilato les dice a estos hombres que están preocupados por la resurrección de Jesús: "Ahí tenéis una guardia, id, aseguradlo como sabéis".

Ellos fueron y aseguraron el sepulcro, sellaron la piedra, no solamente se aseguraron que la piedra estuviera bien en su lugar, sino que sellaron todo para que nadie pudiera entrar ni salir y además le pusieron una guardia todo el tiempo.

Pero esto es sin duda algo muy importante, porque ellos se aseguraron que ningún hombre pudiera mover la piedra, y así fue.

No había ningún hombre que la pudiera mover, pero para Dios era otra cosa.

El ángel del Señor vino, hubo un gran terremoto, el ángel descendió del cielo y les mostró a todos ellos que lo que es imposible para los hombres es posible para Dios.

No solo movió la piedra sino que se sentó sobre ella para mostrar su gran poder sobre las cosas de este mundo.

Desde aquella piedra el ángel empezó a predicar las buenas nuevas del evangelio de la salvación.

"¿Por qué temen?", les dijo a las mujeres que fueron a ungir a un cadáver. Ustedes están buscando entre los muertos al que vive. ¡Están buscando un muerto para ungirlo, no pierdan su tiempo, no hay nadie a quien ungir, Él ya se levantó, Él ha resucitado!

¡Este es el anuncio del evangelio, las buenas nuevas de salvación!

"Él va delante de ustedes", de aquí en adelante donde quiera que se proclame esta Palabra, se tendrá que hablar de un Cristo que vive, que reina, que se levantó en victoria y que siempre, siempre, va delante de su iglesia para marcar el camino por el cual debe transitar.

Oración:

Gracias Jesús por darme la mejor noticia. Te levantaste en victoria y nos mostraste el camino que nos lleva a la eternidad. Hoy sé que no debo buscarte en un sepulcro. Te busco en la frescura de la mañana, en la sonrisa del vecino, en la calidez de mi familia, en cada momento de mi día. Tú vives para siempre. Amén.

Entregando todo al Señor

"Pero cuantas cosas eran para mi ganancia, las
he estimado como pérdida por amor de Cristo"
(Filipenses 3:7)

Un hombre halla a otro quien está vendiendo la perla más preciosa que jamás ha visto.

Es el símbolo del reino de Dios que se ilustra como la perla más preciosa jamás vista.

El hombre se queda mirando la perla que le están ofreciendo y le dice al vendedor: "la verdad no tengo con qué comprar esa perla".

El vendedor le dice: claro que sí tienes, vale todo lo que tengas.

¿Todo lo que tenga? Entonces metió su mano al bolsillo, sacó unos cuantos dólares y se los dio al vendedor y le dijo: esto es todo lo que tengo, dame la perla.

El vendedor le dijo: no me has entendido. Todo lo tienes que entregar. ¡Todo!

Bueno tengo una casita en la que vivo, le dijo el hombre.

Muy bien, le dijo el vendedor, tienes que dar tu casa.

¿Mi casa? Entonces tendré que irme a vivir a la finca, al rancho.

Oh, tienes un rancho, también lo tienes que dar.

Bueno, en ese caso tendré que dormir en el carro, respondió el hombre.

¿Oh, tienes un carro? También tienes que darlo.

¿El carro también? Pobre mi familia, ¿qué va a hacer?

¿Oh, también tienes una familia? Le dijo de nuevo el vendedor. También la tienes que dar.

Entonces me voy a quedar solo.

No, porque tú también tienes que entregarte. ¡Es todo o nada!

Pero hay una gran cosa, prosiguió el vendedor, cuando tú le entregas todo al Señor y lo declaras a Él como Señor de todo en tu vida, Él te devuelve todo bendecido.

John Harold Caicedo

457

Tendrás una casa bendecida, un auto bendecido, una familia bendecida, porque ahora no son tuyas, son de Él y Él sabe cuidar lo que le pertenece, lo que le hemos entregado sin reservas.

Por eso, Él debe ser Señor de todo en tu vida. No son entregas a medias ni por momentos, no.

Es una entrega total, es una consagración tuya definitiva y de todo lo que Él te ha dado.

Esa es la relación que debemos tener con un Dios tan grande y si aún no has entregado todo al Señor, este es el mejor día para que lo hagas.

En sus manos todo está grandemente bendecido.

Oración:

Hoy te entrego todo, Señor. No quiero reservarme nada. Mi familia, mis bienes, mi salud, mi trabajo, todo lo entrego en tus manos poderosas y sé que tú darás bendición sobre todo lo que te doy sin reserva. Gracias Jesús por darme una bendición tan grande. Amén.

Las marcas de Jesús

"De aquí en adelante nadie me cause molestias;
porque yo traigo en mi cuerpo las marcas del Señor
Jesús" (Gálatas 6:17)

Jesús dejó pocas huellas de sí en el mundo. No escribió libros, ni siquiera folletos. No dejó una casa ni pertenencias que se hubieran podido exhibir en un museo. No se casó, no se estableció, ni fundó una dinastía.

En realidad, no pudiéramos saber nada de Él, excepto por las huellas que dejó en seres humanos.

La marca de Jesús está en ti. Esto es algo maravilloso.

Solo Jesucristo es la verdad para todos los que han nacido en la raza humana, aparte de la cultura, la edad, la nacionalidad, la generación, la herencia, el color o el idioma.

No hay una luz para América, otra para África, otra para China, otra para Europa y otra para la India.

No, Jesucristo es la luz de este mundo. En ningún otro hay salvación porque no hay otro nombre bajo el cielo, dado a los hombres, en que podamos ser salvos. Solo el nombre de Jesús.

Y Jesús sigue poniendo sus marcas en seres humanos alrededor del mundo.

El evangelio sigue avanzando. Naciones enteras están siendo ganadas para Cristo. Hay cosecha de almas. En Latinoamérica se estima que cada minuto entre 4 y 5 personas están recibiendo al Señor.

No somos un pueblo abandonado en el mundo a la deriva. Somos el pueblo del Dios vivo y tenemos su marca visible en cada uno de nosotros.

¿Por qué predicamos la palabra? ¿Por qué nos reunimos cada domingo y entre semana, en cada reunión de oración? ¿Por qué salimos a orar por las calles y los parques? ¿Por qué buscamos compartir este mensaje de salvación?

Sencillamente porque tenemos una convicción que nadie nos puede quitar: Tenemos a un Dios que vive, que fue a la cruz pero que ha resucitado, y por ese Dios vivo estamos dando también nuestra vida.

Miles de hombres y mujeres en todo el mundo han preferido ir a la hoguera, o ser aserrados o crucificados, encarcelados, perseguidos, atormentados, antes que negar a Jesucristo.

Son hombres y mujeres que llevan la marca de Jesús sobre sus vidas y nada ni nadie las podrá borrar.

La iglesia es el tesoro de la humanidad, es el sitio de la proclamación de las buenas nuevas de salvación, es el resguardo de los pobres, el lugar de consolación, el sitio de proclamación del evangelio. Pero ante todo, es el lugar del Señor resucitado, por quien podemos proclamar: ¡Gracias Señor por habernos salvado, por libertarnos y por el inmenso, inmenso privilegio de llamarnos cristianos!

Sí, un cristiano tiene las marcas de Cristo en él.

¿Las tienes tú?

Oración:

Amado Salvador, gracias por recordarme en este día que cada creyente debe ser un reflejo de lo que tú eres. Tú diste tu vida por nosotros y cuando resucitaste aún conservabas las marcas de los clavos que te traspasaron. Qué manera de recordarnos tu amor, estamos marcados por el para siempre. Amén.

Prudentes o necios

"Cualquiera, pues, que me oye estas palabras, y las hace, le compararé a un hombre prudente, que edificó su casa sobre la roca" (Mateo 7:24)

Un pastor llegó por primera vez a la iglesia en donde iba a empezar a servir y predicó ese día un lindo mensaje y todos concordaron en que el mensaje había sido muy bueno.

Se reunieron en corrillos y los líderes dijeron: qué buen mensaje, tocó mi vida, me llegó muy adentro de mi corazón. Algunos le dijeron al pastor: ¡me gustó su mensaje, estuvo muy bueno, muchas gracias!

Al siguiente domingo el pastor subió de nuevo al púlpito y predicó el mismo mensaje de la semana anterior. Algunos estaban confundidos, pero otros, como no habían ido el anterior domingo, quedaron satisfechos y dejaron pasar por alto este suceso. Los líderes estuvieron de acuerdo, así que no se dijo nada.

Al tercer domingo el pastor subió de nuevo y predicó el mismo mensaje. Entonces ya todos estaban confundidos.

Al terminar el servicio, hubo reunión de los líderes y algunos miembros de la iglesia, porque realmente estaban confundidos escuchando el mismo mensaje semana tras semana y decidieron llamar al pastor para confrontar la situación.

El pastor vino y ellos le reclamaron en relación a los que estaba sucediendo, pero el pastor muy tranquilo contestó: bueno, ustedes me dijeron que el sermón fue muy bueno y yo supuse que lo pondrían en práctica, pero como veo que no es así, ¡lo voy a seguir predicando domingo tras domingo, hasta que ustedes lo pongan en acción!

¿Pueden imaginar eso? ¡Semana tras semana escuchando lo mismo! El pastor repitiendo el mensaje que para todos había sido muy bueno, pero que por supuesto, él esperaba que no se quedara solo en buenos comentarios, sino que se convirtiera en vida entre quienes lo oían.

La palabra de Dios motiva a la acción a quien la escucha cuidadosamente.

La verdadera eficacia de un mensaje no se mide cuando se predica, sino cuando se lleva a la práctica.

Jesucristo nos dejó el mensaje de salvación en su palabra y cada día en muchos lugares del mundo, ese mensaje se sigue predicando y muchos llegan a los pies del Salvador.

Pero el problema es especialmente para aquellos que ya llevan mucho tiempo en el evangelio, a quienes se les ha vuelto tan común escucharlo, que ya no se motivan, ya no se entusiasman, ya no produce vida en ellos/as.

Los creyentes de la antigüedad escuchaban la palabra pero no tenían opciones para después comprar el mensaje de Jesús en CD, o verlo en Internet, o mirar el boletín. Nada de eso.

Escuchaban y ponían en práctica lo que escuchaban o de lo contrario, simplemente lo olvidaban y eran catalogados como necios que edificaban su vida sobre la arena.

Pregúntate de una manera bien consciente, si las decisiones que tomas a diario son impulsadas por lo que Dios te ha hablado en su palabra o simplemente por lo que a ti te parece.

Si Él la dijo es palabra sagrada con la cual no podemos jugar.

Oración:

Hoy me dispongo a ser obediente a tu palabra. Sé que lo que has dicho no es solamente una forma de consejo sino una palabra autoritativa para que aprenda a vivir de acuerdo a tu voluntad. Mi deseo es alcanzar aquello para lo cual fui creado y solamente lo puedo lograr obedeciendo tu palabra. Amén.

Dios está en control

*"....quien sustenta todas las cosas con la palabra de
su poder..." (Hebreos 1:3)*

No podemos perder de vista que Dios está en control de ese universo y obra a favor de los suyos siempre.

Aun en aquellas cosas que pareciera que el enemigo ha triunfado, que nos ha vencido y que ya no podemos levantarnos, aun cuando las cosas parecen muy difíciles, Dios interviene, Dios usa su gran amor y misericordia y aunque cualquiera hubiera dicho que no había esperanza, Dios lo encamina finalmente para bien.

Esto nos ayuda, sin duda, a mirar cada acontecimiento de nuestra vida bajo la forma adecuada.

El mundo tiene aflicciones, el mundo tiene ocasiones de lamento y de dolor, es verdad, pero El Señor nunca desampara a los suyos.

Para cada ataque del enemigo, Dios ha diseñado una respuesta superior.

Para cada momento de tribulación, Dios ha preparado una victoria.

Para cada momento de persecución, Dios ha preparado una salida.

Para cada momento de aflicción, Dios ya ha preparado un consuelo mucho mayor.

Y por cada arma que el enemigo quiso usar en nuestra contra, Dios ha preparado armas mucho más poderosas que nos dan la victoria en las batallas de la vida.

Aquel que fue el blanco del enemigo, se convierte en el más grande testimonio. Aquel que fue el más asediado y perseguido, se levanta para decir: todo lo puedo en Cristo que me fortalece.

Por eso la historia de los hijos de Dios no es una historia de derrota en derrota o de dolor en dolor, por el contrario, la Biblia dice que vamos de gloria en gloria porque caminamos de la mano del Dios vivo y su presencia lo cambia todo.

Y el apóstol Pablo nos hace ver que en la vida hay momentos en los cuales nos sentimos derribados: "que estamos atribulados en todo, pero no angustiados; en apuros, pero no desesperados; perseguidos,

John Harold Caicedo

pero no desamparados; derribados, pero no destruidos" (2 Corintios 4:8).

Mientras vivamos en este mundo de dolor, el sufrimiento y los ataques del enemigo nos pueden alcanzar; pero lo que el enemigo nos haga, por más terrible que sea, no es el punto final de la historia.

Dios sigue trabajando en tu vida y lo hará de nuevo a lo largo de este día.

El Señor desea bendecirte de una forma muy especial. Recibe esa bendición y recuerda que Dios está en control de todas las cosas y que nuestra fe se mide constantemente en la forma como entregamos todo a Él, y dejamos que Dios haga su voluntad.

Él nunca se equivoca.

Oración:

Sé que tu estas en control. Por eso hoy vivo en la tranquilidad de saber que estoy en las mejores manos. Gracias Señor por darme la seguridad de que soy parte de tu pueblo escogido y que puedo vivir al abrigo del Altísimo, bajo la sombra del Omnipotente. Amén.

Un ladrón en mi casa

"El ladrón no viene sino para hurtar y matar y destruir ......" (Juan 10:10a)

El enemigo tiene una labor que está cumpliendo. Él vino para robar, matar y destruir.

¿Qué es lo que quiere robar?

¿Tal vez tu cartera o tu tarjeta de crédito? No. En realidad él no necesita tu dinero. Él no necesita tu casa. Pero la Biblia dice que él ha venido para robar.

¿Qué es entonces lo que él quiere robar? ¿Qué es en realidad lo que le interesa?

Una de las cosas que el enemigo ha robado de muchos cristianos, es su primer amor por El Señor.

Él no necesita su dinero, ni su casa, ni su auto, pero si los puede desanimar, si los puede distraer, si los puede enfrentar con otros hermanos en la fe, entonces está logrando su propósito maligno.

Si los creyentes en lugar de apoyarse, terminan enfrentándose, criticándose, juzgándose entre sí, entonces el enemigo está robando la armonía que debería existir entre el pueblo de Dios.

Reflexiona hoy por un momento:

Si de repente ya no te interesa leer la Biblia, asistir a una noche de oración, ir a un estudio bíblico donde puedas aprender más o tener un tiempo devocional.

Antes anhelabas tener tiempo con Dios y te gozabas, te deleitabas con Él, pero ahora se te ha convertido en un simple acto mecánico y de costumbre, y te da lo mismo si vas a la iglesia o no, si ayudas a alguien o no, si compartes la palabra con alguien o no.

Se te ha perdido el fuego interior. Te estás apagando y te interesan más las cosas del mundo.

Esto puede suceder con los creyentes.

Precisamente por eso Dios le escribió a la iglesia en Éfeso para advertirle: "tengo algo contra ti", que te has apartado, que has perdido tu primer amor.

Arrepiéntete, vuelve de nuevo al Señor, ponlo de nuevo como primero en el orden de tus prioridades.

¿A dónde se fue ese primer amor? ¿Se evaporó en el aire?

No. Fue robado, alguien lo robó, alguien lo quitó. Y sabemos quién es ese alguien, es aquel que ha venido para robar, matar y destruir.

El ladrón solo viene a robar, y lo está logrando en muchas vidas.

Hay personas que han llevado a muchos otros a las iglesias y han sido tremendos hombres o mujeres de Dios, y hoy en día ni siquiera anhelan congregarse, no quieren escuchar la palabra de Dios.

Y pueden decir, fue por culpa de aquel hermano que le dañó, o de aquella hermana que habló mal de él/ella, pero no es así.

Fue el enemigo que le robó lo más preciado: su gran amor por Dios.

Sí, el ladrón ha venido a robar y les está robando a los creyentes su anhelo por buscar más del Señor.

Por eso hoy es un día para reflexionar. ¿Se ha perdido algo en tu vida espiritual? ¿Te has enfriado en tu relación con Dios? Ten cuidado. El enemigo está rondando, no te descuides.

Si algo se ha perdido en ti, busca al Señor, Él tiene una mejor oferta, Él ha venido a darte una vida en abundancia, recíbela hoy.

Oración:

Señor, hoy recibo de ti la abundancia de la vida que me has prometido. Al entender las artimañas del enemigo, reconozco que él quiere apartarme de tus caminos, pero hoy tomo la decisión de seguir adelante, viviendo para glorificar tu nombre. Amén.

Ciudadanos del reino de Dios

"Pero él les dijo: Los reyes de las naciones se enseñorean de ellas, y los que sobre ellas tienen autoridad son llamados bienhechores; mas no así vosotros, sino sea el mayor entre vosotros como el más joven, y el que dirige, como el que sirve" (Lucas 22:25-26)

Por generaciones la historia ha conocido el deseo del ser humano de convertirse en poderoso, dominador y sujetar a su prójimo.

El ángel orgulloso tuvo que ser expulsado del cielo y se convirtió en el enemigo de Dios y de los hombres, y así mismo a través de las generaciones, los seres humanos intentan imponerse con orgullo y soberbia, demandando para ellos mayor atención y tratamiento de altura.

Se llaman Alteza, Soberano, Eminencia, pontífice, distinguido y excelentísimo y toda clase de nombres que intentan mostrar una condición de grandeza humana que no corresponde con la enseñanza cristiana.

El Señor Jesucristo vino proclamando un reino diferente en el que los más grandes en realidad, son los más pequeños y en el que los que quieren sobresalir deben ser servidores de los demás.

Hasta sus discípulos a los que se les había inculcado la humildad, llegaron a disputar en cuanto a la grandeza y cuál de ellos sería el mayor.

¿Qué fue lo que hizo el Rey del Reino de Dios en presencia de los discípulos?

Tomó la forma de siervo y lavó sus pies. Jesús estaba demostrando la naturaleza de su reino eterno ante ellos.

Ellos no podían entender esta enseñanza. ¿El Maestro lavando los pies de los discípulos?

Enseñó que el vino y el pan de esta antigua y tradicional cena representaban su cuerpo y su sangre, la cual pronto sería entregada y derramada por ellos.

Sorprendentemente, mientras Él estaba diciendo este gran misterio humilde y obediente de poner su vida por ellos, una disputa surgió entre sus discípulos. Ellos estaban discutiendo sobre quién sería el mayor.

Ellos evidentemente no oyeron ninguna de las palabras que Jesús estaba diciendo. Él compartía los símbolos de una vida que iba a ser entregada por ellos, mientras ellos discutían sobre quién merecía las primeras sillas en la sala de su trono eterno.

Jesús se dirigió con respecto a esta ambición en sus discípulos diciéndoles que ellos tenían una mala idea de lo que era la autoridad y que no gobernarían como los reyes de los gentiles, como ellos suponían, sino que el mayor entre ellos sería exactamente como Él había sido ante sus ojos, el siervo de todos.

La verdadera madurez cristiana no se mide por los títulos o las posiciones alcanzadas, sino por la humildad, la integridad y el servicio del siervo cristiano.

Hoy El Señor está convocando a los ciudadanos de su reino. Hombres y mujeres con espíritu humilde, sencillos, dispuestos a servir, dadores con alegría, pacientes, llenos de amor por el prójimo, personas de fe inquebrantable y entrega sin límites.

Sí, El Señor está haciendo una convocatoria a sus seguidores para seguir edificando un reino de justicia, paz y gozo en El Espíritu. ¿Ya recibiste tu invitación?

Oración:

Hoy me propongo imitar tu ejemplo, Señor Jesucristo, viviendo para servir y mostrando que la humildad es uno de los principales elementos del Reino anunciado por ti. Amén.

Sálvate a ti mismo

"Y los que pasaban le injuriaban, meneando la
cabeza, y diciendo: Tú que derribas el templo, y en
tres días lo reedificas, sálvate a ti mismo; si eres Hijo
de Dios, desciende de la cruz" (Mateo 27:39-40)

El día de la muerte de Jesús, aquellos que pasaban por el camino reconocían al Maestro que habían escuchado mientras recorría pueblos y aldeas, o enseñaba en el templo.

Al verle en tal situación, no supieron hacer nada mejor que burlarse de él.

Los soldados que le habían crucificado también repetían esa burla. Habían ejecutado las órdenes recibidas, repartieron sus vestiduras entre sí y ahora le vigilaban. Crueles, sin piedad, indiferentes a los sufrimientos de los demás, se burlaban de este nuevo profeta que no había logrado más que hacerse arrestar y condenar.

También uno de los malhechores que estaban colgados le injuriaba, diciendo: "Si tú eres el Cristo, sálvate a ti mismo y a nosotros".

¿No debía este malhechor tener compasión y reconocer que él estaba sufriendo el justo castigo debido a sus crímenes, mientras que Jesús no había hecho ningún mal? La gracia obró en su compañero, pero él, con el corazón endurecido, se unió al coro que se burlaba, repitiendo: "Sálvate a ti mismo".

¿Qué hubiera ocurrido si Jesús hubiese dado respuesta a esta diabólica invitación, y hubiese manifestado su poder descendiendo de la cruz? ¡Qué estupor para sus enemigos! Las multitudes hubiesen quedado boquiabiertas, y sin duda, hubiesen querido hacerle rey.

Se hubiese hablado de este acontecimiento a lo largo y ancho a través de todos los tiempos…, pero la redención no se hubiese llevado a cabo; la obra que el Padre le había encomendado no se hubiera cumplido; nosotros hubiésemos permanecido bajo el peso de nuestros pecados y del juicio de Dios, porque Él no hubiese cargado con "nuestros pecados en su cuerpo sobre el madero" (1 Pedro 2:24).

Pero Jesús no respondió a estas burlas. Como un cordero fue llevado al matadero y no abrió su boca. Fue golpeado, martirizado, le lanzaron insultos y escupitajos, lo azotaron muchas veces, lo obligaron a cargar su cruz, lo desnudaron y humillaron, pero nunca dijo nada, Él simplemente caminó en silencio hacia su destino.

Una y otra vez escuchó los gritos de la gente: "Vamos, si eres Hijo de Dios, desciende de la cruz". "Sálvate a ti mismo", vamos demuéstranos que de verdad eres el que dices que eres.

"¡Si eres el Rey de Israel, desciende ahora de la cruz y creeremos en ti!"

Es un desafío de los burladores de la cruz. Es un reto al Señor que desafortunadamente muchos hoy en día siguen repitiendo:

Vamos, si es verdad que eres Dios entonces que me gane la lotería y salga de esta situación.

Vamos, si eres Dios entonces aparécete aquí y muéstranos de verdad que estás vivo.

Si eres Dios entonces respóndeme a lo que te estoy diciendo.

El mundo sigue desafiando a Jesús para que obre como ellos quieren. Sin embargo El Señor no responde a estas burlas.

Él responde a los que le buscan con fe y con genuino corazón y que han creído sin dudas que Jesús es El Mesías, El Salvador del mundo. Él no vino a salvarse a sí mismo, esa no fue nunca su repuesta.

Él ha venido "para que todo aquel que en Él crea no se pierda sino que tenga vida eterna" (Juan 3:16).

Oración:

Amado Señor, cada día descubro más la naturaleza de tu obra perfecta. Soportaste todo por amor a mí, y hoy quiero vivir como es digno de ti: agradándote en todo, llevando fruto en toda buena obra y creciendo en el conocimiento de Dios. Amén.

Quiero un papá nuevo

"Pedís, y no recibís, porque pedís mal, para gastar en vuestros deleites" (Santiago 4:3)

En uno de los libros de Max Lucado, él relata que un día llevó a su familia a una venta de bicicletas para comprarle una a su hija mayor que tenía cinco años. Ella escogió una reluciente bicicleta moderna y hermosa. Pero su hermanita de tres años, decidió que quería una también.

El padre le explicó a su hija que no tenía edad suficiente, que todavía tenía dificultades para poder pedalear y que era demasiado pequeña para una bicicleta. No hizo caso; igual quería una.

Le explicó que cuando fuese un poco mayor, también recibiría una. La pequeña sencillamente se quedó mirando al papá con enojo. El intentó decirle que una gran bicicleta le causaría mayor dolor que placer, más raspones que emociones, pero ella giró la cabeza sin decir palabra.

El padre se negó y finalmente le dijo: lo siento pero no puedo darte ahora lo que tú quieres.

La niña lo miró con desagrado y dijo algo que muchos también repiten a diario. ¡Como no me das lo que yo quiero, « ¡Entonces quiero un papá nuevo!»»!

Muchos buscan a Dios solo por lo que esperan recibir, pero no por lo que Él es y lo que significa para el creyente.

Muchos solo anhelan recibir del Señor lo que piden para satisfacer hasta sus más leves caprichos personales, exigiendo como hijos malcriados, pero sin un verdadero compromiso con Aquel a quien tanto le exigen.

La desilusión exige un cambio de mando. Cuando no estamos de acuerdo con el que dicta las órdenes, nuestra reacción suele ser igual a la de esta niña: ¡Queremos un papá nuevo!

Lo que cautivó a los primeros cristianos no fueron las promesas de bendición del evangelio, o el pensar que al abrir su corazón a este mensaje transformador, todos sus problemas quedarían solucionados completamente. Lo que en realidad los cautivó fue la persona quien expresó el mensaje: fue sin duda Jesucristo de Nazaret.

Si lo atractivo hubiese sido una promesa de bienes o dinero, entonces Mateo que ganaba muy bien como publicano al servicio del gobierno romano se hubiera quedado en su puesto disfrutando de esas "bendiciones".

Hasta los romanos hubieran sido atraídos por un mensaje de solo beneficios, dominio y poder.

Pero las palabras de Jesús fueron en muchas ocasiones tan duras que algunos prefirieron irse e incluso hoy en día, muchos siguen haciendo lo mismo.

Ante la profusión continua de un mensaje que solo atrae al creyente por los beneficios, hoy en día hay muchos que siguen buscando a un dios que satisfaga todos sus pedidos, que llegue como el genio de la lámpara para llevar a cabo cada uno de sus deseos personales.

Pero en realidad, el creyente verdadero está cautivado por Jesús y nada más. No son los bienes personales lo que lo hacen feliz, no son las mansiones, los autos, el dinero, el poder o la fama, lo que los atrae. Es solo Jesús y su mensaje lo que lo llena completamente.

Así que pregúntate en este día: ¿estás buscando a Jesús genuinamente y es todo lo que te interesa?

¡O también tú quieres un papá nuevo!

Oración:

Hoy reafirmo mi fe en ti Señor Jesús y sé que fuera de ti no hay nadie más a quien deba adorar. Tú eres quien me provee, me alienta, me ayuda y me sustenta. Por lo tanto sé que si te tengo a ti lo tengo todo. Amén.

Para que las obras de Dios se manifiesten

"Y le preguntaron sus discípulos, diciendo: Rabí,
¿Quién pecó, este o sus padres, para que haya nacido
ciego? (Juan 9:2)

En muchas ocasiones nos preguntamos por qué es necesario el dolor, la aflicción, el rechazo o los momentos o circunstancias difíciles de la vida. Y la gran mayoría de veces no tenemos respuestas. Creemos que hay injusticias en contra nuestra o que tal vez Dios está muy ocupado y se ha olvidado de nosotros.

Sin embargo, en este pasaje de la Escritura, El Señor les asegura a sus discípulos que era necearia la ceguera de este hombre para que la obra de Dios se manifestara en él.

Cuando la mano de Jesús tocó a este ciego de nacimiento y él se levantó como le dijo El Señor y se lavó en el estanque, regresó siendo otro completamente distinto, pues sus ojos fueron abiertos.

Había sido tan grande su transformación que muchos no lo reconocían. ¿No es este el que se sentaba y mendigaba? Unos decían que sí y otros que no, hasta cuando él admitió que Jesús había realizado un milagro en su vida y ahora podía ver.

Y esto nos llena de esperanza porque sabemos que aunque estemos pasando por momentos difíciles, si confiamos en El Señor, tenemos un milagro en camino que está por realizarse y pronto testificaremos del poder de Dios, y quizás muchos después no nos puedan reconocer.

Los judíos consideraban que el sufrimiento seguía al pecado como el efecto a la causa, hasta tal punto que suponían que tenía que haber algún pecado donde había sufrimiento.

Así es que le dirigieron a Jesús la pregunta que consideraban clave: «Este hombre está ciego. ¿Es su ceguera debida a su propio pecado, o al de sus padres?»

Los discípulos preguntaban ¿por qué está así? Jesús, contesta para qué esta así.

Los discípulos intentan conectar el pasado con el presente. Si hubo un pecado hay que pagar las consecuencias por este pecado.

Pero ahora Dios llama al pasado y lo relaciona con el futuro. Él restaura lo que pasó.

Él transforma lo que no estaba bien y lo trae de nuevo a lo que debe ser.

No, no es que este pecó, ni sus padres, ni sus abuelos, ni sus bisabuelos, ni tatarabuelos, no.

Esto tiene un propósito mayor. Es en realidad para que la obra del Señor sea manifestada y todos podamos aumentar nuestra fe en un Dios que puede hacer todo, porque para Él no hay nada imposible.

El mundo quiere saber cómo te fueron abiertos los ojos.

Ellos en realidad quieren saber dónde estaba la fuente de la sanidad.

El mundo clama por sanidad y se muere en medio de la ignorancia de Dios.

El mundo necesita saber que hay un Dios y que ese Dios tiene poder y además está dispuesto a hacer en ti ese milagro que tanto habías estado esperando.

Como hijo/a de Dios, debes estar siempre preparado/a para lo sobrenatural de Dios.

Las obras de Él deben ser manifestadas entre los suyos y en este día, Él puede obrar en tu vida con el mismo poder que usó para abrirle los ojos a este ciego.

Oración:

Reconozco mi Señor que en ti está el poder. Basta tu palabra para que la sanidad venga. Por eso hoy acudo a ti para interceder por los enfermos, por los ciegos en el mundo, por los paralíticos del alma, por los desahuciados, los olvidados, los desechados, aquellos que hoy sufren de diversas maneras. Amén.

Sobre ti fijaré mis ojos

*"te haré entender, y te enseñaré el camino en que
debes andar; sobre ti fijaré mis ojos" (Salmo 32:8)*

Recuerdo hace algunos años atrás cuando yo me sentía en una gran angustia porque parecía que mi vida no iba para ninguna parte. Junto con mi esposa trabajábamos muy duro y las cosas no resultaban, parecía que no había una luz al final del túnel y no sabíamos qué sería de nosotros para el futuro.

Salí de mi casa con mi Biblia en la mano. No sabía ni que hacer pero sentía profundamente la necesidad de que Dios me hablara.

Necesitaba escuchar la voz del Señor, que me dijera algo porque no podía entender lo que pasaba.

Toda nuestra lucha, el desespero de no mirar mucho progreso, tantas dificultades, pero sin soluciones.

Salí de mi casa y me puse a caminar en un campo de golf que estaba al lado y oraba, rogaba, meditaba y clamaba pidiendo por una respuesta de Dios para mi angustia.

En medio de ese clamor, El Señor me llevó al salmo 32 versículo 8. Fue muy clara la dirección que Dios me dio y la voz que yo esperaba escuchar vino de la misma Escritura: "te haré entender y te enseñaré el camino sobre el que debes andar, sobre ti fijaré mis ojos".

Fue una revelación maravillosa. Fue algo que hizo que mi corazón saltara porque El Señor me estaba hablando y me estaba diciendo que aun en esos momentos de angustia, Él no se había apartado de mí, pero que yo no entendía lo que estaba pasando.

Los propósitos de Dios se estaban cumpliendo en mi vida, Dios me cuidaba mientras yo no lo veía.

Son cosas demasiado maravillosas, no las podemos entender. Podemos especular, podemos dar opiniones pero nadie sabe lo profundo de Dios, a no ser que Él mismo nos lo quiera revelar.

Y aquel día en ese lugar, Dios me reveló que yo no estaba solo, que Él estaba trabajando en mi vida, que me haría entender tarde o temprano el camino por el cual yo tenía que transitar y especialmente, una frase que nunca he podido olvidar: "sobre ti fijaré mis ojos".

John Harold Caicedo

Los ojos de mi Señor están sobre mi vida en todo momento.

En ocasiones había llegado a pensar que estaba solo en mis luchas. Incluso llegué a imaginar que Dios no me escuchaba y que finalmente me consumiría la desesperanza.

Pero allí, en medio de la tristeza y la desolación, escuché la voz que necesitaba. El Señor mismo me dijo que pronto entendería y que Él mismo me enseñaría el camino por el cual era necesario que yo transitara de ahí en adelante. ¡Cada palabra se cumplió!

Sus caminos siempre son mejores que los nuestros, y sus pensamientos siempre son más altos que los nuestros.

Por eso, a partir de ese día aprendí que si los ojos del Señor están sobre mi vida, entonces ya no debo temer más, ya no debo sentir más la angustia y la soledad. Tengo una compañía permanente, Dios está conmigo y sus ojos me miran todo el tiempo.

¡Qué gran confianza, qué gran esperanza!

También El Señor tiene para ti una respuesta en este día. Sus ojos te miran y pronto también su palabra te dirá lo que debes hacer.

Oración:

Señor Jesús, gracias por hablar a mi vida de una manera tan directa a través de tu palabra escrita. Mi vida ha sido transformada y lo sigue siendo día a día. Por eso hoy de nuevo levantaré mis ojos al cielo para darte gloria y honra, pues sé que has tomado mi vida en tus manos y me guiarás por senderos de justicia. Amén.

El peso de las tradiciones

*"Este pueblo de labios me honra; Mas su corazón
está lejos de mí. Pues en vano me honran, Enseñando
como doctrinas, mandamientos de hombres"*
(Mateo 15:8-9)

En una ocasión los fariseos se acercaron a Jesús y le preguntaron: ¿Por qué tus discípulos no andan conforme a la tradición de los ancianos, sino que comen pan con manos inmundas? (Mateo 15:2).

Para los fariseos la tradición era parte fundamental de su vida diaria. Su compromiso de por vida era el de preservar la ley y las tradiciones con celo y cuidado para advertir a todos aquellos que las violaran, que en realidad no estaban cumpliendo con lo estipulado por Dios.

Pero en este caso en particular, Jesús descubre que las tradiciones han suplantado a Dios en el corazón de los fariseos. Que en realidad ya no viven para honrar al Señor directamente, sino más bien su vida está en honrar la ley y las tradiciones.

Cuando algo así sucede, entonces las tradiciones en lugar de acercarnos a Dios, nos alejan de Él.

Así que Jesús les responde: "Hipócritas, bien profetizó de vosotros Isaías, como está escrito: Este pueblo de labios me honra, Mas su corazón está lejos de mí. Pues en vano me honran, enseñando como doctrinas mandamientos de hombres." Y luego agrega: "Bien invalidáis el mandamiento de Dios para guardar vuestra tradición".

Tal como en aquellos tiempos, hoy en día el peso de las tradiciones es bastante fuerte y se ha convertido en el principal obstáculo para que la gente se acerque al Señor. Una tradición es una costumbre que levanta estructuras. La gente dice: "tiene que hacerse de esta forma porque así lo hemos hecho siempre" o "yo pienso que es así porque así me enseñaron mis padres".

Pero Dios está resuelto a levantar en este tiempo una generación que tenga una revelación más profunda que una tradición, porque la tradición puede invalidar la palabra.

Cuántas veces hemos ido a evangelizar a muchas personas, a compartirles el plan de salvación y aunque pueden admitir que es verdad lo que les compartimos, muchos simplemente aseguran: "prefiero morir antes que romper las tradiciones de mis padres o mis abuelos".

Según la escritura, una tradición te va a mantener atado y no te va a dejar fluir con las cosas que Dios tiene nuevas y frescas en este tiempo.

Muchos de nosotros traemos en nuestras vidas cosas espirituales que no son cambiadas fácilmente.

Movilizar al pueblo de Dios para que cambien sus vidas, para que se despierten esos espíritus adormecidos, se hace en ocasiones bien complicado, pero no podemos detenernos en esto pues es lo que Dios quiere que hagamos, que nos separemos de idolatrías y ritos paganos y lo busquemos a Él con sincero corazón.

Si hay tradiciones que te impiden crecer espiritualmente debes desecharlas. No te sirven para nada. Por el contrario, son un obstáculo para tu crecimiento personal.

Pregúntate si aún tienes en tu vida algún tipo de tradición que en lugar de aproximarte al Señor, te separa de Él.

Es posible que descubras en este día que has estado viviendo para las tradiciones y no para El Señor, como Él lo pide.

Oración:

Hoy, amado Salvador, te pido que me ayudes a descubrir si mi vida espiritual está siendo guiada solo por tradiciones o en verdad por la adoración y la honra que tú mereces. Ayúdame a entender que no solo de labios debo honrarte, sino que todo mi ser debe estar completamente entregado a ti. Amén.

El poder de la palabra de Dios

*"Porque la palabra de Dios es viva y eficaz, y más
cortante que toda espada de dos filos; y penetra
hasta partir el alma y el espíritu, las coyunturas
y los tuétanos, y discierne los pensamientos y las
intenciones del corazón" (Hebreos 4:12)*

En muchas ocasiones en nuestras vidas tenemos que enfrentarnos con nuestra incredulidad frente a lo que ya debería ser para nosotros un principio de fe total.

La Palabra de Dios penetra hasta lo más profundo de todas nuestras defensas y decepciones y expone la fe o la incredulidad. ¿Estamos confiando en las promesas de Dios o no?

La razón por la que alguien peca es porque en algún nivel es engañado y comienza a creer las mentiras del pecado en lugar de las promesas de Dios.

El pecado susurra a través de los deseos de la carne y las racionalizaciones de la mente diciéndote que tu única esperanza de felicidad futura es hacerte un aborto.

Susurra que no tendrás oportunidad en el futuro a no ser que hagas trampa en este examen.

Te dice que nadie se percatará si vistes provocativamente.

Te dice que perderás a la única persona que parece quererte si no comprometes tus convicciones sexuales.

Te dice que no tendrás seguridad laboral si denuncias prácticas laborales deshonestas en tu trabajo.

Te dice que tu vida se desgastará en esta relación a no ser que te divorcies.

Te dice que solo un necio continuaría débil en lugar de buscar algún tipo de venganza.

Cada una de esas declaraciones es una mentira. Es lo que Hebreos 3:13 llama "el engaño del pecado". Ahora, esas mentiras, algunas veces, viven muy profundo en los corazones, en forma de pensamientos e intenciones, tanto que parecen verdades inquebrantables a causa de la dureza del engaño que les confina como en una urna oscura y sellada. En esa condición, la incredulidad tiene ventaja.

¡No estamos creyendo en las promesas de Dios, estamos confiando en las promesas del pecado!

¿Cuál es nuestra única esperanza? Nuestra única esperanza es que haya algo suficientemente cortante y poderoso para penetrar a través de todo el engaño y para arrojar luz sobre los pensamientos y las intenciones.

Y de esto es de lo que trata el texto en Hebreos 4:12. ¡La Palabra de Dios es nuestra única esperanza!

La buena nueva de las promesas de Dios y las advertencias de su juicio son suficientemente cortantes y eficaces y activas para penetrar hasta el fondo del corazón y mostrarnos que las mentiras del pecado son realmente mentiras.

El aborto no creará un futuro maravilloso para ti, ni la mentira, ni vestirte provocativamente, o renunciar a tu pureza sexual, o no decir nada sobre la deshonestidad en tu trabajo, ni el divorcio, o la venganza.

¡Y lo que te rescata de este engaño es la Palabra de Dios!

Sí, la palabra de Dios es la espada del Espíritu. Si la tienes hoy en tu boca, resistirás con valor las artimañas del enemigo y no volverás a confiar en sus mentiras.

Oración:

Dios del cielo, gracias por darnos el regalo de tu palabra viva, eficaz, poderosa y eterna. A través de ella puedo fortalecerme día a día y combatir las asechanzas del enemigo con valor, determinación y respaldo desde los cielos. Amén.

Eternidad en tu corazón

"todo lo hizo hermoso en su tiempo; y ha puesto
eternidad en el corazón de ellos, sin que alcance el
hombre a entender la obra que ha hecho Dios desde el
principio hasta el fin" (Eclesiastés 3:11)

¿Qué significa que Dios ha puesto eternidad en tú corazón?

Significa que Dios ha puesto ansias espirituales dentro de ti, ha puesto valores eternos que sobrepasan los valores humanos. Significa que vives, no solo para este mundo pasajero, sino que ahora te proyectas al más allá con El Señor.

Nada que no sea Dios puede satisfacernos verdaderamente.

Si el ser humano tiene eternidad en su corazón entonces no puede llegar a satisfacerse completamente con algo menos.

Los bienes, el dinero, las cosas materiales no son eternas, por lo tanto no satisfacen la condición de tu corazón. El único que puede satisfacer esa condición es el Eterno, el Alfa y la Omega, el que siempre ha sido, el que vive para siempre, y cada día que pasa te estás acercando a ese punto de encuentro con la eternidad.

Vida eterna no es vida temporal, momentánea, finita, sino una vida que nunca termina.

El Señor Jesús asegura: "El que oye mi palabra y cree al que me envió tiene vida eterna; y no vendrá a condenación, mas ha pasado de muerte a vida"(Juan 5: 24).

Juan 17:3 dice: "Y esta es la vida eterna: que te conozcan a ti, el único Dios verdadero, y a Jesucristo, a quien has enviado".

Vida eterna es conocimiento de Jesucristo el único Dios verdadero.

Cuando no conocemos a Cristo, no entendemos todo esto y por eso tomamos decisiones pensando que esta vida es todo lo que tenemos. En realidad, esta vida es solo el comienzo de la eternidad.

Así que ya no vivas solo para este tiempo, vive para la eternidad. El enfoque de muchos es solo temporal, es decir se está perdiendo esa proyección hacia el futuro glorioso con Dios.

Si no tuviéramos nosotros eternidad en el corazón, ni siquiera nos interesaría buscar la salvación, ¿para qué? Si no hay eternidad entonces vivamos solo para satisfacer nuestros deseos temporales.

Muchas personas rechazan la idea de una eternidad porque viven vidas tristes.

Pero la vida eterna no es la extensión de la miserable vida mortal del hombre.

Vida eterna es la vida de Dios encarnada en Cristo que se da a todos los que creen como garantía de que vivirán para siempre. En esa vida eterna no hay muerte, enfermedad, maldición, diablo, demonios, llanto, dolor, ni pecado.

Por lo tanto, comienza a evaluar todo lo que te sucede desde una perspectiva diferente.

¡El que cree en el Hijo tiene vida eterna. El que cree en Cristo tiene un corazón lleno de eternidad en Él!

Oración:

Gracias Señor por recordarme en este día que ya no soy temporal sino eterno contigo. Sé que no hay nada ni nadie que me pueda separar de tu amor, por lo tanto, ya he empezado a disfrutar de mi eternidad, desde el mismo momento en que abrí mi corazón a ti, El Único Dios verdadero. Amén.

La verdadera conversión

"Respondió Jesús: De cierto, de cierto te digo, que el que no naciere de agua y del Espíritu, no puede entrar en el reino de Dios" (Juan 3:5)

Hay mucha confusión hoy en día en cuanto a nuestra verdadera conversión.

La conversión no es simplemente una oración sin frutos o un arrepentimiento temporal que hace que levantes la mano un día, y aunque sigas haciendo lo que quieras hacer, tú digas que eres un creyente.

No, en realidad es mucho más que eso. Por eso es fundamental para nuestra vida espiritual que podamos entender lo que dice El Señor en relación a esta verdadera conversión.

Y esto lo hizo Jesús en una noche cuando un hombre judío fue a buscarlo para hacerle algunas preguntas porque estaba muy inquieto por lo que Jesús estaba haciendo.

El nombre Nicodemo significa "conquistador del pueblo".

Él era un miembro muy conocido y respetado del Sanedrín. Como fariseo, Nicodemo conocía perfectamente la ley y la teología de su pueblo, por eso Jesús lo llamó maestro de Israel.

Nicodemo le dice a Jesús: "sabemos que has venido de Dios como maestro; porque nadie puede hacer estas señales que tú haces, si no está Dios con él".

Es decir, está ponderando las obras milagrosas. Está reconociendo que Jesús es diferente y que las obras que hace no podían ser hechas por alguien a menos que hubiese sido un enviado del cielo.

Pero el Señor le contesta que lo importante no son las señales y los milagros, sino el cambio radical en la vida de una persona, es decir, algo que solo se puede describir como un nuevo nacimiento.

¿Qué es eso? ¿Qué significa nacer de nuevo? Nicodemo siendo maestro de la ley, conocedor y sabio en las cosas de la Escritura no entendía nada de lo que Jesús estaba diciendo.

Lo único que se le viene a la mente es la idea del nacimiento físico. Volver a entrar en el vientre, pero esto es imposible.

El problema de muchos creyentes es que siguen viendo la vida espiritual únicamente por lo que pueden percibir a través de los sentidos, pero no por lo que pueden llegar a creer a través de la fe.

El nacer de nuevo no es el resultado del esfuerzo humano, sino el resultado de la gracia y el poder de Dios. El que ha nacido de nuevo tiene a Cristo, la fuente inagotable, tiene la vida.

El nuevo nacimiento te hace participante de esa naturaleza divina que antes no tenías.

Antes eras incapaz de amar a alguien, pero ahora desbordas de amor por los demás.

Antes eras incapaz de perdonar, pero ahora vas donde aquel que te ofendió y extiendes tu perdón.

Antes solo pensabas en ti, pero ahora vives para servir, vives para dar, vives para ofrecer tu vida para ayudar al que lo necesita.

Ahora, a través del nuevo nacimiento, eres participante de la naturaleza divina y estás capacitado/a para hacer lo que antes era imposible para ti.

Por eso la pregunta fundamental para saber si eres un convertido es: ¿Has nacido de nuevo del agua y del Espíritu? Si aún no lo has hecho, Jesús te llama para que abras tu corazón a Él.

Lo que es nacido de la carne sigue siendo carne, pero lo que es nacido del Espíritu te une, te hace partícipe de la naturaleza divina.

Oración:

Amado Salvador, sé que haberte conocido ha producido en mi interior un cambio radical. Sé que nacer de nuevo produce en mi vida un cambio de perspectiva, de propósito y de naturaleza. Quiero vivir para ti, agradándote y sirviéndote hasta el fin. Gracias por cambiar mi vida para siempre. Amén.

Equipados para una nueva vida

*"Pero este es el pacto que haré con la casa de
Israel después de aquellos días, dice Jehová: Daré
mi ley en su mente, y la escribiré en su corazón; y yo
seré a ellos por Dios, y ellos me serán por pueblo"*
(Jeremías 31:33)

Los términos del Nuevo Pacto para los creyentes están dados en el libro de Jeremías y citados de nuevo en Hebreos 10: 16-18: "Éste es el pacto que haré con ellos después de aquellos días, dice el Señor: Pondré mis leyes en su corazón, y las escribiré en su mente."

Después añade: "Y nunca más me acordaré de sus pecados y maldades."

Y cuando éstos han sido perdonados, ya no hace falta otro sacrificio por el pecado.

Si tú eres un/a creyente, la ley de Dios está ahora en tu interior.

Dentro de ti está lo que ha escrito El Señor mismo para que ahora tú seas un/a portador/a de las verdades eternas que Dios mismo puso allí.

Pero El Señor nos dejó su palabra no solo para que la conozcamos, sino para que la vivamos. No estamos llamados a ser solo oidores sino hacedores de la palabra de Dios.

Imagínate que vas un día a un restaurante y te dan el menú y se ven cosas muy ricas allí, pero después que lo lees te vas del restaurante y dices: ya estoy satisfecho/a.

¿Es eso suficiente? ¿Te vas a llenar con solo leer el menú?

Hay quienes se especializan en el menú y hacen estudios del menú, y se conocen el menú de memoria pero se mueren de hambre.

Sería lo mismo entonces si nosotros solo leyéramos la Biblia pero nunca pusiéramos en práctica lo que en ella dice.

Si no has experimentado un nuevo nacimiento, puedes conocer la palabra, puedes saber los versículos de memoria, puedes recitar partes enteras e incluso enseñarla, pero no produce frutos reales en tu vida y entonces vives una imitación de vida cristiana sin frutos, sin el ejercicio de los dones, sin ayudar ni amar al prójimo, sin interesarte por una vida de devoción y de oración, sin aportar para la obra del Señor. No, nada de eso es importante porque tu vida espiritual es solo de menú, pero no del pan de vida real que debes comer para alimentarte adecuadamente.

Si en realidad las iglesias estuvieran llenas de nacidos de nuevo, no tendríamos jamás problemas de divisiones, de juicios y chismes, de peleas entre hermanos, de tibieza espiritual, porque en realidad cada creyente podría entender que "todas las cosas que pertenecen a la vida y a la piedad nos han sido dadas por su divino poder, mediante el conocimiento de aquel que nos llamó por su gloria y excelencia" (2 Pedro 1:3).

Somos dotados de la plenitud en Cristo que nos convierte en hombres y mujeres que se ponen en la brecha, que aprenden a interceder, que son portadores del amor de Dios todos los días de su vida.

Qué tiempo va a quedar para estar con chismes, habladurías, buscando divisiones, nada de eso.

Estamos ocupados en hacer la obra para la cual fuimos llamados.

La verdad de los creyentes es que estamos equipados para ser participantes de la naturaleza divina.

Debemos vivir cada día en esta plenitud que Cristo ganó por nosotros.

Oración:

En este día, reconociendo que soy participante de la naturaleza divina, quiero representarte en este mundo de la mejor manera. Concédeme el anhelo inagotable de mostrarle al mundo la verdad de mi vida que ha sido trasladada de las tinieblas a tu luz admirable. Amén.

Nuestro amparo y fortaleza

*"Dios es nuestro amparo y fortaleza, nuestro pronto
auxilio en las tribulaciones" (Salmo 46:1)*

En el libro de Hechos, capítulo 18 vemos cómo Pablo está siendo asediado por sus enemigos.

En un momento dado se siente abrumado por lo que está pasando, piensa mejor en irse de aquel lugar, pero tiene una visión. El versículo 9 dice: "Entonces El Señor dijo a Pablo en visión de noche: No temas, sino habla y no calles; porque yo estoy contigo y ninguno pondrá sobre ti la mano para hacerte mal, porque yo tengo mucho pueblo en esta ciudad".

¿De que dependía la seguridad de Pablo?

No de que se escondiera o que los enemigos lo dejaran de acechar. No, ellos iban a seguir acechándolo, pero la promesa de Dios lo sostenía. Después de esto, estuvo un año y seis meses predicando el evangelio y nadie lo pudo tocar, Dios estaba con él.

Daniel fue llevado al foso de los leones y todos pensaron al día siguiente que iban a encontrar solo huesos de Daniel, pero lo encontraron durmiendo plácidamente sobre la melena del león más grande y hambriento. ¿De quién dependía su seguridad?

Los tres amigos de Daniel (Sadrac, Mesac y Abed-nego) fueron echados al horno hirviendo, fueron atados con sus mantos, sus vestidos, porque se negaron a adorar a dioses ajenos y el horno fue calentado siete veces más de la cuenta, y cuando pensaron que solo iban a encontrar cenizas de estos hombres, se asomaron y vieron no a tres sino a cuatro varones que caminaban tranquilamente en las profundidades del horno hirviente y uno de ellos tenía aspecto como de hijo de Dios.

Salieron sin ningún daño. ¿De quién dependía su seguridad?

Pablo se encontraba en medio de una tormenta en el mar y su barco naufragaba, ya nadie daba nada por quienes estaban allí, sin embargo Pablo oró al Señor y Él los libró y llegaron salvos a tierra.

¿De quién dependía su seguridad?

Ese Dios poderoso que ha salvado y protegido de manera providencial a sus hijos, es el mismo que hoy tiene un mensaje para ti: no temas. Tu seguridad no depende de armas o elementos humanos. Tu seguridad está en las manos de Aquel que ha prometido ser tu amparo y tu fortaleza.

Lo mismo que El Señor tuvo para estos hombres, hoy lo tiene para ti.

Solo pide de ti que vivas cerca de Él, que no te alejes del Señor, sino que en todo momento vivas consciente de la presencia de Dios, porque Él protege a sus santos.

Dios está contigo como tu guía y tu ayuda.

Envuelto/a en el amor divino, eres mantenido/a a salvo y estás seguro/a.

Oración:

Qué gran noticia me regalas Señor en este día, cuando reafirmas tu cuidado sobre mí. Sé que hoy podré enfrentar grandes desafíos, pero camino con la seguridad de tu protección, por lo tanto estaré confiado/a en tus manos protectoras. Amén.

Por su gran amor

*"Pero Dios que es rico en misericordia, por su gran
amor con que nos amó" (Efesios 2:4)*

¿Cuánto amor tiene El Señor para ti? Él deja las noventa y nueve y
corre en busca de la oveja perdida. El vino en busca de los enfermos y
no de los sanos, y restauró a los perdidos y alentó a los desanimados.
Abrió caminos para aquellos en los que nadie creía y les mostró su
favor.

¿Qué clase de Dios tenemos? ¿Acaso alguien puede hablar en este
mundo de un Dios tan lleno de amor por sus hijos?

Juan dijo en su evangelio: "vimos su gloria, gloria como del
Unigénito del Padre, lleno de gracia y de bondad" (Juan 1: 14).

¿Por qué escogió Dios a Jacob, el conspirador? ¿Por qué escogió
a Abraham el hijo de un pagano idólatra? ¿Por qué preparó a David,
un simple pastorcillo para ser el rey más eminente de Israel? ¿Por
qué le concedió a Salomón el más grande don de sabiduría aunque
venía de una relación que empezó en un adulterio? ¿Alguien podría
explicar estas cosas?

Yo podría criticar e incluso juzgar que Dios se equivocó, que a lo
mejor no fue la mejor elección, pero entonces volteo a mirarme a mí
mismo, y me quedo sin argumentos.

¿Por qué El Señor te escogió a ti, me escogió a mí para mostrar
su misericordia? ¿Acaso éramos mejores que los demás? ¿Acaso
habíamos hecho tantas cosas buenas que no le quedó más remedio
que llenarnos de bendición?

No, de ninguna manera. No teníamos merecimientos, nos
quedamos mudos ante la manifestación de la gracia divina sobre
nuestras vidas. Si fuera por merecimientos todos nosotros estaríamos
ahora mismo en el fondo de una fosa y sin oportunidad siquiera del
arrepentimiento.

Pero "Dios que es rico en misericordia, por su gran amor".

Entonces no fue por mis merecimientos. No fue por mis virtudes.
No fue por mi bondad, no.

Fue "por su gran amor con que nos amó que nos dio vida juntamente con Cristo y juntamente con Él nos resucitó y así mismo nos hizo sentar en los lugares celestiales con Cristo Jesús, para mostrar en los siglos venideros las abundantes riquezas de su gracia en su bondad para con nosotros en Cristo Jesús. Porque por gracia sois salvos por medio de la fe; y esto no de vosotros, pues es don de Dios, no por obras para que nadie se gloríe" (Efesios 2: 4-9).

Así que si nos asomamos a las páginas de la Biblia terminaremos por entender que nosotros éramos esa oveja perdida que Él salió a buscar dejando las demás mientras nos hallaba, o somos el hijo prodigo al cual el padre espera mirando el horizonte, o somos el siervo cuya deuda ha sido perdonada.

Por eso si algo puede quedar en tu corazón en este día, que sea esto: la gracia no depende de ti, ni de tus obras buenas o malas, ni de buena o mala reputación, ¡la gracia enteramente depende de Él!

Hoy El Señor sigue llenando de gracia y de bondad a muchos que antes estaban alejados de Él.

Si tú estás en Cristo, en ti ya se ha manifestado ese gran amor.

Y si no estás en Cristo, ¿Qué estás esperando?

Oración:

La manifestación de tu gracia es extraordinaria Señor Jesucristo. Hoy, no solo la reconozco sino que me sumerjo en esta verdad para asumir este día con la confianza de ser portador de tu gracia y tu bondad. Amén.

El verdadero descanso

"Venid a mí todos los que estáis trabajados y cargados, y yo os haré descansar" (Mateo 11:28)

De todas las religiones del mundo solamente la religión judeocristiana enseña que Dios se ocupa de sus hijos. Es más, tanto se ocupa de ellos que les invita a traerle todos sus problemas.

La Biblia dice: "Encomienda al Señor tu camino, y confía en él; él hará: Exhibirá tu justicia como la luz, y tu derecho como el mediodía" [Sal. 37:5].

"Echa sobre Jehová tu carga y él te sustentará; No dejará para siempre caído al justo" [Sal. 55:22].

"Por eso les digo, no se preocupen por su vida, qué comerán o beberán, ni por su cuerpo, cómo se vestirán...porque los paganos buscan con afán todas estas cosas, y el Padre celestial sabe que ustedes las necesitan" [Mt.6:25, 32 NVI].

"No se afanen por nada, sino que en todo, con oración y ruego, presenten sus peticiones a Dios acompañadas de acción de gracias" [Fil. 4:6].

Con verdadera humildad y confianza en Dios, el cristiano echa todas sus ansiedades sobre el Señor.

La ansiedad tiene un efecto debilitante en nuestras vidas y es resultado de nuestra falta de confianza y de certidumbre. Si dudamos, tomamos sobre nosotros la carga de las preocupaciones y demostramos así nuestra falta de fe.

Las preocupaciones, las ansiedades, y los afanes, no tienen ningún efecto positivo en nuestras vidas. No traen soluciones a los problemas. No ayudan a mantener una buena salud, e impiden nuestro crecimiento en la Palabra de Dios.

Una de las maneras en que Satanás roba la Palabra de Dios de nuestros corazones es a través de las preocupaciones. Somos creados para ser dependientes de Dios, llevarle nuestros desafíos, y permitir que Él nos ayude con ellos.

Es posible que hoy estés agobiado/a por alguna carga. Es posible que te hayas levantado con alguna preocupación. Antes de empezar a sufrir, ven delante del Señor y entrega todo esto que te atormenta.

Si le entregas todos tus afanes al Señor, recibirás el descanso que tanto habías anhelado.

Oración:

Gracias Señor Jesucristo por tu ofrecimiento de descanso y paz para mi alma. Sé que si no fuera por esto, viviría en la incertidumbre, la angustia y el desespero. Sin embargo, he podido comprender que tú viniste desde los cielos para darme tu paz y mi salvación eterna. Amén.

Miembros de la familia de Dios

*"Así que ya no sois extranjeros ni advenedizos, sino
conciudadanos de los santos y miembros de la familia
de Dios" (Efesios 2:19)*

Pablo le dice a los gentiles en el libro de Efesios 2:12: "en aquel tiempo estabais sin Cristo, alejados de la ciudadanía de Israel y ajenos a los pactos de la promesa, sin esperanza y sin Dios en el mundo.

Pero ahora en Cristo Jesús, vosotros que en otro tiempo estabais lejos, habéis sido hechos cercanos por la sangre de Cristo", y agrega más adelante que a través del Señor tenemos una nueva familia que nos une con los santos en todos los lugares del mundo.

Sin duda es un cambio radical. Venir al Señor, aceptarlo en nuestro corazón, reconocer su señorío, tiene implicaciones eternas pero también todas esas promesas y pactos dadas por El Señor se hacen efectivos para nosotros.

Hoy en día predicamos del Antiguo Testamento, tomamos las promesas de bendición dadas en Abraham, en Moisés, en David, en todos ellos, y las hacemos nuestras porque ahora ya no somos extraños en la familia de Dios, sino que ahora pertenecemos al redil al cual El Señor pastorea directamente.

Desde que El Señor sacó a su pueblo de la esclavitud en Egipto, Él quería darle una identidad a los suyos. Que fueran diferentes a todos los demás pueblos de la tierra.

Es por eso que en un momento determinado El Señor les dice: "ustedes serán mi pueblo y Yo seré su Dios" (Jeremías 32:38).

Es el anhelo constante de Dios de bendecir a los suyos, de darles un sentido de identidad, es decirles: ustedes son míos, mi pertenencia sagrada, mi tesoro maravilloso y yo quiero ser para ustedes completamente, deseo bendecirlos, deseo levantarlos, deseo darles lo mejor para que ustedes me representen como pueblo del Dios Altísimo y Soberano de este mundo.

Al venir a Cristo Jesús somos parte de una nueva familia unida por la sangre del Señor y con promesas eternas. Tenemos nueva ciudadanía y una esperanza real.

Somos parte de un pueblo escogido, disfrutemos de nuestra familia real.

Oración:

Qué privilegio que hemos ganado a través tuyo Señor Jesucristo. Nos diste potestad de ser llamados hijos tuyos y nos hiciste parte de una nueva familia espiritual. Hoy quiero vivir como lo que soy: santo/a a tus ojos y escogido/a para tu gloria. Amén.

Varón esforzado y valiente

"Y el ángel de Jehová se le apareció, y le dijo:
Jehová está contigo, varón esforzado y valiente"
(Jueces 6:12)

En una ocasión El Señor llamó a un joven que no parecía como el héroe de las grandes películas. No era quizás el más preparado, no conocía de estrategias de guerra, ni de grandes batallas ni nada por el estilo. De hecho lo encontró en un lagar escondiendo el trigo para que los madianitas no lo robaran.

Allí llegó el ángel del Señor y el saludo que le hizo dejó completamente desconcertado a Gedeón: "Varón esforzado y valiente, Dios está contigo".

Yo puedo imaginar a Gedeón mirando para todas partes preguntándose dónde está ese varón esforzado y valiente que llama el ángel.

Gedeón en realidad responde con dudas.

¿Dios mío, cómo me dices varón esforzado y valiente si no estoy haciendo nada menos que aporreando un poco de trigo para comer un día más? ¿Dios mío cómo dices esforzado y valiente si soy el más pequeño de una familia insignificante?

Y esto nos enseña algo fundamental. Que lo importante no es cómo te conozca el mundo entero, sino lo que dice Dios de ti.

Gedeón a partir de este momento empezó a ser un varón esforzado y valiente, aunque a lo mejor los que lo conocían hubieran dicho lo contrario antes.

Así que El Señor le da un desafío muy grande a Gedeón. Como tú eres ese varón esforzado y valiente que yo andaba buscando, entonces ve y con esa fuerza que te envío vas a salvar a Israel de la mano de los madianitas. Y agrega algo que es en realidad lo más importante.

El Señor le dice como una pregunta irónica: ¿no te envío yo?

La fuerza no es del que va sino del que lo envía. ¿Por qué?

Porque el que lo envía tiene toda la autoridad, el poder, el dominio y el gobierno sobre el mundo entero.

Gedeón se miraba como un incapaz, imposibilitado, pero Dios lo veía como un hombre valiente, preparado, listo para ir a vencer al ejército enemigo.

La pregunta para ti esta mañana es: ¿y cómo te ves tú?

¿También te ves como Gedeón en ese momento, como una persona incapaz de lograr algo importante, como una persona que no puede alcanzar un gran logro, como un ser humano que no tiene mucho valor a los ojos de los demás?

O quizás a partir de hoy puedes tomar para tu vida una palabra de respaldo divino en la que sepas con toda seguridad que es Él quien te va a usar, y que son los recursos del Señor los que estarán a tu disposición para alcanzar aquello que anhelabas alcanzar.

Prepárate porque hoy puedes escuchar una voz del cielo que te llama a la conquista. Varón esforzado y valiente, diría al Señor, hoy te lanzo a la conquista pero con mi fuerza, porque yo soy el que envío.

Oración:

Gracias Señor por darme tu fuerza y tu respaldo. Quiero vivir este día bajo la determinación de los valientes que saben que han sido enviados a la conquista, pero con la autoridad y el poder que vienen desde el cielo. Amén.

Llenos del Espíritu Santo

"En él también vosotros, habiendo oído la palabra
de verdad, el evangelio de vuestra salvación, y
habiendo creído en él, fuisteis sellados con el Espíritu
Santo de la promesa" (Efesios 1:13)

David era un hombre sencillo, pastor de las ovejas de su padre y el menor de la familia.

Su historia hubiera podido ser la misma de cualquier otra persona común que vivía en Belén y cuya familia vivía de una manera simple y modesta en el campo.

Sin embargo, a David le llegó un momento trascendental en su vida. Dios decidió darle un vuelco radical y llamó al profeta Samuel para que visitara la familia de Isaí, su padre, y ungiera al próximo rey de Israel. Cuando esto finalmente sucedió, dice la palabra que desde aquel glorioso día El Espíritu del Señor vino sobre David.

¿Qué significó para David que desde el día que fue ungido por el profeta, El Espíritu del Señor vino sobre él?

Sin duda fue entrar a una nueva dimensión en su vida que no conocía y que le permitió ver lo que otros no podían ver y alcanzar lo que otros no podían alcanzar.

La vida de David estuvo llena de grandes victorias sobre sus enemigos, empezando por el gigante y aparentemente invencible Goliat. Pero todo empezó en aquel día en que El Espíritu del Señor vino sobre la vida de este sencillo pastor de Belén.

Lo más maravilloso para cada uno de los creyentes en nuestros tiempos, es que la palabra de Dios nos dice que cuando abrimos nuestro corazón a Cristo Jesús, somos sellados por El Espíritu Santo hasta el día de la redención, Él viene a morar en nosotros y ahora somos templos del Espíritu Santo.

Así que de la misma manera en que David entró a una nueva dimensión para su vida después de haber sido ungido, cada uno de nosotros los creyentes, también entramos en esa dimensión en la que tendremos siempre el respaldo del Espíritu Santo que nos llevará a lograr las grandes victorias espirituales.

John Harold Caicedo

En el Antiguo Testamento El Espíritu del Señor venía sobre aquellos a los cuales El Señor escogía como sus ungidos, pero en el Nuevo Testamento, la misma palabra nos dice que cuando abrimos nuestro corazón al Señor, entonces nos convertimos en templo del Espíritu Santo.

De acuerdo a esta lógica, ¡la vida sobrenatural nuestra empieza desde aquel momento!

Si tú has abierto tu corazón a Jesucristo, tú ya no eres un esclavo del enemigo. Tú ya no eres una persona atada a un pasado. El Señor te ha dado una vida nueva, te está dando una mente nueva, un corazón nuevo y renueva un espíritu dentro de ti, porque ahora tú has recibido la potestad de ser llamado hijo de Dios.

Así que tu mentalidad no puede seguir siendo la del esclavo. Tu mentalidad no puede seguir siendo la de quien sigue atado a las cosas pasadas, no. Ahora tienes que tener mentalidad de reino, mentalidad de hijo de Dios, mentalidad de conquista en su nombre, mentalidad de alcance, de logros, de frutos, de nuevas cosas, y Dios te ha estado preparando para esta nueva faceta en tu vida.

Sí, la finalidad de todo ser humano debe ser la de alcanzar la plenitud de la voluntad divina para su vida y eso solo es posible a través del poder y de la dirección del Espíritu Santo.

Oración:

Señor, te pido que este día sea para mí de gran plenitud. Tengo en mi interior al gran consolador, al que me da poder, al que intercede por mí con gemidos indecibles, al que me permite exclamar: ¡Jesús, es El Cristo! Tengo dentro de mí al Espíritu Santo de la promesa, ¡qué gran bendición! Amén.

El tamaño de tu Dios

"¿A dónde me iré de tu Espíritu? ¿Y a dónde huiré
de tu presencia? Si subiera a los cielos, allí estás tú; y
si en el Seol hiciera mi estrado, allí tú estás. Si tomare
las alas del alba y habitare en el extremo del mar,
aun allí me guiará tu mano y me asirá tu diestra"
(Sal. 139:7-10)

Los guerreros del pueblo de Israel cuando salían a la batalla tenían conciencia de algo muy importante: No les importaba tanto si el ejército enemigo era muy grande, si estaba mejor equipado, sino lo más importante para ellos era saber ¡que Dios estaba con ellos!

Cuando salgas a tu batalla diaria, antes de cruzar la puerta de tu casa para salir a enfrentar todo lo que viene, ponte en las manos de Dios, no pienses solamente que afuera hay enemigos que te quieren dañar, sino piensa que tienes contigo a un Dios maravilloso que cuida cada uno de tus pasos, encomiéndale tus caminos y ten presente a lo largo del día que no estás solo/a, que Dios está contigo.

El Dios que tenemos no es del tamaño de una cajita o de una lámpara que se frota para que salga el genio. No, nuestro Dios es el Único y Verdadero, El Señor glorioso, Omnipotente, Majestuoso.

El mismo ante el cual Moisés tuvo que humillarse y quitarse el calzado de sus pies.

El mismo que estableció el pacto con Abraham.

El mismo que contempló Isaías en su visión, alto y sublime.

El mismo que salvó a Daniel de los leones, a José de la cárcel, a Pablo de sus perseguidores, a Ester de la ira del rey, al pueblo de Israel de la mano enemiga del faraón, a Gedeón de los madianitas y a muchos y muchos más a lo largo de la historia.

Ese es el Dios maravilloso al cual honramos. Que no tiene tamaño, que no podemos reducir en un pequeño recipiente, ni siquiera en un templo de grandes dimensiones.

Ese mismo Dios maravilloso, glorioso y sin medida, es el que hoy extiende su mano de poder para traerte protección, porque te ama y Él cuida lo que le pertenece.

John Harold Caicedo

Si tú has abierto tu corazón al Señor, tú eres propiedad de Dios, estás protegido en sus manos poderosas.

Mira lo que promete El Señor: "Estaré con todos ustedes hasta el fin del mundo", "yo oraré por ustedes desde los cielos", "estaré sentado a la diestra de Dios Padre intercediendo", "yo enviaré mi Ángel delante de ti para que te guarde en el camino".

Son promesas que Dios desea darte para que vivas en ellas.

Si tú sabes que Dios está siempre contigo, entonces nunca, nunca te puedes sentir solo/a o desamparado/a.

Si tú sabes que Jesús intercede por ti, entonces sabrás que en este momento Él está mirando tu vida y desea darte la solución en cualquier situación que estés atravesando.

Si tú sabes que el Ángel del Señor va delante de ti, estas confiado/a.

Recuerda entonces que los soldados del ejército del Señor no miran nunca el tamaño del enemigo, sino el tamaño del Dios al cual adoran.

Oración:

Gracias mi Dios porque en ti puedo confiar. Gracias porque al saber que hoy estás conmigo como poderoso gigante, puedo vivir este día con la tranquilidad de tener la mejor de las compañías. Y aunque eres grande y todo poderoso, has decidido vivir en mi interior. Amén.

Espíritu de sabiduría y de revelación

"Para que el Dios de nuestro Señor Jesucristo,
el Padre de gloria, os dé espíritu de sabiduría y de
revelación en el conocimiento de Él" (Efesios 1:17)

La iglesia de Éfeso estaba llena de fe y de amor. Pablo se regocijaba en conocer esto de parte de quienes pertenecían a esta iglesia y reconocía que habían avanzado bastante en el camino que Dios deseaba mostrarles.

Sin embargo, sabía que había algo que aún no tenían y que se constituiría en un freno para el avance del reino de los cielos en aquel lugar.

¿Qué era eso que les faltaba? ¿Qué es lo que Pablo anhelaba para los que pertenecían a la iglesia en Éfeso? Precisamente la oración de Pablo va en esa dirección.

El pide que Dios les dé espíritu de sabiduría y de revelación en el conocimiento del Señor.

¿A qué se refiere Pablo cuando ora pidiendo que los creyentes podamos tener un espíritu de sabiduría? De acuerdo al original griego, esto significa que las personas desarrollan una gran disposición para obedecer lo que El Señor les manda.

Es importante entender la diferencia entre conocimiento de Dios y sabiduría de Dios.

El conocimiento de Dios es el que adquirimos leyendo su palabra. Llegamos a conocerle a Él y también lo que nos dejó como enseñanzas para que vivamos, no de acuerdo a lo que nosotros queremos, sino a lo que Él desea de nosotros.

Pero la sabiduría consiste en saber cómo aplicar ese conocimiento que hemos adquirido. Es la vida activa del Espíritu, es la facultad para vivir en armonía con El Espíritu de Dios.

No basta solo el conocimiento, muchos saben quién es Dios pero no le siguen. Hasta el demonio conoce la Escritura pero no la aplica. Necesitamos pedir sabiduría divina para aplicar todo eso que se nos ha ido revelando por El Espíritu de Dios.

No nos confundamos. En una iglesia puede haber personas que saben mucho. Conocen muchos versículos bíblicos, saben muchas lecturas y pasajes bíblicos, pero si no los aplican en su vida diaria, entonces no son sabios para vivir, son necios aunque se conozcan toda la Escritura.

La sabiduría de Dios es el conocimiento llevado a la práctica, es la aplicación de todo eso que se me es enseñado por la palabra de Dios.

Así mismo sucede con la revelación. Los judíos por ejemplo, saben la Escritura y muchos de ellos conocen de memoria libros enteros, la estudian a diario y la leen todo el tiempo, sin embargo, no tienen revelación del Mesías. Revelar es quitar el velo, pero ellos todavía tienen un velo puesto sobre sus ojos que les impide conocer a Cristo como el Mesías.

Por eso la declaración de Jesús a Pedro, cuando este le dijo que Él era El Cristo, el hijo del Dios viviente, fue: Bienaventurado eres, dichoso eres, porque esa revelación que tienes, no te la reveló ni carne, ni sangre, ni ningún tipo de conocimiento o inteligencia humana. No, esa revelación viene directamente del Padre de los cielos que te da ese privilegio de entender estos misterios.

Por eso tú eres un bienaventurado porque has creído que Jesús es El Señor, El Salvador del mundo y que nadie va al Padre, sino es a través de Él.

Oración:

Mi oración en este día es para poder recibir de ti el espíritu de sabiduría y de revelación en tu conocimiento. Abre mis ojos Señor y proclamaré tu grandeza y poder a donde quiera que me lleves. Amén.

Sabiduría y misericordia divina

*"Bueno es Jehová para con todos, y sus
misericordias sobre todas sus obras" (Salmo 145:9)*

La religiosidad está basada en ritos y obras externas, pero poco de transformación interna del corazón.

Los fariseos en la época de Jesús se sabían la Escritura y defendían la ley. Dedicaban su vida entera a aprender acerca de lo que estaba escrito, pero por su falta de sabiduría terminaron crucificando al autor y dador de la vida, aquel que fue exaltado como Señor y Cristo.

Lo que ellos tenían que pedir no era más conocimiento, ya lo tenían, lo que debían pedir era sabiduría celestial para que sus ojos fueran abiertos y pudieran reconocer que tenían al Mesías en frente de ellos y se estaban perdiendo el tiempo de la visitación divina.

Por falta de amor y misericordia la iglesia muchas veces se convierte en un sitio donde se aplasta al hermano en lugar de ayudarlo. Lo señalamos y juzgamos y usamos las palabras de la Escritura para respaldar nuestros juicios, pero no mostramos aquellos valores que Jesús usó cada día de su vida.

El Señor podía resistir la falta de conocimiento de la gente, de hecho escogió a simples pescadores para que después fueran los encargados de llevar adelante el mensaje poderoso del evangelio que transformaría la vida de millones de seres humanos.

¡Pero lo que El Señor no puede resistir es la falta de amor y de misericordia por el hermano!

Los religiosos de la época acusaron a Jesús de sanar en un día de reposo. No es que Jesús quisiera pasar por encima de la ley, lo que sucede es que para El Señor, el amor y la misericordia están siempre por encima de la ley.

Por eso sanaba a los enfermos, así fuera un día de reposo o cualquier otro día. La idea no es que el hombre termine sujetándose al día de reposo, sino el día de reposo al amor y la misericordia divina.

Un hospital no puede colocar en la entrada un aviso que diga: "prohibida la entrada a los enfermos a determinadas horas".

De ninguna manera. Perdería su razón de ser.

Así mismo tenemos que saber que Dios envía a las iglesias a personas dañadas por el mundo, atrapadas en vicios, señaladas, despreciadas y juzgadas por los demás y no podemos colocar un cartel en la entrada que diga: "prohibida la entrada a los pecadores".

Todo lo contrario, todos son bienvenidos, porque aunque sus pecados sean terribles, sean los más grandes del mundo, El Señor ha prometido que ninguno que le busque con sincero corazón será despreciado.

La iglesia recibe toda clase de imperfectos, como somos todos nosotros, y solamente la obra de Dios en nosotros nos lleva a dejar atrás una forma de vida que no es la adecuada, y a tomar entonces la naturaleza divina para vivir de acuerdo a esa nueva naturaleza.

Pidámosle hoy al Señor que nos llene de su sabiduría celestial y que seamos portadores de su misericordia. De esa manera seremos bendición en medio de un mundo necesitado de sabiduría y misericordia divina.

Oración:

Hoy me acerco a ti Señor dándote las gracias por tu poder para liberarme de mis pecados y presentarme puro delante del Padre. Por esa nueva naturaleza que ahora tengo quiero vivir hoy expresando amor y misericordia para todo aquel que la necesite. Amén.

El principio de la sabiduría

"El principio de la sabiduría es el temor de Jehová; los insensatos desprecian la sabiduría y la enseñanza" (Proverbios 1:7)

La Biblia dice algo muy importante que nunca podemos olvidar y que está en Proverbios 1:7, y luego está repetido en Proverbios 9:10 y Salmos 111:10: "el principio de la sabiduría es el temor del Señor".

¿Qué significa esto? ¿Qué es el temor del Señor?

Este temor no es que vivas asustado por Dios, sino más bien que no quieras ofenderlo con tus actos, tus palabras y con tus pensamientos.

Es además que vivas en obediencia. Que lo que El Señor nos dice en su palabra eso hagamos.

Que busquemos consejo en Él y no en el mundo, que su palabra sea para nosotros "lámpara a nuestros pies y lumbrera para nuestros caminos", que no contristemos al Espíritu Santo con nuestras decisiones.

Nada se escapa al conocimiento del Señor. El ve todo lo que haces, Él sabe todo lo que tú piensas y cómo obras, así que el principio de la sabiduría es que conozcas lo que Él te dice y lo apliques en tu vida diaria.

El temor del creyente es el reverenciar a Dios. El temor bíblico de Dios para un creyente, incluye el entender lo mucho que Dios aborrece el pecado y temer su juicio sobre éste.

Él ama la justicia y la verdad, pero aborrece el pecado y así mismo debe ser para nosotros, debemos aborrecer el pecado de tal manera que no permitamos de ninguna manera que sea parte de nuestra vida.

Entonces el temor de Dios es reverenciarlo, someternos a su disciplina, y adorarlo con admiración.

Y eso es sabiduría para vivir. Eso es entender lo que Dios ha dicho y lo que debe ser la vida cristiana de cada día.

Pidámosle hoy al Señor que nos enseñe a vivir en su sabiduría. El principio de la sabiduría es el temor de Jehová. Dichosos todos los que lo han entendido y viven de acuerdo a este principio de vida celestial.

Oración:

Mi oración en este día es para que pueda comprender el principio de la sabiduría que tú me enseñas. Sé que cada ser humano que llegó a conocerte en mayor profundidad cayó rendido ante tu grandiosa majestad. Es por eso que hoy quiero acercarme a ti en reverencia y reconocimiento de tu inmenso amor y poder. Amén.

Sabiduría de lo alto

*"pero la sabiduría que es de lo alto es
primeramente pura, después pacífica, amable,
benigna, llena de misericordia y de buenos frutos, sin
incertidumbre ni hipocresía" (Santiago 3: 17)*

Es muy interesante la manera en que la Biblia define la sabiduría que viene de lo alto.

El apóstol Santiago empieza este pasaje con una pregunta muy especial: ¿Quién es sabio y entendido entre vosotros? ¿Quién puede señalarse a sí mismo como una persona llena de sabiduría?

Las categorías que la humanidad entiende acerca de la sabiduría distan mucho de las categorías celestiales.

El ser humano define a un hombre sabio como alguien que posee juicio y prudencia, sentido común y conocimiento. Este tipo de sabiduría eleva a un ser humano por encima de los demás en la forma como afronta la vida diaria. Tiene que ver con la capacidad de una persona para adquirir información a partir de su vida y experiencias, y usarla para mejorar su bienestar y el de los demás.

Todas estas cosas son de un gran valor y la verdad es que este mundo necesita de hombres y mujeres que sepan cómo afrontar sus desafíos con la capacidad para superarlos y ayudar a otros a lo mismo.

Sin embargo, el apóstol va más allá en su definición acerca de la sabiduría que viene de lo alto.

Lo primero que resalta Santiago es que aquel que se considere sabio debe mostrar por la buena conducta sus obras en sabia mansedumbre.

Esta mansedumbre tiene que ver directamente con la docilidad o benignidad con la que se trata a los demás.

Y continúa diciendo este pasaje: "Pero si tenéis celos amargos y contención en vuestro corazón (rencores, odios, amarguras contra alguien) no os jactéis, ni mintáis contra la verdad; ¡porque esta sabiduría no es la que desciende de lo alto!, (aunque nos jactemos de saber mucho), sino terrenal, animal, diabólica (¿sabiduría diabólica?)

Porque donde hay celos y contención, allí hay perturbación y toda obra perversa" (Santiago 3: 14-16).

La definición bíblica involucra sin duda el trato con los demás, a partir de un corazón que ya ha sido transformado por El Señor y el poder de su palabra eterna.

"Pero la sabiduría que es de lo alto es primeramente pura (es decir, que no está contaminada), después pacífica, amable, benigna, llena de misericordia y de buenos frutos, sin incertidumbre ni hipocresía. Y el fruto de justicia se siembra en paz para aquellos que hacen la paz" (Santiago 3:17-18).

Qué interesante resulta esta definición para la vida del creyente.

El conocimiento no lo es todo, de hecho puede llegar a ser nocivo si no va acompañado de una adecuada relación con el prójimo.

¿Qué tipo de sabiduría estamos mostrando? ¿Qué tipo de vida estamos llevando?

Si nuestra vida está siendo guiada por la sabiduría de Dios, entonces necesariamente debe ser pura, pacífica, amable, benigna, llena de misericordia, llena de buenos frutos.

Pero si por el contrario, aunque lleguemos a saber demasiado y ampliar nuestro conocimiento cada vez más, pero vivimos llenos de celos, contenciones, con problemas entre nosotros, entonces esta sabiduría no es la agrada al Señor, sino por el contrario, ¡es terrenal, animal y diabólica!

Este es un día para revisar qué tipo de vida estamos llevando. Es posible que nuestro conocimiento haya aumentado, pero no necesariamente la sabiduría celestial para vivir de acuerdo a la voluntad divina.

Oración:

Señor, hoy acudo a ti pidiéndote que me des sabiduría celestial. Sé que tengo que confrontar muchos desafíos a lo largo de este día, y necesito de tu guía para no errar. Amén.

Se recibe gente fiel

"El que es fiel en lo muy poco, también en lo más es
fiel; y el que en lo muy poco es injusto, también en lo
más es injusto" (Lucas 16:10)

La palabra traición es una de las palabras más difíciles de digerir. Es una palabra que nadie quiere escuchar. Un traidor actúa en su propio egoísmo pero nunca piensa en aquel al que le hace daño.

No queremos escuchar de traiciones, de engaños y de artimañas de nadie.

Queremos escuchar de su fidelidad. Queremos saber que tenemos alguien en quien confiar.

Hoy en día se reclama la fidelidad como un don maravilloso, como una necesidad en cada persona.

Reclama fidelidad la esposa que se entrega todos los días a sus quehaceres mientras su esposo está en la calle y se enfrenta a muchas tentaciones.

Reclama fidelidad el niño que sabe que sus padres desean lo mejor para él y que no lo abandonarán cualquier día dejándolo a la deriva.

Reclama fidelidad el dueño de la empresa de aquellos a quienes contrata y les paga un salario para que contribuyan al desarrollo de su labor.

Reclaman fidelidad los pueblos de sus gobernantes, de sus pastores, de sus líderes, de sus autoridades.

¡Este mundo necesita de gente fiel!

Nuestro Señor Jesucristo fue fiel hasta el final. Él no huyó estando al lado de la cruz y contemplando de cerca la muerte misma. No, Él no huyó. Todo lo contrario.

Sin ofrecer resistencia se entregó y soportó sobre Él todas las afrentas y burlas de quienes creían que se estaban deshaciendo de aquel usurpador sin saber que estaban crucificando al Mesías.

Pero Él fue fiel hasta el final. Su vida fue siempre de fidelidad, entrega y amor.

¡Se recibe gente fiel! es el cartel puesto en la entrada de los cielos. Pero fieles hasta el final.

Personas que pudieron pasar momentos difíciles pero se levantaron de nuevo.

Vivieron momentos de sequía espiritual pero nunca se apartaron, sino por el contrario, cuando venían esos momentos difíciles se volvían a Dios y aunque no comprendieron muchas de las cosas que sucedieron en sus vidas, se rindieron y dijeron: Señor haz en mí según tu voluntad.

Al final queremos decir como dijo Pablo: "He peleado la buena batalla, he acabado la carrera, he guardado la fe, por lo demás, me está guardada la corona de justicia, la cual me dará El Señor, juez justo, en aquel día; y no solo a mí, sino también a todos los que aman su venida" (2 Timoteo 4:7-8).

El Señor nos llama a ser fieles hasta el final, a no desmayar, a hacer que cada día sea un día que nos acerque más a los propósitos divinos.

Oración:

Amado Salvador, anhelo ser fiel hasta el final. Este día será para mí una aproximación más hacia ese momento glorioso de mi encuentro contigo, por lo tanto quiero dar pasos seguros que me lleven a ese encuentro, con fidelidad e integridad en mi vida. Amén.

Un clamor desesperado

"Aconteció que después de muchos días murió el
rey de Egipto, y los hijos de Israel gemían a causa de
la servidumbre, y clamaron; y subió a Dios el clamor
de ellos con motivo de su servidumbre" (Éxodo 2:23)

El pueblo de Israel estuvo sometido a la esclavitud por mucho tiempo. Algunos aseguran que fueron 400 años.

A pesar de crecer en número rápidamente, sus condiciones de vida eran terribles porque estaban sometidos al faraón que los obligaba a trabajar extensas jornadas y los castigaba severamente.

No podían desarrollar su fe en libertad, tenían que estar sometidos a los caprichos del faraón y sus condiciones de vida eran cada vez peores.

En medio de esa situación, el pueblo de Israel empezó a clamar desesperadamente al Señor.

No era como una oración superficial o una plegaria hecha a la carrera.

¡En realidad era un grito que salía del fondo mismo de sus corazones!

La Biblia nos habla de un gemir, de un pedir con lamento que surgía del desespero de aquellos seres humanos esclavizados y obligados a trabajar para un rey pagano.

¿Cómo pide una persona que día a día se levanta para ser sometida a torturas y azotes y ser obligada a trabajar y trabajar para un rey pagano e idólatra?

¡La humanidad también hoy en día está confrontando tiempos muy difíciles!

También la esclavitud del pecado y el sometimiento al príncipe de la potestad de las tinieblas está llegando a limites terribles.

¿Cuál es entonces la solución para todo esto?

Necesitamos de nuevo clamar y gemir delante del Señor. No queremos más oraciones superficiales o por cumplir. Se necesita de nuevo el grito desgarrador de aquellos que ansían una transformación real de este mundo y es por eso que este es el tiempo para que se levante el pueblo de Dios y acuda delante del trono en esta suplica constante.

Nosotros hemos recibido de parte de Dios el privilegio para comunicarnos con Él. La vía de comunicación con Dios es la oración. ¡Pero no la estamos usando!

Y mientras tanto las iglesias están estancadas, son muy pocos los nuevos creyentes.

Las vidas de los seres humanos no están siendo llevadas a la consagración, los jóvenes se han vuelto apáticos, fríos frente a la palabra de Dios.

Hay muchos esposos/as que siguen alejados del Señor aunque sus familias les piden que lleguen a la iglesia. ¿Cuál debe ser entonces nuestra respuesta frente a estos desafíos?

No podemos seguir de esta manera. Necesitamos desesperadamente que El Espíritu Santo tome control de nuestras iglesias, de nuestras vidas totalmente.

Levanta en este día un clamor al cielo para pedir que El Espíritu Santo se manifieste con poder, que muchos sean atraídos al Señor y que el clima espiritual de nuestras ciudades sea transformado para que Dios gobierne con su autoridad y poderío.

"Clama a mí", dijo El Señor "y yo te responderé, y te enseñaré cosas grandes y ocultas que tu no conoces" (Jeremías 33:3) ¡De cuanto nos estaremos perdiendo por no clamar al Señor!

Oración:

Señor, hoy levanto un clamor hacia ti, pidiéndote por la conversión de quienes no te conocen, por el derramamiento de tu Espíritu Santo en mi vida y por una convicción cada vez más fuerte en mi corazón de tu presencia constante. Amén.

La oración que cambia el mundo

".....La oración eficaz del justo puede mucho"
(Santiago 5:16b)

Nuestros tiempos no están para oraciones superficiales o por cumplir, no.

Nuestros tiempos exigen más que eso.

Exige de hombres y mujeres que aprendan a pararse en la brecha con valentía, que desafíen los infiernos mismos con la forma cómo oran y se entreguen a las cosas de Dios.

Exige de hombres y mujeres que tengan una mentalidad diferente. Que sepan confiar en El Señor y conozcan que las armas de nuestra milicia no son carnales, sino poderosas en Dios y esas armas destruyen fortalezas del enemigo (2 Corintios 10:4).

Si para ti es realmente importante la salvación de aquellos a los que conoces, entonces tendrás largas jornadas sobre tus rodillas, clamando a los cielos por ese deseo.

Si es verdad que te motiva el amor hacia el prójimo, entonces te convertirás en un/a intercesor/a entregado/a que derramará lágrimas, sentirá el dolor y experimentará el quebranto por aquellos que sufren, que se pierden, por los moribundos que abandonan el mundo sin escuchar de Cristo, por los jóvenes que se envuelven en vicios que los llevan a la destrucción, por los matrimonios que se disuelven sin luchar por aquello que antes consideraban importante.

La oración invita a Dios a mi mundo y me lleva a mí al de Dios.

Jesús mismo, que pasó muchas horas en oración solitaria, volvía de nuevo a un mundo ajetreado de bodas, cenas y multitud de enfermos y necesitados, pero estaba equipado para enfrentarse a todos los desafíos que se le presentaban a diario en el tiempo de su ministerio.

¿Se te ha ocurrido pensar alguna vez que por medio de la oración se te ha dado el privilegio de cambiar vidas, naciones y aun el curso de la historia, si tan solo estás dispuesto a confiar en Dios?

Nosotros nos conformamos con las cosas menores; nuestras Iglesias y reuniones de oración se convierten en reuniones para conversar o comentar cosas, pero no desafían los poderes malignos ni rompen las estructuras de poder del enemigo porque carecen de profundidad en nuestro ser.

Los predicadores antiguos de avivamiento hablaban de tener el "espíritu de oración". Ellos hablaban de llorar, agonizar, clamar, luchar, "tener dolores" en oración.

Hoy el mundo y buena parte de las ciudades en que vivimos están en ruinas, la gente está desamparada, perdida sin esperanza y necesitan ayuda. Necesitan a Cristo, la manifestación del amor de Dios que puede sanar sus corazones y dar sentido a sus vidas, y el poder que les puede hacer libres de sus adicciones, delitos y pecados. Necesitamos un derramamiento del Espíritu Santo como nunca antes se ha visto en la historia de este planeta.

Así que es tiempo de orar con toda dedicación y entrega. No más oraciones superficiales que no llegan al trono de los cielos.

Si tienes el privilegio de cambiar el mundo a través de la oración, entonces usa ese privilegio y empieza hoy a cambiarlo todo con el poder maravilloso que Dios mismo te ha entregado.

Oración:

Hoy comprendo Señor que me has dado armas letales para la victoria. Hoy quiero usar esas armas espirituales para vivir dándote gloria y honra por proveer para mi vida de todo lo que necesito para vencer en tu nombre. Amén.

Septiembre

Anhelo por su presencia

"Y Moisés respondió: Si tu presencia no ha de ir
conmigo, no nos saques de aquí" (33:15)

Un pastor relataba en una ocasión la inmensa necesidad que se despertó en él por encontrar al Señor, estaba ciertamente desesperado por su presencia.

Un día decidió que no iba a detenerse hasta que la presencia del Señor fuera evidente en su vida, así que se encerró en un closet por tres horas para orar, pero se quedó dormido y su compañero de cuarto lo encontró allí.

Entonces se compró una alarma que lo despertara cada media hora por si se quedaba dormido y empezó día a día, noche a noche, oraba de rodillas: "Señor, es tu promesa, si yo te busco tú vendrás a mí y tu presencia será evidente en mi vida".

Y oraba y clamaba, y lloraba y no se detenía en buscar a Dios.

"Señor yo quiero conocerte, no quiero conocimiento solo de libros, o solo porque alguien dijo que te conocía. No, quiero conocerte verdaderamente".

Pero nada ocurría. El tiempo pasó. 2, 3, 4 meses en un clamor desesperado.

"Señor, ha pasado el tiempo, pero tú no te haces presente".

Hasta que finalmente un día, en el quinto mes de ese clamor desesperado, la presencia de Dios se hizo evidente ante él. El poder de Dios llenó la habitación en la que se encontraba y estuvo tirado en posición fetal por mucho tiempo, porque no podía resistir esa presencia poderosa en aquel lugar, pero allí estaba Él. Era El Señor respondiendo a ese anhelo desesperado por su presencia.

Sus temores fueron quitados, fue colmado de un gozo indescriptible y de repente su boca se llenó de versículos bíblicos y de alabanzas que no se detenían.

Desde ese día en adelante, cada vez que está en algún lugar predicando la palabra, él puede afirmar con certeza el verdadero significado de la presencia de Dios y puede palpar como El Señor se mueve entre su pueblo.

John Harold Caicedo

Nos confrontan a cada uno de nosotros estos relatos porque por lo general, tenemos oraciones cortas y si Dios no aparece entonces decimos: está bien, luego será, pero no persistimos en un clamor que no cese, en una oración desesperada por la presencia de Dios.

Nos contentamos con lo poco, cuando Él en realidad quiere darnos todo.

¿Estarías dispuesto/a a buscar a Dios sin cesar? ¿Hasta dónde llegarías con tal de experimentar el gozo de su presencia?

Si buscas al Señor con todo tu corazón, de seguro lo hallarás y entonces tu vida ya nunca más será la misma.

Empieza hoy. Él siempre está esperando por los suyos.

Oración:

En este día Señor, quiero elevar mi oración de una manera más profunda. Quiero convertirme en un/a apasionado/a por tu causa, en un/a creyente que no se contenta con solo escucharte de vez en cuando, sino que anhela tu presencia constante y liberadora todo el tiempo. Amén.

Con fuerzas de búfalo

"Pero tú aumentarás mis fuerzas como las del búfalo; seré ungido con aceite fresco" (Salmo 92:10)

En el sur oeste asiático el búfalo es conocido como "el tractor de oriente" debido a la utilización de su fuerza para el trabajo pesado en las tierras. Un búfalo puede llevar cargas hasta un poco más de 2,866 libras. Sin duda tiene una fuerza tremenda.

¿Será que nosotros podríamos con 2,866 libras sobre nuestros hombros? Es imposible.

Lastimosamente nosotros muchas veces somos tan débiles, que con un par de libras de problemas ya queremos tirar la toalla.

Todos en algún momento de nuestra vida hemos sentido cómo nuestras fuerzas decaen, cómo aquella fortaleza que teníamos se va reduciendo, todo esto quizá por el descuido espiritual que nosotros mismos provocamos.

Pero en medio de las debilidades que la vida nos trae o que nosotros mismos propiciamos, es lindo saber que Dios aumentará nuestras fuerzas como las de un búfalo.

Muchos de nosotros hemos sido testigos de cómo Dios ha hecho que saquemos fuerzas de donde no las teníamos en momentos determinados, cuando era necesario.

El profeta Isaías afirma que El Señor da esfuerzo al cansado y multiplica las fuerzas del que no tiene ningunas (Isaías 40:29).

¡Es maravilloso saber cuál es la verdadera fuente de nuestra fortaleza!

Y agrega: "los muchachos se fatigan y se cansan, los jóvenes flaquean y caen; pero los que esperan en Jehová tendrán nuevas fuerzas; levantarán alas como las águilas; correrán y no se cansarán; caminarán y no se fatigarán" (Isaías 40:30-31).

¿Te has sentido agotado/a y sin fuerzas? ¿Experimentas a menudo desaliento en cada jornada de tu vida?

Si esa así, acude hoy a la fuente de tu fortaleza, que es El Señor.

Él aumentará tus fuerzas como las del búfalo y estarás listo/a para enfrentarte a los desafíos que la vida te trae constantemente.

John Harold Caicedo

Oración:

Qué maravilloso es saber que tú, Dios mío, eres la fuente de mi fortaleza. Hoy me dispongo a vivir en tu fuerza, en tu poder, bajo tu guía y dirección. Será, sin duda la mejor forma de enfrentar este día. Amén.

Derribando barreras de separación

"Porque él es nuestra paz, que de ambos pueblos hizo uno, derribando la pared intermedia de separación." (Efesios 2:14)

Servir a Dios día y noche era función de los levitas y sacerdotes en el Antiguo Testamento. Pero en el escenario de los cielos los que están delante del trono de Dios son de toda raza, tribu, pueblo y lengua. ¡Aquí tenemos una revolución!

En el templo terrenal de Jerusalén los gentiles no podían pasar más allá del atrio de los gentiles bajo pena de muerte. Los israelitas podían pasar el atrio de las mujeres y entrar en el de los israelitas, pero no más allá.

Mas adentro estaba el atrio de los sacerdotes, donde solo podían entrar los sacerdotes.

Como vemos había barreras de separación y nadie podía pasar más allá de donde le permitían.

¡Pero en el Templo celestial, el acceso a la presencia de Dios está abierto a los de cualquier raza!

Aquí tenemos una descripción de un Cielo sin barreras. Las distinciones de raza y de condición ya no existen; ¡el camino a la presencia de Dios está abierto para toda alma fiel!

Los seres humanos levantamos barreras, pero El Señor nos ha mostrado que Él está, por el contrario, quitando cualquier barrera de separación, y si ese es el escenario de los cielos, ¿no creen entonces que deberíamos desde ahora vivir de esa manera?

Efesios 2:14-16: "Porque Él es nuestra paz, que de ambos pueblos hizo uno, derribando la pared intermedia de separación, aboliendo en su carne las enemistades, la ley de los mandamientos expresados en ordenanzas, para crear en sí mismo de los dos un solo y nuevo hombre, haciendo la paz y mediante la cruz reconciliar con Dios a ambos en un solo cuerpo, matando las enemistades".

Hoy siguen habiendo muchas paredes de separación entre las personas. La naturaleza humana no es diferente en la era moderna de lo que fue en el primer siglo: el poder, el orgullo y el privilegio siguen dominando en el reino de las tinieblas.

Lastimosamente, en la comunidad cristiana existen también muchos muros de separación.

Pero el evangelio de Jesucristo sigue siendo poderoso hoy "para crear… de los dos un solo y nuevo hombre, haciendo la paz".

No importa cuáles sean las barreras, podemos vencerlas al reconocer que todos tenemos acceso al Padre celestial por medio del mismo Espíritu.

Oración:

Señor Jesucristo, gracias por derribar las barreras de separación que el ser humano había colocado. Por eso hoy quiero vivir en esa nueva dimensión que tú formaste. Amando a todos por igual, sirviendo a quien sea necesario sin ninguna distinción y compartiendo el mensaje del evangelio que derriba cualquier barrera. Amén.

Un pie en el mundo, un pie en el cielo

*"El que no es conmigo, contra mí es; y el que
conmigo no recoge, desparrama" (Mateo 12:30)*

No hace mucho, una mujer cristiana muy honesta escribió a un ministerio lo siguiente:

"¡Yo estoy asustada! He servido al Señor durante varios años, pero en los últimos años me he deslizado y me he puesto fría hacia Dios. Ya no tengo carga para las almas perdidas, ni urgencia por orar o leer la Biblia. Una oscuridad espiritual está cubriéndome. Pero lo que más me asusta es que no me preocupa lo que está pasándome, ¡Tengo miedo de que no tengo miedo!"

¿Podría estar pasando algo así en tu vida? ¿Ha sucedido antes?

Entre las religiones predominantes del mundo, los cristianos somos los únicos que separamos la vida secular de la vida espiritual. Ningún judío, musulmán o hindú, pueden concebir que por ejemplo, un país que se considere cristiano legisle en contra de los valores cristianos, o que la gran mayoría de los considerados creyentes tenga una vida muy espiritual de domingos en la mañana, pero el resto del tiempo viva completamente apartados de las cosas de Dios.

Parece que muchos cristianos se han acostumbrado a vivir con un pie en el mundo y otro en el cielo.

Y entonces existen palabras que empiezan a desaparecer del vocabulario, porque ni siquiera se predican continuamente.

La palabra pecado se volvió muy religiosa.

Consagración parece que es solo para los ministros y pastores.

Santidad es sinónimo de vivir apartados de este mundo incrédulo.

Arrepentimiento es solo una palabra que usaron en la antigüedad Juan El Bautista y Jesús, pero que hoy en día ya no es muy aceptada.

Negarse a sí mismo, tomar la cruz y seguir a Jesús parece que para muchos fue solamente algo que se dijo para los antiguos o quizás para algunos más fanáticos, pero no para la gente común de nuestros tiempos.

El mensaje original del evangelio se ha ido cambiando lentamente y se ha ido acomodando al gusto del consumidor, pero no a la forma como este desafió a los primeros cristianos y los convirtió en una verdadera luz para los paganos de los tiempos antiguos.

¿Ha cambiado el mensaje del evangelio? ¿Ha cambiado el contenido de la Biblia? ¿Será que aplica para nosotros el llamado a la santidad, el amar a nuestros enemigos y orar por los que nos ultrajan y persiguen? ¿Será que ya no estamos llamados a ser la luz y la sal de este mundo? ¿Se ha convertido la iglesia de Jesucristo, simplemente en una extensión del mundo?

La iglesia que Dios va a bendecir no es una iglesia corrompida por el pecado o complaciente con el mundo.

Su promesa es que Él va a bendecir y proteger su iglesia, pero una iglesia santa, sin mancha ni arruga que sepa recibir y poner en práctica la palabra verdadera que viene de los cielos, aunque en muchas ocasiones esta palabra nos confronte con el pecado y la maldad.

Sí, Dios va venir por su iglesia, pero es una iglesia santa, una iglesia de hombres y mujeres que han entendido el mensaje y que caminan de acuerdo a él y no a las cosas del mundo, una iglesia llena del Espíritu Santo donde se manifiesta la gloria de Dios. ¿Perteneces a esa iglesia?

Oración:

Señor Jesús, hoy comprendo que mi vida debe ser íntegra delante de ti. No quiero vivir en la tibieza de una vida sin compromiso, o con una actitud de indiferencia frente a lo que tú dices en tu palabra. Hoy quiero consagrarme por entero para hacer tu voluntad sin reservas. Amén.

Pero yo os digo….

"Porque os digo que si vuestra justicia no fuere
mayor que la de los escribas y fariseos, no entraréis
en el reino de los cielos" (Mateo 5:20)

Jesús en el sermón del monte desafió a los que solo pensaban en no transgredir la ley y dijo cosas como: "cualquiera que mira a una mujer para codiciarla ya adulteró con ella en su corazón", "cualquiera que se enoje contra su hermano, será culpable de juicio; y cualquiera que diga: Necio, a su hermano, será culpable ante el concilio; y cualquiera que le diga: Fatuo, quedara expuesto al infierno del fuego".

Así mismo Jesús dijo que "no todo el que diga Señor, Señor entrará en el reino de los cielos", sino "El que haga la voluntad de mi Padre que está en los cielos".

Jesús no facilitó el cumplimiento de los requisitos para el creyente, por el contrario, Él fue más allá, porque ahora no se trata solo de un intento de cumplimiento de la ley como los fariseos y religiosos, sino aún más, Él puede mirar lo que hay en el corazón de cada uno y sus intenciones.

Y quizás hoy en día el común de los creyentes vive una vida espiritual muy relajada y sin desafiarse a sí mismos porque al fin y al cabo:

Si decides dejar de leer la Biblia, no creas que Él enviará una tormenta para que renueves la lectura.

Si decides dejar de ir a la iglesia, Él no enviará un terremoto para moverte y sacudir tu vida.

Si decides seguir una relación que no es agradable a Dios, Él no enviará una inundación para advertirte.

Pero aunque estas cosas no sucedan, no pienses que simplemente son ignoradas. Nada se escapa a su conocimiento. El resultado de la desobediencia se verá en su momento.

Qué fácil es mirar el pecado en los demás, pero disculparnos a nosotros mismos por nuestro comportamiento.

Podemos juzgar a los demás por sus acciones, pero nos juzgamos a nosotros mismos por nuestras intenciones.

Que fácil mirar la paja en el ojo ajeno, pero no mirar la viga en el nuestro.

Que fácil señalar el pecado, la caída del otro, pero justificarnos a nosotros mismos.

Pero el creyente con corazón humilde, no el soberbio, no el orgulloso, sino el humilde, sabe que necesita de Aquel que sí puede en realidad justificarlo, pero no por sus obras, sino por la obra que El Señor hizo en la cruz del calvario.

Todo aquel que decide venir a Cristo, debe saber siempre que su corazón va a ser escudriñado, sus intenciones van a ser descubiertas y sus motivaciones van a ser manifestadas.

¿Estás dispuesto/a a seguir este camino?

De todas maneras no hay otro camino. Solo a través de Jesucristo podremos alcanzar la vida eterna.

¡Vale la pena darlo todo por Él!

Oración:

Como dijo David, hoy te pido que examines mi corazón y mira si estoy yendo por un camino equivocado. Ayúdame a vivir con las motivaciones correctas y la disposición de mi corazón para agradarte todos los días de mi vida. Amén.

Tú eres aquel hombre

*"Entonces dijo Natán a David: Tú eres aquel
hombre..." (2 Samuel 12:7a)*

La historia del rey David se vio empañada por el gran pecado que cometió.

A pesar de toda la grandeza de su reinado y del favor que Dios mismo había colocado sobre este hombre, su vida se vio ensombrecida por las terribles cosas que hizo y que luego pretendió ocultar.

El Señor en su gran amor envió al profeta Natán, para que con gran sabiduría le hablara al rey y lo confrontara con el peso y las consecuencias del pecado sobre su vida y la de los suyos.

Pero aquel momento fue de gran tensión.

Puedo imaginar la escena del profeta Natán entrando a los aposentos del rey para confrontarlo.

Puedo imaginar quizás lo que había en su mente a punto de entrar a la presencia del hombre más apreciado y admirado de todo Israel, ¡para ponerlo frente a la evidencia de su propio pecado!

Pero Natán era un enviado de Dios y sabía que tenía que transmitir el mensaje tal como lo había recibido del Señor.

Natán sabía que podía morir por señalar en la cara el pecado de David pero no se detuvo.

El profeta empezó a narrarle una historia al rey para conducirlo al punto que deseaba tratar con él.

Él le dijo que había dos hombres en una ciudad, uno rico y uno pobre. El rico lo tenía todo y le sobraba, pero el pobre casi no tenía nada y el hombre rico vino y le quitó lo poco que tenía, ¡qué te parece esto rey!

David se levantó furioso cuando el profeta le estaba contando esta historia.

Él respondió con enojo y lanzó una sentencia: ¡"ese hombre es digno de muerte"!

El profeta pudo haberse detenido en aquel momento. Era demasiado fuerte seguir adelante cuando el rey había lanzado una sentencia de muerte. David no tenía ni idea que esa sentencia era para él mismo.

Pero entonces el profeta se levanta y lo señala diciéndole: "tú eres, tú eres aquel hombre".

David había escuchado muchas veces la voz de Dios. En las praderas, en los valles, en las montañas, mientras pastoreaba las ovejas, mientras adoraba al Señor, cuando enfrentó al gigante, cuando peleó en sus batallas contra los filisteos, cuando estuvo en la cueva de Adulam. En muchas ocasiones Dios le habló, pero jamás con las palabras que ahora estaba recibiendo de boca del profeta Natán.

Y ahora tenía que recibirlas de la misma manera que había recibido las palabras de bendición.

Cuánto se necesita hoy en día de hombres y mujeres como Natán, que no hablen por ellos mismos, que no tengan solo un mensaje de hombres, sino que sea Dios mismo quien habla a través de ellos y traen amonestaciones para que enderecemos el rumbo si es que nos estamos desviando.

Amar a otra persona no es solamente decirle cosas bonitas todo el tiempo. Amarla es también saberle dar a tiempo una advertencia cuando se está yendo por un camino equivocado.

Sí, se necesitan personas ungidas que sepan traer las palabras desde el trono de los cielos a este escenario de la tierra y que tengan la valentía para ayudar a otros señalándoles el camino de regreso a casa.

También hoy necesitamos escuchar a estos hombres o mujeres que se levanten con valentía para señalar nuestro pecado y decirnos: ¡Tú eres ese/a pecador/a, arrepiéntete ahora y corre de nuevo a los pies del Salvador! Él nunca rechaza a un corazón contrito y humillado.

Oración:

Señor, hoy vengo a ti con la mejor disposición de mi corazón, pidiéndote que me ayudes a reconocer mi pecado y me conduzcas al lugar de la obediencia, de la humildad, del amor y de la misericordia. Amén.

La iglesia sin mancha ni arruga

"A fin de presentársela a sí mismo, una iglesia gloriosa, que no tuviese mancha ni arruga ni cosa semejante, sino que fuese santa y sin mancha"
(Efesios 5:27)

La iglesia que Dios está levantando en el mundo debe tener el sello distintivo de los hijos de Dios.

La iglesia no puede ser jamás una prolongación del mundo.

Jesús no derramó su bendita, pura y preciosa sangre para que nosotros sigamos siendo lo mismo que el mundo que nos rodea. No, la iglesia de Jesucristo tiene que ser la entidad más pura que se mueva sobre esta tierra porque está conformada por hijos de Dios.

Jesús es el Salvador del mundo. Él no vino para sacarte de una condición de muerte para que sigas viviendo en esa misma condición de muerte.

No, Él vino para darte una nueva vida que no debe jamás parecerse a la vida que tenías antes de conocerlo a Él.

La iglesia por la cual El Señor va a venir no es la de los adúlteros, no es la de los que miran pornografía, no es la de los que engañan a los demás, no es la de los que mienten todo el tiempo, no es la de los fariseos e hipócritas, no es la de los falsos criticones ni chismosos, no.

Esa no es esa iglesia pura y sin mancha que Dios está formando.

La Iglesia por la cual va a venir El Señor es la de aquellos que se arrepienten de su pecado y se duelen cuando contristan al Espíritu Santo, es la de aquellos guerreros de oración que no cesan de interceder, es la de aquellos hombres y mujeres que saben mantenerse fieles en sus hogares, es la de aquellos humildes que aceptan cuando alguien los exhorta y los trae de nuevo a los caminos de Dios.

¿Perteneces tú a esa iglesia?

No tienes que saber todas las doctrinas, no tienes que ser un gran teólogo, no tienes que saber cada palabra de la Escritura, no tienes que ser un predicador, un evangelista o un maestro.

Pero sí debes tener la conciencia clara de que en todo lo que haces cada día de tu vida, Dios está presente y Él es testigo de cada cosa que haces y de cada palabra que sale por tu boca.

¡Dios no está jugando a la iglesita!

El Señor dio su vida entera, pagó con su sangre, sufrió el dolor, bebió la copa de la ira divina, soportó los azotes, escupitajos, patadas, golpes, burlas, clavos en las manos y en los pies, y todo esto para darte la libertad frente al pecado, y darte una nueva vida en la que siempre sales vencedor frente al enemigo.

Por eso si perteneces a la iglesia del Señor Jesucristo, eres parte de aquello por lo cual Él entregó todo y seguirá manteniendo hasta el final de los tiempos.

Eres parte de una iglesia sin mancha ni arruga que declarará la victoria final prometida para los que perseveran hasta el fin.

Oración:

Gracias Jesús por darme el privilegio de pertenecer a tu iglesia. En medio de mis debilidades y carencias, tú me das la fuerza para perseverar y el poder para ser tu testigo. Quiero ser parte de esta iglesia gloriosa hasta el final. Amén.

El Dios de la Biblia

"Porque este Dios es Dios nuestro eternamente
y para siempre; Él nos guiará aún más allá de la
muerte" (Salmo 48:14)

Hay millones de personas alrededor del mundo que creen que simplemente pueden acudir a Dios como si fuera un amuleto que les ayuda cuando lo necesitan, pero luego lo relegan al bolsillo como una estampita o una figura a la que pueden usar cuando quieren.

Hay muchos que simplemente lo buscan cuando tienen alguna necesidad y después lo ignoran cuando todas las cosas están bien.

Hay quienes aceptan algunos de los atributos del Señor, pero niegan otros, pensando que Él ya no es el mismo de antes.

Pero ni esa es la forma de buscar a Dios, ni tampoco es la forma de percibirlo.

Ese no es El Dios de la Biblia. Ese no es El Verbo que se hizo carne y habitó entre nosotros y cuya gloria vieron los discípulos.

Ese no es El Dios en el que nosotros creemos.

Él está lleno de gracia y de misericordia, pero también es fuego consumidor.

Él es la luz de este mundo y quien lo gobierna con soberanía.

Él es quien puso con su mano los astros y las estrellas, pero también puede conocer lo más íntimo de tu corazón.

Él es El Creador del universo que habitamos, pero también habita en el corazón de los quebrantados y humildes.

La iglesia del Señor no está formada por miembros, está formada por hijos.

Tú no tienes una membresía con Dios, tú tienes un linaje con Él.

Tú no tienes una carta de acceso, no. Tu acceso se logró con la sangre de Cristo.

Mi clamor en este día es: Señor, levanta hombres y mujeres de Dios, enamorados de ti, puros, humildes, que solo tengan su mirada en ti.

John Harold Caicedo

Levanta adoradores que no busquen la gloria del mundo, sino que busquen glorificarte a ti Señor.

Sí, levanta un pueblo, un remanente fiel que aunque el mundo entero se corrompa, ellos estén siempre firmes en tus caminos, y aunque tengan que dar su propia vida por tu causa, tengan la valentía para hacerlo.

Busquemos la santidad, y entonces el mundo verá a una iglesia que se levanta en este mundo y proclama que ha sido lavada con la sangre pura del cordero sin mancha y por lo tanto, se mantendrá siempre fiel porque estará guiada por El Salvador del mundo, que vino para buscar lo que estaba perdido.

Él es Nuestro Dios eternamente, por eso no hay nada ni nadie que nos pueda separar de su amor.

Oración:

Gracias Señor por crear tu iglesia y hacerme parte de la misma. Sé que tengo un gran desafío por delante: anunciar las virtudes de Aquel que me sacó de las tinieblas y me trajo a su luz admirable. Eso quiero hacer en este y todos los días de mi vida. Amén.

Levantémonos y edifiquemos

"Entonces les declaré como la mano de mi Dios
había sido buena sobre mí, y así mismo las palabras
que el rey me había dicho. Y dijeron: levantémonos
y edifiquemos. Así esforzaron sus manos para bien"
(Nehemías 2:18)

Cuando un hombre o una mujer de Dios se levanta con valentía para llevar a cabo la obra que El Señor mismo está poniendo sobre sus hombros, puede comunicar con el mismo entusiasmo a los demás las palabras que vienen directamente de Dios para los suyos.

Eso sucedió con Nehemías cuando le comunicó a todo el pueblo que tenían el respaldo de Dios y la ayuda del rey, por tanto era el momento de poner manos a la obra para reedificar los muros de Jerusalén que estaban derribados.

El pueblo entero al ver la seguridad de Nehemías y el respaldo de Dios, contestaron a una sola voz: ¡levantémonos y edifiquemos!

Siempre se necesitan personas como Nehemías, que no solo conozcan la palabra que Dios ha puesto sobre ellos, sino que además pongan manos a la obra para llevarla a cabo y realicen una convocatoria para que todos tomen el compromiso de ayudar en esa obra.

Hoy en día mucho de nuestro cristianismo se simboliza más bien por la debilidad y la derrota.

Muros caídos, cristianos abatidos, quejosos y sin fe, la duda se ha apoderado del pueblo de Dios.

Hay mucha incertidumbre, hay mucho temor, hay muchas luchas sin sentido.

Por eso hoy más que nunca es necesario repetir aquella frase con la que todo el pueblo se entusiasmó y puso manos a la obra: "levantémonos y edifiquemos".

Hay muchos muros por reconstruir, muchas guerras que pelear, muchos pozos por cavar.

¡Sí, levantémonos y edifiquemos!

John Harold Caicedo

Tenemos todo para ganar. Tenemos palabra sobre nosotros. Tenemos el poder de lo alto. Tenemos las armas de nuestra milicia poderosa en Dios para la destrucción de fortalezas, tenemos los argumentos, pero más importante que todo eso: tenemos a un Dios todopoderoso que vence en las batallas y que nunca avergüenza a quienes le siguen con determinación y valor.

No es el momento de bajar la guardia, todo lo contrario. Es el momento de los hijos de Dios. Es el momento de dejar la pasividad y decirle al Señor: heme aquí Señor, envíame a mí. Sí, estoy dispuesto.

Siempre que hacemos algo para Dios surgirán problemas que nos pueden desanimar, personas con falta de fe, muchos que no entienden la visión, personas con actitud negativa o con amargura en su corazón, pero tú no dejes de hacer lo que Dios te ha mandado, no dejes de avanzar en la obra de Dios, no dejes de buscar su voluntad agradable y perfecta.

En el reino de Dios tiene que haber vida. Los habitantes del reino de Dios serán aquellos que trasmiten vida en un mundo de muerte, que traen el refresco de la nueva vida en este mundo necesitado de Dios.

El llamado del Señor para los suyos sigue siendo el mismo.

Él está esperando que también nosotros, el pueblo de Dios de esta generación, nos levantemos con valentía y edifiquemos esa grandísima obra para la cual hemos sido escogidos.

Si tú eres parte de ese pueblo apartado por Dios para llevar a cabo su obra, entonces esta palabra es para ti: levántate y reedifica. La obra jamás se podrá detener.

Oración:

En este día quiero ser usado/a por ti para aportar un poco más en la gran obra que tú estás haciendo con los tuyos y a la cual me llamaste por tu gracia. Hoy quiero levantarme para seguir edificando ese reino anunciado por ti. Amén.

Nunca te negaré

"Jesús le dijo: De cierto te digo que esta noche,
antes que el gallo cante, me negaras tres veces"
(Mateo 26:34)

Antes de que Jesús fuera llevado prisionero para crucificarle, se encontraba con los discípulos y pronunció unas palabras demasiado impactantes: "todos ustedes se van a escandalizar de mí esta noche".

Quizás los discípulos se mirarían entre sí extrañados por las palabras tan fuertes de Jesús, pero Pedro que por lo general reaccionaba impulsivamente le contestó al Maestro diciendo: Yo no Señor, "aunque todos se escandalicen de ti, yo nunca me escandalizaré" (Mateo 26:35).

Pedro hablaba con sinceridad por el amor que le tenía al Señor, pero pronto sus palabras lo confrontarían de una manera que quizás jamás había imaginado.

El Señor lo miró a los ojos y le dijo: "antes de que el gallo cante me negarás tres veces".

Pedro era un hombre apasionado por la causa de Jesús y amaba profundamente a Aquel que lo había llevado a convertirse en pescador de hombres.

Desde el fondo de su corazón pronunciaba palabras que expresaban sus más profundos anhelos.

Sin embargo, todos conocemos la historia, Pedro lo negó tres veces diciendo: "ni siquiera lo conozco", "yo no sé quién es ese hombre", incluso hasta pronunció malas expresiones y juramentos.

Afortunadamente más adelante reaccionó, pensó en las palabras que Jesús le había dicho y se echó a llorar por el dolor que ahora tenía en su corazón.

Jesús desde el lugar en el que se encontraba volteó a mirarlo como para recordarle lo que le había dicho, pero seguramente también pensaba: ¡no te preocupes Pedro, tú me negaste como te lo había anunciado, pero pronto saldrás a compartir el evangelio, multitudes vendrán a la vida cristiana, tu sombra curará a muchos y entrarás a casa de gentiles a compartir la palabra.

John Harold Caicedo

Él ya conocía el camino de Pedro, y lo que venía para él y así mismo, Él ya conoce tu camino y puede repetir también para ti esas palabras: ¡no te preocupes, serás usado por mí, te llevaré de mi mano a hacer cosas que ni tú esperabas, te usaré en mi obra para que otros conozcan de mí y se conviertan. Muchos de nosotros hemos negado al Señor con nuestra vida, con nuestras palabras e incluso con nuestros pensamientos. Aunque delante del altar de Dios hemos hecho promesas de arrepentimiento, compromisos de dejar atrás todo aquello que estorba nuestro caminar con Cristo, sin embargo, luego olvidamos las promesas y somos confrontados con nuestra debilidad.

Incluso hemos pronunciado palabras similares a Pedro: ¡nunca volveré atrás, nunca volveré a hacer esto o aquello, quizás los demás si pero yo no, nunca te negaré, jamás lo haré!

Pero las palabras se olvidan pronto y cuando negamos al Señor de tantas formas nos encontramos de nuevo con su mirada que nos recuerda, no solo el compromiso que hicimos, sino también la inmensa misericordia que Él derrama sobre los suyos. El Señor ya conoce tu futuro porque Él ya estuvo allí. Él ya ha visto hacia adelante todo aquello que está forjando para ti en el presente.

Por eso, si has negado al Señor de cualquier manera, ven pronto a Él, arrepiéntete sinceramente y Él te mostrará su gran misericordia, de la misma manera que lo hizo con aquel discípulo que lo negó tres veces.

Oración:

Hoy te pido Señor la valentía para testificar de ti en todo momento, la determinación para jamás negarte con mi comportamiento y la seguridad para mantenerme en el camino adecuado de salvación. Amén.

Santifícate

"Y Josué dijo al pueblo: santificaos, porque Jehová hará mañana maravillas entre vosotros" (Josué 3:5)

Cuando el pueblo de Israel estaba a punto de entrar finalmente a la tierra prometida, El Señor le habla a Josué y le dice lo que tiene que hacer para que se abra el camino por el que deben transitar.

Los sacerdotes llevaban el arca e iban al frente de todo el pueblo, y la orden fue que cuando llegaran a la orilla del Jordán ahí se detendrían, cuando se mojaran sus pies el Jordán se abriría; y Dios nuevamente abriría un camino para el pueblo de Israel.

Este era sin duda el momento más emocionante de toda esta travesía.

Era tiempo de cruzar finalmente el río que los separaba, no solo de la otra orilla, sino en realidad lo que los separaba de aquella tierra tan largamente esperada por el pueblo de Israel.

La gran promesa hecha realidad, la tierra que fluía leche y miel ahora iba a ser conquistada por un pueblo que había estado por cuarenta años en el desierto.

¿Puedes imaginar la ansiedad que había en medio de estos seres humanos?

Están en la antesala de la gran conquista, es la entrada a todo un nuevo mundo lleno de aventuras en el que por fin podrán asentarse en un lugar prometido y en el que podrán poseer los lugares que Dios había destinado para ellos.

Josué se levantó muy de mañana. A él se le había encomendado esa tarea de conducir a todo el pueblo al otro lado del Jordán y a empezar la conquista.

Se le dio instrucciones a todo el pueblo acerca de lo que deberían hacer.

"Cuando vean el arca del pacto del Señor y los levitas sacerdotes que la llevan, entonces ustedes saldrán de sus lugares y marcharán detrás de ella, para que sepan cuál es exactamente el camino por el cual tienen que ir". (Josué 3:3) Pero no se acerquen mucho al arca, se les advirtió.

El arca del pacto simbolizaba la presencia de Dios y era precisamente el arca la que debería cruzar, primero, mostrando que es Dios quien siempre debe ir adelante en cada una de nuestras jornadas.

Ahora eran un pueblo libre llevado de la mano de Dios, estaban listos para conquistar, tenían un numeroso ejército y ante todo tenían el respaldo divino.

¿Cuál era la orden en aquel momento? ¿Qué necesitaban para estar preparados para lo que vendría?

La orden fue muy clara de parte de Dios: "Santifíquense".

Es decir, prepárense porque la gloria de Dios se moverá con poder sobre sus vidas y el tiempo que vendrá será de grandes alcances, pero necesitan santificarse para poder ser testigos de lo que Dios hará.

Santificarse es separarse de lo impuro, de lo que no es agradable a los ojos de Dios.

El Señor sigue enviando a los suyos a la conquista. Él sigue moviendo a su pueblo a alcanzar grandes logros, pero siempre busca que su pueblo se santifique y deje atrás cualquier muestra de esclavitud de la vida pasada.

¿Aceptarás entonces la orden de Dios para tu vida y la de los tuyos?

Es tiempo de conquista, es tiempo de alcance, es tiempo de victoria. Sí, sin duda es tiempo para buscar la santificación.

La promesa de Dios es que Él hará grandes maravillas entre los suyos.

Oración:

Vengo a ti Señor en este día con la disposición de mi ser para presentarme como un sacrificio vivo, santo y agradable. Entiendo que como hijo/a tuyo/a debo estar siempre preparado/a para contemplar tu gloria y compartir tus maravillas. Amén.

Cegados a las maravillas de Dios

*"en los cuales el dios de este siglo cegó el
entendimiento de los incrédulos, para que no les
resplandezca la luz del evangelio de la gloria de
Cristo, el cual es la imagen de Dios" (2 Corintios 4:4)*

Una noche justo antes de Navidad, un hombre caminaba por las calles de una ciudad oriental.

Las ventanas de las tiendas estaban todas bellamente decoradas, y observó que tres niñas pequeñas estaban intensamente interesadas en una de aquellas ventanas tan lindamente decoradas.

Descubrió que la chica en el centro era ciega, y las otras estaban tratando de describir las cosas hermosas en la ventana.

"¡Qué oso de peluche y qué muñeca!", decía una. "! Y los adornos que están más allá!", decía otra.

Pero la pobre niña se encontraba en la mitad con una expresión en blanco en su cara y obviamente no podía apreciar las cosas hermosas que estaban ante ella.

Por supuesto que nosotros sentimos tristeza por la niña que no podía ver lo que las otras veían, pero esto también es una ilustración del esfuerzo que los cristianos estamos haciendo por despertar a los no convertidos a un interés y deleite en las cosas espirituales.

La razón por la que muchas veces no podemos hacerlo es porque el pecador está espiritualmente ciego y no puede ver esas maravillas que están ante sus ojos.

¿Cuál es la razón por la cual no pueden ver esas maravillas?

¿Te has preguntado por qué nosotros podemos gozarnos con algunas cosas que para el mundo son locura?

Precisamente porque El Espíritu Santo ha hecho una obra en ti, abriendo tus ojos para que puedas ver lo que otros no pueden ver.

Es la unción espiritual, es el toque divino, es ese aceite fresco que desciende del cielo y te toca despertando en ti esa parte espiritual dormida, para que puedas reconocer lo que Dios está haciendo en este mundo y te puedas regocijar con lo hermoso de la creación divina y con la obra que Él sigue haciendo en la actualidad.

John Harold Caicedo 539

Disfruta hoy de todos los privilegios que tienes al saber que tus ojos han sido abiertos para descubrir las maravillas de Dios, pero no olvides que en las calles, en los lugares de trabajo, en las escuelas, en las oficinas, en los restaurantes, en los centros comerciales, en todos los lugares, hay millones de personas que aún siguen ciegas a estas revelaciones.

Pídele al Señor hoy que te use para ayudar a alguien a salir de la ceguera y que pueda venir a la luz admirable de la presencia de Dios y de la revelación divina.

Oración:

Oro a ti Señor Jesucristo para que en este día me des oportunidad de ayudar a alguien a abrir sus ojos a las realidades espirituales. Quiero compartir tu evangelio para que cada vez haya más personas descubriendo las maravillas que tú has preparado para los que te aman. Amén.

Estar en el Espíritu

"Digo pues: Andad en el Espíritu y no satisfagáis
los deseos de la carne" (Gálatas 5:16)

El mundo cristiano de hoy en día se ha ido moviendo lentamente de lo espiritual a lo metodológico, a lo sistemático, a lo académico, etc.

Sabemos mucho de métodos, de programas, de sistemas de trabajo, estamos en un mundo muy sistematizado, pero nos hemos ido alejando paulatinamente de las cosas del Espíritu.

Sin embargo, no es posible concebir la iglesia como un lugar solo para desarrollar métodos y programas personales, pero no para que el poder del Espíritu sea desplegado y la unción sea en realidad transformadora.

La iglesia del Señor es el lugar donde debe manifestarse el Espíritu de Dios en plenitud y cada uno de los creyentes debemos experimentar ese gran poder y recibir esa abundancia prometida en la palabra.

Estar en el Espíritu es ver la obra de Dios que se manifiesta, y contemplar su gloria y majestad.

Estar en el Espíritu es discernir las cosas divinas y apoyarnos en ellas para cambiar nuestra propia vida. Estar en el Espíritu es movernos bajo la convicción de quiénes somos en El Señor y al entender esta verdad de sus promesas, hacer la diferencia en este mundo que necesita realmente de la revelación divina y del poder del Espíritu Santo.

Pero mucha gente dentro del cristianismo ha perdido este sentido de estar en el Espíritu.

La esencia de la vida cristiana es precisamente poder comprender lo que dicta el Espíritu Santo para conocer su voluntad y obedecerla.

La iglesia de Dios tiene que moverse en el plano de lo espiritual, encontrar la revelación divina, buscar la presencia del Señor. No somos una comunidad de personas que desean moverse solo en el plano de lo material y satisfacer necesidades personales, tenemos que ser comunidades donde la presencia de Dios se hace evidente y transforma nuestras vidas, y la palabra poderosa que viene del cielo nos convierte en nuevas criaturas que reflejan la gloria de Dios.

Pero no se va a lograr con métodos humanos. No se va a lograr con sistemas personales o metodologías empresariales. No, la única manera es que la unción del Espíritu Santo se manifieste y la gloria de Dios nos cubra con su poder. Nuestros ojos sean abiertos para comprender los misterios divinos y nuestros corazones sean moldeados a la manera de Dios.

Así que oremos todos los creyentes, para que El Espíritu Santo se haga evidente en todas nuestras reuniones, en todas nuestras celebraciones, en cada lugar donde se reúnan dos o más para proclamar la grandeza del Señor.

Oración:

Mi oración en este día es para pedir por esa llenura del Espíritu. Anhelo servirte, adorarte, glorificarte con todo mi ser. Deseo estar cada vez más cerca de tu divina presencia y a través del Espíritu Santo, aprender lo que tú tienes para mi vida. Amén.

Preparando las nuevas generaciones

"y estas palabras que yo te mando hoy, estarán
sobre tu corazón; y las repetirás a tus hijos, y
hablarás de ellas estando en tu casa, y andando
por el camino, y al acostarte, y cuando te levantes"
(Deuteronomio 6:6-7)

Las mentes de los niños son influenciadas por los cuentos que escuchan.

Muchos recordamos cuando nuestros padres nos leyeron esos libros infantiles llenos de historias que tocaron nuestras vidas cuando recién empezábamos a descubrir este mundo.

Pero entre los primeros cristianos y creyentes del Antiguo Testamento, los cuentos de la infancia eran muy diferentes a los de la actualidad.

Me imagino a Abraham hablándole a su hijo Isaac acerca del diluvio, de cómo las aguas cubrieron la tierra y solo Noé y su familia se salvaron.

Los antiguos israelitas que ya habitaban la tierra de Canaán contarían a sus hijos el milagro obrado por Dios en el Mar Rojo, y les hablarían de las plagas caídas sobre Egipto para sacar a su pueblo de la esclavitud.

Entre los primeros cristianos, los padres solían referir a sus hijos todo lo relacionado con la vida de Jesús, todo lo que hicieron los apóstoles y en general todo lo relacionado con el origen de la vida cristiana.

Muchos de nuestros antepasados cristianos crecieron escuchando las historias que les relataron sus padres acerca de los milagros, de cuando Jesús caminó sobre las aguas, cuando multiplicó los peces y los panes, o cuando subió con algunos discípulos y se transfiguró delante de ellos.

Cuando lo comparamos con las historias que nuestros hijos escuchan hoy en día o ven en la televisión, no podemos dejar de añorar todo aquello que representaba un principio de fe para las vidas de aquellos niños y que por supuesto, no eran historietas sino la verdad de nuestros antepasados, todo lo que vivieron los que nos antecedieron y que tuvieron su propia historia con Dios.

Es conveniente preguntarnos hoy en día si lo que nuestros hijos están recibiendo les ayudará en su vida de fe.

No creo que el bombardeo de los medios de comunicación, de ideas seculares, de humanismo desbordado, de palabras groseras o de imágenes corruptas, esté formando niños y jóvenes que después puedan traducir esto en una fe bien fundamentada o en un anhelo por buscar al Dios de maravillas y portentos.

Los héroes del presente no se parecen en nada a los que aparecen en los relatos bíblicos, a pesar que aquellos obraban con poder real venido del cielo y observaron lo que solo Dios puede llegar a hacer.

¿Se estarán preparando de verdad nuestros hijos para poner a Dios sobre todas las demás cosas de este mundo?

¿Se estarán levantando nuevas generaciones de personas que tengan como prioridad vivir para Dios aunque el mundo entero se les oponga?

¿Han pasado de moda totalmente las enseñanzas y valores de la vida cristiana?

Si como dice la Escritura, cosecharemos lo que hemos sembrado, entonces preguntémonos hoy cuál es la siembra que estamos preparando para ser recogida por quienes vienen detrás de nosotros.

Oración:

Gracias Señor por recordarme que mi fe debe ser también transmitida a mis siguientes generaciones y que debo cuidar cada detalle de lo que ellos reciben a diario para su formación espiritual. Amén.

Cumpliendo los propósitos divinos

"Y dijo a sus hombres: Jehová me guarde de hacer
tal cosa contra mi señor, el ungido de Jehová, que yo
extienda mi mano contra él, porque es el ungido de
Jehová."(1 Samuel 24:6)

La forma en la que vemos nuestra vida como creyentes, es completamente diferente a como la veíamos antes de venir a Cristo.

Cada acontecimiento que sucede, en realidad nos sirve para mirar lo que Dios está haciendo a través de ellos cada día.

Podemos enfocar nuestra vida en el cumplimiento de los propósitos particulares, pero siempre habrá algo que nos estará faltando.

Pero si nos entregamos genuinamente al Señor, entonces será El quien logrará sus propósitos en nosotros y esto nos dará satisfacción plena.

En días como los que estamos viviendo es fácil perder de vista que Dios no desperdicia ni un segundo de nuestras vidas.

Él está aprovechando cada minuto para enseñarnos grandes cosas que nos servirán para seguir creciendo.

Si sabemos esto podremos vivir tranquilos sabiendo que aun en tiempos de crisis, Dios sigue perfeccionando la obra que ya empezó en cada uno de nosotros.

Cuando David se encontraba con sus hombres huyendo de Saúl y escondido en una cueva, tuvo la oportunidad de acabar con aquel enemigo que lo perseguía.

Pero David entendió en ese momento que si lo hacía, solo rompería con el propósito de Dios pues se adelantaría a los tiempos designados por El Señor para que el llegara hasta el trono.

A pesar de la presión de todos sus hombres, David se dejó guiar por Dios y no mató a Saúl.

Cuando vivimos para cumplir los propósitos divinos habrá muchas cosas que no podamos comprender fácilmente, pero si obedecemos a Dios, El mismo nos llevará de su mano hasta el lugar que tenía preparado para nosotros y habremos cumplido con los propósitos por los cuales El Señor nos dio la oportunidad de nacer de nuevo.

John Harold Caicedo

Es tiempo para comprender sus propósitos y ser obedientes a su voz.

No son tiempos de crisis, son tiempos para cumplir los propósitos divinos.

Oración:

Señor Jesús, es maravilloso descubrir día a día que tus propósitos se van cumpliendo en mi vida cuando me someto a tu voluntad. Sé que tus pensamientos son mejores que los míos y tus caminos más altos, por lo tanto hoy descanso en tu perfecta voluntad. Amén.

¿Usando el nombre de Jesús?

"Pero algunos de los judíos, exorcistas ambulantes,
intentaron invocar el nombre del Señor Jesús sobre
los que tenían espíritus malos." (Hechos 19:13)

Usar el nombre de Jesús se ha vuelto algo muy común en nuestra época.

Es fácil escuchar a muchas personas estableciendo decretos, declarando, haciendo pactos y ordenando en el nombre del Señor Jesucristo, pero sin conocerlo, sin tener una vida de intimidad con Él, sin someterse a su señorío, sin tener una relación con la que puedan asegurar que han recibido autoridad para usar el nombre de Jesús.

El nombre de Jesús no tiene poder si viene solo desde la mente.

Hay gente que dice: en el nombre de Jesús declaramos esto o aquello.

Pero si viene solo de la mente no funciona, carece de poder.

Los hijos de Esceva dijeron: en el nombre del Jesús que predica Pablo le ordenamos a ese espíritu inmundo que salga de ese hombre.

¿Qué sucedió? El espíritu les contestó diciendo: A Jesús conozco y se quién es Pablo, pero ¿ustedes quiénes son?, y se echaron sobre ellos y tuvieron que huir desnudos y avergonzados. No funcionó allí.

La hechicería, la brujería, la santería, la idolatría pagana usan continuamente el nombre de Jesús, pero simplemente como un amuleto con el cual pretenden alcanzar algún objetivo.

Pero el nombre de Jesús es sagrado. El Hijo de Dios no vino a este mundo, ni dio su vida en la cruz, simplemente para que su nombre sea usado como un fetiche, un amuleto o un talismán de la buena suerte.

Su nombre es santo y solamente puede ser usado entre aquellos que han recibido la autoridad espiritual para obrar en representación del Dios todopoderoso, porque esto significa que es como si Él mismo obrara a través de vasos dispuestos para glorificar al Señor.

No es solo lo que decimos, sino desde donde lo decimos.

Las cosas divinas no son para ser usadas por cualquiera o para encontrar utilidad, fama o apariencia de poder.

Para ejercer autoridad sobre alguien se debe estar bajo autoridad. Para poder actuar con el poder del nombre de Jesús se necesita estar sometido a su señorío.

Por eso el espíritu desconoció a los hijos de Esceva que trataban inútilmente de expulsar demonios en el nombre de Jesús, porque ellos iban sin la identidad del que intentaban representar. De hecho ni siquiera podían decir que lo conocían, sino que solo decían de Él, Aquel que Pablo predica.

¿Has recibido autoridad divina? ¿Tienes una intimidad tan profunda con El Señor, que Él mismo te ha dado la potestad para usar su nombre?

Si es Él quien te envía, Él mismo respaldará la labor para la cual te ha comisionado, podrás usar su nombre poderoso y los demonios huirán ante la autoridad que representas.

Oración:

Bendito Salvador hoy te doy gracias por darme autoridad y poder en tu nombre. Me someto completamente a tu señorío y voluntad y quiero ser usado/a para tus propósitos eternos. Amén.

Cristo, nuestra esperanza

"Y todo aquel que vive y cree en mí, no morirá eternamente, ¿crees esto?" (Juan 11:26)

En muchas ocasiones nosotros podemos hablar de probabilidades.

Es probable que mañana llueva, es probable que la economía mejore, es probable que la gasolina baje de precio, es probable que aquel candidato gane las elecciones. Todo esto son probabilidades.

Pero también en ocasiones tenemos que hablar de certezas, de cosas que tienen que suceder, de situaciones que no se pueden revertir.

La muerte no es una probabilidad, es una certeza, a menos que Cristo vuelva antes. Nadie puede permanecer para siempre en este mundo. Todos partiremos de este mundo y nadie, absolutamente nadie sabe la fecha ni la hora.

Esta noticia puede ser terrible si la miramos en la perspectiva de un final sin nada más en el horizonte, pero a su vez es esperanzadora si la miramos a la luz de las promesas divinas de resurrección y vida eterna.

El Señor Jesús vino a este mundo para traernos esa esperanza.

Él dijo el que tiene el Hijo tiene la vida, y se proclamó a sí mismo como el único camino, la única verdad y la única vida, de tal manera que a través de su palabra conocemos que no vamos a un camino de muerte eterna, sino a un camino de vida eterna en compañía de nuestro Creador.

Hace un tiempo atrás estuvimos en el funeral de la esposa de un pastor amigo. Su esposa estuvo enferma por un tiempo y toda su familia estuvo con ella en sus últimos días.

Pero El Señor le permitió algo maravilloso. Cuando todos sufrían al pensar en los dolores que ella sentía, El Señor le permitió contemplar una visión gloriosa de Jesús esperándola con brazos abiertos.

Una gran sonrisa se dibujó en su rostro. Les dijo a sus familiares, no se preocupen más, déjenme ir, quiero ir a casa, quiero irme, quiero ir con mi Señor.

Esas palabras solo pueden salir de la boca de alguien que tiene a Cristo en su corazón y que tiene la certeza de su futuro eterno, y nos enseña que debemos siempre poner nuestra esperanza en Aquel que es el Único que puede garantizarnos ese destino de eternidad gloriosa en los cielos: nuestro Señor Jesucristo, el Único mediador entre Dios y los hombres, el Único camino hacia el Padre.

Ante la muerte de Lázaro su gran amigo, Jesús vino al lado de su tumba y al dialogar con su hermana Marta, Él le dijo: todo aquel que vive y cree en mí no morirá eternamente.

Y para reafirmar ese gran poder sobre la muerte, Jesús exclamó: ¡Lázaro ven fuera!, y el que estaba muerto se levantó de la tumba y vino de nuevo a la vida.

Así mismo será para todos nosotros, Él también nos llamará por nuestros nombres y resucitaremos para vivir en gloria eterna por los siglos.

Nuestros días pasan pronto y volamos. Nuestra vida llegará a su fin en algún momento. Debemos prepararnos para el encuentro con Dios. Debemos entregar nuestra vida a Jesucristo para tener la esperanza de estar con Él por la eternidad.

La muerte es una gran certeza, pero para el creyente, la vida eterna al lado del Señor también lo es.

El que cree en Él no morirá para siempre. ¡Qué gran esperanza!

Nuestro Señor Jesucristo es nuestra esperanza de gloria.

Oración:

Mi amado Redentor, hoy me gozo en esta certeza que das a mi corazón. Nada puede separarme de tu amor y nadie me puede arrebatar de tu mano poderosa. Que maravilloso es habitar bajo tu abrigo, a la sombra del Omnipotente. Amén.

El verdadero descanso

"En lugares de delicados pastos me hará descansar;
junto a aguas de reposo me pastoreará" (Salmo 23:2)

El evangelio no es algo etéreo, algo que flota en el aire o que no se puede alcanzar, no.

Por el contrario, el evangelio es práctico, es para vivirlo a diario.

Cada promesa del Señor es para que la tomemos y vivamos de acuerdo a esa verdad proclamada en la palabra. Sus promesas son nuestras realidades.

Cuando Jesucristo nos hace la invitación para ir hacia Él y encontrar el verdadero descanso, nos enseña que el mundo en general nos agota, nos exprime, nos agobia, pero en El encontramos el reposo que nuestra alma requiere.

Hoy El Señor tiene para ti una palabra de tranquilidad, paz y sosiego en medio de la turbulencia y malas noticias que escuchas a diario.

Muchas cosas llegan a nuestras vidas por sorpresa. Accidentes, malas noticias, quiebras económicas, quebrantos de salud, etc. Pero en cada momento de nuestra vida tenemos una certeza: que no importa lo que suceda, Jesús siempre será el verdadero descanso para nuestras almas.

Hoy El Señor te va a llevar a delicados pastos, a sus propios pastos, a sus propios lugares donde Él sabe que realmente puedes descansar para tomar de nuevo el vigor que necesitas y emprender el camino renovado porque Dios te ha dado nuevas fuerzas.

Jesús ha venido desde los cielos para darnos el descanso que necesitábamos para cualquier momento difícil de nuestra vida.

Hoy se cumple esta palabra delante de nosotros.

Oración:

Hoy tomo esta palabra para mi vida como un bálsamo que me da sosiego en medio de las dificultades. Sé que tus promesas Señor son ciertas y por ello mi alma descansa y se regocija en ti. Amén.

Con poder en su boca

"Y escribe al ángel de la iglesia en Pérgamo: El que tiene la espada aguda de dos filos dice esto" (Apocalipsis 2:12)

Jesús se revela de diferentes formas a cada iglesia en los mensajes del libro de Apocalipsis.

En el mensaje que El Señor le envía a la iglesia de Pérgamo, Él se presenta como Aquel que tiene la espada aguda de dos filos.

Él estaba revelando que necesitaba que su pueblo oyera, pero no cualquier cosa o lo que el hombre quisiera oír, sino esa Palabra que sale de su boca, que corta y separa lo malo de lo bueno.

Esa es la palabra que necesitamos escuchar, la que viene del Señor, la que penetra hasta partir el alma y el espíritu, las coyunturas y los tuétanos y discierne los pensamientos y las intenciones del corazón.

La palabra de Dios es tan poderosa que puede cambiar el interior de un ser humano, un corazón destrozado lo puede regenerar, un espíritu adormecido lo puede despertar, un alma atribulada la puede consolar y transformar.

En la palabra de Dios hay convicción de pecado; en ella somos confrontados con la verdad, y con nuestro fracaso en obedecerla.

En la palabra de Cristo está la invitación de Dios; nos invita a volver al amor de Dios.

En la Palabra de Cristo hay promesa de Salvación; conduce a la cruz y le da la seguridad al ser humano de que no hay otro nombre debajo del cielo dado a los hombres en que podamos ser salvos.

¿Por qué El Señor tiene que presentarse de esta manera, como Aquel que tiene la espada aguda de dos filos?

Precisamente porque esta iglesia había caído en una mezcla de doctrinas de varias religiones.

Tenía de la idolatría de la época del Éxodo, de la doctrina de Balaam, doctrinas de los caldeos, y además le mezclaban la filosofía de los nicolaítas; y ¡con todo esto, la llamaban cristiana!

Por eso la "espada aguda de doble filo" tenía que hablarles para cortar y separar esa mezcla religiosa que llamaban cristianismo, y que es la misma que necesitamos escuchar hoy, pues es la única que tiene poder contra la hipocresía, el engaño y el doble ánimo.

¿Qué le diría El Señor a la iglesia de hoy en día? ¿Cuáles serían las palabras que usaría para amonestar a la iglesia del presente?

Jesús sigue siendo el mismo. En su boca está el poder de la palabra y es por eso que Él sigue hablando y amonestando a su iglesia para que no escuche voces ajenas, sino únicamente la de Aquel que hizo los cielos y la tierra. ¿La estaremos escuchando?

El que tiene oído, oiga lo que el Espíritu dice a las iglesias.

Oración:

Señor Jesús, hoy quiero solo escuchar tu voz. Quiero saber lo que tienes preparado para mí en este día y ser obediente a tu palabra. Como oveja tuya escucho tu voz y te sigo, además sé que no pereceré jamás, ni seré arrebatado de tu mano poderosa. Amén.

Vimos su gloria

*"Y aquel Verbo fue hecho carne, y habitó entre
nosotros (Y vimos su gloria, gloria como del unigénito
del Padre), lleno de gracia y verdad" (Juan 1:14)*

Cuando un atleta consistentemente marca puntaje en algún deporte, recibe la adulación de los espectadores. Se unge de gloria por ser el héroe del día.

Pero si en el próximo encuentro no llega a desempeñarse según las expectativas de la multitud, su gloria desaparece. Especialmente en el mundo de los deportes, la gloria de los jugadores es transitoria.

La apariencia física de una persona puede ser sorprendentemente hermosa en la juventud y en sus primeros años como adulto, pero cuando las arrugas comienzan a aparecer, se desvanece la gloria de la juventud.

También los logros, cualquiera sea el campo en que se conquisten, frecuentemente otorgan a la persona gloria y honor. Pero estos también son momentáneos y pronto se olvidan.

La Escritura, sin embargo, revela una gloria que es celestial, divina y eterna.

Los discípulos que estuvieron con Jesús, expresaron que vieron su gloria, gloria como del Unigénito del Padre, lleno de gracia y de verdad.

Después de contemplar esa gloria de Jesús, ellos tuvieron que decir: ¡"no podemos parar de decir lo que hemos visto y oído"!, ¡hemos visto su gloria!

Pero los azotaremos, los meteremos a la cárcel, los perseguiremos, podrían haberlos amenazado.

Sin embargo su respuesta era: ¡no importa!, ¡hemos visto su gloria!, ¡hemos visto la gloria del Dios Eterno!, así que no nos vamos a detener de contarle al mundo lo que hemos visto y oído porque también para los demás será esta gloria de Dios prometida.

Los pastores de los campos de Belén vieron la gloria celestial cuando Jesús nació; Pedro, Santiago y Juan estuvieron con Jesús en su transfiguración; Pablo en su camino a Damasco fue enceguecido por el brillo celestial de la gloria de Jesús y Juan en Patmos vio a Jesús en todo su esplendor.

En su epístola, Pedro enseña que la gloria celestial es duradera: compartimos la gloria que Dios continuará revelando, recibiremos una corona de gloria inmarcesible, y hemos sido llamados a la gloria eterna de Dios en Cristo. La gloria celestial que compartimos con Cristo es eterna.

Estas son las palabras de Pablo: "Cuando Cristo, vuestra vida, se manifieste, entonces vosotros también seréis manifestados con él en gloria." (Col. 3:4). Y nuevamente el apóstol Pablo les dice a los romanos creyentes sobre esta gloria, lo siguiente: "Pues tengo por cierto que las aflicciones del tiempo presente no son comparables con la gloria venidera que en nosotros ha de manifestarse" (Rom. 8:18).

Cuando Jesús estaba hablando con Marta, estaba a punto de hacer mover la piedra para traer a la vida de nuevo a su hermano Lázaro.

Marta estaba dudosa y le dice que ya huele feo porque lleva cuatro días en el sepulcro, pero Jesús le contesta: "¿no te he dicho que si crees verás la gloria de Dios?"

La vida del creyente está siempre envuelta en un halo de vida diferente. Podemos pasar por momentos difíciles, podemos incluso padecer, sufrir por la causa del evangelio, ser señalados, vituperados, burlados o amenazados, pero siempre tenemos una respuesta similar a la de los apóstoles:

¡Hemos visto la gloria de Dios, no nos importa lo que pueda hacer el hombre!

Oración:

Gracias Jesús porque viniste desde los cielos para manifestar tu gloria eterna. Qué maravilloso es saber que esa gloria es para los tuyos, por lo tanto hoy la recibo y me dispongo a vivir bajo tu gloria revelada. Amén.

¿Canales u obstáculos?

"Examinaos a vosotros mismos si estáis en la fe; probaos a vosotros mismos. ¿O no os conocéis a vosotros mismos, que Jesucristo está en vosotros, a menos que estéis reprobados?" (2 Corintios 13:5)

Un pastor viajó en avión un día y debido a que continuamente hacia viajes aéreos, la aerolínea lo llevó a un asiento de primera clase. Se sentó al lado de un hombre muy amable, entablaron conversación y él le comentó que era un hombre de negocios muy próspero, que tenía muchas propiedades, etc.

Durante un buen transcurso del viaje conversaron amablemente, pero cuando el otro hombre le preguntó al pastor a qué se dedicaba, él le dijo, soy un ministro del Señor, el hombre de negocios, se volteó enojado y no quiso dirigirle más la palabra.

El pastor se quedó preocupado y buscó nuevamente preguntarle el porqué de su reacción. Entonces finalmente el hombre le contestó: a mi empresa llegó una mujer que todo el día hablaba de conocer al Señor, de recibirlo en su corazón, de nacer de nuevo, etc. Todos los días trataba de convencer a los demás empleados. Sin embargo esta mujer era la peor trabajadora, no hacía bien sus cosas, perdía siempre mucho tiempo y cuando se fue de la compañía me dejó una deuda de 8000 dólares en llamadas telefónicas a Alemania. ¡Por eso yo no quiero saber de los cristianos!

El corazón de este hombre había sido afectado por el testimonio de una mujer que hablaba de Cristo pero su vida no daba testimonio de aquello que decía.

Por más que el pastor intentó disculparse por ella y hacerle entender que no todos somos iguales, que aquella mujer no representaba fielmente la palabra que escuchaba, este hombre nunca quiso dar su brazo a torcer.

Tiempo después este pastor compartió este caso en una iglesia y al finalizar el servicio un hombre se le acercó para pedirle la dirección del hombre de negocios, porque él deseaba restituirle los 8000 dólares. Y así lo hizo, se los enviaron. Desafortunadamente este hombre ya había muerto y nunca se supo si algún día pudo cambiar ese corazón que había sido tan afectado.

Si esta empleada hubiera sido diferente, si hubiera tenido un testimonio acorde con lo que decía, muy probablemente en aquella charla entre el pastor y el hombre de negocios, este último habría abierto su corazón y habría aceptado su necesidad de un Salvador, pero el testimonio de esta mujer se convirtió en el principal obstáculo para que el empresario llegara a Cristo Jesús.

El creyente no se conoce por su palabrería, ni por su capacidad para saber versículos bíblicos y ni siquiera por sus dones. El verdadero cristiano se conoce por sus frutos y estos son los que dan testimonio para los demás, acerca de la "nueva" vida que tiene todo aquel que ha conocido al Señor en realidad.

Pregúntate hoy: en tu vida diaria, ¿eres un canal de la gracia y del amor de Dios?, o por el contrario eres un obstáculo para el crecimiento del reino de los cielos.

Millones de personas no leerán jamás una Biblia pero, si pueden leer tu vida de testimonio, podrán llegar a buscar a ese poderoso Dios que transforma ciertamente las vidas para siempre.

Oración:

Hoy quiero vivir como un testimonio abierto y dispuesto para que los demás vean en mí a Cristo Jesús. Ayúdame Señor para que mi vida sea un reflejo continuo de la nueva vida que tengo desde el día que abrí mi corazón para ti. Amén.

La mano de Dios sobre ti

"Humillaos pues, bajo la poderosa mano de
Dios, para que Él os exalte cuando fuere tiempo"
(1 Pedro 5:6)

La mano de Dios es la mano protectora, es la mano del Padre que ama a su hijo y lo dirige por sendas correctas. Un padre en su sano juicio no va a pretender que algo malo le ocurra a su hijo, lo va a llevar por sendas correctas, sendas donde no haya nada en que el niño pueda tropezar, sendas donde el niño no se pierda.

El niño tiene esa sensación de paz y de tranquilidad, camina por lugares donde nunca ha transitado, porque confía en la mano de su padre que lo guía.

La mano de nuestro Dios es para bien sobre todos los que le buscan. Esta verdad animó a Esdras a no pedir al rey de Persia, tropa y gente de a caballo que los defendiesen del enemigo en el camino hacia Jerusalén, porque ellos mismos habían proclamado el gran poder de la mano divina a favor de todo su pueblo.

Daniel también fue probado en su fe, cuando se prohibió la adoración a todo otro Dios que no fuera Nabucodonosor. Daniel oraba tres veces por día y a causa de eso terminó en el foso de los leones. Pero el Señor lo sacó de allí, lo levantó y humilló a los que lo habían engañado, porque Dios promueve, Dios levanta y Dios avergüenza a tus enemigos.

De la misma manera, la iglesia de Cristo debe estar totalmente segura de que al humillarnos bajo la poderosa mano de Dios, él nos protegerá en todas nuestras jornadas, de todo enemigo que se quiera levantar contra los redimidos de Jehová.

Esta verdad debe servirnos a cada uno de nosotros para poner nuestra entera confianza en que El Señor con mano poderosa nos sacará del abatimiento, de la tribulación o de la angustia, para luego exaltarnos de acuerdo a sus propósitos en gloria.

Sigamos pues, el consejo del Apóstol Pedro, humillándonos cada día, bajo la poderosa mano de Dios, y sin duda alguna, él nos exaltará en el momento requerido por las circunstancias que se salen de nuestro dominio. Que así sea.

Oración:

Señor, hoy reconozco que en cada jornada de mi vida tu mano protectora me ha librado, me ha fortalecido y me ha guiado. Solo quiero agradecerte porque sé que hoy también me protegerás de todo mal que pueda acecharme. Amén.

Esclavos por amor

"Porque el que en El Señor fue llamado siendo esclavo, liberto es del Señor; así mismo el que fue llamado siendo libre, esclavo es de Cristo. Por precio fuisteis comprados; no os hagáis esclavos de los hombres" (1 Corintios 7:22-23)

Se ha calculado que había 60, 000,000 de esclavos en el imperio romano.

Roma era el amo del mundo, y por tanto estaba por debajo de la dignidad de un romano el trabajar.

Casi todos los trabajos los hacían los esclavos. Hasta los médicos y los maestros, los amigos más íntimos de los emperadores, los secretarios que estaban a cargo de su correspondencia y sus finanzas, eran esclavos.

Básicamente la vida del esclavo era hosca y terrible. Ante la ley no era una persona, sino una cosa.

Aristóteles establece que no puede haber nunca verdadera amistad entre amo y esclavo, porque no tienen nada en común, «porque un esclavo es una herramienta viva, de la misma manera que una herramienta es un esclavo inanimado.»

Catón aconseja a uno que se va a hacer cargo de una granja, que pase revista y se descarte de todo lo que ya no sirva. Que se deshaga también de los esclavos viejos dejándolos morirse de hambre en el montón de basura.

Gayo, en sus Instituciones, establece: Queremos advertir que se acepta universalmente el hecho de que el amo tiene poder de vida y muerte sobre el esclavo.

Lo terrible de la condición del esclavo era que estaba totalmente a merced de los caprichos de su amo.

Augusto crucificó a un esclavo porque mató su perdiz amaestrada. Vedio Polión arrojó a un esclavo vivo a las feroces anguilas de su estanque porque se le había caído y roto una copa de cristal.

La condición del esclavo era del todo terrible.

Sin embargo, nosotros los creyentes hemos sido comprados, pero por precio de sangre.

La invitación al compartir el mensaje del evangelio es: quiero invitarte a que te conviertas en un esclavo de Jesucristo, a entregar la vida entera a su señorío.

La verdadera traducción de Mateo 25:21 es: …"bien, buen esclavo y fiel; sobre poco has sido fiel, sobre mucho te pondré; entra en el gozo de tu señor".

Ser esclavos de Cristo es en realidad ser libres para con los hombres.

Ser esclavos de Cristo es reconocer que la sangre del Señor ha sido derramada para darnos la verdadera libertad en relación al pecado y a la muerte.

Ser esclavos de Cristo significa que ahora mi vida se ajusta a Aquel que puede darme, no solo la seguridad de la eterna salvación, sino además la vida en abundancia que Él ha prometido para los que le siguen.

Ser esclavo de Cristo también significa que acepto su amor incondicional, que su gracia me redime, que su fuerza me sostiene, su Espíritu me transforma, su poder me fortalece.

¿Eres un verdadero esclavo de Jesucristo? Si eres así, entonces Él mismo ha roto las cadenas del pecado, de la esclavitud del temor y de la muerte.

Solo aquellos que son esclavos de Jesucristo han conocido la verdadera libertad.

Oración:

Gracias Jesús por hacerme libre. Acepto tu señorío en mi vida y hoy disfruto de la libertad que tú ganaste por mí en la cruz. Sé que fui comprado con precio de tu bendita sangre, por lo tanto te pertenezco para siempre. Amén.

Dejando un legado

"....yo he venido para que tengan vida, y para que la tengan en abundancia" (Juan 10:10b)

Nadie ha dejado un buen legado a sus generaciones si ha edificado en terreno que se derrumba al primer viento.

Lo que es bueno realmente perdura. Lo que vale la pena puede ser costoso y difícil, pero al final será lo único que valdrá la pena ser contado.

Hoy podemos contar con el legado de Pablo porque supo mantenerse firme a través de las tormentas de la vida, soportando toda clase de persecuciones y luchas, pero corriendo hasta la meta del supremo llamamiento.

Hoy podemos agradecer el legado de Abraham porque supo mantenerse con fe hasta ver las promesas cumplidas de parte de Dios y somos parte de las familias bendecidas de la tierra.

Hoy vivimos con la herencia de quienes lucharon en el pasado desafiando los fracasos, grandes sufrimientos y vidas enteras entregadas a cumplir sus desafíos, pero que al final dejaron a la humanidad un legado con el cual nosotros hoy podemos disfrutar.

Y por supuesto hoy vivimos en la seguridad de la salvación y del perdón de los pecados y la vida eterna, porque Jesús subió a la cruz, entregó su vida por ti y por mí, y nos declaró salvos por su gran misericordia.

Todos edificaron sobre fundamento firme, todos pusieron un cimiento fuerte a sus vidas y al final reclamaron la victoria que le pertenece a los visionarios que van hasta el final.

Dejar un buen legado significa además que hemos vivido de la mejor manera para que los recuerdos que dejamos atrás sean de provecho para otros.

Jesús nos dejó un legado de paz que sobrepasa todo entendimiento, de perdón de pecados y de vida eterna. Él dio su vida entera para que ahora nosotros heredemos los beneficios que nos dejó con su sacrificio en la cruz.

También tú tienes que vivir de tal manera que tu legado enriquezca las vidas de tus futuras generaciones. No dejes que pase el tiempo sin dejar huellas.

Oración:

Hoy me propongo vivir de acuerdo a la nueva naturaleza que tengo y con la cual puedo seguir edificando sobre un fundamento firme. Quiero aprovechar cada día de mi vida para cumplir con los propósitos para los cuales fui traído por Cristo a un nuevo nacimiento. Amén.

Cristo es la respuesta

""Porque todo lo que es nacido de Dios vence al mundo, y esta es la victoria que ha vencido al mundo, nuestra fe." (1 Juan 5:4)

Alfred era un niño que tenía nueve años y que caminaba por las calles de Londres con una nota en la mano yendo hacia la estación de policía. La nota se la había dado su papá y le había prohibido que la leyera. Lo único que tenía que hacer era llegar a la estación de policía y entregársela al oficial que allí encontrara.

Su papá era un hombre muy estricto y disciplinado, y cuando el jovencito llegó a su casa tarde, el papá escribió esa nota y lo envió con ella a la comisaria.

Él no tenía ni idea de lo que le esperaba cuando llegara allí.

El oficial que era amigo de su padre, recibió la nota, la abrió y le dijo al niño: sígueme.

Condujo al jovencito a una celda, abrió la puerta, le dijo que entrara y luego cerró con un golpe seco las rejas, volteó a mirar al niño que estaba asustado y le dijo: esto es lo que le hacemos a los muchachos que se portan mal, apagó la luz del pasillo y se fue.

El niño quedó muy asustado allí en aquel lugar y entonces empezó a pensar. ¿He perdido el amor de mi padre? ¿Me quedaré para siempre metido en esta celda pagando por mis culpas? ¿Seré condenado a cadena perpetua?

En realidad a los cinco minutos el oficial de la policía regresó y lo sacó de allí, pero esos cinco minutos marcaron su vida para siempre. En ese tiempo que para él fue en realidad una eternidad, llegó a pensar que el amor del padre para él se había acabado, que ahora sería un rechazado para siempre, que quizás ya no encontraría de nuevo a su padre.

Todo se restauró muy pronto para este niño, pero ¿se imaginan ustedes cuántas personas andan en un día como hoy por el mundo pensando que el amor del padre para ellos se ha ido para siempre?

¿Te imaginas cuántos seres humanos están hoy deambulando por el mundo creyendo que nadie los quiere, que no son importantes para nadie, que nadie se ocupa de ellos ni le interesan a ninguna persona en este mundo y mucho menos a Dios?

Encarcelados en celdas de dolor, de amargura, de abandono, de desprecio. El mundo los ha llevado y los ha metido en rejas donde se quedan aprisionados pensando que ya no hay nadie que los pueda sacar de allí.

La experiencia de ese jovencito en aquella cárcel fue una experiencia de terror. Fueron cinco minutos que lo atemorizaron tanto, que cuando él creció se dedicó a crear películas para aterrorizar a otros. Ese joven fue el genio de las películas de terror: Alfred Hitchcock.

En esos minutos que estuvo ese joven en la celda, se le cruzaron montones de preguntas. Y afortunadamente a los cinco minutos ya encontró las respuestas, porque se dio cuenta de que en realidad era una advertencia de su padre por incumplir con sus obligaciones de llegar a tiempo a su casa.

Pero los seres humanos en general se hacen preguntas todo el tiempo y necesitan escuchar las respuestas adecuadas porque también están entre rejas, pensando en que estarán condenados para siempre o que el amor de los demás para ellos ya se ha ido o nunca existió.

La vida es en realidad una pregunta constante. ¿Has encontrado la respuesta?

Cristo es la respuesta para todas tus inquietudes. Él es el camino, la verdad y la vida.

Oración:

Señor Jesús, tu viniste desde los cielos para darme las respuestas que necesitaba. Solo en ti pude encontrar perdón de los pecados y salvación, por lo tanto, hoy vivo en la seguridad de la vida eterna que tú ganaste para mí. Amén.

Las preguntas de la vida

"Un hombre principal le preguntó, diciendo: Maestro bueno, ¿Qué haré para heredar la vida eterna?" (Lucas 18:18)

La Biblia está llena de preguntas de hombres y mujeres que necesitaban respuestas.

Por ejemplo, el salmista se pregunta: "Señor, ¿Quién habitará en tu tabernáculo y quién morará en tu monte santo?" E inmediatamente responde diciendo que "el que anda en integridad y hace justicia, y habla verdad en su corazón y no calumnia con su lengua, ni hace mal al prójimo, ni admite reproche alguno contra su vecino, el que obra de esa manera no resbalará jamás".

En el libro del profeta Miqueas se hace una pregunta que es para todos los creyentes de todas las épocas: "¿Con qué me presentaré ante Jehová, y adoraré al Dios Altísimo?" Y encontramos la respuesta más adelante: porque lo que pide Dios es "hacer justicia y amar misericordia y humillarse ante El Señor".

¡Las respuestas a los grandes interrogantes de la vida!

Jesús mismo hizo una pregunta a sus seguidores: "¿Por qué me llamáis, Señor, Señor, y no hacéis lo que yo digo?" Un gran desafío para todos nosotros, para aceptar a Jesús, no solo como El Salvador, sino también como El Señor de todos los actos de nuestra vida.

Pilatos entrevistando a Jesús le hizo la gran pregunta que todo ser humano ansía conocer claramente: "¿Qué es la verdad?" Pero no se quedó a esperar la respuesta de Jesús, sino que se levantó de allí para continuar viviendo en su propia mentira.

Juan El Bautista cuando estaba encarcelado se llenó de dudas y envió a dos de sus discípulos a preguntarle a Jesús: "¿eres tú el que habría de venir, o esperaremos a otro?" La respuesta de Jesús demostró claramente que el reino de los cielos estaba en acción tal como lo había anunciado Él desde el principio, "los ciegos ven, los cojos andan, los leprosos son limpiados, los sordos oyen, los muertos son resucitados y a los pobres es anunciado el evangelio" (Mateo 11:5).

Respuestas precisas para esa clase de inquietudes que rondan el corazón humano.

Los discípulos en el último momento de Jesús en la tierra, cuando estaba a punto de ascender a los cielos, le preguntaron: ¿llegó la hora de la restauración de Israel? ¿Es el momento para Israel de reinar sobre todas las naciones del mundo? Pero Jesús no les dio esa respuesta, más bien los dirigió hacia lo que de verdad era importante en ese momento: "no les corresponde a ustedes saber esto, porque eso solo lo sabe mi Padre en su potestad, pero recibiréis poder cuando venga sobre vosotros El Espíritu Santo y entonces me seréis testigos en Jerusalén, en Judea, en Samaria y hasta lo último de la tierra".

Preguntas que necesitan ser contestadas. Inquietudes que surgen, pero que después nos dan la seguridad de estar en el camino correcto con El Señor.

Jesús mismo le dijo a Marta al lado de la tumba de Lázaro: "¿no te he dicho que si crees, verás la gloria de Dios?", y entonces se dirigió a la tumba y levantó a este hombre que llevaba cuatro días de muerto.

Las buenas respuestas a los interrogantes de la vida son las que nos dan la manera adecuada de confrontar nuestra vida de fe y de conocer la voluntad de Dios para ponernos a tono con ella.

¿Cuáles son tus preguntas hoy en día? ¿Qué hay en tu corazón que aún no ha sido respondido?

Pídele hoy al Señor que te dé respuestas y entonces haz Su voluntad que es agradable y perfecta para tu vida.

Oración:

Amado Salvador, tú trajiste una respuesta desde los cielos para cada una de mis inquietudes. Hoy sé que en ti está la verdad, por lo tanto puedo confiar completamente en tu palabra poderosa. Amén.

¿Quién contra nosotros?

"¿qué pues diremos a esto? Si Dios es por nosotros,
¿Quién contra nosotros?" (Romanos 8:31)

Sin duda que los guerreros del pueblo de Dios en la antigüedad podían decir estas palabras con total seguridad. Ellos salían a la guerra y veían cómo iban cayendo los enemigos del Señor, uno por uno.

Dios mismo diseñaba la estrategia y ellos iban con ese grito de guerra: "Si Dios es con nosotros, quién podrá contra nosotros", y siempre vencían, siempre salían a celebrar una nueva victoria porque habían descubierto la clave de la vida de cualquier ser humano. Sí, si Dios está contigo, quién podrá vencerte, quién podrá destruirte, quién podrá derrumbarte.

Ese debe ser tu grito de guerra cada día. Si tú te levantas cada día teniendo esta certeza, entonces afrontarás tu vida con seguridad, con tranquilidad, con valentía, sin temores porque sabrás definitivamente que Dios es poderoso gigante y que siempre, siempre está contigo en cada día de tu vida.

El salmista podía decir: "aunque un ejército acampe contra mí, no temerá mi corazón" (Salmo 27:3).

Todo ser humano necesita vivir con una esperanza real. Todos necesitamos experimentar en nuestra vida diaria seguridad y confianza.

La mujer viuda que llora en silencio, el joven que piensa que los demás lo han desechado y no es importante para nadie, el prisionero que sabe que cometió un delito pero no estaba preparado para enfrentar el desprecio de la familia, y ahora nadie lo visita en una cárcel. La persona que viene a los pies de Cristo y cuando llega feliz a su hogar para contar esa transformación maravillosa que ha sucedido en su vida, se encuentra frente al rechazo de su familia que lo prefiere muerto o alejado de ellos, antes que convertirse en un fiel seguidor de Cristo.

Otros que han sido abandonados por sus padres y se acostumbraron a recibir siempre un no. No eres aceptado, no eres amado, no eres bien recibido, eres un don nadie y se les hace difícil aceptar que hay alguien que les quiere decir exactamente lo contrario: Tú si eres amado, tú si eres aceptado, tú si eres acepto en el amado.

Se necesita una esperanza real. Se necesita desesperadamente una voz diferente que nos de la tranquilidad.

Y Pablo lo dice: aquí hay una verdadera esperanza para el afligido, para el que ha sido rechazado, para el que ha sido humillado. Aquí encuentra una respuesta. Aunque el mundo entero te rechace, aunque el mundo entero te dé la espalda, tienes a uno que nunca te dará la espalda, tienes a uno que jamás te abandonará. Sí, ¡si Él está con nosotros, quién puede estar contra nosotros!

Por eso David reconocía que aunque no tuviera un amor de padres, él sabía que Jehová era el que tenía cuidado de él. "Aunque mi padre y mi madre me dejaran, Con todo, Jehová me recogerá" (Salmo 27:10).

Tú tienes que saber esto con toda certeza. No puedes andar por el mundo como un desprotegido o un abandonado. No, tú tienes que saber que tienes a alguien que te representa y que si Él está contigo, entonces todos los demás enemigos se quedan pequeños delante del Dios Poderoso que se levanta para pelear tus batallas diarias.

Oración:

Gracias Amado Señor, eres mi protector en cada día y al enfrentar los desafíos que se me presentan, lo hago con el convencimiento de que nunca estoy solo/a, tú nunca me desamparas. Amén.

Uno más para Cristo

*"El fruto del justo es árbol de vida; y el que gana
almas es sabio" (Proverbios 11:30)*

Cuando el pueblo de Israel fue llevado al exilio en Babilonia se quedaron sin el templo que usaban para adorar y hacer sacrificios.

Entonces crearon las sinagogas para poder reunirse en ellas y hacer todos sus actos religiosos.

El problema fue que se acostumbraron a esto durante todo ese tiempo.

Cuando El Señor dio la orden de volver a Jerusalén y usó a algunos hombres para reconstruir la ciudad y el templo, muchos decidieron quedarse cómodamente en Babilonia pues se habían acostumbrado a ese estilo de vida y a sus reuniones en las sinagogas.

Hoy en día seguimos en ese sistema de Babilonia. Nos encerramos en los templos y la pasamos bien, pero eso no es todo. Tenemos que salir e ir y transformar el mundo uno a uno porque fue así como lo quiso El Señor.

El problema es que muchos se acomodaron y han vuelto sus vidas religiosas simplemente de asistir a un culto los domingos, pero no de compartir su fe con nadie.

Sin embargo esa no es la forma que Jesús diseñó para que los suyos vivan su vida cristiana.

Uno más para Cristo tiene que ser el lema de cada creyente todos los días.

Cada creyente debe tener siempre en mente esta intención hasta cuando sea llamado por Dios para ir a habitar en sus moradas celestiales.

Es decir, que la idea no es simplemente encerrarnos en nuestros bonitos y agradables templos, sino en salir y compartir con el mundo el mensaje transformador que salva vidas y libera de la cautividad a quienes lo aceptan.

Solo los que ya han tenido una verdadera revelación de Jesucristo, se apasionan por llevar a otros a sus caminos.

Cristo te salvó para que seas como fue Él aquí en la tierra.

Y El Señor no cesaba de predicar, de hacer el bien y luego, antes de partir se paró delante de sus discípulos y les dijo: ahora ustedes vayan, hagan lo que yo ya hice y lo que les enseñé, vayan por el mundo y hagan discípulos a todas las naciones.

¿Cuántas vidas podrían ser salvadas si tú fueras obediente al llamado de Jesús? ¿Cuántos estarán esperando por una palabra que salga de la boca de un creyente, pero que no sea una palabra de juicio, sino una palabra de restauración y de propósitos divinos?

Proponte en este día compartir con alguien este mensaje de salvación.

Pídele a Dios hoy la gracia que te permita llegar a los demás, y cuando vayas en la noche a descansar, puedas estar con la tranquilidad de que también hoy has ganado uno más para Cristo.

Oración:

Señor, quiero pedirte que me presentes oportunidades y personas en este día, para compartir el mensaje de salvación. Mi testimonio será sin duda la mejor herramienta para alcanzar a uno más para Cristo Jesús. Amén.

Sedientos por Dios

"En el último y gran día de la fiesta Jesús se puso
en pie y alzó la voz, diciendo: Si alguno tiene sed,
venga a mí y beba" (Juan 7:37)

Nuestro cuerpo está compuesto por un 80% de líquido. Aparte del cerebro, los huesos y unos cuantos órganos, todos somos globos andantes llenos de agua.

Así que si dejas de tomar líquido observa lo que te va a suceder. Los pensamientos coherentes se desvanecen, la piel se reseca y los órganos vitales se van replegando.

Tus ojos necesitan humedad para llorar, tu boca necesita líquido para tragar, tus glándulas requieren sudor para mantener fresco el cuerpo, tus células exigen sangre para ser transportadas y tus coyunturas demandan fluido para lubricarse. Tu cuerpo necesita agua de igual modo que una llanta aire.

Una persona puede resistir mucho tiempo sin comer, pero no tanto sin líquido en su cuerpo.

Entonces ¿Qué significa tener sed? Significa que el cuerpo no ha recibido el líquido suficiente y empieza a pedir que se le hidrate. Es una función natural del cuerpo ante sus necesidades más apremiantes.

Pero hay otra sed que puede ser peor que esa sed física y es la sed del alma.

Esa necesidad interior del espíritu que clama, que pide, que ansía más y más de Dios. Que no se conforma con lo poco, que siempre busca más.

Si le quitas a tu alma del agua espiritual vas a encontrar corazones deshidratados, temperamentos irritados, olas de preocupación. Falta de esperanza, insomnio, soledad, resentimiento, irritabilidad, inseguridad. Estas son señales y advertencias, síntomas de una sequedad en lo más profundo de tu ser.

¿Dónde hallas agua para el alma? Jesús dio una respuesta cierto día en Jerusalén.

La gente había llenado las calles para la representación anual del milagro del agua que salió de la roca por medio de Moisés. Las personas dormían en cabañas o carpas por todas partes de la ciudad.

Como un recordatorio de ese momento tan especial derramaban agua. Cada mañana un sacerdote llenaba un jarrón dorado con agua de los manantiales y lo llevaba por un sendero rodeado de espectadores hasta el templo. Hacía esto una vez cada día, durante siete días.

En el último, el gran día de la fiesta, el sacerdote daba siete vueltas alrededor del altar, empapándolo con siete vasijas llenas de agua. En ese momento se levantó un hombre de la multitud y dijo con gran voz: "Si alguno tiene sed, venga a mí y beba. El que cree en mí, como dice la Escritura, de su interior correrán ríos de agua viva" (Juan 7: 37-38).

Sacerdotes vestidos con túnicas finas dieron la vuelta para mirar al que hablaba. La gente sorprendida se quedó mirando. Niños con ojos abiertos y abuelos que estaban parados allí se quedaron inmóviles.

Él se puso de pie y alzó la voz. La postura tradicional de los rabinos al enseñar era sentarse y hablar con calma, pero Jesús se levantó y clamó a gran voz.

¿Por qué hizo esto? Porque Él sabía algo que sucedía en ese tiempo y que hoy en día sigue sucediendo: que la gente se muere de sed todos los días y que Él es el único que puede saciar esa sed interior del alma atribulada y angustiada.

Si en verdad eres un sediento por Dios, en este día El Señor te llama para calmar tu sed. El desea no solo saciarte, sino además que de tu interior fluyan esos ríos de agua viva que ayudarán a otros a refrescarse en medio de su sequedad espiritual.

Oración:

Señor Jesucristo, tal como la mujer samaritana pidió aquel día de su encuentro contigo, también yo te pido en este día de esa agua que quita la sed para siempre. Quiero vivir en el fluir de los ríos de agua viva que tú has prometido para quienes creemos en ti. Amén.

Siempre listos

"Dinos, ¿Cuándo serán estas cosas? ¿Y qué señal habrá cuando todas estas cosas hayan de cumplirse?"
(Marcos 13:4)

Cada cristiano declara que confía en el Señor Jesús. Pero en realidad, muchos de los hijos de Dios no están listos para enfrentar la tormenta que viene sobre el mundo.

A menos que echemos mano de una confianza especial e inquebrantable en nuestro Señor, no estaremos listos para los tiempos duros, ahora o en el futuro.

Cuando toda la furia de la tormenta irrumpa e incertidumbre caiga sobre la humanidad como nube, multitudes de cristianos no podrán soportarla. Abrumados con temor, ellos perderán su canción de victoria. ¿Quiénes son estos creyentes que no estarán preparados para soportar la tormenta?

Son aquellos que no han cultivado una vida de oración con el Señor y no están cimentados en su Palabra.

Mientras los días son más temerosos, se levantará un pueblo de Dios quienes serán cada vez más audaces. Estos son creyentes quienes claman diariamente al nombre del Señor, "Así que podemos decir confiadamente: 'El Señor es mi ayudador; no temeré lo que me pueda hacer el hombre'" (Heb. 13:6).

La revelación de la Palabra de Dios los apoyará en los tiempos más duros.

David aprendió a clamar al Señor en cada crisis de su vida.

Vez tras vez, este piadoso hombre corría a su lugar secreto, vaciando todos sus temores ante el Señor: En mi angustia invoqué a Jehová, a mi Dios clamé y escuchó mi voz desde su templo. Me libró…" (2 Sam. 22:7, 18).

Más adelante, cuando la tormenta más grande de la vida de David vino sobre él, él estuvo listo. Ya él tenía una canción en su corazón que podía cantar a través de la oscuridad e incertidumbre:

"Jehová es mi roca, mi fortaleza y mi libertador; Mi Dios, fortaleza mía, en él confiaré; mi escudo y el fuerte de mi salvación, mi alto refugio, mi salvador. De violencia me libraste. Invocaré a Jehová, quien es digno de ser alabado, y seré salvo de mis enemigos" (2 Sam. 22:2-4).

David vio la tormenta llegar en su propio día. Fue una tormenta de violencia, con inundaciones de hombres impíos, "Me rodearon los lazos del Seol. Tendieron sobre mí lazos de muerte." (22:6).

Sin embargo, ningunas de estas cosas molestaron a David. Su confianza en Dios fue puesta y anclada a causa de su comunión diaria con Él. Y David deleitaba su alma en la Palabra de Dios.

Tenemos que ser capaces de discernir los tiempos, para que podamos pedirle a Dios por la confianza necesaria que nos lleve a través de lo que está por venir.

El creyente es alguien que siempre está listo para el gran acontecimiento de la segunda venida del Señor. Al cultivar una vida constante de oración y devoción, nada nos tomará por sorpresa. Antes bien, cuando esto suceda, celebraremos el gran acontecimiento de la victoria final de Cristo y de todos los que esperamos su venida.

Oración:

Amado Salvador Jesucristo, mi vida no puede estar nunca separada de ti. Hoy vivo en la confianza de saber que tengo un Dios que vino desde los cielos por amor a mí y volverá para llevarme a los cielos para siempre. Amén.

Octubre

Escuchando la voz del cielo

*"Y Samuel creció, y Jehová estaba con él, y
no dejó caer a tierra ninguna de sus palabras"*
(1 Samuel 3:19)

¡Cuando tú escuchas una voz del cielo, y sabes que viene de allí, ya ninguna otra voz en la tierra te puede impresionar!

¿Si ya has escuchado directamente al Señor que te llama, como lo hizo con Samuel, qué otra voz puede ser tan atractiva como para que opaque la voz que ya escuchaste desde los cielos?

¡Nadie sigue siendo igual después de haber escuchado la voz de Dios!

Y el anhelo de mi vida es escuchar continuamente esa voz de los cielos, porque sé entonces que El Señor va a colocar propósitos divinos en mi corazón y encontraré cuál es su buena voluntad agradable y perfecta para mi vida.

El Sacerdote Elí, ya no escuchaba la voz de Dios, ya no tenía comunicación con El Señor. Tan solo ofrecía funciones sacerdotales pero sin presencia, ni voz del Señor. Pero antes de que la lámpara se apagara definitivamente, no solo para el sacerdocio, sino para el pueblo en general, Dios hizo un llamado a alguno que necesitaba empezar a escuchar su voz para guiar a los demás.

Por eso necesitamos ser una generación que aprende a escuchar al Señor y a ser obediente a su palabra.

Es posible que muchos de los que leen este mensaje son personas para quienes Dios había preparado ya lugares de autoridad mucho más elevados de los que hoy ocupan. Para muchos había preparado oportunidades muy grandes que otros a su edad no han alcanzado, pero el fuego no se mantuvo encendido y no pudieron ver, se conformaron y simplemente se quedaron estancados en el mismo lugar.

Pero tienes que saber hoy que tú eres la respuesta a un clamor, ¡tú eres el producto de un milagro!

Así como Ana un día clamó por Samuel, así muchos han clamado por ti para que seas bendición, ¿y aun así, hoy duermes?, ¿te atreves a estar durmiendo, inactivo, en silencio, delante de Dios? ¿Dónde quedó tu destino?, ¿dónde quedó tu propósito?, ¿dónde quedó tu llamado?, la lámpara se está apagando, y muchos solo duermen.

No solo somos la iglesia cuando vamos y nos reunimos en un lugar para adorar. No, cuando salimos a las calles también somos la iglesia, cuando vamos a nuestros hogares también somos la iglesia, cuando vamos al mercado también somos la iglesia, cuando vas a tu trabajo también eres la iglesia. Así que la mentalidad iluminada del reino de Dios no se limita a las paredes de un lugar, sino que a donde quiera que vayas sigues siendo la iglesia del Dios viviente.

Entonces tu vida no puede ser una dentro del templo y otra afuera de él, sino que tu vida es la vida del reino, tienes una mente renovada, tienes una vida nueva, a donde quiera que vayas iluminas a los demás, porque Él que habita en ti tiene suficiente luz para iluminar el mundo entero.

Sí, tú eres parte de la iglesia gloriosa de Jesucristo y estás llamado/a por Dios para transformar este mundo, primero escuchando al Señor y luego haciendo su voluntad.

¿Estás escuchando instrucciones desde los cielos?

Si es así, tienes un verdadero tesoro en tus manos porque ninguna de esas palabras que escuchas caerá a tierra, sino por el contrario, hará todo aquello para lo cual fue dada.

Oración:

Hoy quiero vivir en la dimensión de tu llamado y en obediencia a tu voz. Sé que tú me hablas día a día, por lo tanto quiero prepararme para lo que tú vas a decirme hoy y obedecer tu voluntad. Amén.

Viviendo en medio de lobos

"He aquí, yo os envío como a ovejas en medio
de lobos; sed, pues, prudentes como serpientes, y
sencillos como palomas." (Mateo 10:16)

Jesús advierte que todo discípulo de Cristo va a pasar tiempos de persecución o de tribulación, esto está claro en la Biblia.

No debemos creer que por ser cristianos nunca vamos a sufrir, nunca nadie nos va a hacer nada malo.

Debemos tener muy presente que estamos luchando por establecer el Reino de un Rey con valores muy diferentes a los del mundo. Esto por supuesto, causa conflicto y provoca reaccionas negativas en muchas personas en contra de los cristianos y sus valores.

"Bienaventurados los que padecen persecución por causa de la justicia, porque de ellos es el reino de los cielos. Bienaventurados sois cuando por mi causa os vituperen y os persigan, y digan toda clase de mal contra vosotros mintiendo. Gozaos y alegraos, porque vuestro galardón es grande en los cielos; porque así persiguieron a los profetas que fueron antes de vosotros" (Mateo 5, 10-12).

Vivimos en un mundo al revés, un mundo caído, un mundo vendido al pecado. Y el pecado es enemistad contra Dios.

En este mundo nuestro Dios es un extraño. No se le quiere. El hombre natural está inclinado a odiar a Dios y a su prójimo. Este hombre siente el dominio de Dios como una carga asfixiante y huye de él.

¿Por qué los fariseos, los escribas y los sacerdotes odiaban a Jesús y procuraban matarle?

Porque no podían resistir la pureza de su vida. Su vida inmaculada les era un reproche demasiado grande. Su justicia y su piedad eran para ellos una espina en sus conciencias.

Así obraron con Jesús, y así obrarán también con los fieles seguidores de Jesús. No nos engañemos. Cuando el mundo nos adule, cuando el mundo hable bien de nosotros, debemos examinarnos seriamente, porque esto significa que algo anda mal en nosotros. Significa que nos hemos adaptado a la sociedad, que, como sal, hemos perdido nuestro sabor y que hemos traicionado nuestra razón de ser en la sociedad.

De alguna manera, todos los cristianos "beberán del vaso que yo bebo", como dijo Jesús a los apóstoles Santiago y Juan (Marcos 10,39), y "seréis aborrecidos de todos por causa de mi nombre" (Mateo 10,22).

El mundo ve al cristiano como un retrógrado, un reaccionario, un insensato. El evangelio es contrario a la ley que impera en el mundo; tan contrario que despierta su rechazo y provoca su enemistad.

Ante esta enemistad el cristiano tiene que enfrentar la fuerte tentación de adaptarse al mundo.

Adaptarse al mundo es negar a Cristo (Santiago 4:4).

Por eso Jesús advierte: "El que no toma su cruz cada día y me sigue, no es digno de mí" (Lucas 9:23).

Pero no todas son malas noticias o promesas de persecución y de violencia en contra de los creyentes.

También Dios nos promete su cuidado, su respaldo y su compañía, todos los días hasta el fin del mundo.

Aunque pases por aguas profundas no vas a perecer, aunque los tiempos sean malos Él no te soltará de su mano, aunque la tristeza te domine Él enjugará toda lágrima de sus hijos, aunque pases por el fuego no te vas a quemar.

Sí, Dios ha prometido para los suyos que nadie los podrá separar de su amor. Eso es suficiente.

Oración:

Tu compañía Señor es mi mejor aliciente para enfrentar el día a día. Sé que no tengo lucha contra carne ni sangre, sino con un enemigo bastante feroz, pero también sé que Dios está conmigo como poderoso gigante y no debo temer ante cada desafío. Amén.

Amor sin límites

"y la esperanza no avergüenza; porque el amor de Dios ha sido derramado en nuestros corazones por El Espíritu Santo que nos fue dado" (Romanos 5:5)

Después del terremoto en Turquía, cuando los rescatistas comenzaron a buscar sobrevivientes entre las ruinas de la casa de una joven mujer, vieron el cuerpo de ella por uno de los orificios de las ruinas de la casa.

Les pareció extraña la postura del cuerpo, estaba sobre sus rodillas y su cuerpo adelante como cuando una persona se arrodilla para adorar, con el rostro hacia el suelo; su cuerpo estaba inclinado hacia adelante y sus manos estaban sujetas a algún objeto.

El peso de la casa quebró su espalda y su cuello. Con mucha dificultad, el líder del equipo de rescate puso sus manos y brazos para ver si la mujer aún estaba con vida. Pero la dureza del cuerpo y la temperatura del mismo, anunciaban que la mujer había muerto.

Él y su equipo salieron de las ruinas de la casa para seguir su trabajo en busca de más víctimas.

Por alguna razón, el líder del equipo sintió una necesidad enorme de regresar a donde el cuerpo de la mujer se encontraba. Una vez más se arrodilló y puso sus manos en el espacio que les permitía alcanzar el cuerpo y decidió revisar debajo de ese cuerpo sin vida.

Instantáneamente empezó a gritar: "¡Un niño! ¡Hay un niño aquí!"

El equipo entero regresó para cuidadosamente remover los escombros alrededor del cuerpo de la mujer. Encontraron un niño de 3 meses de edad envuelto en una frazada estampada con flores debajo del cuerpo de la madre.

Obviamente, la mujer hizo su último sacrificio por salvar a su hijo. Cuando la casa comenzó a caer, ella uso su cuerpo para proteger a su hijo. El pequeño niño aun dormía cuando el equipo lo levantó de los escombros.

El doctor del equipo vino enseguida a revisar al pequeño. Una vez que abrió la frazada, vio un celular dentro. Había un mensaje de texto en la pantalla que decía: "Si puedes sobrevivir, tú tienes que recordar que TE AMO".

El celular pasó por cada uno de los miembros del equipo de rescate. Cada persona que leyó el mensaje, no pudo más que llorar. "Si puedes sobrevivir, tú tienes que recordar que te AMO".

¿Te imaginas lo que alguien puede llegar a hacer por amor? ¿Cuál sería el límite para demostrar el amor genuino?

Cuando leemos los evangelios entendemos que la encarnación de Cristo es un símbolo maravilloso del amor de Dios para los suyos. "De tal manera amó Dios al mundo, que dio a su Hijo Unigénito para que todo aquel que en Él crea, no se pierda, sino que tenga vida eterna" (Juan 3:16).

Así que nuestra nueva vida debe ser la celebración constante del amor de Dios que salva, que redime, que sustenta, que alienta, que renueva, que levanta al que lo necesita, que llena de regocijo los corazones.

Jesús viene a este mundo para enseñarnos el verdadero sentido del amor sin límites.

Sí, Jesús viene a este mundo para mostrarte que su amor nunca falla. Recibe ese amor hoy en tu corazón.

Oración:

Hoy recibo en plenitud tu amor amado Jesucristo. Sé que me has amado desde antes de nacer y que es tan grande ese amor que no habrá nada ni nadie que me pueda separar de él. Amén.

Guiados por un mismo Espíritu

"Ahora bien, hay diversidad de dones, pero el
Espíritu es el mismo" (1 Corintios 12:4)

El reino anunciado por Jesús se ha venido edificando con poder celestial, con presencia del Espíritu Santo, con derramamiento de su unción que permite que las vidas sean transformadas y que incluso, muchos de aquellos que tenían el corazón endurecido, terminen de rodillas clamando por perdón de pecados y salvación eterna.

El primer mensaje de Pedro fue del Espíritu Santo y les dijo a los que estaban allí: "sea notorio a ustedes que los que están aquí no están ebrios, como creen, sino que es la obra del Señor sobre nosotros".

Así que lleno del poder del Espíritu Santo compartió ese primer mensaje a través del cual se sumaron en un solo día más de tres mil personas a la iglesia naciente.

Siempre fue así y siempre lo será. Es El Espíritu Santo el que acompaña el caminar de los creyentes y del pueblo escogido por Dios.

Es él quien nos convence de la necesidad de buscar a nuestro Salvador Jesucristo, porque nadie puede decir Jesús es El Señor, sino es porque El Espíritu se lo inspira.

Nosotros, como creyentes en Jesucristo no hemos recibido el espíritu del mundo.

Hemos recibido El Espíritu de Dios para que sepamos lo que Dios nos ha concedido.

Pablo nos afirma en Corintios que hay diversidad de dones, de ministerios y de operaciones, pero siempre nos lleva al mismo Señor. Y es Él quien nos unifica. Cada creyente tiene dones dados por Dios, y todos son para la edificación del cuerpo de Cristo, pero todo viene de una misma fuente inagotable, la fuente es El Espíritu de Dios que nos dota para hacer la obra.

Es con El Espíritu Santo que los corazones son transformados. Es con poder de lo alto que los corazones van a arder y las personas aun antes de que abras tu boca, ya estarán de rodillas suplicando por el perdón de sus pecados.

Así vivían los apóstoles después de Pentecostés y los judíos de ese entonces decían: esos que están trastornando el mundo entero han llegado aquí, sí, están trastornándolo todo porque tienen poder sobre sus vidas.

No es la fuerza de los hombres la que produce milagros, señales y maravillas, sino el Espíritu de Dios que tiene todo el poder para hacerlo en medio de sus hijos que le reconocen y le aman.

El Señor llamó a los discípulos y los envió diciéndoles: el reino de Dios se ha acercado, vayan sanen a los enfermos, resuciten muertos, compartan este mensaje. ¿Pero cómo lo podían hacer? ¿Simplemente con alguna metodología humana o un modelo de alguna persona?

No, de ninguna manera. Ellos eran enviados por Jesucristo con el poder que puede sanar y resucitar.

Ese poder obviamente tiene que estar por encima de la enfermedad y de la muerte o de lo contrario no podría ser usado para vencer estas cosas.

Entonces El Señor les da de lo que Él tiene. Los envía con poder. Vayan porque con el poder que van, la enfermedad, la muerte, la tribulación, la sequedad de los corazones, la apatía, la falta de fe, todo eso va a ser doblegado porque Uds. no van solos, El Espíritu Santo está con ustedes.

Así que déjate guiar entonces por El Espíritu de Dios y serás un instrumento efectivo en las manos de un Dios poderoso.

Oración:

Mi anhelo ferviente para este día es ser guiado/a por El Espíritu Santo en todo lo que haga. Sé que es la única manera de agradarte Señor y de cumplir con el propósito que tú tienes conmigo y por el cual me diste una nueva vida. Amén.

¿A quién vas a escuchar?

"También vimos allí gigantes, hijos de Anac,
raza de los gigantes, y éramos nosotros, a nuestro
parecer, como langostas; y así les parecíamos a ellos"
(Números 13:33)

Quiero preguntarte si te acuerdas en la Biblia de estos nombres: Samua, Safat, Igal, Palti, Gadiel, Gadi, Amiel, Setur, Nahbi, Geuel.

Con seguridad que no sabes quienes fueron estos personajes.

Pero si te pregunto si recuerdas quienes fueron Josué y Caleb, con seguridad te recordarás de ellos.

Todos fueron compañeros de una misión, pero sólo se recuerda el nombre de los dos últimos.

¿Por qué? Precisamente porque los diez primeros fueron los espías pesimistas que aunque vieron que la tierra sí era tal como Dios la había prometido, ellos se fijaron más en el tamaño de los gigantes que tenían que enfrentar y desalentaron a todo un pueblo que al final no cruzó el rio Jordán y se quedó para morir al otro lado del desierto, sin tomar lo que Dios ya les había entregado.

Todo el pueblo estaba a punto de entrar en una nueva dimensión de vida recibiendo aquella tierra por la cual habían esperado tanto tiempo.

Sin duda era la misión de sus vidas y tenían que estar listos para asumirla de la mejor manera.

Y Moisés no escogió al azar a cualquiera de cada tribu, sino a los príncipes, a aquellos líderes que deberían guiar a los demás a tomar buenas decisiones.

Pero ni siquiera estos príncipes estaban preparados para hacerlo.

Los diez espías negativos dijeron: es imposible, no vamos a lograr nada, los enemigos son muy grandes, las ciudades están fortificadas, somos como langostas, pero Josué y Caleb insistieron: no se preocupen, si Dios lo dijo, esa tierra es nuestra, no podemos fallar, vamos a la fija.

Sí es verdad que esos enemigos son grandes, pero nuestro Dios es incomparable.

¿A quién le creyó el pueblo? esto era demasiado importante, porque de esta decisión dependía completamente su futuro. Y ellos creyeron más a los espías negativos que los desalentaron, que a Josué y Caleb que los impulsaban a entrar en la conquista de lo que Dios ya les había prometido.

Y la pregunta para todos es: ¿a quién le vas a creer?

A todos los que hablan solo de crisis, de dificultades, de problemas, de incapacidades, de pesimismo para lo que viene, o le vas a creer a tu Dios que te dice: siempre te ayudaré, siempre te sustentaré con la diestra de mi justicia.

El informe de los espías pesimistas que le creían más a las circunstancias que a Dios, terminó por detener a todo el pueblo y contagiar de su incredulidad a todos los demás, y al final pagaron las consecuencias por aceptar los consejos de estos hombres sin fe.

Así que piensa bien a quién vas a escuchar en este día. Sin duda habrá muchas voces negativas que te intentarán desalentar, que te hablarán sólo de crisis, de dificultades, de imposibilidades.

Pero no olvides también que como hijo de Dios escucharás la voz del Señor que te alienta, te respalda, te levanta y te sustenta.

¿A cuál de estas voces seguirás?

Oración:

Señor amado: sin duda hoy quiero escuchar tu voz y seguirte. Como parte de tu redil cada día aprendo más a discernir tu voz de entre las miles que escucho y puedo seguirte de acuerdo a tus indicaciones. Amén.

Sabiduría celestial

"¿Quién es sabio y entendido entre vosotros?
Muestre por la buena conducta sus obras en sabia
mansedumbre" (Santiago 3:13)

Si se te pidiera que mencionaras a alguien muy sabio, ¿quién te vendría a la mente? ¿Tu padre? ¿Tu madre? ¿Una persona de edad avanzada? ¿Un profesor universitario? ¿Un amigo?

En el concepto que uno tenga de la sabiduría pueden influir factores como la crianza y las circunstancias. Sin embargo, lo que más nos importa a los siervos del Señor es lo que Él piensa al respecto.

No todo aquel a quien el mundo considera sabio lo es realmente a los ojos de Dios.

Por ejemplo, Job habló con unos hombres que creían tener esa cualidad y llegó a la siguiente conclusión: "[Yo] no hallo a ningún sabio entre ustedes".

El apóstol Pablo, por su parte, escribió sobre algunos hombres que rechazaban el conocimiento de Dios: "Aunque afirmaban que eran sabios, se hicieron necios" (Rom 1:22).

Y el propio Señor dijo mediante el profeta Isaías: "¡Ay de los que son sabios a sus propios ojos [...]!" (Isaías 5:21).

Ninguno de nosotros ha nacido siendo sabio, pero podemos llegar a serlo si estudiamos la Biblia con constancia y meditamos en ella. El estudio y la meditación nos ayudan a seguir la exhortación de Efesios 5:1: "Háganse imitadores de Dios". Y cuanto mejor imitamos al Señor, más sabiamente nos comportamos, porque sus caminos son muy superiores a los nuestros.

El propósito de Dios para tu vida es que crezcas en sabiduría celestial.

Santiago nos recuerda que hay diferencia entre lo que el mundo llama sabiduría y la que viene de lo alto.

¿Quién es sabio y entendido entre vosotros? "Muestre por la buena conducta sus obras en sabia mansedumbre", y complementa diciendo: "...la sabiduría que es de lo alto es primeramente pura, después pacífica, amable, benigna, llena de misericordia y de buenos frutos, sin incertidumbre ni hipocresía".

Es muy importante para nuestra vida, que el alimento espiritual sea de acuerdo al evangelio puro y no a conceptos de hombres. Si solo recibimos conceptos mundanos entonces nos estaremos llenando de sabiduría mundana pero no de la sabiduría celestial.

Y es necesario además que aquello que El Señor nos enseña lo pongamos en práctica porque es así como hacemos la diferencia entre el solo conocimiento y el obrar en sabiduría.

Por eso la pregunta de Santiago es para nosotros de nuevo: ¿eres sabio/a y entendido/a?

Demuéstralo entonces viviendo de acuerdo a la enseñanza pura del evangelio sin contaminación.

Oración:

Reconozco Señor que muchas veces he obrado creyendo que lo hago con sabiduría. Pero hoy reconozco que me he equivocado cuando no te busco. Por eso hoy quiero acercarme a ti para escuchar tu voz y seguir tu consejo. Amén.

Valientes o cobardes

"Desde los días de Juan El Bautista hasta ahora, el reino de los cielos sufre violencia, y los violentos lo arrebatan" (Mateo 11:12)

Ni la Biblia ni la historia en general se acuerda de los cobardes o los faltos de fe.

Pero en cambio, la Escritura tiene todo un pasaje reservado para los héroes de la fe y habla de ellos como personas que cambiaron el mundo para siempre y que vencieron gigantes, que conquistaron reinos, alcanzaron promesas, que taparon bocas de leones, apagaron fuegos impetuosos, sacaron fuerzas de debilidades, pusieron en fuga a ejércitos extranjeros y muchas cosas más. Todo eso debido a su fe, debido a que siempre le creyeron más a Dios que a las circunstancias.

Si existiese un cartel a la entrada del cielo diría: "entrada para gente de fe", pero en cambio en el libro de Apocalipsis en el capítulo 21, encabezan la lista de los condenados, precisamente los cobardes y los incrédulos y se les coloca al lado de los abominables, los homicidas, los fornicarios, los hechiceros, los idólatras y los mentirosos.

La misión que Dios está preparando para nosotros, requiere de hombres y mujeres valientes que le crean más a Dios que a los pesimistas que todo lo ven mal alrededor.

¿Dónde están esos hombres y mujeres como Juan El Bautista que se atrevía a decirles a los religiosos de su época: Ustedes son generación de víboras, ¿quién los enseñó a huir de la ira venidera?

Dónde están aquellos que como Pablo confrontaba a los paganos diciéndoles: Ustedes están adorando a un dios no conocido y están equivocados. Yo les voy a mostrar al Dios que vive, que reina, que venció a la muerte, que no habita en templos hechos por manos humanas porque su gloria es demasiado grande y su sangre me ha librado de la condenación eterna.

¿Dónde están aquellos que se van a levantar con valentía en estos tiempos y van a decir: Señor, de aquí en adelante voy a vivir para ti, voy a hacer tu voluntad hasta que tú me lleves a tu divina presencia?

Mucha gente se convierte hoy a Cristo, pero en realidad les dura hasta la primera prueba o el primer dolor, y entonces dan la espalda porque no era eso lo que esperaban.

Necesitamos tener expectativa de lo extraordinario. Si Dios está presente, Él puede hacer cosas extraordinarias y podemos ser testigos de ellas, pero necesitamos orar con expectativa, creer con fe, despertar cada día esperando por esas maravillas que vamos a ver manifestadas.

La Biblia dice que nuestra ciudadanía está en el cielo.

¿Eres tú un/a ciudadano/a del cielo? Si es así, entonces no hagas en la tierra lo que no puedas hacer en el cielo.

En el cielo no hay cobardía, ni violencia, ni odios, ni resentimiento, ni asesinatos, ni abortos, ni homosexualismo, ni chisme, ni mentira, ni desconfianza en Dios.

Todo lo contrario. Por eso, si tú dices que eres un ciudadano del cielo entonces vive como tal, con fe, con adoración al Dios Santísimo, con confianza en que Él hará, con expectativa de cosas grandes, porque tú estás conociendo ahora un escenario en donde Dios se manifiesta con poder sobre los suyos.

Es mi oración que se levanten muchos hombres y mujeres que han entendido el desafío del Señor para ir a la conquista. Que entiendan el poder que se les ha delegado como hijos de Dios. Que sepan conocer la voluntad divina y la puedan aplicar en este mundo necesitado de dirección celestial. Que reconozcan que su fuerza viene directamente de los cielos y que tienen un Dios para el cual no hay nada imposible.

Oración:

Señor Jesús, reconozco que es hora de que los hijos de Dios nos manifestemos en este mundo y aceptemos la misión que se nos ha encomendado. Hoy es un día para avanzar en tus propósitos. Amén.

Con su gran poder

*"Oh Señor Jehová, he aquí que tu hiciste el cielo y
la tierra con tu gran poder, y con tu brazo extendido,
ni hay nada que sea difícil para ti" (Jeremías 32:17)*

¿Con qué hizo la tierra El Señor? Con su gran poder.

¿Con qué hizo el cielo? Con su gran poder.

¿Con qué puede levantar muertos de las tumbas? Con su gran poder.

¿Con qué puede sanarte de tu enfermedad? Con su gran poder.

¿Con qué puede hoy restaurar vidas? Con su gran poder.

Cuando vengan los momentos difíciles y de prueba, cuando vengan las tormentas que pueden llegar, recuerda que no estás solo/a sino que será Dios quien te salvará con su gran poder.

Cristo vino desde los cielos para alcanzar y salvar a las almas perdidas. Pero esta misión no era solo para Él. Él la hizo nuestra misión también: "Y les dijo: Id por todo el mundo y predicad el evangelio a toda criatura" (Marcos 16:15).

Jesús estaba hablando aquí a un pequeño grupo de creyentes, alrededor de 120 personas que se habían reunido en el aposento alto. ¡Y qué difícil tarea colocó ante ellos!

¡Vayan a las naciones extranjeras, vivan con la gente y estudien sus idiomas. Pongan sus manos sobre los enfermos, echen fuera demonios, proclamen las buenas nuevas. Vayan al mismo asiento de Satanás y prediquen el poder y la victoria del Salvador resucitado!

Debemos darnos cuenta de que Jesús estaba hablando a hombres y mujeres ordinarios, insignificantes y sin educación. Él estaba poniendo el mismísimo futuro de su iglesia en sus hombros. Deben haberse sentido abrumados.

¿Puedes imaginar la conversación que debió haber tenido lugar una vez que su Maestro ascendió al cielo?: "¿Lo escuché bien? ¿Cómo podríamos nosotros empezar una revolución mundial? No tenemos ni un centavo y los romanos nos están golpeando y matando. ¿Si somos tratados de esta manera aquí en Jerusalén, cómo vamos a ser tratados cuando lleguemos a Roma testificando y predicando?".

Otro podría haber dicho: "¿Cómo espera nuestro Señor que vayamos por todo el mundo con el evangelio, cuando ni siquiera tenemos suficientes recursos para ir a Jericó? ¿Cómo vamos a aprender otros idiomas cuando no hemos sido educados para ello? Todo esto es imposible."

Era verdaderamente una misión imposible para cualquier ser humano. ¡Sin embargo, cuando Dios está presente la palabra imposible desaparece y lo que parecía que no podía lograrse se alcanza de maneras sobrenaturales!

Porque no es con nuestras fuerzas ni nuestros recursos, sino con su gran poder, no es con espada ni con ejército, sino con su Santo Espíritu, ha dicho Jehová de los ejércitos.

Abandónate en las manos de un Dios tan poderoso. Así como hizo los cielos y la tierra, abrió los mares, envió alimento desde los cielos para los suyos, detuvo tormentas, levantó a los paralíticos, abrió los ojos de los ciegos y realizó tantas cosas extraordinarias, de la misma manera puede hacer en tu vida el milagro que has estado esperando, o en alguno de los tuyos.

No lo dudes, no dudes jamás del Señor, al fin y al cabo ¡Él hace todas las cosas con su gran poder!

Oración:

Reconozco mi Señor que en ti está el poder y al mismo tiempo eres la fuente de mi fortaleza. Hoy vivo bajo tu protección y dirección. Sé que me guiarás a mi destino con tu gran poder. Amén.

Apartados para Dios

"...edificaré mi iglesia; y las puertas del Hades no prevalecerán contra ella" (Mateo 16:18b)

La palabra iglesia en su original es Ekklesia, que significa los llamados fuera, los apartados de Dios.

La iglesia existe en el mundo como una manifestación de la gloria de Dios y de su deseo para salvar a los perdidos.

Si tú eres parte de la iglesia de Jesucristo es porque has sido apartado/a por Él para propósitos eternos.

Y si esto es así, en tu vida entonces debes tener presente que El Señor no te apartó para que sigas haciendo las cosas del mundo o para que seas arrastrado/a por la corriente de maldad que corroe este mundo y que todo lo destruye, o para que te conviertas en una persona insensible frente al perdido o al necesitado. De ninguna manera.

Dios no apartó a su pueblo para eso. Él tiene propósitos eternos contigo y por eso se fijó en ti para llevarte a la salvación eterna. El Señor continúa trabajando en tu vida, perfeccionando su obra inmortal.

Por eso Dios quiere que nuestras vidas reflejen Su gloria y para ello debemos buscar agradarlo en todo y dejar que Él vaya puliendo nuestras impurezas.

Sí, levantémonos en comunión, juntos, todo su pueblo, edifiquemos, obedezcamos, demos al Señor sacrificio de alabanza: un corazón arrepentido y humillado.

Es tiempo de alcanzar esas cosas en tu vida que parecían imposibles.

Dios nos está llamando a la reconstrucción, a la edificación, a la renovación de nuestras vidas, a la búsqueda de nuevos niveles espirituales que nos ayuden a crecer, a ver vidas transformadas por el poder de su Espíritu.

Es tiempo de creer, de desarrollar una fe que se traduce en frutos, de pedirle al Señor que despierte esos espíritus adormecidos y que su gloria se manifiesta en abundancia sobre sus hijos.

Hemos sido apartados por Dios para cumplir con los propósitos que Dios va a llevar a cabo en este mundo.

Dios nos llama fuera del mundo para convertirnos en su iglesia gloriosa.

Nos llama fuera del pecado. Nos llama con el evangelio de Cristo. Nos llama de las tinieblas a su luz admirable. Llegamos a ser parte de una iglesia poderosa que nunca será destruida. Ni las puertas del Hades prevalecerán sobre ella.

Así que pregúntate en este día si tu vida está reflejando el cumplimiento de esos propósitos que surgieron directamente de la mente del Señor.

Recuerda que si tú eres parte de esa iglesia gloriosa fundada por Jesucristo, tienes promesa divina de protección, respaldo y ayuda, todos los días hasta el fin del mundo.

Oración:

Tus promesas amado Dios son el cimiento sobre el cual vivo el día a día. Sentir la seguridad que me da tu palabra me hace vivir en paz en medio de las tormentas. Sé a quién pertenezco, sé que me apartaste con propósitos eternos, sé que vale la pena seguirte hasta el final. Amén.

Una verdadera transformación

"Haced morir, pues, lo terrenal en vosotros: fornicación, impureza, pasiones desordenadas, malos deseos y avaricia que es idolatría." (Colosenses 3:5)

Muchos de nosotros oramos y clamamos siempre por la presencia de Dios, queremos ese toque divino en la iglesia, en nuestro hogar, en nuestro trabajo, en cada actividad de nuestras vidas, pero debemos ser conscientes de las implicaciones de querer estar ante su presencia. Porque entonces El Señor también pide de nosotros consagración, humillación, arrepentimiento, cambio de vida, cambio de prioridades, en todo darle al Señor el primer lugar.

¿Tú quieres más de la presencia de Dios en tu vida? Entonces es muy posible que tengas que cambiar algunas cosas, es posible que algunos hábitos deban ser modificados, es posible que tengas que aprender que para el creyente primero está Dios en todo lo que hace.

Porque cuando Dios llega a algún lugar, todo es transformado.

El humilde pesebre, un lugar tan sencillo, lleno de animales, fue transformado por la gloria del que estaba naciendo allí. Era simplemente un corral donde apacentaban los animales, pero cuando Jesús nació, se convirtió en el lugar de la presencia del Dios Altísimo, los ángeles cantaron, vinieron pastores a adorar, llegaron sabios a reverenciar su venida, el lugar se llenó de una gloria impresionante, todo fue cambiado por la presencia del Señor en ese lugar.

La casa de Obed-edom fue grandemente bendecida por que David dejó el arca del pacto en aquel lugar y solo su presencia fue suficiente para que la prosperidad y la bendición llegaran a ese hogar.

La zarza en el desierto es simplemente una planta más. Pero una zarza donde se manifieste Dios se convierte en un lugar santo porque El Señor todo lo transforma con su presencia.

Un templo es solo una construcción más, no importa qué tan grande sea o qué tan adornado esté. Pero lo que hace la diferencia es cuando El Señor está allí porque la gloria de Dios inunda todo, y El Espíritu Santo trae unción, convicción de pecado, la palabra de Dios adquiere significado y muchos son atraídos a los pies del Salvador.

¿Te das cuenta? No son los lugares por bonitos o espectaculares que sean lo que importa.

Lo más importante es que Dios esté en ellos, así estemos en el lugar más humilde, en una cueva, debajo de un árbol o en medio del desierto, pero con Dios allí todo lo demás pasará a un segundo plano.

No fue lo mismo para los discípulos enfrentar una tormenta en medio del mar a solas, que hacerlo con la presencia de Jesús que ordenaba a las tormentas detenerse y a las olas aquietarse.

No fue lo mismo para el pueblo de Dios estar frente al mar sin escapatoria, siendo perseguidos, que tener la presencia de Dios que abría los mares para que pasaran en seco y confundía al enemigo para que no los pudieran alcanzar jamás.

Cuando la presencia de Dios llega a tu vida, entonces ya no puedes seguir siendo el mismo.

Todo cambia. Tu vida es transformada, tu familia es tocada por El Espíritu de Dios, los que estaban fríos y apáticos son llenados por el fuego del Espíritu, los que estaban enfermos encuentran nuevas fuerzas, todo cambia por la presencia de Dios en nuestras vidas.

No hay duda, la presencia de Dios es transformadora. Y si tú tienes al Señor en tu corazón, tu vida también ha sido renovada y te has convertido en una nueva criatura.

Oración:

Gracias señor por hacer de mí una nueva creación. Sé que esa antigua criatura no vivía de acuerdo a tus propósitos perfectos, pero tú llegaste a mi vida para convertirme en un/a hijo/a tuyo/a y ahora vivo bajo esa novedad de vida cada día. Amén.

¡Sí, Dios es grande!

"Bienaventurado el que lee, y los que oyen las
palabras de esta profecía, y guardan las cosas
en ella escritas; porque el tiempo está cerca"
(Apocalipsis 1:3)

Aunque la vida está llena de enemigos, aunque el mundo esté lleno de serpientes antiguas, de anticristos, de toda clase de formas de maldad, la gente de fe, aun en medio de todas estas situaciones, se levanta para exaltar al que vive para siempre, al que está sentado en el trono.

En la antigüedad, los creyentes en momentos de dificultad recitaban salmos y alababan al Señor.

Jesucristo en la cruz recitó el salmo 22: "Dios mío, Dios mío porque me has desamparado".

Pablo y Silas metidos en lo más profundo de la cárcel, no paraban de adorar al Señor.

¿Cuántos de ustedes ahora mismo, están pasando por pruebas? ¿Cuántos de ustedes ahora mismo, están pasando por tribulaciones? ¿Cuántos de ustedes se están ahogando en un mar de problemas, de vicisitudes, de tiempos de sufrimiento?

¿En medio de la tormenta, qué vas a hacer? ¿En medio de la tribulación qué vas a hacer? ¿En medio del valle de sombras de muerte qué vas a hacer?

Hay ocasiones que nos sentimos, como si estuviéramos en arena movediza.

Hay veces que nos sentimos, que mientras más luchamos, mientras más nos movemos, mientras más tratamos de salir del hoyo donde fuimos a caer, más nos hundimos.

Hay veces que no importa lo que hagamos, no importa la actitud que tengamos, todo nos sale mal. Y nos preguntamos: ¿Por qué?

Lo que sostiene a la gente en momentos de adversidad es la fe para afrontar estas situaciones.

Ante la incertidumbre, confianza en Dios. Ante el dolor, cánticos y gratitudes.

Ante la desesperanza, alabanzas sinceras. Ante la fatalidad, fe y seguridad.

Ante la muerte, esperanza y vida. Ante el martirio, seguridad y gratitud a Dios.

Ante la angustia, firmeza y confianza. Ante la desolación, poder de Cristo.

Ante la lágrima del alma, consuelo divino. Ante el cautiverio, liberación.

Y ante las cadenas que cautivan la vida, la gracia de Cristo que da vida y vida en abundancia.

La verdadera palabra en la vida no es la del anticristo, ni la de la bestia, ni la del enemigo de las almas, sino que la verdadera palabra es la palabra del Dios Santo que proclama la victoria.

El mensaje primordial del Apocalipsis es de apoyo y valor a la gente perseguida y que sufre; es de seguridad y afirmación para las personas que viven en medio de crisis y dificultades; es de liberación y vida para los hombres cautivos y desesperados; es de renovación y futuro para las mujeres decaídas y heridas.

El mensaje del Apocalipsis es más que juicios destructivos, es más que trompetas que anuncian la destrucción, es más que ángeles destructores que vienen a traer el caos en la tierra, es más que bestias, demonios, diablos, rameras y lagos de azufre.

La prioridad de quien lo relata es comunicarle a un pueblo herido que el mal, el dolor y la crisis no tienen las últimas palabras en sus vidas. La verdad de Dios es que la misericordia divina supera nuestros problemas y congojas, supera nuestros dolores y angustias, y supera nuestras dificultades y complejos.

Dios es más grande que las cadenas, la desorientación, el cautiverio, las lágrimas, los complejos, las desesperanzas y los dolores. Sí, ¡Dios es grande!

Oración:

Amado Salvador recibo hoy el mensaje que viene de tu palabra como un mensaje de esperanza para mi vida y de aliento para seguir adelante. Gracias por concederme tan grande privilegio. Amén.

Lo que tengo te doy

*"Más Pedro dijo: No tengo plata ni oro, pero lo que
tengo te doy; en el nombre de Jesucristo de Nazaret,
levántate y anda" (Hechos 3:6)*

Pedro y Juan al caminar al lado del templo la Hermosa vieron a un
cojo de nacimiento que traían allí todos los días para pedir limosna.

Los apóstoles acababan de recibir el poder prometido del Espíritu
Santo sobre sus vidas. Estaban plenos de un poder que no había
venido de ningún ser humano, sino que había venido directamente
de los cielos.

Y Pedro y Juan contemplan a este hombre que han llevado allí por
años y que con seguridad lo conocen anteriormente. Probablemente
no era un desconocido para ellos.

¡Pero ahora estos discípulos no eran los mismos que eran antes!

¿Si Pedro y Juan hubieran pasado por aquel templo antes de
conocer a Jesús y de haber sido llenos del Espíritu Santo, cuál
hubiera sido su reacción?

La misma de todos los demás. Simplemente tirarle una moneda o
pasar de largo.

Pero ahora ellos tenían algo que antes de conocer a Jesús no tenían.

Y eso es exactamente lo que Dios te quiere decir hoy: tú tienes
algo que no tenías antes de estar lleno del Espíritu Santo, por lo tanto
ve y dalo al mundo.

El paralítico extiende su mano y pide lo que siempre ha pedido.

¡Él no está esperando respuestas sobrenaturales. Él no está
esperando ni siquiera un milagro!

Las personas se acostumbran a una vida de limitaciones y piensan
que eso es todo. Un día normal, un día de incapacidad, un día de
privaciones, un día de limitaciones.

Lo que él no sabía es que Dios estaba trabajando cuando él ni
siquiera lo esperaba y pronto iba a llegar una respuesta que le
cambiaría la vida para siempre.

John Harold Caicedo

Hay muchas personas que pensaron que ya no había respuestas de parte de Dios. Quizás dijeron también, otro día de privaciones, otro día de frustraciones, otro día de lamentaciones, pero lo que no saben es que Dios ha dispuesto las cosas para que un milagro llegue y sus vidas puedan ser cambiadas para siempre, de la misma manera que le sucedió a este paralítico tirado al lado del templo.

El hombre extiende su mano como lo hacía con todos los que pasaban por allí. Muchos simplemente lo ignoraban o quizás hasta les molestaba ver a este hombre allí tirado todos los días.

Pero Pedro y Juan no reaccionan de la misma manera que los demás. Ellos se detienen y miran al hombre en su condición terrible y saben que ahora tienen una respuesta diferente para él.

¿Sabes cuántas personas en el mundo están esperando en un día como hoy que alguien tenga una respuesta para sus vidas? ¿Sabes cuantos seres humanos se levantaron esta mañana sin esperanzas, sin alientos, sin deseos de seguir adelante, sin motivaciones para hacer nada?

El mundo no da respuestas. Las riquezas no dan respuestas. La fama no da respuestas, pero alguien tiene que tener una respuesta para ellos. ¿Dónde están los que tienen esas respuestas? ¿Serás tú?

Pregúntate esto en este día, porque es posible que tú ya tengas algo para dar que aún sigues guardando y aún hay otros esperando por esas bendiciones.

Oración:

Señor dame hoy la oportunidad para servir a mi prójimo y el convencimiento de que ahora soy diferente. He sido dotado/a de poder desde lo alto y quiero usar ese poder con quien tú me envíes. Amén.

El poder de la impartición

"Entonces él les estuvo atento, esperando recibir de ellos algo" (Hechos 3:5)

¿Qué tienes tú para dar? ¿Qué es lo que puedes impartir a los demás?

Tú no puedes dar lo que no tienes. La fuente para dar no puede estar seca porque de allí no saldrá nada.

Así que pregúntate en este día: si enfrentaras un momento como el de Pedro y Juan frente aquel paralítico al lado del templo la Hermosa, ¿de qué manera podrías responder? ¿Sólo con alguna moneda? ¿Sólo con algún consejo? O quizás también tengas dentro de ti el poder que te permita obrar como los discípulos.

Es terrible que tú no tengas nada para dar, ¿no te parece?

Pero hay algo peor y es que tú tengas algo que puedes dar y no lo des.

Hoy en día tenemos más tecnología que nuestros antepasados pero no necesariamente somos más sabios para vivir; vivimos más tiempo, pero no más saludablemente; tenemos más cosas, pero disfrutamos menos de ellas; podemos ir a la luna, pero no podemos ir a nuestros hogares y tener buenas familias; tenemos más acceso a información, pero sabemos muy poco acerca de una vida llena de propósitos divinos; tenemos más religiones, pero tenemos menos amor; tenemos más recursos, pero nos ahogamos en un vaso con agua; a través de Jesucristo lo tenemos todo pero aún no hemos comprendido el sentido de la herencia de los hijos de Dios.

Si Jesús no hubiera sabido acerca de lo que Él tenía, entonces hubiera salido corriendo cuando le trajeron un endemoniado, o no hubiera sabido que hacer cuando le trajeron paralíticos, ciegos o leprosos para ser sanados.

Pero no fue esto lo que sucedió porque Jesús sabía quién era y de dónde venía el poder que tenía, así que con autoridad y gobierno ordenaba a los demonios: ¡sal fuera! y ningún demonio por poderoso que fuera se le podía oponer. ¡Levántate y anda!, ¡sé limpio!, ¡que tus ojos sean abiertos! y todas estas cosas sucedían inmediatamente respondiendo a Aquel que tenía el poder en su palabra y sabía cómo usarlo.

Desafortunadamente muchos de los creyentes de hoy en día están totalmente limitados por su forma de pensar. Espíritus postrados, desalentados, que solo ven limitaciones en todas partes, cuyas vidas se han tornado en problema tras problema y no pueden salir de este círculo vicioso.

Nada los desafía. Hablamos de milagros e inmediatamente su mente dice: no eso es imposible.

Hablamos de reunir recursos para ayudar a los necesitados e inmediatamente piensan: no ¿por qué tengo que dar mi dinero?

Mentalidad limitada que no se atreve a ir con valentía y avanzar para que el reino de Dios sea extendido. Mentalidad escasa que solo ve lo malo, que se concentra en las equivocaciones, que solo ve limitaciones, pero no mira el poder del Dios al que adora. Y esa no es la mente de Cristo.

¿Cómo vamos a crear una atmósfera del reino de Dios con esa mentalidad? ¿Cómo predicaremos al mundo que tenemos un Dios que hace maravillas, que está vivo y que reina en este momento entre nosotros, si los hijos de Dios estamos siempre postrados y dudando de sus mismas promesas?

Hay muchos que ya deberían estar levantando paralíticos y cambiando vidas por el poder que ya tienen dentro a través de la impartición del Espíritu Santo que han recibido, pero todavía siguen mendigando una moneda. Piensa bien entonces ¿de qué lado estas tú?

Oración:

Reconozco Señor que tú me has dotado de poder sobrenatural y quizás no lo he usado hasta ahora. Ayúdame a descubrir la verdadera condición de mi ser, porque sé que si te tengo a ti lo tengo todo. Amén.

¿Tienes algo para dar?

"...de gracia recibisteis, dad de gracia"
(Mateo 10:8b)

Hace tiempo atrás asistí a un evento denominado: "Un llamado para todos", que se llevó a cabo en el sur de California.

Estuve escuchando personas que están literalmente sacudiendo este mundo con el mensaje poderoso del evangelio. Personas que están evangelizando entre musulmanes, budistas e hinduistas. Personas que están comprometidas con obedecer el mandato de Dios de llevar el evangelio y cumplir con la gran comisión. Hombres y mujeres decididos que están cambiando vidas en África, en Asia, en Europa, en Latinoamérica, en muchos lugares del mundo aun a riesgo de sus propias vidas.

Mientras algunos seres humanos solo pueden pensar en su propio reino personal, hay otros que han tomado la bandera de Jesucristo y están haciendo que el reino de Dios se extienda, están trayendo vidas a los pies del Salvador y están demostrando que los cristianos tenemos que dar frutos en nuestra vida, debemos ser productivos y honrar al Señor con lo que hacemos.

Ellos también le están diciendo al mundo: Lo que he recibido de Dios eso mismo tengo para dar.

¿Y qué es eso que han recibido? Un corazón transformado por el poder de Dios, un anhelo de servir a Aquel que nos mira desde el cielo y nos regala sus bendiciones, un denuedo por seguir avanzando el reino de los cielos en este mundo, y una pasión que no se detiene al saber que tienen a un Dios vivo que los acompaña y los respalda todos los días de sus vidas.

Pero también tú tienes que inquietarte acerca de lo que estás dando en este mundo tan egoísta e individualista.

Si eres hijo de Dios entonces tú recibiste capacidad creativa, tú recibiste dones de parte de Dios, recibiste habilidades, inteligencia, aliento de vida espiritual, poder del cielo a través del Espíritu Santo. Tú tienes siempre la compañía de Dios y estás vivo, aún respiras, aún piensas, aún puedes hacer muchas cosas, no desperdicies lo que Dios te dio con tanto cuidado, esmero y amor.

Dios te reafirma hoy a través de su palabra: tú fuiste creado/a a mi imagen y a mi semejanza. Tienes valor. No por lo que el mundo dice, sino por lo que yo digo de ti. Eres lo mejor de toda esta espectacular creación. Tú vales más que las plantas, que las estrellas, que el sol, que los planetas, que los animales más gigantes o las montañas más altas. No hay nada que se pueda comparar con lo que tú vales para mí. Tú vales mi sangre derramada, los latigazos recibidos, los clavos en las manos y en los pies, la corona de espinas, mi vida entera. Tú tienes atributos que ninguna otra criatura sobre este mundo tiene. Tú eres creativo/a, no necesitas imitar a nadie. Tú eres productivo/a y puedes generar muchas cosas, tienes el Espíritu del Señor y conoces cuál es su voluntad para tu vida.

Entonces pregúntate esta mañana: ¿Tienes algo para dar en este mundo? ¿Tienes algo para dar?

Oración:

Amado Jesucristo, desde cuando abrí mi corazón a ti, sé que fui dotado de algo sobrenatural. Tú viniste a morar en mi interior y me facultaste para dar en abundancia. Hoy quiero vivir de acuerdo a mi nueva condición en ti. Amén.

Las cosas viejas pasaron

"De modo que si alguno está en Cristo, nueva
criatura es; las cosas viejas pasaron; he aquí todas
son hechas nuevas" (2 Corintios 5:17)

Hay muchas personas que no fueron bien recibidas en este mundo, que incluso se enteraron que sus madres trataron de abortarlos y no pudieron y finalmente no tuvieron más remedio que tenerlos. También hay otras personas que fueron maltratadas, abusadas, que nunca sintieron un abrazo durante su infancia o adolescencia, que siempre vieron a sus padres como enemigos.

Muchos otros que tuvieron que ponerse al frente de situaciones difíciles desde pequeños, sus padres murieron cuando eran niños y carecieron de esa compañía mientras crecían.

Muchas situaciones dolorosas que se apoderaron de la mente de hombres y mujeres y aunque pasa el tiempo, todo lo siguen filtrando a través de ese dolor.

También hay muchos que llegan a Cristo Jesús y a pesar de su nueva condición, aún tienen pegados en la piel los malos episodios de su vida o lo que destruyó parte de su infancia o adolescencia.

Y entonces sucede que no son capaces de recibir la palabra nueva y fresca del reino de los cielos porque todo lo siguen mirando con ojos de tristeza y de llanto reprimido por tantos años.

Siguen siendo esos paralíticos incapaces de levantarse de su condición y siguen extendiendo su mano implorando que alguien se acuerde de ellos.

Pero se les olvidó que un día Jesús vino a sus vidas y les dijo: lo que tengo te doy. Tengo vida eterna, tengo perdón de los pecados, tengo misericordias nuevas cada mañana, tengo para ti poder de Dios, tengo unción espiritual, tengo libertad de la opresión del enemigo, así que levántate ya, levántate porque yo no te di todo eso para que sigas estando en la misma condición siempre.

¡Se imaginan que aquel hombre al cual los discípulos sanaron de esa parálisis, al otro día lo encontraran en la misma condición, en el mismo lugar extendiendo su mano para que le dieran una moneda!

¡¿Qué pensarían los discípulos?! ¡¿Qué dirían ante esta situación?¡

Con seguridad lo recriminarían y le dirían: ¿acaso no entendiste lo que ya Dios hizo en ti?

¿Acaso no te diste cuenta de que ya puedes saltar y correr en lugar de estar de nuevo postrado?

Pero curiosamente esa es la condición de muchos creyentes aún hoy.

Han sido liberados de sus pecados, pero aún cargan con sus culpas.

Han sido hechos libres por el poder de Jesús y su sangre derramada y todavía siguen pensando más en el pasado terrible que en su nueva condición con El Señor, y entonces parecen siempre postrados en la misma condición que este hombre que pedía limosna al lado del templo.

El pasado no lo puedes borrar, pero sí puedes cambiar la manera como lo miras de ahora en adelante. Puedes mirar hacia atrás con libertad porque ahora El Señor ha colocado sobre tu vida algo nuevo y fresco para que vivas en esto.

Él te dice hoy que ha venido a tu vida para hacer algo nuevo, algo transformador, las cosas viejas pasaron he aquí, todas, todas, todas son hechas nuevas para ti.

Si estás en este mundo, es porque hay propósitos divinos para ti, propósitos celestiales que deben cumplirse antes de que vayas al cielo a rendir cuentas delante del que te envió.

Así que recuerda hoy esto: si estás en Cristo ya no eres lo mismo que eras antes. Has sido renovado/a, has sido transformado/a, has sido restaurado/a para vivir ahora bajo una nueva condición.

Oración:

Hoy quiero vivir bajo la condición que Cristo ha ganado para mí. Soy libre por su sacrificio, soy renovado/a por su gran amor, soy bendecido/a por su misericordia, soy una nueva criatura en Él. Amén.

No es tuya esta guerra, sino de Dios

*"y dijo: Oíd, Judá todo, y vosotros moradores de
Jerusalén, y tú, rey Josafat, Jehová os dice así: No
temáis ni os amedrentéis delante de esta multitud
tan grande, porque no es vuestra la guerra, sino de
Dios." (2 Crónicas 20: 15)*

Cuando El Señor nos da una palabra como esta, no es para que nos quedemos sin hacer nada como espectadores pasivos, solo esperando lo que va a suceder.

Si Dios nos dice que la guerra es de Él, significa que Él nos dará la victoria, pero nosotros estaremos en el frente de batalla, en oración, intercesión, clamor y gran confianza.

La historia de Josafat nos da una buena guía sobre cómo enfrentar situaciones difíciles en nuestra vida. El ejemplo de Josafat no es el de alguien que se acordó de Dios solo en un momento de desesperación. Por el contrario, fue alguien que, aunque imperfecto, vivió en constante comunión con Dios y que precisamente por ello pudo apoyarse en Él en ese momento tan crucial.

Además, esta historia no solo nos da ejemplo de la búsqueda de auxilio, sino también de adoración, alabanza y fe ante las promesas de Dios, y de agradecimiento tras su cumplimiento.

Josafat vivió un momento muy dramático.

Un gran enemigo se acercaba y él sabía que no podría ganar a través de sus fuerzas naturales.

Pero el confió en Dios y ordenó ayuno y oración para todo el pueblo.

Y Dios respondió a esa confianza que tuvo el rey en aquel momento y lo hizo de una manera extraordinaria.

Como iglesia, estamos llamados a ir al frente durante estos tiempos.

Mientras los científicos investigan, los gobiernos invierten grandes cantidades de dinero para buscar soluciones, nosotros tomamos la bandera de Jesucristo y vamos adelante.

Esta guerra tendrá una gran victoria. No desmayemos. Sigamos adelante, Dios está en control.

Oración:

Señor Jesús, me has dado el privilegio de orar e interceder en tiempos de dificultad y me has enviado con el poder del Espíritu Santo y tu autoridad para llevar a cabo la tarea que tengo por delante. Hoy quiero usar estos recursos para tu gloria, Amén.

La fuente de poder y autoridad

"y tomándole de la mano derecha le levantó;
y al momento se le afirmaron los pies y tobillos"
(Hechos 3:7)

¿Como cristiano conoces lo que tienes y la fuente de tu autoridad?

Sin duda Pedro y Juan sabían lo que tenían y especialmente conocían a Aquel que los había dotado de esa autoridad y poder.

Esto es fundamental para cada uno de nosotros.

Los creyentes debemos saber lo que somos para El Señor, pero especialmente debemos conocerlo a Él y depender todo el tiempo de Su gracia y Su amor para con nosotros.

Cuando llegó el momento clave para estos discípulos, cuando se necesitó que ellos acudieran a esa fuente, ellos sabían muy bien el poder que habían recibido.

El paralítico que estaba al lado del templo la Hermosa solo pedía una moneda. Él tampoco conocía ese poder que los discípulos tenían.

¡¿Se imaginan cuántas miles de personas vio el paralítico que pasaban a su lado para ir al templo, para ir a orar, pero ninguno de ellos, ninguno, tenía lo que Pedro y Juan tenían?!

Algunos tiraban una moneda, otros pasaban de largo hacia el templo, hasta que llegaron dos que tenían algo diferente.

Este es el poder del cristiano. Nosotros hemos sido llamados a alumbrar en medio de este mundo de oscuridad.

El mundo anda detrás del dinero, de la fama, del poder, de cualquier cosa, y la gente sigue corriendo tras de todo esto. Están como este paralítico, extendiendo su mano al mundo solo para pedir algo que el mundo podría darles.

Hasta que tiene que llegar alguien diferente y con un poder que el mundo no conoce y entonces todo cambia alrededor.

Este es "el poder desde lo alto," poder interior, poder espiritual en su naturaleza.

Pero tienes que conocer cuál es tu posición hoy en día como hijo de Dios. ¿Lo sabes tú?

¿Tienes tú ese poder? ¿Sabes lo que tienes para darle a este mundo?

En realidad el creyente más nuevo es más poderoso que el diablo más viejo, porque ahora tiene una nueva naturaleza investida de poder desde lo alto.

Así que en este día levántate para impartir en este mundo todo eso que ya has recibido de parte de Dios.

Allá afuera hay muchos paralíticos esperando que tú los levantes de su angustiosa situación.

Tú podrías hoy darles algo diferente.

Oración:

Reconozco Señor Jesucristo que tú eres la fuente de poder y mi fortaleza. Caminando contigo en este día tengo la seguridad de ser un instrumento eficaz en tus manos para traer algo diferente sobre aquellos a quienes tú quieras bendecir. Amén.

¿Apasionados por Dios?

"Y esta es la vida eterna: que te conozcan a ti, el
Único Dios verdadero, y a Jesucristo, a quien has
enviado" (Juan 17:3)

En uno de los viajes que tuve la oportunidad de hacer a Israel vi a los judíos ortodoxos que duran días y días enteros orando frente al muro de los lamentos, pude reconocer que aunque tienen un velo enfrente de ellos y no se han abierto sus ojos para reconocer al Mesías, ellos creen en lo que hacen. Tienen cientos de leyes, no pueden caminar demasiado en un día de reposo. Ni siquiera pueden hundir el botón del ascensor en el día de reposo. Religiosidad y religiosidad.

Cuando vi a miles de musulmanes caminando hacia sus mezquitas al celebrar el mes de Ramadán, y adorar por miles y miles inclinados hacia la Meca, me di cuenta de que aunque su fe se fundamenta en lo que dijo su profeta Mahoma y que no pueden reconocer a Jesús como Mesías, ellos creen en lo que hacen.

Millones en el mundo no siguen a Jesús, pero creen en lo que hacen.

¿Y nosotros los cristianos qué? Decimos que no tenemos una religión, que nuestra vida no está basada en religiosidad ni en leyes humanas, que a través de Cristo el velo se rompió y que podemos mirar a cara descubierta como en un espejo la gloria de Dios.

Nosotros que decimos que tenemos una relación cercana, íntima con El Señor, que tenemos acceso al trono de gloria; que somos reyes y sacerdotes y un linaje escogido, real sacerdocio, nación santa, pueblo adquirido. Decimos que hemos tenido un nuevo nacimiento y que ahora en nuestro interior ya no hay una simiente corruptible sino incorruptible; que hemos recibido la palabra que nunca muere sino que es eterna y sin embargo, nuestra vida no da testimonio de lo que significa que tenemos al Dios vivo y verdadero que caminó entre esas multitudes, que vino a este mundo, que recorrió aldeas y ciudades sanando a todos los que le traían, que contempló esa multitudes y tuvo compasión de ellas y que desplegó todo su poder a favor de los necesitados.

Nosotros que decimos que tenemos a nuestro Dios habitando en nuestro interior y que nuestro cuerpo es templo del Espíritu Santo, y que hemos dejado atrás al viejo hombre y nos hemos puesto las vestiduras de gloria de una nueva criatura, y sin embargo, no vivimos como lo que decimos que somos.

¡Literalmente este mundo debería estar inundado de la gloria divina, porque los creyentes siempre deben tener algo mejor para dar!

Si en tu corazón está Jesús, lo tienes todo y si lo tienes todo entonces también tienes todo para dar en este mundo.

Sí, el mundo tiene a mucha gente apasionada por lo que hace aunque no conocen al Señor Jesucristo, pero tú y yo como creyentes, deberíamos ser los más apasionados del mundo, porque hemos conocido y seguimos descubriendo cada día al Único Dios verdadero.

Oración:

Amado Salvador, hoy te doy gracias por haberme dado el inmenso privilegio de conocerte. Al mismo tiempo anhelo vivir cada día como lo que corresponde a quienes hemos recibido la potestad de ser llamados hijos de Dios. Amén.

Un Rey que nunca muere

"En el año en que murió el rey Uzías vi yo al Señor
sentado sobre un trono alto y sublime, y sus faldas
llenaban el templo" (Isaías 6:1)

El relato sobre la visión del trono de los cielos por parte del profeta Isaías empieza diciendo que el rey Uzías ha muerto y por lo tanto, muchas cosas pueden cambiar en el reino.

El trono del rey había quedado vacante, pero Isaías contempla a un rey en su trono.

Pero no cualquier rey, no, el mira al Rey de reyes y Señor de señores sentado sobre el trono de los cielos y gobernando con poder desde las alturas.

Uzías ya no vive, pero ahora él tendrá una visión del que vive para siempre.

Los reyes de la tierra mueren, pero El Rey del universo nunca muere porque es eterno y majestuoso desde la eternidad hasta la eternidad.

No hay un solo líder de estado en todo el mundo que vaya a permanecer aún en su gobierno dentro de algunos años.

Las naciones pueden tener grandes presidentes, algunos países pueden tener sus propios reyes, los imperios tuvieron sus grandes emperadores y gobernantes, pero ninguno de ellos estará para siempre. Sus gobiernos por buenos o malos que sean pasarán pronto y solo quedará de ellos un recuerdo.

Pero el Rey que contempló el profeta Isaías tiene un trono eterno y gobierna desde él.

Por eso no podemos perder la visión del trono divino.

El cristiano sabe lo que puede llegar a ser, porque conoce a su Dios y lo que Él puede lograr.

Yo creo en ese Dios majestuoso que contempló Isaías, y también oro para ver su gloria.

Yo creo en ese Dios cuyas faldas llenan el templo y los serafines cantan a su alrededor y lo exaltan diciendo: Santo, Santo, Santo, es el Señor de los ejércitos, y también creo que toda la tierra está llena de la gloria de Dios. ¡Sí, yo creo en ese poderoso Dios!

Mientras los demás veían grandes nubarrones sobre sus vidas, para Isaías los cielos se habían abierto y ahora veía que no había nada que no pudiera alcanzar mientras tuviera el respaldo de Aquel a quien había visto en el trono de los cielos.

Si tu aprendes a ver al Rey que está sentado en su trono y que vive para siempre, entonces la forma como afrontas tu vida cambiará, porque sabrás que ese mismo Dios Poderoso, majestuoso, lleno de gracia y de bondad, es el mismo que te acompaña cada día a lo largo de tus jornadas.

Por eso puedes disfrutar de su compañía, porque nuestro Señor es el Rey que nunca muere.

Él vive y vivirá para siempre, alábalo hoy.

Oración:

Señor, tú eres el verdadero Rey de gloria que tiene control sobre este mundo y lo manejas con tu soberanía. Hoy quiero someterme a tus designios y vivir en tu reino bajo tu cobertura y protección perfecta. Amén.

Más son los que están con nosotros

"Él le dijo: No tengas miedo, porque más son los
que están con nosotros que los que están con ellos"
(2 Reyes 6:16)

En este conocido pasaje encontramos que el siervo de Eliseo está afligido porque están rodeados de enemigos y corre con angustia para decirle a su señor que no hay nada que hacer, los numerosísimos ejércitos sirios vienen a destruirlos y ellos no tienen forma de salvarse.

Es la angustia absoluta, es la desesperanza total, las noticias son malas y no hay quien pueda acudir en ayuda en un momento así.

¡Pero el desespero del criado contrasta con la tranquilidad de Eliseo!

Sí hay un enemigo numeroso, sí hay un ejército que viene contra ellos, sí hay noticias que anuncian destrucción, ¡pero Eliseo está tranquilo!

¿Por qué? ¿De dónde le viene esa tranquilidad? ¿Cuál es la fuente de su fortaleza?

¡Sin duda Eliseo sabe algo que su criado no sabe! Esta es la clave del profeta. ¡Él ve algo que su criado no puede ver!

Así sucede con las personas que no conocen del Señor.

Muchos se andan quejando, muchos solo hablan de problemas y de desesperanza, muchos hablan solo de malas expectativas, pero ellos no ven lo que los creyentes pueden llegar a ver, porque tienen los ojos cerrados a la revelación divina.

Por eso, si tú has creído en Jesucristo, eres una persona que vive con gozo y tranquilidad en el corazón. Tú vives esperando lo mejor del Señor, tú vives adorando al que otros no reconocen, porque tú también has experimentado la gloria y el poder de Dios, y muchos se están perdiendo esa gran revelación para sus vidas.

Por eso Eliseo no ora para que a su criado se le quite el miedo, o para que huya simplemente e intente salvar su vida, no, él no ora de esa manera. La oración del profeta es para que le sean abiertos sus ojos y pueda ver lo que no podía ver antes, que a su alrededor no había centenas, no, había millares de ejércitos celestiales que los protegían y que frente a ellos, el enemigo era solo un puñado de gente indefensa que no tenía nada que hacer contra los ejércitos del Dios viviente.

Esa es la realidad del creyente de todos los tiempos.

Cuando muchos son solo portadores de desesperanza, el pueblo de Dios se levanta para proclamar que tiene a un Dios vivo que es su esperanza, y que nunca está solo porque Él camina con los suyos y los libra de todo mal en cada día de sus vidas.

El siervo de Eliseo aprendió una lección que le sirvió para el resto de su vida y que debe ayudarnos a nosotros también.

Lo que aprendió este siervo es que más, siempre son más los que están con nosotros para defendernos, que los enemigos que anhelan acabarnos.

Sí, más son los que están con los hijos de Dios, más son los que nos respaldan, más son los que nos protegen, más son los que nos ayudan, que los que desean destruirnos, más son los que nos cuidan en medio de este mundo de cosas difíciles. Así que vive en la seguridad de saber que a tu alrededor están los ejércitos del Dios viviente cuidando de los suyos todo el tiempo, y que el enemigo por poderoso o numeroso que parezca no te podrá hacer daño.

Oración:

Vivo cada día bajo tu amparo y protección. Sé que tus ángeles me protegen y que puedo estar seguro porque más son los que están conmigo, que los que quieren destruirme. Amén.

Un lenguaje transformado

"y voló hacia mí uno de los serafines, teniendo en su mano un carbón encendido, tomado del altar con unas tenazas" (Isaías 6: 6)

Lo primero que descubrió Isaías después de contemplar el trono alto y sublime es que su boca no tenía las palabras que Dios deseaba de su siervo.

Él dice: "Ay de mí que soy muerto, porque siendo un hombre de labios inmundos habitando en medio de un pueblo de labios inmundos, han visto mis ojos al Rey, Jehová de los ejércitos".

Uno de los serafines voló hacia Isaías con un carbón encendido tomado del altar de Dios.

No era de cualquier altar, era directamente del altar del Señor, y lo colocó sobre la boca del profeta.

El serafín al tocarle los labios con el carbón encendido que venía del altar de Dios lo purificó, quitó su culpa y limpió sus pecados.

Como creyente es muy importante que tú sepas que tus palabras van a ser cambiadas. Tu vocabulario va a ser transformado. Ya no serás el mismo y aunque sigas viviendo en medio de un pueblo que tenga labios inmundos, el ángel tocará tu boca y tu culpa será quitada, y limpio será tu pecado para siempre, como sucedió con Isaías.

Si los cielos están abiertos delante de ti, como sucedió con Isaías, tú no puedes hablar un lenguaje que no sea acorde con lo que estás contemplando.

Tus palabras van a ser cambiadas. Si hablabas solo de derrota, de llanto, de debilidad, de enfermedad, de fracaso, de tristeza, tu boca va a ser tocada y hablarás las maravillas de Dios y no podrás contenerte de alabarle, no podrás dejar de hablar de bendiciones, de nueva vida, de la gloria de Dios. Sí, tus ojos han visto al rey y tu boca publicará sus alabanzas.

El lenguaje de labios inmundos no es el lenguaje de los hijos de Dios. No, de ninguna manera.

Así que no importa en medio de quién vivas. No importa si otros solo hablan mal del prójimo y chismean, y denigran de los demás, y solo critican, o blasfeman, o enjuician.

No importa que estés en medio de gente así, por tu boca no saldrá ese lenguaje de labios inmundos, no. Por tu boca saldrá el lenguaje de edificación, de transformación, de exaltación, de bendición, ya no podrás hablar como lo hiciste antes.

Sí, no hay duda, también tú serás tocado por el ángel del Señor y tus palabras serán purificadas para siempre.

Oración:

Gracias amado Dios que te has revelado en mi vida como el verdadero Salvador y has colocado en mi boca un cántico nuevo. Hoy quiero hablar de tus maravillas y que el mundo sepa que mi lenguaje ha sido cambiado para pronunciar ahora el lenguaje del reino. Amén.

¿Hasta cuándo?

"¿Hasta cuando, oh Jehová, clamaré y no oirás;
y daré voces a ti a causa de la violencia, y no
salvarás?" (Habacuc 1:2)

El profeta Habacuc escribe en un tiempo en el cual parecía que su fe se debilitaba porque no encontraba una respuesta desde los cielos.

Habacuc levanta sus expresiones de dolor y de angustia diciéndole al Señor: ¿hasta cuándo Señor, yo seguiré clamando y tú me escucharás?

¿Hasta cuándo, oh Jehová, clamaré y no oirás?

¿Hasta cuándo daré voces a ti diciendo: ¡Violencia!, sin que tú libres?

¿Por qué me muestras la iniquidad y me haces ver la aflicción?

¿No suena eso como lo que está sucediendo actualmente? ¿No escuchas por estos días un clamor generalizado y muchos entran en desespero, frustración y angustia?

Sin embargo la respuesta llega, aunque de una forma diferente.

Si de alguna manera nosotros quisiéramos titular el libro de Habacuc, tendríamos que decir algo como: de la desesperanza a la esperanza, o de la desolación a la tranquilidad.

Y este es un viaje que muchos quieren hacer. Esto es algo que no es ajeno a muchas vidas.

Muchos quieren saber cómo se hace eso, como se viaja del desconsuelo a la paz en el corazón, de la tristeza al gozo, de las preguntas sin respuestas a una seguridad tal que no importa que no tengamos esas respuestas pero tenemos a Aquel que vino para darnos la mejor de todas las respuestas a nuestra vida.

Por eso, este libro termina con una hermosa expresión de confianza en Dios: "Aunque la higuera no florezca ni en las vides haya fruto, aunque falle el producto del olivo y los campos no produzcan alimento, aunque se acaben las ovejas del redil y no haya vacas en los establos; con todo, yo me alegraré en Jehová y me gozaré en el Dios de mi salvación. ¡Jehová, el Señor, es mi fortaleza! El hará mis pies como de venados y me hará andar sobre las alturas."

John Harold Caicedo

Este es un tiempo para mantenernos confiando en El Señor.

Él está en control de todas las cosas y nosotros somos parte de su redil.

Oración:

Señor Jesús, hoy disfruto de la plenitud de vida que tú viniste a traerme desde los cielos. Este regalo divino me pertenece y por lo tanto, no puedo dejármelo robar. Hoy puedo vivir en la paz, la plenitud, la armonía y la abundancia que tú has querido regalarme. Amén.

No dejes que tu pasado te alcance

"En cuando a la pasada manera de vivir, despojaos del viejo hombre, que está viciado conforme a los deseos engañosos, y renovaos en el espíritu de vuestra mente" (Efesios 4:22-23)

La vida en el desierto para el pueblo de Israel fue de quejas constantes.

Dios estaba motivando a su pueblo para que no pensaran en los recuerdos de la vida pasada.

En lugar de eso, que tuvieran la vista puesta en Él y las grandes maravillas que el Señor tenía preparadas para ellos.

El Señor quería sembrar algo nuevo en sus pensamientos.

Aquellos que podían entender la obra que Dios estaba haciendo podían decir algo como: Sí, es cierto que han sucedido cosas difíciles en mi vida, pero ahora viene un tiempo diferente. No es el momento de seguir aferrado al pasado doloroso, es tiempo de nuevos comienzos, de nuevas cosas en El Señor.

Es tiempo de mirar hacia el futuro con optimismo porque Dios me acompaña en cada jornada, es tiempo de restauración y de cosas nuevas en Aquel que tiene el poder para cumplir todas sus promesas.

Por eso la invitación que Dios nos hace a nosotros hoy es la misma: no vivamos en el pasado, sino orientémonos hacia el futuro.

Nosotros tenemos que esperar por algo nuevo y vivir una vida de esperanza. Dios desea que nosotros seamos personas que avancemos en la fe. Dios nos transforma.

La amonestación de Pablo sigue siendo la misma: "En cuando a la pasada manera de vivir, despojaos del viejo hombre, que está viciado conforme a los deseos engañosos, y renovaos en el espíritu de vuestra mente" (Efesios 4:22, 23).

Siempre que la Biblia nos habla de futuro, nos habla de mejores cosas, de nuevas esperanzas, de victorias en Cristo, del que está en Cristo es nueva criatura, que no habrá condenación para el que está en El Señor, que no hay nada ni nadie que nos pueda separar del amor de Dios y que al amanecer de cada día hay una nueva misericordia que Dios ha hecho para que la disfrutes.

Por eso este es un buen día para empezar de nuevo en muchas cosas que necesitamos ser renovados.

En el episodio de la mujer que fue sorprendida en adulterio y que fue llevada delante de Jesús para ser apedreada, finalmente El Señor confrontó a todos estos legalistas que solo deseaban cumplir con las leyes pero sin tener misericordia, y al final la declaración de Jesús fue muy poderosa:

¿Dónde están los que te acusaban? ¿Ya no están, se han ido?

Muy bien, yo tampoco te condeno, vete, pero no peques más.

Es decir, vete pero empieza una nueva vida.

Ahora, en este día tienes una nueva oportunidad delante de ti para iniciar una vida de santidad, de pureza, vete y no dejes que el pasado te alcance. Vete y que de aquí en adelante te conozcan como aquella mujer que supo dejar atrás las viejas cosas porque se dio cuenta, a través de Jesús, que siempre en el futuro hay algo mejor para los que confían en Él.

¿Podrías también tomar estas palabras para ti hoy? ¿Podrías en este día proyectarte hacia el futuro que Dios te quiere dar y no permitir que tu pasado te afecte para siempre?

Con Dios siempre hay novedad de vida. Disfrútala ahora.

Oración:

Ese es mi anhelo para hoy. Disfrutar de la vida nueva que Jesús me propone cada día. Disfrutar de su amor, de su gracia, de su gloria y de su misericordia. Vivir este día sumergidos en el reino que Cristo vino a presentarnos, de justicia, paz y gozo en el Espíritu. Amén.

Tengo un sueño

*"Después de esto miré, y he aquí una gran multitud,
la cual nadie podía contar, de todas naciones y
tribus y pueblos y lenguas, que estaban delante
del trono y en la presencia del Cordero, vestidos
de ropas blancas, y con palmas en las manos"
(Apocalipsis 7:9)*

El 28 de Agosto de 1963 Martin Luther King proclamó frente al Lincoln Memorial lo siguiente: "Tengo un sueño, que algún día en las rojas colinas de Georgia, los hijos de esclavos anteriores y los hijos de anteriores dueños de esclavos se sentarán juntos en la mesa de la hermandad... Tengo un sueño: que mis cuatro hijos pequeños algún día vivirán en una nación donde no serán juzgados por el color de su piel, sino por el contenido de su carácter."

Martin Luther King articuló y simbolizó un gran sueño -sueño aún no convertido en realidad totalmente-.

La visión Bíblica es aún mayor, va más allá de la manera en que negros y blancos se relacionan. Se refiere a personas de cada raza, cada lenguaje y cada tribu, unidas con pasión por la supremacía de Dios en todas las cosas.

La muerte de Cristo fue diseñada para unir las razas en la adoración celestial. El cordero que está sentado en el trono de la gloria merece esa adoración que proviene de todas las lenguas, de todas las razas, de todas las tribus, de todas las naciones.

Cristo murió para redimir adoradores de cada raza. Y cada lenguaje.

El escenario celestial que Juan pudo observar, es la consumación del proceso divino de alcanzar las naciones y dar la salvación en todos los rincones de la tierra.

Ahora mismo Dios está formando esa multitud que un día estará alrededor del trono adorando a Aquel que es digno de desatar los sellos y abrir los libros.

Esto concuerda perfectamente con el llamado de Jesús a sus hijos para hacer discípulos a todas las naciones a través del mensaje poderoso del evangelio que transforma las vidas de quienes lo aceptan y viven de acuerdo a sus preceptos.

El Señor está escribiendo la historia. El escenario de los cielos se ha preparado para la llegada de los suyos.

Martin Luther King vivió y murió para cumplir el sueño que siempre tuvo en su corazón.

Jesucristo murió para que tú vivas como un redimido y puedas ser parte de esa multitud de adoradores, portadores de vestiduras blancas, que han cumplido con el propósito del Salvador eterno.

El sueño de Dios se está cumpliendo también en ti. Él te está preparando para ser parte de una gran multitud de todas las naciones, tribus, pueblos y lenguas.

Oración:

Gracias señor por tu salvación. Porque miraste más allá del pecado que había en mí y diste tu perfecta vida para que yo no muriera eternamente. Hoy quiero vivir como lo que soy: escogido/a, liberado/a, redimido/a y con destino de vida eterna. Amén.

Amistad con el mundo, enemistad con Dios

"!Oh almas adulteras! ¿No sabéis que la amistad
del mundo es enemistad contra Dios? cualquiera,
pues, que quiera ser amigo del mundo, se constituye
enemigo de Dios" (Santiago 4:4)

En los últimos cien años la humanidad ha logrado grandes adelantos. Comunicaciones radiales, la televisión, explosiones atómicas, viajes aéreos supersónicos, cirugía láser, misiles balísticos intercontinentales, computadores personales, viajes a la luna, estaciones espaciales, telescopios de largo alcance y un montón de etc.

Pero entonces la pregunta es: ¿Será el ser humano más perfecto?

¿Será que la humanidad está más cerca de Dios y de la perfección moral y espiritual?

La cantidad de guerras, genocidios y miserias humanas se multiplican. La inmoralidad de naciones enteras tiene proporciones increíbles. El cáncer de la maldad se cierne sobre los países carcomiendo la tranquilidad de la gente y sometiéndola a vivir en constante temor.

Precisamente ese temor invade a muchos y el mundo no pareciera ser más perfecto a medida que pasa el tiempo.

¿Qué consideran las personas como perfecto entonces?

Hubo un caso en 1982. El caso de la bebé Doe en 1982 fue una voz de alerta a la controversia entre lo que significa la perfección para el hombre y la perfección que Dios demanda de nosotros.

Se trató de un caso en el que el médico y la familia acordaron dejar de alimentar a una niña con una discapacidad de nacimiento. Luego de seis días sin recibir alimento y cuidado adecuado, la bebe falleció.

¿Qué motivó a los padres a semejante asesinato?

Ellos no estaban dispuestos a convivir con una bebé con retraso mental que se convertiría en una carga para las vidas que ellos siempre habían imaginado.

Su mente había sido influenciada bajo los estándares de perfección humana, pero no bajo el modelo divino de amor, de sacrificio, de entrega, de apoyo y de bondad hacia los demás.

Una bebé retrasada no es un estándar de perfección para el mundo.

Un anciano incapacitado no es un estándar de perfección para el mundo.

Una persona sin dinero no es un estándar de perfección para el mundo.

¿Qué pide el mundo entonces? ¿Cuáles son los estándares que motivan que unos padres decidan dejar morir de hambre a su niña porque nació con un retraso mental?

El mundo exige modelos de perfección humana que luego son desechados. Por eso las personas se aferran a buscar la belleza a cualquier costo; el dinero aunque tengan que pasar por encima de quien sea necesario; el poder para intentar mantenerse en posiciones de privilegio y la fama para mantenerse vigentes en un mundo que pronto olvida a sus héroes de papel.

Qué diferente que es la vida cristiana. Jesús nos enseñó a tener una vida que no está centrada alrededor de nuestra comodidad y egoísmo, sino proyectada hacia nuestro prójimo. Nos mostró un camino más excelente que aquel que el mundo persigue. Nos desafió a tener vidas que muestran a diario el fruto del espíritu y no simplemente satisface los deseos de la carne.

En fin, los principios y valores cristianos no se acomodan a lo que el mundo exige y aquellos que anhelan vivir vidas cristianas serán tarde o temprano rechazados por el mundo al que condenan con su testimonio.

Oración:

Hoy me decido a caminar bajo los únicos preceptos que me llevarán al camino adecuado. Hoy quiero reflejar en mi vida todo aquello que me enseñó Jesús en su palabra y su testimonio. Amén.

Mi mirada en Jesús

"Puestos los ojos en Jesús, el autor y consumador
de la fe, el cual por el gozo puesto delante de él sufrió
la cruz, menospreciando el oprobio, y se sentó a la
diestra del trono de Dios." (Hebreos 12:2)

¿Te has detenido a observar en alguna ocasión el camino por el que transitas?

Si vas por una carretera y preguntas: ¿a dónde llega este camino?, la gente te contestará: vas a llegar a Los Ángeles o a Ciudad de México, o a Tijuana, o a Bogotá, a donde sea que culmine.

Pero tiene un final, tiene un destino.

Puede tener lindos paisajes alrededor o puede tener un desierto a su paso; puede tener flores hermosas o puede simplemente estar rodeado de animales; pero lo importante es el destino al cual te lleva.

Y hoy quiero preguntarte: ¿A dónde te está llevando tu camino? ¿Conoces el destino?

¿Estás simplemente caminando a la deriva sin saber a dónde vas?

¿Hay metas y propósitos en tu vida que conoces y que son tu alimento diario, la fuerza que te motiva, el motor que revoluciona tu interior y que deseas alcanzar porque sabes que es allá donde debes ir?

¿Deseas entender el camino de la perfección para tu vida?

Si es así, no tienes más alternativa que vivir en la voluntad de Aquel que declaró que es el Único camino de salvación. Él es el que abre un nuevo día para ti para que transites por él y te goces disfrutándolo, Él sabe cuál es el destino y cada día estás más cerca del lugar al que estás siendo dirigido.

Sea como sea, ya estás en un camino. Puede ser el camino equivocado que te lleva a la perdición eterna o puede ser el camino adecuado que te lleva a través de Jesucristo a la salvación eterna.

Hay muchos caminos diferentes. Unos cómodos y otros no muy cómodos, pero el único verdadero es Jesucristo.

John Harold Caicedo

Cada creyente puede mirar hacia atrás y darse cuenta del sendero por el que ahora está transitando porque ha sido sacado de la oscuridad y traído a la luz resplandeciente.

Si tú abriste tu corazón a Jesucristo podrás llegar a ver lo que eras antes y entenderás que en la medida que ha ido pasando el tiempo, El Señor te ha ido llevando por el camino de la perfección.

Dios no te hizo para que vayas a la deriva por el mundo sin saber a dónde vas. Él te hizo para que vayas por un camino que Él desea mostrarte que te conduce a las bendiciones únicas del Dios todopoderoso.

El Señor está levantando una iglesia con personas decididas a dejarse llevar por la mano de Dios para llevarlas a un nuevo nivel espiritual y coronarlas de bendiciones incontables.

Sí, Jesucristo es el camino seguro. Nunca te extravíes del único camino de salvación.

Oración:

Este día quiero transitar por el camino hecho a mi medida. Jesucristo es el camino que me lleva al mejor destino, es allí donde quiero ir. Amén.

Mi buen pastor

"Jehová es mi pastor; nada me faltará. En lugares
de delicados pastos me hará descansar; junto a aguas
de reposo me pastoreará" (Salmo 23:1-2)

Una de las figuras más representativas de la antigüedad, era ver a un pastor que iba tras una oveja que se había extraviado y aun a pesar de que llegara la noche, él no paraba de buscarla hasta que la encontrara.

Cuando finalmente la encontraba, la ponía sobre sus hombros y los demás se quedaban a la expectativa de verlo llegar, hasta que se dibujaba su figura sobre la montaña, caminando con su ovejita al hombro.

Esa es una figura hermosa para nosotros entender cuánto nos ama El Señor.

Jesucristo nos dijo: "Yo soy el buen pastor; el buen pastor da su vida por las ovejas. Mas el asalariado y que no es el pastor, de quien no son propias las ovejas, ve venir al lobo y deja las ovejas y huye, y el lobo arrebata las ovejas y las dispersa. Así que el asalariado huye, porque es asalariado y no le importan las ovejas. Yo soy el buen pastor y conozco mis ovejas y las mías me conocen" (Juan 10:11).

Cada promesa establecida en la Biblia se hace realidad en aquellos que son las ovejas del Pastor, los que permanecen en el redil, los que han reconocido que necesitan quien los dirija y enseñe, y los que sin reservas o condición alguna han rendido sus vidas al Príncipe de los pastores, el Gran Pastor que dio su vida por las ovejas: nuestro Señor Jesucristo.

La vida del ser humano está llena de incertidumbre, ansiedades, temores, etc., pero en la vida del cristiano, su Pastor hace la diferencia. En medio de la turbulencia, de súbito, surge el reconocimiento de que el Buen Pastor está presente y en control de su circunstancia.

Hace un tiempo atrás una hermana de la congregación nos contó que había pasado por una operación bien delicada, que había experimentado por muchos días el estar sola, sin quien la visitara, pero en esos días ella había aprendido a conocer más de Dios, de su compañía, de su presencia con ella. Nos decía que muchas veces se quedó dormida con su Biblia en su pecho, pues se gozaba leyendo la Escritura como nunca antes y aprendiendo de la fidelidad de Dios, estaba conociendo más de cerca al Buen Pastor que siempre cuida de sus ovejas.

Él siempre cuida de los suyos y con mayor razón cuando están pasando por momentos difíciles.

"Aunque ande en valle de sombra de muerte, no temeré mal alguno, porque tú estarás conmigo; tu vara y tu cayado me infundirán aliento" (Salmo 23:4).

Esa frase en el hebreo, valle de sombras, significa en realidad la oscuridad total. Significa un lugar donde no puedo asirme de nada para guiarme, donde no tengo ningún tipo de luz que me guíe.

En esa condición, el salmista dice: aunque esté en completa oscuridad, aunque no pueda tomarme de nada para caminar, aunque no sepa cómo dar el siguiente paso: ¡No temeré a mal alguno!

Aunque mis problemas me agobien, aunque pueda llegar a pensar que no hay solución posible para ellos, aunque crea que ya no hay respuestas para mí, aunque la enfermedad me sobrecoja, ¡no temeré a mal alguno, porque tú estarás conmigo!

Para los que creemos en Cristo Jesús, nuestro Buen Pastor, la oscuridad es solo temporal, las crisis pasaran, los lamentos quedarán atrás, el llanto será por un tiempo, pero la luz será eterna, porque Él es la luz, porque Él es quien nos guía, Él es quien abre el camino para nosotros, Él es nuestro pastor, Él es Jesús de Nazaret, a quien nosotros seguimos.

Oración:

Gracias Jesús por ser mi Buen Pastor y llevarme cada día a delicados pastos para descansar. Gracias por cuidarme, protegerme y darme seguridad en cada momento de mi vida. Amén.

¿Gozosos en las tribulaciones?

"Y no sólo esto, sino que también nos gloriamos en las tribulaciones, sabiendo que la tribulación produce paciencia" (Romanos 5:3)

Las Escrituras enseñan que el pueblo de Dios de todo lugar y época de la historia ha encontrado, encuentra y encontrará persecuciones, peligros y dificultades hasta el fin de los tiempos.

Los santos del Antiguo Testamento sufrieron por la causa del Señor y en el capítulo 11 del libro de Hebreos que trata acerca de los héroes de la fe, lo podemos constatar. Por causa de su fe tuvieron que evitar filo de espadas, apagar fuegos impetuosos, sacar fuerzas de debilidad, experimentar vituperios y azotes, prisiones, persecuciones e incluso la muerte misma.

Los cristianos de la iglesia primitiva sufrieron por la causa de Cristo; innumerables creyentes en los siglos 16 y 17 pasaron por persecuciones debido a su fe.

Cuando El Señor se le apareció a Saulo de Tarso y lo llamó a su servicio, las palabras que le expresó fueron: "yo le mostraré lo que es necesario padecer por mi nombre" (Hechos 9:16).

Hoy en día los cristianos siguen siendo perseguidos en muchos lugares del mundo e incluso se presencian masacres de creyentes en iglesias o sitios de reunión.

Alrededor de los cristianos siempre hay algún tipo de señalamiento, acoso, persecución, que puede ser incluso desde los mismos miembros inconversos de la familia, hasta los gobernantes que hoy en día legislan en contra de los valores cristianos, aunque se llamen creyentes.

En países islámicos los lugares de culto cristianos son prendidos a fuego con los hermanos dentro.

En los países occidentales los gobiernos se están convirtiendo en una potente herramienta en manos de Satanás para intentar silenciar a la iglesia, mientras los inmorales gozan cada vez de más libertad y privilegios. Lo podemos ver en los Estados Unidos claramente.

La Comunidad Europea elabora una Constitución donde no aparezca la religión ni ninguna tradición judeo-cristiana por ninguna parte. Vemos autobuses por las ciudades de España con eslóganes como "Probablemente Dios no existe, así que disfruta de la vida".

Se pueden ofender abiertamente los sentimientos religiosos de los ciudadanos pero ¡Cuidado! No hablemos contra el pecado si no queremos ser perseguidos.

Nuestra sociedad habla altivamente contra Dios y contra todo lo que tiene que ver con Él.

Sin embargo, la actitud del Nuevo Testamento hacia el sufrimiento es algo distinta de la que comúnmente podríamos tener frente a estas circunstancias.

"Y no sólo esto, sino que también nos gloriamos en las tribulaciones, sabiendo que la tribulación produce paciencia" (Ro. 5:3).

¿Quién nos separará del amor de Cristo? ¿Tribulación, o angustia, o persecución, o hambre, o desnudez, o peligro, o espada? (Ro. 8:35).

Gozosos en la esperanza; sufridos en la tribulación; constantes en la oración (Ro. 12:12).

Porque esta leve tribulación momentánea produce en nosotros cada vez más un excelente peso de gloria (2 Co. 4:17).

No desmayemos entonces. Aunque el mundo entero se nos oponga y la maldad en el mundo se multiplique, nosotros siempre iremos hacia adelante con esperanza, porque tenemos a Cristo en nuestro interior. Si lo tenemos a Él, lo tenemos todo.

Oración:

Sé que aunque haya momentos en mi vida en los que puedo ser atacado/a por mi fe, tú me has mostrado que nunca me has dejado y tu promesa es que nunca lo harás. Amén.

Antes que la lámpara se apague

"...y antes que la lámpara de Dios fuese apagada,
Jehová llamó a Samuel; y él respondió: Heme aquí"
(1 Samuel 3:3b-4)

Samuel tuvo una dura revelación al principio de su ministerio profético. Dios le mostró cuán mal estaba su líder, su padre espiritual.

Un tremendo conflicto aparecía en la vida de Samuel; tenía que ponerse de parte de Dios y oponerse a Elí, que hasta ese momento había sido su guía espiritual.

¡Cuán duro debió ser para ese joven enfrentarse al conocido y viejo predicador, aquel que todos tenían como siervo de Dios y decirle que su vida no era agradable para El Señor!

Qué tremendo desafío para Samuel. ¡La primera palabra que recibe de parte de Dios es de juicio contra el sacerdocio!

Samuel recién empezaba a escuchar a Dios y ya tenía que traer una palabra tan dura para aquel que lo había acogido y lo había ayudado en su proceso de crecimiento.

Hay ocasiones en que la palabra de Dios es tan desafiante que incluso nosotros mismos quisiéramos suavizarla, pero en realidad no es como nosotros queramos decirla, sino como Dios desea que se transmita.

Así como hay ocasiones en que El Señor anuncia bendiciones, multiplicación, crecimiento, misericordia y abundancia, también hay ocasiones en que anuncia juicio, castigo por la rebeldía y la desobediencia, ausencia de su gloria y condenación.

Y no podemos callar esa palabra. Si Dios la está diciendo ¿quiénes somos nosotros para cambiarla, maquillarla o suavizarla?

Tal como la anuncia Dios hay que decirla porque Él quiere que haya arrepentimiento en su casa y santidad entre los suyos.

Aquí está el desafío para los samueles de estos días. Si El Señor te ha levantado, si El Señor te ha dado una nueva vida en Cristo, si El Señor te rescató de una condición de muerte y te ha dado vida, entonces es para que tú seas ahora esa lámpara encendida que trae luz donde hay tanta oscuridad.

John Harold Caicedo

Hoy son días malos como en los tiempos de los jueces, escasea la Palabra de Dios.

Esto quizás represente el estado de muchos que viven una vida al interior de los templos, que aun sabiendo todo, no están corriendo con urgencia para hacer la voluntad de Dios.

Ministrar en el templo, estar en una posición religiosa, no significa necesariamente que estamos agradando a Dios.

Podemos estar en el interior del templo pero literalmente podemos hasta dormir en la presencia de Dios, y no ver que su Palabra escasea, que ya no hay visión, que todo el mundo se está viniendo abajo pero que Dios está llamando aún.

Antes que la lámpara del Señor sea apagada, El Señor llamará de nuevo a alguien dispuesto a mantenerla encendida.

Y si eres tú ¿podrás responder como Samuel: Heme aquí?

Oración:

Aquí estoy Señor Jesucristo con la disposición de seguir tu camino, de hacer tu voluntad y de ser obediente hasta el final. Dame la fuerza cada día de mi vida para no desmayar. Amén.

Trayendo luz en medio de las tinieblas

"Así alumbre vuestra luz delante de los hombres,
para que vean vuestras buenas obras, y glorifiquen a
vuestro Padre que está en los cielos" (Mateo 5:16)

Si sales a la calle vas a ver a miles de seres humanos, hombres, mujeres, jóvenes, adultos, ancianos que están caminando en tinieblas y no lo saben, piensan que están caminando en la luz. ¡Mentira!

Están engañados y van muy tranquilos a un destino de condenación eterna.

Están caminando en oscuridad, son ciegos que tratan de guiar a otros ciegos y al final todos caen al abismo.

Pablo les dijo a los gentiles de Éfeso, ustedes eran tinieblas, mas ahora son hijos de luz, ¡anden como hijos de luz!

Alguien tiene que despertar del sueño para traer de nuevo la luz en medio de tanta oscuridad.

En muchas ocasiones cuando estamos trabajando en consejería, llegan personas que nos dicen: todo está mal, mi matrimonio está mal, mi familia no va para ninguna parte, todo lo que veo alrededor es solo oscuridad.

Y siempre El Señor nos responde de la misma manera. Alguien tiene que traer luz en medio de tanta oscuridad. Alguien tiene que levantarse de ese sueño para tomar el llamado divino y poder dirigir a los demás escuchando la voz de Dios.

Y por eso es muy importante que cada uno de nosotros sepamos que para eso es que El Señor nos ha sacado de la oscuridad en la que vivíamos y nos ha mostrado otra perspectiva, y ahora pasamos del lado del problema al lado de la solución, nos convertimos en seres humanos que ayudamos a producir un verdadero cambio en medio de los nuestros.

Sí, alguien se tiene que levantar de su sueño en este tiempo y traer de nuevo la luz antes que la lámpara se apague. Pero dónde estará esa persona. ¿Estará leyendo este mensaje hoy? ¿Habrá empezado a escuchar en medio de su sueño una voz que lo está llamando?

John Harold Caicedo

El llamado que Dios le hizo a su pueblo en un momento determinado fue: ¡levántate y resplandece!

¿Cómo puedo hacer eso? ¿Cómo puedo resplandecer en medio de tanta oscuridad?

Simplemente "porque ha venido tu luz y la gloria del Señor ha nacido sobre ti" (Isaías 60: 1).

¿Se está abriendo la gloria de Dios dentro de ti? ¿Hay una manifestación cierta de que esa presencia divina está inundando todo tu ser?

Cuando haya un pueblo que pueda reconocer que la gloria de Dios se está manifestando entre ellos de manera especial, este será un pueblo como nunca lo habrá existido, que cumplirá con lo que Dios estableció desde el principio de la creación, se enseñoreará de todo lo creado y tendrá dominio, potestad y gobierno sobre todas las cosas de este mundo y sobre los principados y gobernadores de las tinieblas, obrando en el nombre poderoso de nuestro Señor.

Sí, la luz siempre, siempre vencerá a las tinieblas, siempre.

¿Te estás despertando de tu sueño para traer luz donde se necesita?

El pueblo del Señor está llamado a traer una verdadera revolución espiritual, una transformación para este mundo. Así que ya no esperes más. Levántate de tu sueño, sí, levántate y resplandece.

Oración:

Reconozco tu llamado urgente para que tu pueblo se levante en medio de tanta oscuridad y pueda brillar con la luz que viene de ti, Señor Jesucristo. Permíteme en este día hacerlo con toda intensidad. Amén.

Toma tu lugar

"Y en su vestidura y en su muslo tiene escrito este
nombre: REY DE REYES Y SEÑOR DE SEÑORES"
(Apocalipsis 19:16)

El Señor está tomando su lugar en muchas partes. En muchos lugares del mundo se están levantando aquellos que saben honrarlo y glorificarlo en todas las cosas.

Hace un tiempo atrás, la alcaldesa de Monterrey, Nuevo León en México, recibió a Cristo en su corazón y entonces organizó un acto público y allí proclamó que la ciudad entera era entregada al Señor y que toda la prosperidad que vendría no sería simplemente por causa de las decisiones de la alcaldía, sino por causa de la presencia de Dios en aquella ciudad.

Ella proclamó ante una multitud con valentía la entrega de esta ciudad para Cristo Jesús. Y también dijo que los cristianos debemos dejar de avergonzarnos y de ocultar que somos seguidores de Jesús. Todo lo contrario, que el mundo sepa que tenemos a un Dios vivo que puede transformar las vidas de quienes se acercan a Él, de la misma manera que lo ha hecho y sigue haciendo con las nuestras por su poder y su misericordia.

Los pueblos necesitan ser manejados con sabiduría divina. Cada ser humano necesita buscar al Señor. Las ciudades deben ser entregadas a Cristo para que Él gobierne en ellas.

200 alcaldes de ciudades de Brasil también entregaron las llaves de la ciudad. Pero no a personajes políticos o a gente con dinero, sino al único Rey de reyes y Señor de señores, nuestro Señor Jesucristo.

Y así como se están entregando las ciudades al señorío de Jesús, así mismo debemos entregar nuestros corazones completamente para que Él tome el lugar que le corresponde en nuestra vida.

Sí, pídele hoy al Señor que llegue completamente a tu vida, a tu familia, a tu hogar, a todos los tuyos, pero también a tu comunidad, a tu barrio, a tu lugar de trabajo, a todas partes.

Oremos para que el mundo cristiano se levante hoy para proclamar al que vive y reina para siempre y que Él tome su lugar como soberano de las naciones.

Oración:

Señor Jesucristo quiero pedirte que gobiernes mi corazón, mi familia, mi ciudad, mi nación y el mundo entero. Solo de esa manera habrá esperanza, porque tú eres la única esperanza para este mundo perdido. Amén.

Noviembre

El consuelo de los afligidos

"El que habita al abrigo del Altísimo morará bajo
la sombra del Omnipotente" (Salmo 91:1)

Cuando Jesús empezó su ministerio, ¿a quiénes buscó? ¿A los religiosos? ¿A los que estaban en eminencia? ¿A los que tenían mucho dinero?

No. El buscó a los afligidos, buscó a los desesperados, a los que andaban sin rumbo como ovejas sin pastor, a los oprimidos, a los encarcelados en sus vicios y pecados, a los que carecían de esperanza y de valor. Y no los buscó para juzgarlos o condenarlos, todo lo contrario. Los buscó para ayudarlos a cambiar, para que ya no siguieran viviendo en las mismas condiciones.

El pronunció en la sinagoga las palabras que habían sido dadas por el profeta Isaías siglos atrás y empezó su ministerio: "El Espíritu del Señor está sobre mí, por cuanto me ha ungido". ¿Para qué? ¿Para qué era la unción divina? "Para dar buenas nuevas a los pobres; me ha enviado a sanar a los quebrantados de corazón; a pregonar libertad a los cautivos, y vista a los ciegos; a poner en libertad a los oprimidos; a predicar el año agradable del Señor" (Lucas 4: 18-19).

Es un mensaje de gracia liberadora, de aliento al cansado y de esperanza para el débil y olvidado.

Dios conoce todo lo que ha pasado en tu vida. Cada lágrima que derramaste o cuanto dolor has sufrido. Él sabe si has sido tratado injustamente y si has pasado por momentos de desprecio, soledad y tristeza. Él lo sabe y hoy Él desea reafirmar en tu corazón que nunca se olvidó de ti, que nunca estuviste solo, que aunque Él está sentado en su trono y parece tan lejano, en realidad Él siempre está mirando a los que sufren y lloran, y los trae para reivindicarlos y darles una nueva oportunidad.

Jesús viene con una oferta de descanso y de restauración total. Él llama hoy a los afligidos, a los agotados, a quienes tienen el corazón deshecho y les ofrece un alivio en su jornada, una mano de ayuda, unos brazos en los que pueden refugiarse.

Esa es la obra que Él sigue haciendo en este mundo. Él no se detiene.

John Harold Caicedo

Aún hay muchos afligidos en el mundo. Hay muchos agotados por las batallas de la vida que arrastran sus cansados cuerpos sin encontrar la respuesta.

¡Pero la respuesta ya fue dada! El ofrecimiento se hizo muchos siglos atrás: "Vengan a mí" dijo Jesús.

Él es la respuesta para el alma agobiada, adolorida y angustiada.

¡Sí, en este día tú puedes correr a sus brazos y descansar en Él!

Cualquiera que sea la situación por la que estés pasando, oro al Señor para que hoy puedas contar con la seguridad de la ayuda divina y puedas experimentar el abrazo sanador del Rey de gloria.

Oración:

Me refugio hoy en tus brazos amorosos y descanso de mis angustias y temores. Acepto tu invitación para descansar en tu regazo y me dispongo a vivir un día de tranquilidad en tu presencia. Amén.

¿Y dónde están los remeros?

*"Decid a los de corazón apocado: Esforzaos,
no temáis; he aquí que vuestro Dios viene con
retribución, con pago; Dios mismo vendrá, y os
salvará" (35:4)*

Hubo un capitán que recibió el encargo de llevar su barca a una misión importante. Para ello convocó a todos los remeros experimentados para enrumbar la partida.

Era la hora de partir y nadie venía; de pronto unos empezaron a venir sin sus remos; otros venían con los remos quebrados; otros se excusaron por tener muchas cosas que realizar primero.

Al final, aparecieron unos voluntarios que no tenían experiencia en la navegación, pero querían ayudar al capitán, entonces él les consiguió remos y partieron rumbo a la misión.

En el muelle la gente se preguntaba ¿y dónde están los remeros?

Desde hace mucho tiempo, el Señor ha venido convocando a muchas personas para llevar adelante Su obra; muchas personas han sido capacitadas y entrenadas para asumir tareas; otros han salido a prepararse y asumir un puesto en la barca; sin embargo, hoy cuando la Iglesia necesita de todos ellos para tomar nuevos rumbos, ellos no están, otros no tienen tiempo, otros solo hacen críticas, mientras que otros se quedan mirando la barca en el muelle; algunos expertos se cansaron y no quieren salir a navegar. La convocatoria ha sido hecha en todo momento.

Aquí habría que preguntar ¿y los remeros dónde están?

Muchos nos pasamos pidiéndole a Dios ser usados y cuando se presenta la oportunidad no lo hacemos.

Es indudable que siempre Dios está colocando enfrente de nosotros nuevos desafíos por llevar a cabo. Una iglesia que honre y adore al Señor en todo momento cuenta con su divina presencia y respaldo. Hay toda una obra por realizar y El Señor nos ha estado hablando por mucho tiempo.

Pero llega la convocatoria. Es como si El Señor nos estuviera diciendo: Muy bien vamos a empezar la jornada, vamos a lograr esas grandes cosas que les he puesto delante, es hora de partir del puerto de la comodidad e ir y tomar los riesgos, los retos del mar adentro, pero ¿dónde están los que saben remar? ¿Dónde están los que han sido preparados para enfrentar ese mar difícil y embravecido? ¿A dónde se han ido todos aquellos que he estado preparando a través de todo este tiempo? ¿Están listos para las nuevas jornadas?

Y de repente no están los que deberían estar atentos a ese llamado, no aparecen los que habían sido preparados y dotados para llevar adelante la tarea, así que finalmente El Señor toma a los que están dispuestos, así no sean los más expertos, pero con ellos cruza los mares y llega a buen puerto.

¿Dónde están los llamados por Dios a navegar en aguas más profundas? ¿Acaso no fueron preparados por El Señor para saber cómo enfrentar las tormentas y vencer en los mares embravecidos?

Pregúntate este día: ¿para qué te ha estado preparando Dios?

Es posible que hoy El Señor te esté buscando para lanzarte a la conquista de nuevos océanos y tú eres uno/a de aquellos/as dotados/as para hacerlo. Espero que estés listo/a para responder al llamado divino.

Al fin y al cabo es para este tiempo que Dios te ha estado preparando. No dejes pasar tu momento.

Oración:

Señor Jesús, hoy quiero responder como el profeta Isaías al contemplar la magnificencia de tu trono y de tu grandeza: heme aquí Señor, envíame a mí. Sí quiero ser un instrumento eficaz en las manos del Maestro perfecto. Amén.

Rompiendo barreras de separación

"Y les dijo: Vosotros sabéis cuan abominable
es para un varón judío juntarse o acercarse a
un extranjero; pero a mí me ha mostrado Dios
que a ningún hombre llame común o inmundo."
(Hechos 10:28)

El cristianismo rompió barreras que de ninguna otra manera se hubiera podido lograr.

A través del enunciado de Jesús en su palabra, fue posible que se unieran para adorar en un mismo techo, los que antes eran enemigos acérrimos.

Y esto es uno de los grandes alcances que se logran a través de la vida cristiana, pues aun aquellos a quienes nosotros consideramos que era imposible que Dios los alcanzara, están ahora adorando a Dios a quien antes odiaban.

El cristianismo no levanta muros, ni divide a las personas, el cristianismo une a quienes antes estaban divididos.

A través del Señor Jesucristo los que antes eran enemigos se convirtieron en hermanos, los que antes eran indeseables, se convirtieron en miembros de una misma congregación.

Pedro fue guiado por Dios a la casa de Cornelio, un gentil romano, para predicar el mensaje de salvación y pudo ver con sus ojos que El Señor había roto las barreras de separación que el ser humano había puesto entre unos y otros.

La experiencia de la vida cristiana nos lleva precisamente a manifestar un amor que rompe barreras y destruye muros de separación.

Con Cristo somos un solo pueblo y vivimos para amarlo a Él y a los hermanos.

Oración:

Gracias Amado Redentor por romper las barreras que los seres humanos hemos levantado para separarnos los unos de los otros. Hoy quiero acercarme a los demás para mostrarles el amor que tú has puesto en mi interior por mi prójimo y guiarlos al verdadero camino en ti Jesús, Amén.

Al Dios no conocido

"porque pasando y mirando vuestros santuarios,
hallé también un altar en el cual estaba esta
inscripción: AL DIOS NO CONOCIDO. Al que
vosotros adoráis, pues, sin conocerle, es a quien yo os
anuncio" (Hechos 17:23)

En una ocasión un pastor viajó a Roma y se fue a las calles del Vaticano, la sede papal y empezó a entrevistar a quienes pasaban por allí caminando, haciéndoles una pregunta puntual: ¿Para ti quién es Jesús?

El pastor deseaba conocer la opinión de la gente en relación a su fe.

Recibió tantas respuestas diferentes, que se dio cuenta de que en general, incluso entre los mismos creyentes hay tanto desconocimiento de quién es Jesús, de cuál es su obra, de todo lo que significó su encarnación, su venida a este mundo, su ministerio y el propósito por el cual realizó la obra redentora, que incluso pensó este pastor que se podría colocar un anuncio en la mitad de aquella plaza que dijera: "Al Jesús no conocido".

La historia que está registrada en el capítulo 17 del libro de Hechos, nos dice que Pablo había llegado a la ciudad de Atenas, la capital de Grecia, una ciudad muy importante para la cultura de ese tiempo. De hecho en sus calles, en las sinagogas, en las plazas y en el Areópago, que era una colina donde se congregaba el consejo de la ciudad -lo más granado de esta cultura-, se reunían constantemente para discutir acerca de cualquier cosa y para demostrar la sabiduría que cada hombre tenía en aquel tiempo.

Atenas era el conocido centro intelectual, cultural y religioso del mundo de aquellos tiempos, una de las ciudades más famosas del mundo antiguo.

Pero de una forma irónica, a pesar de tanta sabiduría humana, Pablo fue profundamente abatido porque la ciudad entera estaba entregada a la idolatría. Se decía que había más dioses que hombres en Atenas. No les faltaba la religión, pero no conocían al único Dios verdadero.

La verdad es que esto no es diferente en el mundo actual. Casi toda la raza humana se postra a los pies de ídolos inventados por hombres y hechos por manos humanas. Algunos adoran ídolos de piedra o de madera, cuadros o imágenes; otros adoran los dioses de oro y de plata, de cultura, de artes y ciencias, y podemos reconocer al mirar el mundo actual que hemos llegado a niveles de idolatría realmente impresionantes.

Hay multitudes que hablan de Dios pero no le conocen. Hay sitios dedicados a Él donde no se le adora. Hay personas que se dicen cristianas pero que no cultivan una relación con El Señor.

¿Podremos decir que saben de quién están hablando? ¿Podremos afirmar con seguridad que sus vidas están siendo guiadas por Él y su Palabra santa?

No podemos ser simplemente cristianos de nombre o de apariencia. Necesitamos conocer a Jesucristo y cultivar una vida de dependencia y entrega constantes a Él.

Así como en tiempos de Pablo, también es necesario que el pueblo cristiano se levante hoy en día para proclamar a Jesucristo: El único Dios verdadero.

Ser religioso no significa estar cerca o conocer a Dios. Los griegos eran muy religiosos pero idólatras. Tenían multitudes de dioses pero no conocían al Dios verdadero.

Levántate en este día y proclámale al mundo que Jesucristo es el único camino que conduce al reino de los cielos. Todo lo demás es simplemente idolatría.

Oración:

Reconozco que tú, Señor Jesucristo, eres el único Dios verdadero y eres a quien quiero adorar por siempre. Gracias porque me has dado el privilegio de conocerte y por venir a vivir en mi interior. Amén.

Esperando un avivamiento

"...Oh Jehová, aviva tu obra en medio de los
tiempos, en medio de los tiempos hazla conocer"
(Habacuc 3:2b)

La iglesia puede esperar un avivamiento verdadero solamente cuando un remanente del pueblo de Dios esté desesperado por el estado caído de la iglesia, desesperado por la tibieza dentro de ellos y en todos los que los rodean, desesperados por el pecado y los falsos compromisos, desesperados por el hecho de que Dios no está siendo glorificado, que Él no es realmente Señor de su iglesia, que un mundo moribundo se burla de sus palabras y las considera irrelevantes.

¡Necesitamos volvernos desesperados en nuestras oraciones!

Esto es exactamente lo mismo que sucedió en Pentecostés. Fueron los 120 en el aposento alto, clamando a Dios durante varios días, y después Dios envió Su Espíritu como un viento recio, y los llenó hasta rebosar.

En los últimos 50 años hubo muchos avivamientos poderosos donde Dios derramó Su Espíritu en una manera similar.

Un avivamiento verdadero es la gloria de Dios que viene a la tierra.

Es Su Espíritu que es "derramado" en un lugar o sobre un grupo específico de personas.

Entonces, ¿qué necesita Dios encontrar en el mundo hoy? Simplemente grupos de cristianos "avivados" que puedan empezar a predicar arrepentimiento y orar por un derramamiento del Espíritu de Dios.

Como escribió A.T. Pierson, "Desde el día de Pentecostés, no hubo ningún gran despertar espiritual en ningún país que no hubiera empezado en una unión de oración, aunque sea entre dos o tres no más; y ninguno de estos movimientos continuó cuando estas reuniones de oración se enfriaron".

¡Queremos ver una gran cosecha de almas! Queremos ver el Reino de Dios extenderse en nuestra ciudad, país, continente, como nunca antes.

Únete para clamar por avivamiento por tu ciudad, nación, continente.

Levantemos nuestras voces como nunca antes. Conociendo el tiempo, que es ya hora de levantarnos del sueño; porque ahora está más cerca de nosotros nuestra salvación que cuando creímos.

La noche está avanzada y se acerca el día…

Hoy el mundo y buena parte de las ciudades en que vivimos están en ruinas, la gente está desamparada, perdida, sin esperanza y necesitan ayuda.

Necesitan a Cristo, la manifestación del amor de Dios que puede sanar sus corazones y dar sentido a sus vidas, y el poder que les puede hacer libres de sus adicciones, delitos y pecados.

Necesitamos un derramamiento del Espíritu Santo como nunca antes se ha visto en la historia de este planeta. ¡Necesitamos avivamiento hoy!

Así que únete en oración y entrega constantes. Solo de esa manera el Espíritu de Dios responderá a quienes le buscan y veremos con nuestros ojos el mover del Señor en medio de los que le adoran y le buscan con sincero corazón.

Oración:

Me uno en este día en esa oración ferviente que busca un avivamiento. Anhelo ver el mover poderoso del Espíritu Santo sobre nuestras vidas y los corazones siendo transformados por su poder inigualable. Amén.

Un llamado a la santificación

"pues la voluntad de Dios es vuestra santificación..." (1 Tesalonicenses 4:3a)

Un llamado a la santificación es algo en realidad desafiante para todos nosotros.

Implica cambiar muchas de nuestras actitudes, palabras, hechos, reacciones, muchas cosas que no son del agrado de Dios.

Pero sin duda, El Señor llama a su pueblo a manifestar una consagración tal que pueda hacer una verdadera diferencia en medio de un mundo paganizado y secular.

El Señor desea ver un pueblo santificado, que se tome en serio la palabra de Dios, que se consagre para crecer espiritualmente, que sepa que este mundo necesita de aquellos radicales que con valentía dan pasos hacia la tierra de promesas.

Cuando vemos hoy en día cómo viven nuestras ciudades, cómo se refleja en ellas tanta violencia, tanto crimen, tanta desigualdad, tantos problemas en las familias, tenemos que admitir que aún hay mucho por hacer.

Cada familia disfuncional es un desafío para la iglesia.

Cada joven en problemas es un desafío.

Cada niño que sufre es un desafío.

Y especialmente cada persona que no conoce del Señor es el mayor desafío para la iglesia.

Es hora de caminar en la voluntad divina y de limpiarnos de toda inmundicia para ser aquellos hombres y mujeres que avanzan en el reino de los cielos.

Cuando El Señor envía los mensajes a las iglesias de Asia en el libro de Apocalipsis, Él les dice las cosas que están haciendo bien, pero agrega algo casi para todas ellas: tengo contra ti esto o aquello.

Esas cosas estaban dañando el testimonio de toda una iglesia y había que ponerle atención a esto para corregirlo.

Y eso es lo que El Señor desea seguirle transmitiendo a su iglesia de todos los tiempos.

John Harold Caicedo

Él podría decirnos algo como: Sé que eres un buen creyente, sé que intentas caminar en mis estatutos, sé que me amas y deseas lo mejor para ti y para los tuyos, pero quiero que le pongas atención a ciertas cosas que aún te perjudican y también dañan tu testimonio.

Piensa en tu propia vida por un momento y quizás haya algo que debas poner a cuentas con El Señor. Esto es fundamental para alcanzar una vida de acuerdo a la voluntad divina.

Debemos venir en arrepentimiento delante de Dios reconociendo nuestra condición y buscando siempre ir hacia adelante, creciendo en el amor y la revelación divina.

Debemos levantar una iglesia consagrada, que se aparte, que rompa con lo mundano, que sea celosa de no poner la mirada ni la confianza en ningún otro que no sea Dios.

Debemos pedir al Espíritu Santo que desate el fuego de Dios en medio de su pueblo para que se consagre, que arranque todo espíritu diabólico de vanagloria operando en medio nuestro.

No hay duda que El Señor llama constantemente a su pueblo a santificarse.

De la misma manera que lo hizo en la antigüedad, Él desea hacer grandes maravillas entre los suyos. Pero la orden sigue siendo la misma: "Santificaos".

Oración:

Amado Dios hoy quiero caminar en tu voluntad y buscar la santificación y la pureza de mi alma. Sé que debo presentarme delante de ti como un sacrificio vivo, santo y agradable. Ese es mi anhelo. Amén.

El más grande regalo

*"sino que se despojó a sí mismo, tomando
forma de siervo, hecho semejante a los hombres"*
(Filipenses 2:7)

A uno de los reyes antiguos de Persia le encantaba vestirse como un hombre pobre, así él podía mezclarse con su gente.

Una vez, vestido como pobre, el rey fue a lo profundo del sótano y habló con el hombre que cuidaba la incineración del horno.

El hombre compartió su almuerzo con el rey y ellos hablaron por un buen tiempo.

El rey se gozó tanto la compañía del hombre pobre que regresó muchas veces a platicar y comer con éste. Se volvieron muy buenos amigos.

Un día el rey decidió decirle al hombre quién era él realmente y ver qué le pediría. Y así lo hizo, pero el hombre no le pidió nada. El rey estaba sorprendido y dijo: "¿No te das cuenta de que yo te podría dar cualquier cosa... una ciudad o un trono?"

Pero el hombre contestó suavemente: ¡"Yo entiendo su majestad. Pero usted ya me ha dado el regalo más grande que un hombre puede recibir. Usted dejó su palacio para sentarse aquí conmigo, en este oscuro y solitario lugar. No podría darme nada más precioso. Usted me ha dado su vida y eso es mucho más de lo que yo podría merecer alguna vez."!

¿Puedes imaginar cómo El Señor Jesús dejó la majestad de su trono y de su gloria y se hizo hombre para venir a morir en una cruz por amor de nosotros?

El Señor se despojó de su gloria, vino a este mundo y se hizo como uno de nosotros para inundar de gloria este mundo con su presencia, y los seres humanos hemos recibido el más grande regalo que jamás hubiéramos podido imaginar: la presencia del Dios vivo en medio de nosotros.

Cuando nació Jesús solo algunos humildes pastores escucharon el anuncio de la llegada de Dios. Qué contraste, cuando nace algún hijo de un artista, hasta le pagan millones para que les muestren las fotos y es una celebridad en el mundo, antes de abrir los ojos.

Cuando Jesucristo estaba siendo bautizado, de repente se escuchó una voz del cielo que decía: "este es mi hijo amado en quien tengo complacencia". Y aunque algunos escucharon esa voz, no hubo grandes manifestaciones de nubes, de rayos, de centellas, de estruendos. No.

A pesar de que era el Hijo amado, el Enviado, el Hijo del Hombre, el Mesías esperado, no hubo esas grandes manifestaciones.

Él ha venido a este mundo de manera sencilla y humilde pero su amor traspasa barreras, derriba fortalezas, destruye el pecado, levanta hombres y mujeres con una nueva naturaleza para declararlos como vencedores con Él.

Sí, con Cristo somos más que vencedores y los que le seguimos sabemos que hemos recibido el más grande regalo que hubiéramos podido anhelar.

El que tiene al Hijo tiene la vida. ¿Lo tienes tú?

Oración:

Nunca podré agradecerte lo suficiente Señor Jesús, por haber venido desde los cielos mismos para regalarme tu amor, la salvación y la vida eterna. Mi corazón estará siempre lleno de gratitud por tan grandes bendiciones. Amén.

Cristianos del lugar santísimo

*"acerquémonos con corazón sincero, en plena
certidumbre de fe, purificados los corazones de mala
conciencia, y lavados los cuerpos con agua pura"
(Hebreos 10:22)*

Si bien en el Antiguo Testamento encontramos que solo un hombre completamente purificado podía entrar hasta lo más profundo del tabernáculo, al Lugar Santísimo, y él representaba a todo el pueblo, hoy en día debido al sacrificio de Jesús, al derramamiento de la sangre del cordero puro y sin mancha, nosotros podemos entrar hasta ese mismo lugar que representa el trono de la gracia.

Y entonces surgen las preguntas para los creyentes de hoy en día: ¿si ahora tenemos acceso libre hasta el Lugar Santísimo, por qué tan solo algunos lo hacen? ¿Por qué solo algunos les interesa entrar hasta el trono de la gracia y encontrar las respuestas que tanto anhelan de parte de Dios?

Recibir a Cristo significa que ahora soy miembro de una nueva familia, que ahora camino con la seguridad de su compañía, que ahora soy parte de los pactos de Dios con los suyos, que he recibido, a través de la bendición prometida a Abraham, un linaje bendecido tanto yo como mi familia, que mi ciudadanía está en los cielos y que ahora no soy gobernado por la carne sino por El Espíritu de Dios.

Esto es un cambio rotundo. Esto no es la ligereza de una vida cambiada superficialmente.

Por el contrario, de acuerdo a las palabras del Señor, recibo un corazón nuevo y Él mismo renueva su Espíritu dentro de mí. Ahora puedo clamar Abba Padre, ahora ya no soy un extraño, sino un hijo de Dios, ahora puedo tomar las promesas que Dios da para los suyos, y ahora, especialmente puedo sentir y buscar su gloria, porque la gloria de Dios es solo para los suyos.

Pero entonces si hemos recibido todo esto, si ahora tenemos estos derechos, si nuestra vida ha cambiado de dirección, ¿por qué aún tantos siguen viviendo como si fueran creyentes del Antiguo Testamento y no del Nuevo?

¿Por qué aún siguen viviendo en la religiosidad del Antiguo Pacto, si ahora tenemos un Nuevo Pacto hecho con la sangre de Jesucristo que nos libra de todo pecado, que nos ha dado libertad, que nos ha presentado puros y sin mancha delante del trono de los cielos?

El Sumo Sacerdote antes de entrar en el tabernáculo tenía que hacer toda una serie de cosas para purificarse, pero ahora nosotros en Cristo somos puros, no por lo que nosotros hacemos, sino por lo que Él hizo en la cruz, no por nuestras obras, sino por las obras que Él realizó para darnos una vida libre de condenación y de pecado. Sólo podemos ser lavados de nuestros pecados y renovados para santidad por la sangre de Cristo y el lavamiento del Espíritu Santo.

Por eso ahora somos un nuevo pueblo, un pueblo con esperanza, porque tenemos a un Sumo Sacerdote perfecto que entró una vez y para siempre al Lugar Santísimo y al haber derramado su sangre preciosa en aquel lugar, nos dio la libertad de entrar y disfrutar de su presencia constante.

Desafortunadamente aún muchos creyentes siguen ignorando que ahora nosotros somos esos reyes y sacerdotes que El Señor ha levantado en estos tiempos para que vayamos hasta su lugar secreto y podamos conocer en intimidad al Dador de la vida.

Hoy El Señor te hace una invitación: Acércate con confianza.

Él ganó para ti ese derecho, no vuelvas atrás. Hoy puedes ir delante de Él y presentarte con la confianza que solo pueden tener aquellos que han abierto su corazón a Jesucristo.

Oración:

Gracias Dios bendito por darme, a través de tu muerte sacrificial, el acceso al trono de tu gloria. Al romper el velo, me permitiste llegar a tu presencia en cualquier momento. Este es el día para acercarme con confianza. Amén.

Cristianos del Lugar Santísimo

"Y así dispuestas estas cosas, en la primera parte
del tabernáculo entran los sacerdotes continuamente
para cumplir los oficios del culto, pero en la segunda
parte, solo el sumo sacerdote una vez al año, no sin
sangre, la cual ofrece por sí mismo y por los pecados
de ignorancia del pueblo" (Hebreos 9:6-7)

Cuando Dios mandó a Moisés a construir el tabernáculo en el desierto, Él dio un plan específico a su siervo. Cada detalle fue explicado por Dios directamente y todo tenía un significado muy importante.

Cada cosa dentro del tabernáculo tenía una simbología.

Primeramente debería tener un atrio de entrada. En el atrio estaba el altar del holocausto y la fuente de bronce. Allí se llevaban los animales para ser sacrificados. El atrio significa el lugar de salvación.

Pero es solamente el patio exterior, un lugar donde muchos podían llegar y observar el sacrificio que se hacía con los animales que se traían para la expiación.

En nuestra vida cristiana sería el primer paso de acercamiento al Señor. Significa que aceptamos el sacrificio del Señor y el derramamiento de su sangre.

Es fundamental la salvación, es vital que un ser humano acepte el sacrificio, pero esto no es todo.

Son los que traen sus ofrendas y oraciones pero dicen: no quiero involucrarme más, que se encarguen los líderes, los servidores, los demás, pero yo no deseo ir más allá. Estoy tranquilo, estoy cómodo, no necesito pasar del atrio, eso es para otros.

Es un símbolo de un cristianismo superficial. Es pedir cumplir con los mínimos requisitos posibles para llegar al cielo aunque sea simplemente llamándose cristiano, pero sin jamás servir en una iglesia, sin alcanzar un alma para Cristo, sin ofrecer tiempo y recursos para la extensión del reino de los cielos.

Pero es una forma de cristianismo que solo mira de lejos, que no da crecimiento.

John Harold Caicedo

Más adentro en el tabernáculo se encuentra el lugar santo que simboliza el lugar de servicio al Señor.

En el lugar santo se encontraba la mesa con los doce panes que representa la provisión divina, el candelero de oro con el cual se nos recuerda que debemos ser luz en este mundo y que la iglesia del Señor está llamada a alumbrar en un mundo de tanta oscuridad.

Entrar al Lugar Santo es sin duda un gran paso para los creyentes. Significa que dejamos atrás la comodidad y nos inquietamos por servir. Es el lugar de servicio. Estar allí significa que hemos pasado por el atrio y que hemos comprendido el llamado de Dios para servir en medio de su iglesia.

Sí, es maravilloso servir al Señor, pero aún no lo es todo en la vida cristiana. El llamado para los seguidores de Jesús no está solamente en el servicio, sino en algo mucho más profundo, en buscar su presencia gloriosa. Es por eso que existe aún otro compartimiento en el tabernáculo: El Lugar Santísimo. Este lugar era el único en el que se manifestaba la gloria de Dios. Solo un hombre podía tener acceso a este lugar tan lleno de su presencia en donde estaba el arca del pacto. Pero ahora, gracias al sacrificio de Jesucristo en la cruz, el derramamiento de la sangre del cordero sin mancha, se nos dio acceso al lugar que antes estaba reservado para uno solo. ¿Te imaginas lo que eso significa para nosotros?

Desafortunadamente no todos entran allí. No todos están decididos a buscar de una forma consistente la presencia del Señor. Pero aquellos que lo hacen son los que finalmente cultivan una cercanía con Dios de tal manera que reciben su palabra, encuentran su rostro y son llenos de la gloria divina.

Pregúntate en este día: ¿de cuál clase eres tú? ¿Serás un cristiano del Lugar Santísimo?

Oración:

El anhelo de mi corazón es entrar ante tu presencia y disfrutar de tu compañía. Hoy quiero aprovechar ese privilegio que tú me has dado y que representa estar tan cerca de tu gloria. Amén.

Entrando en su presencia

"Entrad por sus puertas con acción de gracias,
por sus atrios con alabanza, alabadle, bendecid su
nombre" (Salmo 100:4)

El privilegio que tenemos hoy en día los creyentes no lo tuvieron ni siquiera los profetas de la antigüedad.

El libro de Hebreos nos habla que a través de Jesucristo tenemos un mejor pacto, un mejor sacerdocio, un mejor sacrificio, un mejor acceso. Todo es mejor y tiende a lo perfecto.

Hoy es día de renunciar a lo bueno para buscar lo excelente.

El salmista nos invita en el salmo 100 a entrar por sus puertas con acción de gracias y por sus atrios con alabanza, y termina diciendo porque Jehová es bueno; para siempre es su misericordia.

Pero la invitación de hoy es: entrar.

¡No se detengan, entren, vayan a disfrutar de su presencia, hay muchas cosas que nos estamos perdiendo por no entrar por sus puertas y buscar su rostro!

El tabernáculo de Moisés tenía sentido solo si el arca que simbolizaba la presencia de Dios estaba allí. Sin presencia de Dios no hay nada, sin su gloria nada tiene sentido.

Pero después de que el arca se perdió, los judíos siguieron haciendo sacrificios, pero sin la presencia de Dios.

Se volvieron religiosos, solo ritos y liturgias, pero sin Dios.

Te das cuenta de que también nosotros podemos volvernos religiosos, que solo tenemos ritos o liturgias pero sin presencia divina. ¿Para qué? ¿Para qué reunirnos a alabar si El Señor no está presente? ¿Para qué cantar, levantar las manos o derramar lágrimas si Él no nos acompaña? ¿Para qué?

Todo sería inútil, no valdría la pena.

Por cuatrocientos años no hubo palabra de Dios, no hubo presencia del Señor, pero los sacerdotes seguían haciendo sacrificios en el altar. ¿Para qué?

Podemos elaborar cultos muy bien esquematizados, organizados, con lindas canciones, pero si no está El Señor, de nada vale, nada.

Necesitamos tener una mentalidad del Lugar Santísimo, no atarnos a los símbolos, no quedarnos solo con la estructura olvidándonos de la esencia.

¿Has entrado al lugar santísimo?

Afuera no se ve su gloria, afuera no se escucha su voz, afuera no se disfruta de su presencia. Solo los que entran al lugar santísimo son los que gozan del privilegio de escuchar la voz de Dios.

Sí, entra por sus puertas dando gracias y alabando.

Podrás contemplar en plenitud la gloria del Dios Altísimo, y tu vida ya nunca más será igual.

Oración:

En medio de mis actividades diarias sé que tu presencia es real y me fortalece. Saber esto me hace vivir con gozo a cada momento y con la tranquilidad de que tú cumples tus promesas en mí. Amén.

¿Dios en medio de nosotros?

*"Y se le apareció un ángel del Señor puesto en pie a
la derecha del altar del incienso" (Lucas 1:11)*

La Biblia nos habla en el primer capítulo de Lucas que Zacarías era uno de los sacerdotes que estaba encargado del servicio en el templo.

Conforme a la "costumbre del sacerdocio" le tocó en suerte ofrecer el incienso, entrando en el santuario del Señor.

Todo normal, el sacerdote adentro ofreciendo el incienso y todo el pueblo afuera orando.

Un culto normal. Oraciones, lectura de la palabra, quizás algunos cánticos, bendiciones y despedida.

¡Pero de repente algo alteró el servicio! Porque en la agenda no estaba: ¡presencia del ángel del Señor!

No estaba en la agenda de aquella mañana.

Un rito demasiado rígido en el que no se contemplaba que Dios hablara.

Y el ángel del Señor interrumpe ese rito para anunciarle al sacerdote Zacarías: ¡tu oración ha sido escuchada y tu mujer dará a luz un hijo y se llamará Juan! (Lucas 1:13).

"Y tendrás gozo y alegría y muchos se regocijarán de su nacimiento, porque será grande delante de Dios. Será lleno del Espíritu Santo aun desde el vientre de su madre y hará que muchos de los hijos de Israel se conviertan al Señor Dios de ellos" (Lucas 1:14-16).

¿Te imaginas el anuncio que el ángel de Dios le da al sacerdote Zacarías? Tu oración ha sido escuchada.

Algunos hoy necesitan recibir esta misma palabra: ¡tu oración ha sido escuchada!

¡Pero lo más increíble es que Zacarías no creyó en el anuncio del ángel!

Estaban orando por eso, pero cuando vino la respuesta no la creyó. Religiosidad, ritos, liturgias, pero sin presencia de Dios. Zacarías no estaba preparado para la respuesta a sus oraciones y mucho menos para que la presencia de Dios se hiciera evidente en medio del culto que él estaba ofreciendo aquella mañana.

Para él era un día normal como cualquier otro en el que tenía que ofrecer servicio en el templo ¡pero en su agenda no estaba Dios!

Se quedó mudo hasta el día en que su hijo nació. De alguna manera era como si Dios le dijera: ¿no creíste en mis palabras? Ahora yo te voy a quitar las tuyas para que creas.

¿Estamos preparados para que Dios nos hable? ¿Estamos preparados para contemplar su gloria? ¿Y si llega a nuestros rígidos cultos y nos interrumpe el programa?

La iglesia es del Señor. No es de nosotros, ni de ningún pastor, ni de ningún predicador, evangelista, apóstol, profeta, obispo, ángel o arcángel.

No, la iglesia es de Dios y debemos más bien anhelar que haga lo que Él quiera porque es su iglesia.

Él es quien manda y lo que anhelamos con todo nuestro corazón es obedecer lo que Él quiera decirnos.

Así que te pregunto hoy: ¿Estás preparado/a para que Dios se haga presente en medio de tus cultos y los transforme? ¿Estás listo/a para que de repente una palabra dirigida desde el trono de los cielos te hable y cambie tu vida de ahí en adelante?

Prepárate: el ángel del Señor está trayendo buenas nuevas. Que no te sorprenda.

De lo contrario, te vas a quedar mudo/a hasta cuando finalmente tu fe hable por ti y las palabras vuelvan a tu boca.

Oración:

Gracias Señor por hablar a mi vida y responder mis oraciones. Al entender esta verdad tengo cada día más seguridad, sabiendo que tú eres un Dios vivo que escucha y conoce mis necesidades. Amén.

Lo dio todo por ti

*"Y a vosotros, estando muertos en pecados y
en la incircuncisión de vuestra carne, os dio vida
juntamente con él, perdonándoos todos los pecados"*
(Colosenses 2:13)

Danny fue un niño que nació sin sus orejas. Sin embargo podía oír a través de unos agujeros que tenía en lugar de sus orejas.

Creció de esa manera, fue a la escuela, pero le costaba mucho relacionarse con los demás a causa de su deficiencia. Muchos se burlaban de él o lo miraban como si fuera un objeto curioso.

Él trataba de hacer una vida normal pero encontraba dificultades.

Cuando estaba en la secundaria, el doctor le dio las buenas nuevas de que podría recibir un trasplante de parte de un donante y que al ponérselas iba a tener de ahí en adelante una vida normal.

Esa noticia alegró el corazón de Danny y se propuso esperar, pero pasaba el tiempo y no recibía la noticia de un donante.

Un día le llegó el momento de irse de la casa a estudiar a la universidad, así que se despidió de sus padres y se fue después de haberse graduado con honores de la secundaria.

Le sucedió lo mismo que antes. Encontraba dificultades para relacionarse por su condición que lo avergonzaba. Él seguía esperando el trasplante.

Pero un día escuchó una llamada, su mama le decía que al siguiente día tenía que presentarse en el hospital porque había aparecido un donante de orejas y se las iban a implantar inmediatamente.

Él hizo todos los preparativos y efectivamente al día siguiente se le realizó un exitoso trasplante que le quitó para siempre su vergüenza.

Después de la cirugía y cuando le quitaron las gasas se quedó horas mirándose al espejo y contemplando su nuevo rostro. Se veía diferente, era otro, ya no acarreaba la vergüenza en su vida. Ahora podía tener una vida normal y cualquier signo de temor había desaparecido de su vida.

Sin embargo, unos días después recibió una llamada de su madre, le decía que su papá estaba grave y que difícilmente sobreviviría esa noche. Él viajó de urgencia pero cuando llegó su padre había muerto y ya se habían llevado su cadáver.

Dos días más tarde fue el funeral. Su hijo pidió que le abrieran el ataúd para darle el último beso a su padre y cuando lo abrieron y él puso un beso en su frente, descubrió que su padre no tenía orejas.

Era él el donante que le había dado lo que podía para quitarle para siempre la vergüenza de su vida.

De una manera aún más grande, el gran donante, el donante de la vida eterna fue a la cruz y entregó, no sus orejas, sus riñones o sus pulmones, sino su vida entera, para quitarte la vergüenza que caía sobre ti por causa del pecado y permitir que tu vida sea ahora diferente, porque has entrado en el pacto eterno de salvación a través de la sangre preciosa de Cristo que ha borrado tus pecados.

Es a través de Jesucristo como tú puedes entrar en el pacto eterno de Dios. Él es el garante de la bendición eterna. Su sangre bendita selló este pacto en el que te dice que ya no tienes que vivir en la condición pasada, sino que tu vida puede ser restaurada, transformada, porque hay una promesa para todos aquellos que vienen a Cristo y lo reconocen como su Señor y su Salvador personal.

Sí. Él está haciendo una obra perfecta en corazones y mentes, y para siempre nos declara que Él será nuestro Dios y tú y yo y todos los que entramos en sus pactos, todos los que abrimos nuestro corazón a Él, seremos su pueblo. Él lo dio todo por ti. ¿Cómo responderás a ese regalo de amor?

Oración:

Señor Jesucristo hoy quiero vivir en respuesta al amor que recibo de ti, tratando de agradarte en todo, llevando fruto en buenas obras y creciendo en tu conocimiento. Tú lo has dado todo por mí. Amén.

Hasta que la muerte nos separe

"Por tanto, dejará el hombre a su padre y a su
madre, y se unirá a su mujer, y serán una sola carne"
(Génesis 2:24)

Aron Ralston es un hombre que ama el aire libre, caminar y subir en las montañas.

En un día de mayo estaba caminando solo cuando una roca cayó y le atrapó por el brazo.

El peso de la roca y la forma como esta cayó sobre él, hizo que fuera imposible para Aron liberarse y seguir su camino. Durante cinco días esperó por un rescate, pero este nunca llegó.

Frente a la deshidratación y la muerte, tomó una decisión increíble. Tomó un cortaplumas y fue amputando lentamente su propio brazo, liberándolo, lo que le permitió finalmente caminar para salvarse de la muerte.

¿Qué se necesita para llegar a una decisión así?

¿Qué tan desesperado podría estar cómo para cortar un miembro de su propio cuerpo?

Sólo cuando se enfrenta a la muerte un hombre haría tal cosa.

Cuando entendemos la simbología de lo que significa un matrimonio, podemos comprender que el divorcio es de alguna manera también una automutilación. Es la amputación de una parte de nuestro yo. No deberíamos recurrir a ella sino sólo en circunstancias extremas.

Considerar la verdadera profundidad de lo que implica el matrimonio, nos sirve para aprender a luchar por lo que en realidad vale la pena y defender con todo ese regalo divino que hemos recibido.

La promesa «Hasta que la muerte nos separe», o «mientras ambos vivamos» es un pacto sagrado del mismo tipo que Jesús hizo con su novia cuando murió por ella.

Por tanto, lo que hace que el divorcio y el re-casamiento sean tan horribles ante los ojos de Dios, no es solo que involucra la rotura del pacto con el cónyuge, sino que involucra la tergiversación de lo que significa Cristo y su pacto. ¡Cristo nunca dejará a su esposa, nunca!

Habrá momentos en que experimentaremos un doloroso distanciamiento y habrá deslices de nuestra parte. Pero Cristo guardará su pacto para siempre. ¡El matrimonio es la representación!

Es fundamental revisar el diseño divino. Lo que Dios estableció como la unión entre dos personas para que podamos reflejar en nuestra vida diaria la verdad de nuestra fe en la palabra de Dios.

Cuando Dios dijo que haría una ayuda idónea se refería en realidad a un complemento perfecto, a una persona que encaja adecuadamente con otra y juntas llegan a cumplir con los propósitos divinos para sus vidas, y ponen buen fundamento para las generaciones que vienen.

En realidad la unión de dos personas a través de la bendición de Dios establece un pacto mutuo en el que la persona más importante de la vida tiene que ser sin duda alguna, el esposo o la esposa.

En la exclamación alegre de Adán se encuentra el secreto de un matrimonio duradero: "hueso de mis huesos y carne de mi carne".

Es una declaración de pertenencia mutua, de un vínculo que no se puede fragmentar.

Como creyentes debemos hacer todo lo que sea posible para mantener la estabilidad en nuestros hogares, con base en los valores cristianos y pidiéndole todos los días a Dios que dirija cada paso que damos para que no nos alejemos de su voluntad.

Si la familia es la base de la sociedad, ¿qué tipo de fundamento estaremos construyendo hoy en día para las futuras generaciones?

Oración:

Señor amado, te doy gracias por crear esta unión indisoluble en representación de lo que eres tú, como el novio perfecto y tu iglesia como novia ataviada para las bodas del cordero. Amén.

Desesperados

"Afligíos y lamentad, y llorad. Vuestra risa
se convierta en lloro, y vuestro gozo en tristeza.
Humillaos delante del Señor, y Él os exaltará."
(Santiago 4:9-10)

En un mundo que se debate a diario entre lamentos y quejas, qué necesarios son aquellos intercesores que con su fuerza espiritual se levantan a diario para colocar un grano más en la montaña de oración de los santos. La historia le pertenece a los intercesores que son los agentes finales de la victoria sobre la opresión del enemigo.

Nosotros nos conformamos con las cosas menores; nuestras iglesias y reuniones de oración se convierten en reuniones para conversar o comentar cosas, pero no desafían los poderes malignos ni rompen las estructuras de poder del enemigo porque carecen de profundidad en nuestro ser.

Los predicadores antiguos de avivamiento hablaban de tener el "espíritu de oración".

Ellos hablaban de llorar, agonizar, clamar, luchar, "tener dolores" en oración.

La razón por la que estos predicadores de avivamientos eran tan ungidos y saturados con la presencia de Dios, fue que ellos habían realmente llegado de frente a Su trono en la oración, y habían pasado mucho tiempo teniendo comunión con Él allí. Este tipo de oración ha siempre sido una de las claves más importantes para un verdadero avivamiento.

Como demuestra la historia, la iglesia puede esperar un avivamiento verdadero solamente cuando un remanente del pueblo de Dios se DESESPERA por el estado caído de la iglesia, por la tibieza dentro de ella y en todos los que los rodean, desesperados por el pecado y los falsos compromisos, desesperados por el hecho de que Dios no está siendo GLORIFICADO, que Él no es realmente SEÑOR de Su iglesia, que un mundo moribundo se burla de sus palabras y las considera irrelevantes.

El avivamiento vendrá cuando el pueblo de Dios se humille verdaderamente.

Como se decía de Evan Roberts: "Él se quebrantaba, llorando amargamente ante Dios para que Él les doblegara ante Él en una agonía de oración, con lágrimas corriendo por sus mejillas, con todo su cuerpo encorvándose de dolor." - Y John Wesley preguntó: "¿Tiene usted días de ayuno y oración? Asalte el trono de la gracia y persevere allí, y misericordia vendrá de lo alto."

Sí, ¡necesitamos volvernos DESESPERADOS en nuestras oraciones!

¡Queremos ver una gran cosecha de almas! ¡Queremos ver el Reino de Dios extenderse en nuestra ciudad, país, continente como nunca antes!

Únete para clamar por avivamiento por tu ciudad, nación, continente. Levantemos nuestras voces como nunca antes. Conociendo el tiempo, que es ya hora de levantarnos del sueño; porque ahora está más cerca de nosotros nuestra salvación que cuando creímos. La noche está avanzada y se acerca el día…

Hoy el mundo y buena parte de las ciudades en que vivimos están en ruinas, la gente está desamparada, perdida sin esperanza y necesitan ayuda. Necesitan a Cristo, la manifestación del amor de Dios que puede sanar sus corazones y dar sentido a sus vidas, y el poder que les puede hacer libres de sus adicciones, delitos y pecados. Necesitamos un derramamiento del Espíritu Santo cual nunca antes se ha visto en la historia de este planeta. ¡Necesitamos avivamiento hoy!

Únete y oremos juntos. Dios siempre responde a quienes le buscan con sincero y genuino corazón.

Oración:

Mi oración en este día es por el despertar de tu iglesia Señor Jesucristo. Tú estás edificando una iglesia gloriosa sin mancha ni arruga y nosotros como parte de esa iglesia tenemos la responsabilidad de buscar constantemente la presencia del Espíritu Santo y el avivamiento que transforme las vidas. Amén.

Sígueme

*"Y al pasar, vio a Leví hijo de Alfeo, sentado al
banco de los tributos públicos, y le dijo: Sígueme. Y
levantándose, le siguió" (Marcos 2:14)*

Hay dos prejuicios en contra del cristianismo que mantienen a muchas personas alejadas de las iglesias cristianas y alejadas del Señor.

Por un lado hay aquellas personas que ven la iglesia como una especie de club para gente buena y decente, y en ese mundo estas personas no encajan. Ellos piensan que en el mundo de estas personas, que se supone tienen un muy alto estándar moral, ellos se encuentran al otro lado, no es su mundo, no es su condición, no están ni siquiera cercanos a tanta santidad e integridad. Y como suponen que las iglesias están llenas de ese tipo de personas, es obvio que ese no es su mundo, ellos no tienen nada que buscar allí.

Del otro lado hay personas que tienen un prejuicio exactamente opuesto. Ellos creen que los únicos que necesitan el evangelio son los que han tenido una vida abiertamente pecaminosa y problemática, y ellos no se ven así. Ellos dicen, yo soy bueno, no le hago mal a nadie, yo no soy tan pecador como el asesino, el violador, el vicioso, así que eso no es para mí, eso no me corresponde, mi vida no es la de la iglesia.

¿Así que cuál es el panorama entonces?

A un lado están aquellos que se abstienen de ir a la iglesia porque suponen que las iglesias están llenas de personas muy buenas y decentes, y ellos son muy pecadores; y por otro lado están las personas buenas y decentes que tampoco van a la iglesia porque suponen que la iglesia está llena de personas malas e indecentes, y el evangelio no es para ellos, es para los drogadictos, los alcohólicos, para las prostitutas, los ladrones, los políticos corruptos, pero no para ellos.

¡Sin embargo ambos grupos están completamente equivocados!

El Evangelio son las buenas nuevas de salvación. Cada ser humano que puebla este mundo necesita escuchar este mensaje, independientemente de cuál haya sido su pasado.

El Evangelio es el poder de Dios para salvación (Romanos 1:16) y todos necesitamos conocerlo.

Es mi oración que tus oídos estén abiertos para que escuches el mensaje que te lleva a la vida eterna.

Y si ya lo conoces, entonces compártelo, para que otros también sean alcanzados por el mismo evangelio que cambió tu corazón.

Oración:

Hoy quiero recibir esas buenas nuevas que a diario vienen desde los cielos para el creyente. Al recibirlas quiero convertirme en portador/a de las mismas, para que este evangelio finalmente alcance a todas las naciones. Amén.

Testigos

"pero recibiréis poder, cuando haya venido sobre vosotros el Espíritu Santo, y me seréis testigos en Jerusalén, en toda Judea, en Samaria, y hasta lo último de la tierra" (Hechos 1:8)

Cuando un accidente sucede en algún lugar del mundo, llegan dos clases de personas. Por un lado llegan los paramédicos para ayudar a las víctimas. Ellos vienen con el único objetivo de ayudar al que lo necesita, auxiliarlo y llevarlo a un hospital si es necesario.

Pero por otro lado, también llega la policía para investigar lo sucedido y además para buscar testigos.

¿Por qué buscan testigos? Porque ellos pueden decir lo que vieron y oyeron.

Un testigo es aquel que tiene un relato que contar porque ha estado presente en algún acontecimiento y puede dar fe de lo que ha sucedido.

Así mismo en las cortes se cita a personas que testifiquen a favor o en contra de quien está siendo procesado, de tal manera que las personas que no conocen los pormenores de la situación, puedan conocerlos por la boca de quienes asisten como testigos del caso.

Por eso es fundamental que quien sirva como testigo sea veraz y no manipule de ninguna manera la verdad que es necesario conocer.

En el libro de Apocalipsis, Jesús es descrito en el mensaje a Laodicea como el testigo fiel y verdadero. Él es veraz y nunca miente. Él siempre cumple lo que promete.

Los discípulos de Jesús declararon en algún momento: no podemos parar, no podemos detenernos de decir, de proclamarle al mundo entero, lo que hemos visto y oído.

Ellos fueron los testigos de la resurrección de Cristo, de su poder manifestado, de la misericordia que Jesús entregaba, del amor sacrificial que lo llevó a la cruz, de la entrega del Señor y su obediencia hasta la muerte en la cruz. Ellos vieron al Señor predicando el mensaje del arrepentimiento y del anuncio de un nuevo reino. Por todo lo que ellos vieron y oyeron, no podían detenerse de contarle al mundo acerca de estas maravillas.

Pero también El Señor nos ha encargado, a cada uno de los creyentes, a ser testigos.

Y si El Señor nos envió a todos los creyentes a ser testigos, significa que ¡hay algo que podemos testificar!

¿Es así o no? y entonces te pregunto: ¿Qué es lo que estás testificando? ¿Qué es lo que ya tienes dentro de ti que ahora puedes compartir con los demás con total convencimiento?

Si tú aún no estás completamente convencido de que el evangelio es poder de Dios para salvación, entonces ¿qué es lo que vas a compartir? ¿Un concepto simplemente? ¿Una tarea que tienes que cumplir? No, esa no es la manera de ser testigos. Un testigo es uno que ha visto o ha oído y tiene algo que contar a los demás.

¿Has visto lo que Dios ha hecho en tu vida? ¿Has visto cambio en tu corazón que antes tendía siempre al mal pero que ahora te invita a hacer lo bueno? ¿Has aprendido a escuchar la voz de Dios?

Sí, cada creyente tiene un llamado de parte de Dios. Somos los encargados de decirle al mundo que tenemos a un Dios vivo que tiene el poder para llevarnos de muerte a vida y que por su obra en la cruz del Calvario nos ha hecho libres de condenación y ha cambiado nuestro destino eterno.

No hay duda, tampoco nosotros podemos detenernos de decir lo que hemos visto y oído.

Oración:

Así es mi Señor. Hoy quiero ser un testigo fiel de tu obra en mí. Hoy quiero proclamar la verdad del evangelio que es poder de Dios para salvación y la verdad de tus promesas que me sostienen a través de todos los tiempos. Amén.

Caminando con Dios

"Y comenzando desde Moisés, y siguiendo por todos los profetas, les declaraba en todas las Escrituras lo que de Él decían" (Lucas 24:27)

En la historia de los discípulos de Emaús, recordamos que ellos iban hacia una aldea y Jesús resucitado empieza a caminar a su lado, pero ellos no le reconocen.

Se establece una muy interesante conversación: ¿eres el único forastero en Jerusalén que no has sabido las cosas que han acontecido en estos días? ¡No lo pueden entender!

Y Jesús como para complementar ese diálogo se hace el desentendido y pregunta: ¿Qué cosas?

Los dos discípulos caminan tristes pensando en lo que ha sucedido y la esperanza que se ha perdido con la muerte de Jesús. Dijeron al extraño que este Jesús: "fue un profeta, poderoso en palabra y obra ante Dios y todo el pueblo". "Él fue...-"

Ellos solo pueden hablar de alguien que fue, pero no de alguien que es.

Su experiencia con Jesús fue en el pasado y pensaron que ahora estaban solos.

¿Sabes lo que hay en un corazón que solo tiene a Jesús en el pasado?

Hay muchos que tuvieron una experiencia con Jesús en el pasado. La palabra les habló y caminaron al frente, levantaron sus manos, abrieron sus corazones y la evidencia de Jesús en ellos fue real.

Pero pasó el tiempo y todo quedó atrás. Lágrimas de arrepentimiento que ya no volvieron a aparecer, revelación de la palabra que conmovía las entrañas, pero que ahora se cambió por rutina de domingos, todo se volvió tan normal y no hay un sentir interior que los haga vibrar.

Son los siervos de un Dios del pasado. Son los caminantes que van sin esperanza porque El Señor ya no está presente en sus vidas. No tienen el gozo vibrando en su interior sino que más bien su caminar es de resignación y de rutina.

El problema no es de Jesús. Él sigue caminando a su lado, pero no lo pueden ver, ni experimentan el poder de su presencia.

Y entonces empiezan a preguntarse: ¿seguiremos esperando? Pensamos que Él era, pero ahora ya no está, se fue, murió en la cruz. ¿Seguiremos esperando?

Esa es la misma pregunta que muchos se siguen haciendo en nuestros tiempos: ¿Seguiremos esperando?

¡Pero la respuesta ya fue dada! Jesús es El Mesías y no hay otro. No tienes que esperar, lo único que tienes que hacer es abrir tu corazón, para que Él venga a habitar en ti.

Jesús es El Señor. Él sigue haciendo su obra. Él es el anunciado de todos los tiempos. Él es poderoso y no hay quien lo pueda igualar. Él es el Alfa y la Omega, el que tiene las estrellas en su diestra, el primero y el postrero, el que tiene ojos como llama de fuego, el Santo, el Verdadero, el que tiene la llave de David, el que abre y ninguno puede cerrar, El que cierra y nadie puede abrir, el Amén, el testigo fiel y verdadero, el principio de la creación de Dios, el verbo hecho carne, El Cristo, el Hijo del Dios viviente.

Con Cristo se abrieron los cielos, con su muerte se rasgó el velo, con su amor fuimos declarados libres de pecado, con su victoria sobre la muerte también para nosotros se ha declarado la resurrección.

Sí, Él es el que habría de venir, el proclamado por los profetas.

Y lo más importante es que ese majestuoso y poderoso Dios camina a tu lado todos los días aunque tú no lo puedas ver.

Oración:

Es mi oración que nuestros ojos sean abiertos y podamos descubrir que Cristo, El Rey de gloria, está con nosotros en este instante, en todo momento y nunca nos dejará. Amén.

El Dios de los imposibles

*"He aquí que yo soy Jehová, Dios de toda
carne; ¿habrá algo que sea difícil para mí?"
(Jeremías 32:27)*

Unos padres contaban este testimonio: Tenían una niña de 3 años que un día fue infectada con una bacteria. Era una bacteria letal que al instalarse en algún órgano lo destruía.

La bacteria se instaló en el pulmón y lo carcomió completamente.

Los médicos dijeron: "no hay nada que hacer, esto es mortal", pero los padres empezaron a orar con toda fe. El nombre de la niña era Fernanda, y Fernanda significa guerrera.

Así que los padres oraban diciendo: "tú eres una guerrera, vas a vivir, tienes mucha vida por delante, no te vas a ir ahora, sigue luchando".

Los médicos le hicieron una cirugía muy difícil y le sacaron el pulmón podrido y le dijeron a los padres que las cosas se habían complicado por lo tanto lo mejor era llevarse la niña para su casa para que muriera tranquila en su hogar. Los padres fueron delante de Dios apelando a los propósitos divinos y creyendo en las posibilidades que solo Dios puede tener.

Los médicos antes de llevarse la niña a la casa decidieron hacerle un último chequeo y cuando esto sucedió se armó allí en aquel lugar una gran conmoción. Uno de los doctores salió del lugar de los exámenes completamente pálido sosteniendo con una mano el pulmón podrido y con la otra unos rayos X.

No sé qué es lo que ha sucedido, dijo el doctor, no puedo explicar esto, pero aquí tengo el pulmón podrido, ¡pero en esta mano tengo el último examen que dice que esta nena tiene dos pulmones completamente nuevos y no lo podemos explicar! ¡No lo podemos explicar!

Por supuesto, nadie puede explicar un milagro divino. La ciencia con todo su conocimiento es incapaz de dar respuestas a un hecho tan maravilloso. La sabiduría humana siempre se quedará corta ante la evidencia de la obra sobrenatural.

Pero la pregunta para ti es: ¿crees que en tu vida también pueden suceder esta clase de milagros? ¿Sigues creyendo en ese Dios poderoso?

Los médicos dijeron: No podemos explicar esto, pero aunque ella sigue viviendo, va a tener muchos problemas, no va a poder viajar en aviones, no va a poder correr, no va a poder hacer las cosas que los demás hacen.

Sin embargo cuando Dios hace algo, lo hace perfecto.

Esa jovencita siguió creciendo completamente sana. Sus padres, cuando intercedieron por ella en esos momentos de angustia, habían dicho: "tú no te puedes morir porque un día vas a crecer y vas a ser la esposa de un hombre de Dios" y hoy en día, aquella niña de ese entonces, es la esposa de Marcos Brunet el adorador y cantante de música cristiana que está causando impacto en el mundo, como un instrumento de Dios y una voz profética para las naciones.

¿Crees tú en ese Dios de milagros?

Si lo crees, también para ti en este día, Él se puede manifestar con el mismo poder.

Cree en Él. ¿Habrá algo difícil para Dios?

Oración:

Reconozco Señor Jesucristo que tú eres todopoderoso y que no hay nada difícil para ti. Hoy puede ser el día del milagro que he esperado y desde ahora mismo te doy gracias por tu poder a mi favor. Amén.

Antes de partir….

*"Estas cosas hablo Jesús y levantando los ojos al
cielo, dijo: Padre, la hora ha llegado, glorifica a tu
Hijo, para que también tu Hijo te glorifique a ti."*
(Juan 17:1)

Las horas previas a la muerte de Jesús estuvieron llenas de intensas emociones.

Era el momento señalado. Atrás quedaron los años de ministerio de El Señor que cambiaron para siempre a la humanidad. Milagros, parábolas, enseñanzas, sermones llenos de sabiduría, mensajes inspirados llenos de poder espiritual y demostración permanente de fidelidad al Padre, quedaron como un regalo de amor, como una herencia invaluable de nuestro Señor para todo aquel que desee recibirlo. Su entrega voluntaria estaba por llevarse a cabo y en el aposento alto en compañía de sus discípulos, se disponía a consumar una obra sin igual en el mundo, que lo iba a conducir a la cruz y a la resurrección.

Al levantar los ojos al cielo, Jesús muestra reverencia y sujeción al Padre, y pone de manifiesto para los hombres, la consumación de su obra en armonía con los deseos de Aquel que lo envió. No son solo palabras que se expresan en un momento de emoción sin igual, sino expresiones propias del corazón del Redentor, de Aquel que nos amó hasta el final.

Al proclamar el cumplimiento del tiempo para ser sacrificado, Jesús ora con gran intensidad por aquellos hombres que lo han acompañado en su corto ministerio.

Desde cuando los llamó a ser pescadores de hombres hasta ese instante, había sucedido una gran transformación en cada uno de ellos.

El amigo amado preparaba su partida mientras los hombres angustiados podían mirarse a las caras, preguntándose el porqué del abandono, de la inesperada ausencia de su Maestro, de su voluntaria entrega en manos enemigas y del final de un ministerio que cambió para siempre sus vidas.

En sus caras entristecidas se dibujaba la frustración, pero las palabras de Jesús eran llenas de esperanza; en sus corazones moraba el pesar, pero en la oración del Señor había una nueva vida; en sus ánimos cundía la desilusión, pero Jesús les enseñó que detrás de todo ello estaba el cumplimiento de la voluntad del Padre y la redención de la humanidad.

Jesús pensaba no solo en aquellos momentos en los cuales compartía con sus más cercanos amigos, sino que su visión ya estaba puesta en todo lo que habría de suceder más adelante.

Él miraba un mundo necesitado, sin esperanza y con el peso del pecado en quienes no podían creer en Él. Miraba las necesidades de hombres y mujeres sujetas a sus pasiones y vacíos de espiritualidad. Miraba rostros angustiados, niños abandonados, ancianos viviendo en soledad, pero especialmente Él veía un mundo sin conciencia de pecado, y perdido en sus propias vanidades con los valores trastornados y entregados al egoísmo y la falta de fe.

Por eso Él no se detiene, Él mira más allá de la cruz y ve completamente la obra de la redención consumada.

El mundo en el que vivimos hoy en día es desafiante y difícil de confrontar, pero todos los que hemos creído en Jesús, mantenemos siempre una esperanza viva.

Antes de partir Él pensó en ti, fue a la cruz y entregó su vida. Hoy tú puedes leer esto y regocijarte porque Jesús cumplió hasta el final y te dio una nueva vida en Él.

Disfruta tus privilegios, eres hijo/a de un Dios lleno de amor y de misericordia.

Él te ama y nada te podrá separar de su inmenso amor.

Oración:

Te doy gracias Señor en este día por darme tanto amor. Tu obra perfecta ha hecho de mí una nueva criatura que ahora anhela cumplir con los propósitos por los cuales tú te sacrificaste en la cruz. Amén.

Edificando sobre buen fundamento

"Descendió lluvia, y vinieron ríos, y soplaron
vientos, y golpearon contra aquella casa; y no cayó,
porque estaba fundada sobre la roca" (Mateo 7:25)

En Colombia existe un extenso territorio que es casi imposible de penetrar. No pueden construir carreteras. Es uno de los lugares más inhóspitos del mundo donde llueve casi a diario y si alguien se aventura a caminar por allí, existe la posibilidad que se encuentre con arenas movedizas, terrenos pantanosos, lugares en donde no se puede habitar por su condición extrema.

A nadie le gustaría irse a vivir allí donde ni siquiera se puede caminar seguro, ni se puede vivir con confianza, ni se puede hacer caminos para ir en auto, ni tener ganado, ni nada de eso.

Debido a tanta lluvia que cae, se ha hecho imposible, inclusive para ingenieros muy prestigiosos, construir carreteras. Es por eso que es la única parte de todo el continente donde se tuvo que cortar la carretera panamericana que uniría a América de norte a sur.

¿Por qué es tan imposible construir en aquel lugar o hacer una carretera?

Precisamente por la clase de terreno donde no hay un fundamento firme sobre el que se pueda establecer bases sólidas que resistan lo que se quiere construir. Para edificar algo sólido, se necesita siempre de un buen cimiento a partir del cual se pueda hacer lo demás.

La construcción de un edificio no empieza hacia arriba sino hacia abajo, es decir que primero se explora el terreno, se cava profundamente, se hacen los cimientos que deben ser muy fuertes, y entre más alto el edificio, más profundo se debe cavar y más fuertes tienen que ser esas bases.

Esta ilustración no es buena únicamente para carreteras o terrenos. También es importante para la vida de cada ser humano. Hoy en día hay millones de seres humanos intentando edificar sus vidas sobre terrenos fangosos, sobre terrenos que no son aptos y lo peor es que creen que lo están haciendo bien, pero en realidad sus vidas pueden verse sólidas o aparentemente bien formadas por encima, pero débiles y frágiles en el fundamento.

John Harold Caicedo

En ocasiones escuchamos de personas que supuestamente estaban bien en todas las cosas y de pronto sin que nadie lo imaginara se suicidan. O matrimonios que parecían llevarse magníficamente y de un día para otro anuncian que se están divorciando. Relaciones que se rompen por un simple rumor e incluso personas que asisten a una iglesia y aparentemente tienen una muy buena vida espiritual, pero de repente se alejan de Dios y no vuelven a pisar una iglesia.

Fragilidad en su fundamento. Vidas edificadas sobre terrenos que no son confiables.

Jesucristo estableció que hay quienes edifican sobre buen terreno y hay quienes lo hacen sobre un terreno que no es apropiado. Siempre hay esas dos clases de personas, de eso no hay duda.

Lo que tenemos que pensar cada uno de nosotros entonces es precisamente sobre qué fundamento estamos edificando nuestra propia vida.

No se trata de saber si las tormentas vendrán o no en nuestras vidas, porque de seguro vendrán, sino de lo que se trata es saber si resistiremos o no al paso de esas tormentas.

¿Cómo estás edificando tu vida? ¿Estás edificando tu vida sobre fundamento firme?

Este es un buen día para meditar en esto. Si tu vida está edificada sobre un buen fundamento, entonces podrás sobreedificar con seguridad y no caerás ante las tormentas.

Oración:

Bendito Salvador, el fundamento de mi vida eres tú. El cimiento sólido de mi fe y mi esperanza están dados por tu palabra y cada una de las promesas que me ayudan a vivir con fortaleza. Amén.

Mirando hacia adelante

*"Porque mis pensamientos no son vuestros
pensamientos, ni vuestros caminos mis caminos, dijo
Jehová" (Isaías 55:8)*

En un día determinado El Señor le cambió a Abraham el cimiento que tenía hasta ese momento en su vida. "Vete de tu tierra y de tu parentela" porque yo te voy a mostrar algo mejor para tu vida, le anunció El Señor.

Así mismo hizo con Moisés cuando se le apareció en una zarza y le nombró como el libertador de su pueblo. De ser un desconocido a llegar a ser considerado como el héroe de los judíos, el principal personaje de su historia y quien fue encargado por Dios para traer la ley para todo el pueblo.

Estos hombres, así como muchos otros personajes de la Biblia, empezaron a vivir sobre una palabra que había sido dada por Dios directamente. De ahí en adelante sus decisiones, sus acciones, sus pensamientos, estaban siempre motivados por el cimiento de la palabra que había salido de la boca de Dios y que dirigía sus destinos hacia algo mejor.

El Señor siempre está cambiando vidas. Él sigue moviendo a quienes ha llamado.

A David lo transformó de un sencillo pastor de las ovejas de su padre, a ser considerado el más grande rey de Israel en todos los tiempos.

A Ester la convirtió de una simple y desconocida mujer del pueblo de Israel a ser la reina en la corte más poderosa de ese entonces.

Por eso tienes que estar preparado/a para asumir nuevos retos y propósitos que El Señor va a colocar en tu vida, porque Él está buscando a aquellos que van a ser útiles en su reino.

Así que hoy hazte una pregunta muy personal: ¿Cuáles son las convicciones que te motivan? ¿Qué es lo que en realidad ocupa tu pensamiento en mayor proporción?

Porque de aquí se van a derivar tus acciones, tus palabras, la forma cómo afrontas la vida día a día.

Es posible que muchos tengamos que pensar ahora que quizás estamos hoy en día pagando las consecuencias de malas decisiones y de haber edificado nuestras vidas sobre un fundamento débil.

Pero lo maravilloso de la gracia divina es que cambia de perspectiva nuestra vida y en lugar de hacernos mirar hacia atrás para acusarnos de nuevo, nos permite mirar hacia adelante para llenarnos de una nueva esperanza, porque a través del Señor podemos tener una nueva vida y un nuevo fundamento.

¿Qué te ha dicho Dios en este día? ¿Hacia dónde quiere dirigir tus pasos?

Siempre que El Señor llama, lo hace con propósitos mejores que los nuestros, porque Él siempre tiene pensamientos de bien para los suyos.

Hoy es un día de mirar hacia adelante donde Dios te está llevando. Aunque quizás no comprendas hoy cada paso que estás dando, al final sabrás que era lo mejor para tu vida.

Oración:

Señor Jesús, hoy miro hacia adelante con gozo y esperanza. Tú has cambiado mis motivaciones y el sentido de mi vida. Ahora vivo para glorificarte por tu obra perfecta y sé que caminaré contigo por la eternidad. Amén.

Dos vidas, dos fundamentos

"pero el pueblo no quiso oír la voz de Samuel,
y dijo: No, sino que habrá rey sobre nosotros; y
nosotros seremos también como todas las naciones, y
nuestro rey nos gobernará" (1 Samuel 8:19-20)

La Biblia nos habla de dos personajes, dos vidas que fueron muy importantes para el pueblo de Israel. De hecho fueron el primero y el segundo de los reyes de este pueblo.

Pero a pesar de haber tenido los dos la corona sobre sus cabezas, no supieron manejar este privilegio de la misma manera. ¿Por qué? ¿Por qué dos hombres que tenían el respaldo divino, que eran reconocidos por el pueblo y amados, que estaban dotados de todo lo posible para reinar adecuadamente, tienen dos formas tan diferentes de hacer las cosas, y al final la historia habla del primero como un hombre que terminó muy mal, habiendo sido quitado por la misma mano de Dios, pero del otro habla como el más grande rey de Israel de todos los tiempos?

La historia nos dice en el primer libro de Samuel que el pueblo pidió un rey y le comunicó ese deseo al profeta Samuel. ¿Por qué querían un rey?

El deseo del pueblo era parecerse más a los demás pueblos que los rodeaban. ¡Qué impresionante esto! ¡Tenían a Dios como su rey, su guía, su libertador, su gobernador, pero ellos querían parecerse a los pueblos paganos y confiaron más que un hombre podía llevarlos a la victoria en las batallas, en lugar del mismo Dios que los había llevado hasta ese momento!

El rey que pedían significaba un desprecio para Dios mismo. De hecho cuando Samuel se quejó delante de Dios por el pedido del pueblo, El Señor le dijo: "no te preocupes Samuel no te desprecian a ti, me desprecian a mí."

Saúl fue elegido como rey, como producto del desprecio hacia El Señor. Y sin embargo Dios lo respaldó, El Señor lo llenó con su Espíritu e incluso llegó a profetizar como lo hacían los profetas de ese tiempo.

La diferencia entre David y Saúl no fue que el uno cometió errores y el otro no. La diferencia en realidad fue fundamentar sus vidas sobre principios diferentes.

Saúl, a pesar de haber empezado muy bien, más adelante cambió completamente y tomó decisiones a partir de su propio orgullo y autosuficiencia. Llenó su vida de soberbia.

David se fundamentó en el principio correcto, su fundamento era El Señor. Cometió muchos errores, pero una y otra vez volvió al Señor porque no podía vivir separado de Él.

Saúl empezó a mirarse a sí mismo y tomaba las decisiones de acuerdo a lo que él anhelaba, incluso Dios le ordenó que no tomara los animales del enemigo, pero él le hizo más caso al pueblo que opinó lo contrario y además, no quiso esperar al profeta Samuel para realizar los holocaustos y representar las ofrendas, sino que él tomó el lugar que no le correspondía delante de Dios trayendo ofensa hacia El Señor.

En cambio David cuando sentía que había hecho algo que ofendía al Señor, corría en arrepentimiento y buscaba al Señor clamándole por perdón y por su presencia.

El fundamento de la vida de David fue siempre buscar la presencia de Dios en su vida y no había nada más importante para él que estar con El Señor.

Dos vidas, dos hombres con coronas sobre sus cabezas pero dos fundamentos diferentes. ¿Cuál es el tuyo?

Oración:

Gracias Dios por enseñarme a través de las vidas de Saúl y David cual debe ser el fundamento real de mi vida. Sé que, aunque cometa muchos errores, siempre puedo volver a ti y abrigarme en tu misericordia, como lo hizo David. Amén.

Cristo es la roca

"Él solamente es mi roca y mi salvación; es mi refugio, no resbalaré mucho" (Salmo 62:2)

Hoy en día el común de las personas piensan más en sí mismas que en agradar a Dios.

Están basando sus vidas sobre sus propios deseos, sobre sus propios caprichos personales, sobre lo que los hace sentir bien, pero dejan de lado un sentido de entrega, de dar antes que recibir, de esforzarse por dar la milla extra, de tomar la cruz que El Señor nos ha llamado a llevar para seguirlo.

Ese fundamento es demasiado endeble. Eso es precisamente lo que Jesús decía de edificar sobre la arena. Eso es poner cimientos que se caen ante la primera tormenta, porque se están levantando generaciones de seres humanos que no saben cómo afrontar los problemas de la vida y que se derrumban ante el primer desafío.

Cuando nos miramos a nosotros mismos en relación a lo que Dios anhela para nuestras vidas, descubrimos que el egoísmo y el materialismo nos han llevado a separarnos del Señor.

El problema es que aún hay muchos seres humanos que no creen que son así y piensan simplemente que son buenos y si son buenos, entonces no necesitan de un Salvador.

Hasta tanto tú no entiendas que de verdad eres un pecador y que lo que dice la ley de ti es cierto, entonces tu fundamento seguirá siendo el concepto humano pero no el concepto divino.

¿Para qué un salvador si no lo necesito? ¿De qué necesito ser redimido si no tengo nada de que ser perdonado?

Entonces el fundamento de mi vida seguirá siendo el concepto orgulloso que tengo de mí mismo y la única justicia que funciona es mi auto justificación.

Pero entonces, Jesús viene a este mundo y nos dice: "sí, la ley dice esto de cada uno de ustedes, pero qué les parece: yo vengo a ser el cumplimiento de la ley, el que crea en mí, ya no será juzgado con base en su propio concepto de justicia sino en mi justicia que es perfecta y extiende sus manos de amor para otorgarte la redención eterna".

Al abrir mi corazón a Jesús recibo todos los beneficios que implican el ser ahora un hijo de Dios.

Esto es un cambio rotundo en la forma cómo afronto mi vida. Ahora tengo un Salvador, ahora tengo uno que murió por mí, ahora tengo a alguien que cumplió la ley y que además me representa, y por tanto ahora sé que mi vida no está sobre un fundamento de arena movediza, sino sobre la roca firme de la salvación que es Jesucristo.

Jesucristo dijo: "yo soy la luz del mundo y el que me sigue no andará en tinieblas" (Juan 8:12).

Es decir, seguir a Jesús significa que tomamos lo que Él nos ofrece para convertirlo en una realidad palpable para nuestras vidas. Y si Jesús me dice que seguirlo a Él implica que las tinieblas se irán de mi vida, entonces eso es exactamente lo que yo quiero hacer el resto de mi vida, seguir a Aquel que me da su luz. Buen fundamento.

Medita en este día acerca de las decisiones que estás tomando. ¿Están siendo guiadas aún por principios egoístas? o has cedido todo a Aquel que es poderoso para conservar tu depósito hasta el final.

Si has entregado tu vida a Cristo, entonces tienes el mejor de los fundamentos.

Cristo es la roca. Si lo tienes a Él, estarás firme hasta la eternidad.

Oración:

Gracias Señor Jesús por ser la roca firme de mi salvación. Hoy celebro mi nueva vida a tu lado. Hoy sé que tengo un Salvador perfecto que vino desde los cielos por amor a mí. Amén.

Buena semilla y buena tierra

*"Yo planté, Apolos regó; pero el crecimiento lo ha
dado Dios" (1 Corintios 3:6)*

Un pastor con una iglesia pequeña en Texas fue invitado por otro
amigo pastor a predicar en su iglesia en California. Cuando llegó
se quedó impresionado. Más de 5000 personas, que esperaban
con expectativa que abrieran las puertas para buscar los primeros
puestos.

Al día siguiente fue invitado a la reunión de pastores y líderes de
esa iglesia y él esperaba ver gente quizás diferente, grandes talentos,
grandes genios, algo así, pero lo que vio fue personas igual a él que
amaban a Dios igual a él, que predicaban igual que él.

¿Cuál era la diferencia entonces? ¿Por qué Dios los bendecía con
tanta multiplicación?

Había una grandísima diferencia entre ellos. Mientras el pastor de
Texas vivía lamentándose por su falta de crecimiento y se enfocaba
en todos los problemas que podía tener, los pastores que estaba
conociendo en California, tenían una visión, tenían una proyección,
tenían un plan.

Sabían que la bendición viene de los cielos, esa era su fe, ese era el
fundamento con el cual vivían todos los días de su vida.

Ellos habían entendido algo muy importante que todos nosotros
necesitamos entender: que El Señor es quien da el crecimiento, pero
que ellos como siervos de Dios tenían que cuidar de tener una buena
semilla y una buena tierra.

Una buena semilla a través de la palabra de Dios y una buena tierra
abonándola con lo mejor para esperar buenos resultados.

¿No sucede que a veces echamos tan solo materiales de segunda y
esperamos cosechas de primera?

¿No es verdad que a veces dejamos tan solo lo que nos sobra de
nuestro tiempo y queremos las grandes bendiciones del Señor?

No oramos, no bendecimos a los demás, no dedicamos el mejor de
nuestro tiempo a Dios y queremos que sus recursos y sus bendiciones
se multipliquen en nuestras vidas.

John Harold Caicedo

¿No es acaso contradictorio esto?

Si la semilla es buena y la tierra es buena, entonces el resultado natural es una buena cosecha.

Este pastor regresó a Texas y bajándose del avión se propuso cambiar su mentalidad, su actitud frente a los recursos del Señor y a los dos años tenía una iglesia grande, comprometida, próspera.

Estaba utilizando bien los recursos del Señor.

¿Anhelas también tú la abundancia de la bendición divina en todo lo que haces?

Entonces ocúpate por tener siempre una buena semilla y una buena tierra preparada para esperar buenas cosechas.

La siega que te espera será abundante y bendecida por El Dios que da el crecimiento.

Oración:

Qué gran expectativa es saber que tú traes multiplicación y fructificación donde encuentras buena tierra. Quiero recibir hoy esa semilla de tu palabra para que dé frutos en abundancia. Amén.

La generación del ruido

"El que tiene oídos para oír, oiga" (Mateo 11:15)

Nuestro mundo está lleno de ruidos. Los celulares suenan constantemente, incluso en ocasiones cuando se está predicando la palabra de Dios.

Estamos rodeados de aparatos electrónicos, de televisores, de radios, etc., tanto, que en ocasiones me pregunto: ¿será que aun algunos están escuchando la voz de Dios en medio de tanto ruido y distracción? ¿Será que todavía hay quienes pueden discernir el murmullo de la voz del Señor en medio del ajetreo del mundo moderno?

El problema no es solamente que no escuchemos al Señor, el gran problema es lo que nos estamos perdiendo por no escucharlo.

Jesús dijo en una ocasión: las palabras que yo les traigo son espíritu y son vida.

Él estaba hablando acerca de que Él era el pan de vida y muchos prefirieron irse de aquel lugar porque les parecía que era muy fuerte lo que Jesús decía, entonces Él volteó a mirar a sus discípulos y los desafió diciéndoles; si ustedes se quieren ir también, háganlo.

Pero Pedro respondió diciendo: "¿a quién iremos? Tú tienes palabras de vida eterna"

¿Palabras de vida eterna? ¿Palabras que son espíritu y son vida? ¿No estaremos perdiendo demasiado por no escuchar la voz de Dios en medio del ruido de esta generación?

Desafortunadamente el común de las personas, así se consideren creyentes, no consideran como importante, como prioridad para sus vidas la comunicación con El Señor.

Quizás nos hemos vuelto muy pasivos en esto y más bien lo que la gran mayoría de la gente anhela es que alguien más lo haga, y entonces nos traiga las noticias de lo alto, la revelación fresca del Señor para los suyos.

Al pueblo de Israel le sucedió lo mismo. A pesar de haber recibido tantas revelaciones, señales, maravillas, portentos, milagros de toda naturaleza, tanto en su camino hacia la tierra prometida, como en su tiempo de conquista de la misma, tuvieron tiempos en los cuales más bien se alejaron del Señor y dejaron de escuchar su voz.

Aprender a distinguir claramente la voz de Dios es invaluable. En lugar de ir por la vida ciegamente, podemos tener la sabiduría de Dios para guiarnos y protegernos.

Es en la quietud, no en el ajetreo, que podemos sintonizar nuestros oídos espirituales para escuchar la voz de Dios.

Es hora de alejarnos de tantos ruidos que contaminan nuestra vida interior y dedicarnos a tener comunicación con Dios.

Si no lo hacemos, nunca podremos conocer su voluntad agradable y perfecta para nuestras vidas.

¿Te imaginas lo que nos podemos perder por no escuchar su voz?

 Oración:

Dios del cielo, en este día quiero apartar lo mejor de mi tiempo para escuchar tu voz. En la quietud, en el silencio, en la meditación de tu palabra podré escucharte y de esa manera sabré lo que debo hacer para cumplir con tu voluntad. Amén.

El lenguaje del reino

"Entonces, acercándose los discípulos, le dijeron:
¿por qué les hablas por parábolas? (Mateo 13:10)

En el conocido pasaje de la parábola del Sembrador, podemos notar que los discípulos se inquietan por la forma cómo Jesús enseña, así que vienen y le hacen una pregunta: ¿Por qué les hablas por parábolas?

Ellos querían saber qué clase de enseñanza era esta que tenía que darse de esa manera.

Y Jesús les da a entender que ese mensaje no todos lo pueden recibir.

Ustedes van a conocer los misterios del reino pero no ellos, "por eso les hablo por parábolas porque viendo no ven y oyendo no oyen, ni entienden", "pero bienaventurados vuestros ojos, porque ven y vuestros oídos porque oyen, porque de cierto os digo que muchos profetas y justos desearon ver lo que veis y no lo vieron; y oír lo que oís y no lo oyeron". (Mateo 13:16)

Es decir que lo que el profeta Amós no pudo saber, o lo que el profeta Isaías no pudo saber, o lo que el profeta Jeremías no pudo saber y muchos justos nunca se enteraron, ¡ahora nosotros lo podemos entender!

¡Es una revelación para nosotros. Esto es extraordinario para los creyentes de hoy en día que tenemos acceso a esos misterios que vino a comunicar Cristo Jesús!

Y El Señor está hablando acerca de la parábola del Sembrador y cuando la explica dice algo muy importante: "cuando alguno oye la palabra del reino".

No es un mensaje cualquiera, no es un sermón cualquiera, no es una palabra que se predica de cualquier manera, no nada de eso. Es el mensaje que cambia, el mensaje transformador que predicó Jesús, el mensaje que vino desde los mismos cielos para ser colocado en el corazón de los creyentes: ¡es el mensaje del reino!

Pero precisamente como es el mensaje que transforma vidas, que arrebata almas de las garras del enemigo, que cambia ciudades y poblaciones enteras, entonces el enemigo no se queda quieto, sino que viene el mismo, el malo dice la Biblia y arrebata lo que fue sembrado en tu corazón.

La tarea del enemigo se concentra en destruir lo que Dios quiere colocar en tu corazón. Que cuando escuches el mensaje del reino y esa semilla deba ser colocada en tu interior, esta no germine sino que quede destruida y al final no puedas entender por qué tu vida no es transformada como debería ser, sino que sigas en la misma condición una y otra vez.

El mensaje del reino no es de este mundo. Es un mensaje que viene de los cielos para ser aplicado en la tierra. Jesús vino predicando un mensaje que levanta a las personas para que salgan de su condición de muerte y vayan a una condición de vida en su nombre. Para salir de la esclavitud de lo terrenal y reclamar la libertad de lo celestial.

Por eso es fundamental que podamos entender el lenguaje del reino, para que podamos vivir de acuerdo a lo que Jesús nos vino a enseñar.

Pídele hoy al Señor que abra tu entendimiento para que puedas comprender lo que Él desea comunicarte y que seas buena tierra donde la semilla es sembrada y fructifica.

De esa manera nadie te podrá arrebatar los tesoros escondidos en la palabra de Dios.

Oración:

Mi oración en este día es para que pueda comprender el lenguaje del reino de los cielos. No hay duda que tú me hablas todos los días y tu palabra está siempre disponible para quien se quiera acercar a ella. Por eso te pido que abras mi entendimiento para ser buena tierra para tu semilla perfecta. Amén.

Colonizando para la gloria de Dios

"....Anímate y esfuérzate, y manos a la obra; no
temas, ni desmayes, porque Jehová Dios, mi Dios,
estará contigo; Él no te dejará ni te desamparará,
hasta que acabes toda la obra para el servicio de la
casa de Jehová" (1 Crónicas 28: 20b)

Siglos atrás, hubo un reino en España que vino para colonizar este continente americano. Los colonizadores vinieron a tomar posesión de las nuevas tierras en nombre de los reyes españoles.

Lo mismo hizo Portugal, también Inglaterra, lo mismo hizo Francia.

Vinieron y colonizaron estos territorios y hoy en día, Brasil habla portugués porque fue colonizado por Portugal.

Colombia, México, El Salvador, Guatemala y muchos otros países hablan español porque fueron colonizados por España, algunas islas del caribe hablan inglés porque fueron colonizadas por Inglaterra y algunas otras hablan francés porque fueron colonizadas por Francia.

¿Por qué estos reinos antiguos enviaron gente a colonizar estos territorios? Porque la gloria del rey está en el territorio. Entre más territorio conquiste mayor será su gloria.

De una forma similar nuestro Señor creó la tierra e ideó la manera de colonizarla con los más apropiados. Y miró a los ángeles y los arcángeles y los querubines y se dio cuenta que no eran iguales, entonces dijo: "hagamos al hombre a imagen y semejanza nuestra y que vaya y se enseñoree sobre la tierra", que tome posesión en mi nombre, que colonice todos los territorios para la gloria del Rey.

Él había creado un mundo perfecto, un mundo en el cual lo creado era de acuerdo a lo que Dios quería. Las condiciones eran perfectas para que el reino de los cielos se expandiera en la tierra.

Ningún ángel, ningún querubín, ningún arcángel tiene la imagen y semejanza de Dios, solo los seres humanos la tenemos.

Entonces el ser humano fue hecho a imagen del Señor y además, con el propósito de dominar el territorio para su rey. La Biblia dice de ti y de mí en Efesios 1:4, que fuimos escogidos en Él antes de la fundación del mundo, para que fuésemos santos y sin mancha delante de Él.

Antes de que todo fuese creado, antes de que existieran los planetas, las estrellas, las plantas, las montañas, los ríos, los mares, los animales. Antes de que todo esto que tú conoces fuera creado, tú ya existías en Él y habías sido escogido para venir a poblar este territorio que le pertenece a Él.

Hay más de siete billones de seres humanos sobre la tierra hoy en día y solo unos pocos saben para que existen, para que han venido a este mundo.

Tú no fuiste creado solamente para ocupar un lugar en esta tierra, vegetar, pasar por este mundo y morir sin dejar huella. No. En realidad la tierra fue creada para ti, para que tú la poseas, la domines y vivas de acuerdo a lo que te dice que hagas Aquel que te envió.

Eres un enviado, eres un embajador de los cielos, tu ciudadanía no es de México, ni de Honduras, ni de Colombia, ni de El Salvador. Tu ciudadanía es de los cielos, porque de allí fuiste enviado.

Es hora de tomar lo que nos corresponde como hijos de Dios y darle la gloria en ese lugar al que nos ha enviado. Somos conquistadores de un reino diferente. Somos enviados a este mundo para que a través nuestro, Dios alcance sus propósitos divinos.

Es tiempo de conquista. Tu Rey te ha enviado para que lo logres, no desfallezcas jamás.

Oración:

Este es un buen día para compartir de tu reino, Señor Jesucristo. Viniste a traernos noticias alentadoras desde los cielos y creaste un nuevo reino para llevarnos a él. Tú eres el verdadero Rey de ese reino que no tiene fin. Amén.

Sin palabra y sin visión

"...y la palabra de Jehová escaseaba en aquellos
días; no había visión con frecuencia" (1 Samuel 3:1b)

Debido a los pecados de los hijos de Elí y a la displicencia con que el sacerdote los permitía, El Señor le anuncia por medio de un varón de Dios que ya no tendrá más su favor ni su respaldo y por el contrario, sufrirá los efectos de su mal proceder.

Esta es una terrible sentencia para el sacerdote. Dios le estaba diciendo que las consecuencias de no haber puesto a Dios primero en su casa, eran terribles.

El encargado por Dios para guiar a su pueblo espiritualmente hablando se había desviado de los propósitos divinos y por lo tanto, la palabra del Señor escaseaba.

Podemos pasar años "trabajando para un Dios que no conocemos", pensando que lo estamos haciendo bien, y que seremos bendecidos. Sin embargo, la bendición nunca llegará en esas condiciones porque no hemos conocido verdaderamente a Dios.

Hoy en día se puede ver con tristeza que la palabra de Dios escasea en algunos púlpitos, en muchos hogares, en muchas reuniones, en muchos eventos.

Escuchamos muchas cosas, pero no necesariamente palabras que vengan desde el trono de los cielos.

Es algo muy triste ver que por causa del pecado falte la palabra profética, la dirección divina en muchas de las cosas que hacemos.

Se hizo una encuesta entre el medio cristiano y se descubrió que el 90% de las personas, es decir 9 de cada 10 de las que se congregan en una iglesia, no tienen otra conexión con Dios que únicamente los domingos o en algún servicio entre semana, pero nada más.

Si esto es verdad, entonces cómo quejarnos de que escasee la palabra entre nosotros.

En Europa hoy en día a miles de hombres y mujeres están diciendo: Dios ha muerto. No tienen revelación, no hay palabra, no hay visiones, no hay presencia de Dios.

Hay generaciones de niños que se están levantando hoy en día en ese continente, a quienes se les está enseñando que Dios ha muerto y que deberán enfrentar su vida entera sin una esperanza real.

Esto es terrible. Por eso es que se necesitan personas como Elías o Eliseo que podían decir: "Vive Jehová en cuya presencia estoy".

¿Por qué podían decir algo como eso? Simplemente porque lo escuchaban, porque sabían que en cada momento de sus vidas tenían a Dios a su lado, ellos podían decir: lo sé porque hoy me ha hablado y puedo reconocer su voz.

Alguien tiene que levantarse en este tiempo para dar a conocer la palabra de Dios.

Tiene que haber una unción fresca que provenga de la intimidad con Él y este mundo necesita de quienes le buscan porque también van a poder decir como estos profetas: Vive mi Señor en cuya presencia estoy.

Dios está llamando a una generación que rompa con los odres viejos y que traiga nuevas revelaciones directamente desde el trono de la gracia.

¿Eres tu uno/a de estos/as?

Oración:

Mi oración en este día es para convertirme en un odre nuevo que pueda recibir el vino nuevo de Dios. Anhelo que tu palabra penetre en mi interior y se haga vida para enfrentar mis días en la frescura de tus mandatos y la realidad de tu presencia. Amén.

Tu siervo escucha

"Y vino Jehová y se paró, y llamó como las otras veces: ¡Samuel, Samuel!" (1 Samuel 3:10)

Dice este pasaje de la Escritura que Samuel dormía en el templo al lado del Arca de Dios y cuando estaba en medio de su sueño fue despertado por una voz.

Samuel escuchaba la voz pero no sabía de quien venía.

Él pensaba que Elí lo llamaba y entonces corrió para responder a ese llamado.

¡Pero no era la voz del sacerdote! Elí en ese momento tampoco pudo entender y pensó que Samuel en medio de su sueño estaba escuchando algo y lo envió de nuevo a dormir.

El Señor volvió a llamar otra vez a Samuel. Levantándose Samuel vino a Elí y dijo: "heme aquí, para qué me has llamado", y él dijo: "hijo mío yo no te he llamado, vuelve y acuéstate", y "Samuel no había conocido aún a Jehová, ni la palabra de Jehová le había sido revelada".

Aquí hay algo muy importante. El Señor está hablando pero "nadie" reconoce su voz.

No la reconoce el joven Samuel, a pesar de que ministraba continuamente en el templo. No la reconoce el sacerdote, a pesar de ser el encargado de los oficios en aquel lugar.

¡No hay quien pueda reconocer la voz del Señor!

El Señor está llamando continuamente desde los cielos, pero escasea el conocimiento de Él y las personas siguen sordas a su revelación.

Lo más maravilloso es que El Señor no se detuvo en seguir llamando a su siervo.

"...Jehová pues llamó la tercera vez a Samuel. Y él se levantó y vino a Elí y dijo: heme aquí; ¿para qué me has llamado? Entonces finalmente entendió Elí que Jehová llamaba al joven. Y dijo Elí a Samuel: ve y acuéstate y si te llamare, dirás: habla Jehová porque tu siervo oye. Así se fue Samuel y se acostó en su lugar".

El sello distintivo de las ovejas de Dios es que saben escucharlo a Él.

Jesús dijo: "Mis ovejas escuchan mi voz y yo las conozco y me siguen y yo les doy vida eterna; y no perecerán jamás, ni nadie las arrebatará de mi mano" (Juan 10: 27-28).

¿Te das cuenta? ¡Escuchan su voz y le siguen!

No son solo los que preguntan de lejos. No son solo los que tienen un simple conocimiento los que pueden ser considerados como ovejas del Señor.

No. La oveja de ese redil está familiarizada con la voz de su pastor y por lo tanto puede reconocerlo aun en medio de las millones de voces que se alcen, y puede seguirlo porque sabe que está en las mejores manos, de donde jamás nada ni nadie la podrá arrebatar.

¿No es maravilloso ser parte de este redil? ¿No es maravilloso estar bajo el cuidado de nuestro Buen Pastor, nuestro Señor Jesucristo? Él siempre tiene cuidado de los suyos.

¿Estás preparado/a para escuchar la voz de Dios y responder a su llamado?

Cuando finalmente Samuel entendió que era El Señor quien lo llamaba, entonces vino la revelación y desde aquel día nunca dejó de reconocer la voz del que le hablaba.

Si aún no te has familiarizado con la voz de Dios, es mi oración que desde ahora lo puedas hacer.

Si no lo escuchas, tampoco podrás tener revelación alguna.

Oración:

Como oveja de tu redil quiero escuchar hoy tu voz, seguir tus consejos y hacer tu voluntad. Senor Jesús tú me has dado el privilegio de ser parte de un redil diferente. Quiero disfrutar de ese privilegio todos los días de mi vida. Amén.

Tiempo de desafíos

".....doscientos principales, entendidos en
los tiempos, y que sabían lo que Israel debía
hacer, cuyo dicho seguían todos sus hermanos"
(1 Crónicas 12:32b)

Cuántas personas deambulan por el mundo con su espíritu adormecido. Nada los hace reaccionar. No quieren saber de iglesia, ni de la palabra, ni de amor por el prójimo, ni de una vida de devoción, ni de los propósitos divinos. Simplemente habitan en este mundo pero no cumplen con lo que Dios desea para ellos.

Cuando el mundo que vemos alrededor es tan difícil, cuando todo lo que vemos son crímenes, guerra, violencia, vicios, maltratos, abusos, desenfreno y tantas cosas, no es momento para unirnos a todos los que en el mundo solo se quejan pero no hacen nada.

En realidad es el momento para pedirle a nuestro Dios que despierte a los espíritus adormecidos para que se levanten y empiecen a hacer la obra que Dios desea hacer en este mundo a través de sus hijos.

Este mundo necesita más de los que aportan, los que están alerta a las cosas de Dios, los que pueden discernir los tiempos que estamos viviendo.

En medio de tanta apatía, frialdad y falta de fe, se necesitan más que nunca los que responden al llamado divino y dicen: Sí Señor abre mi mente, despierta mi espíritu, sacude mi corazón, pero ayúdame a hacer algo por este mundo en decadencia.

¿Estarías dispuesto/a a hacerlo en este día? Porque esto no es para todos.

Esto es solo para los/as que están dispuestos/as. Esto es solo para los que anhelan más de Dios.

Esto es solo para los que dicen: Señor yo quiero más, yo quiero más, háblame hoy Señor.

¿Estás listo/a para que tu espíritu sea despertado y puedas conocer la voluntad divina para tu vida?

Porque si es así, entonces a ti también te va a despertar y las revelaciones de Dios te dirán lo que tienes que hacer.

Quizás tu vida aún no es exactamente como la soñaste, quizás tu vida te lleva de frustración en frustración, de dificultad en dificultad. Es hora entonces de clamar a los cielos para que puedas llegar a ver una realidad mucho mayor a través de la manifestación gloriosa de la presencia de Dios en todas tus cosas.

El Señor está tocando hoy corazones que se habían enfriado pero ahora van a estar llenos del fuego divino, Dios está sacudiendo a su pueblo para que todos sepan que hay un Dios vivo que no ha perdido el control de este mundo.

¿Te gustaría ser parte de una generación que conquista, que edifica, que reconstruye, que restaura lugares de adoración, que levanta la bandera del Señor para decirle al mundo que tenemos un Dios muy grande que va a hacer cosas maravillosas?

Este es un día para aceptar nuevos desafíos.

Oro para que El Señor te prepare para asumir con valentía lo que viene para tu vida.

Este mundo necesita de los valientes, y tú eres uno/a de ellos/as.

Oración:

En estos tiempos de tantos desafíos, mi oración es para que pueda comprender que no he recibido el espíritu de temor, sino de poder, de amor y de dominio propio a través del Espíritu Santo. Amén.

Diciembre

Yo soy tu escudo

"Después de estas cosas vino la palabra de Jehová
a Abram en visión, diciendo: No temas, Abram; yo soy
tu escudo, y tu galardón será sobremanera grande"
(Génesis 15:1)

El Señor le hace el llamado a Abram, un hombre mayor que habitaba con su familia en Ur de los Caldeos, para salir de su tierra y embarcarse en la aventura más desafiante de su vida.

A esa edad, Dios lo reta para que salga de su tierra y de su parentela, y se encamine a un lugar que ni siquiera conoce. De hecho El Señor le dice: "yo te mostraré después ese lugar".

Pero para respaldar ese llamado, Dios le da una palabra que está en Génesis 15:1: "No temas", Abram.

¿! No temas!? ¿! Anciano, sin descendencia, sin saber a dónde iba, dejando atrás su tierra y su parentela y la palabra de Dios es "no temas"!?

Puedo suponer que Abraham pensaría, ¡cómo no voy a temer! ¡Dame una razón para no temer!

La respuesta del Señor es: "porque yo soy tu escudo y tu galardón será sobremanera grande".

Hay miles de misioneros que en un día como hoy se están enfrentando a peligros, persecuciones, amenazas de muerte, separación de sus familias, pobreza extrema, dificultades con su salud; pero cuando abren la Biblia, descubren que Dios le dijo hace miles de años atrás a un anciano que saliera de su lugar de confort y se fuera a una tierra desconocida, y la palabra de respaldo fue: "yo soy tu escudo".

Así que ellos toman esta palabra con toda propiedad y salen a conquistar almas para el reino de los cielos, porque saben que aunque los amenacen miles de peligros, aunque haya persecución, encarcelamientos, y muchas cosas más, siempre tienen a Aquel que prometió ser su escudo, y asumen con valentía cada día que viven.

En este día El Señor es también para ti el escudo que te defiende en cada circunstancia.

John Harold Caicedo

De la misma manera que a Abram y también a los misioneros que van por el mundo con el poder del evangelio, hoy El Señor te llama para ir con valentía enfrentando un mundo hostil pero con la seguridad de poder contar con Aquel que te defiende y te protege en cada paso.

Sí, también para ti en este día: "El Señor es tu escudo y tu fortaleza" (Salmo 27:8).

Oración:

Gracias Senor por ser mi defensor. Camino este día bajo la confianza de saber que tengo un Dios poderoso y misericordioso que cuida de mí a cada instante. Amén.

¿Un Dios tan grande?

"...a Él sea gloria e imperio por los siglos de los siglos. Amén" (Apocalipsis 1:6b)

En las cartas de Apocalipsis, El Señor Jesucristo se ha presentado como el que tiene la espada aguda de dos filos, el primero y el postrero, el que tiene las siete estrellas en su diestra, el que anda en medio de los candeleros, el que tiene los siete espíritus de Dios, etc.

En el evangelio de Juan, Jesús se presentó como la vid verdadera, el buen pastor, el camino, la verdad y la vida, la puerta, el pan de vida, la luz del mundo y la resurrección y la vida.

Él se ha presentado de diversas maneras y también hay múltiples formas en que las personas conocen al Señor.

Pero la pregunta para ti es: ¿y tú cómo lo conoces?

Nuestra vida cristiana se moldea de acuerdo a la forma cómo conocemos a Jesús.

Para los niños de la escuela dominical, Jesús puede ser el Dios que les trae las galletitas los domingos y que les da premios por portarse bien.

Para los jóvenes puede llegar a ser el Dios que les prohíbe ciertos comportamientos, y que tenía el pelo largo y tenía muchos amigos para pasar el rato.

Para una persona solitaria puede ser el acompañante ideal, para un enfermo representa el sanador, para una persona con problemas económicos puede ser el proveedor, para un idealista puede ser el poeta que declamaba versos, para un compositor puede ser la fuente de su inspiración, etc.

Puede haber diferentes formas de acercarnos a Jesús y pueden ser válidas la mayoría de ellas.

Pero hay algo muy importante que descubro cuando me acerco a la Escritura y es que Jesús no solo quiere que lo veamos de esas maneras, de acuerdo a la circunstancia o a la necesidad, sino que desarrollemos una visión mayor de lo que Él representa para este mundo y que esta visión se haga realidad en nuestra vida diaria.

Seguir a Jesús, no es exactamente seguir a un dios de yeso o de metal.

Seguirlo a Él es seguir al Dios Creador, al Cordero Pascual, al Maestro, al Conquistador, al Hijo de David, al Rey de reyes y Señor de señores, El Sumo Sacerdote, El León de la Tribu de Judá, El Mediador perfecto, El Príncipe de Paz, El Padre Eterno, El Bálsamo de Galaad, la Rosa de Sharon, El Anciano de días, El Dios eterno, tu refugio, tu salvación, El testigo fiel, El Señor de los ejércitos, El Rey de los judíos, El Salvador del mundo, El único vencedor, El Rey que viene pronto, El primogénito de los muertos, El Soberano de los reyes de la tierra, El Rey de gloria y aún muchas cosas más.

¿Podrías adorar hoy a un Dios tan grande y maravilloso?

Oración:

Sí, este es un día para adorar a un Dios tan grande y majestuoso. No puedo parar de adorar a Aquel que vive y reina para siempre, y cada día es bueno para exaltar su magnificencia. Amén.

Cuidaos de los falsos profetas

"Guardaos de los falsos profetas, que vienen a
vosotros con vestidos de ovejas, pero por dentro son
lobos rapaces" (Mateo 7:15)

Las falsas enseñanzas y los falsos maestros le hacen un daño terrible al mundo de hoy en día.

El mundo en general ha abierto múltiples posibilidades para el ser humano y afirma por ejemplo que no solamente en Cristo hay salvación, sino que hay múltiples formas.

Que Dios se representa de diferentes maneras, que es una energía, que es una simple imagen, que es solo una fuerza en el mundo y las personas andan perdidas, sin rumbo, buscando respuestas, intentando encontrar en algún lugar la verdad que tanto desean alcanzar.

Sin embargo, los creyentes sabemos que la respuesta fue dada hace 20 siglos atrás, cuando Jesucristo se levantó delante de los suyos para anunciar que Él es el único camino y que nadie, nadie va al Padre sino es a través de Él.

Cuando El Señor habla en esos términos, nos muestra a nosotros la dimensión de lo que Él es y representa para este mundo.

Él nunca dijo algo como: Yo soy un pequeño sendero por el que puedes andar, o yo soy uno de tus posibles dioses, o yo te ayudaré a la auto purificación moral y mental para que de ahora en adelante aprendas a ignorar el sufrimiento.

Nada de eso. Él dijo directamente: ¡Yo soy el camino!, y no hay otro. El único camino, el verdadero por el cual vas a ser conducido a la bendición sobre tu vida.

Este mundo está harto de mentira, de manipulación, de engaño, de tretas, de cosas turbias. Estamos saturados de tanto comercial mentiroso que ofrece de todo y no cumple nada.

Hemos llegado a la situación que cualquier cosa que nos ofrezcan que parezca muy buena, siempre estamos pensando que hay algo oculto detrás de ese ofrecimiento tan excelente, alguna treta, algún engaño.

En un mundo de tanta mentira, necesitamos conocer la verdad y Jesucristo levanta su voz ante sus discípulos y ante nosotros y nos dice: ¡Yo soy la verdad!, en mí no hay engaño.

Él nunca dijo: yo soy una opción más. Yo soy una posibilidad entre tantas posibilidades. No, jamás. Él es la única verdad.

El sentido de la vida se ha perdido hoy en día. No hay respeto por la vida ajena e incluso, se mata a un ser humano por un plato de comida. Cuando se llega a la pérdida de la dignidad y el valor de una vida, cuando se desprecia a otro por su condición o se le considera menos, cuando algunos creen que son mejores que otros porque sus condiciones son más favorables, necesitamos que se nos recuerde que hay una fuente que nos regala este don maravilloso de vivir, y que esa fuente es Jesucristo porque ¡Él es la vida!, y para Él todos somos importantes.

No busques más, no necesitas seguir escudriñando por una respuesta.

La respuesta ya fue dada, Jesucristo es el camino, la verdad y la vida, y nadie puede llegar al reino de los cielos, sino es a través de Él.

Oración:

Lo creo con todo mi corazón y sé que debo vivir en constante gratitud por la obra que Jesús ha hecho en mí. Conocer al Salvador del mundo, a Aquel que es el camino, la verdad y la vida es la más grande experiencia que un ser humano puede llegar a tener. Amén.

Escuchando la voz de Dios

"Dios, habiendo hablado muchas veces y de muchas
maneras en otro tiempo a los padres por los profetas,
en estos postreros días nos ha hablado por el Hijo"
(Hebreos 1:1-2a)

La Biblia nos enseña una y otra vez que El Señor ha querido siempre levantar un pueblo que aprenda a escuchar su voz y que tenga un oído listo para ser obediente cuando El Señor lo llama.

Una de las características de los hijos de Dios es que aprenden a escucharlo.

De hecho El Señor dice en el Evangelio de Juan que sus ovejas reconocen su voz y no solo eso, sino además le siguen, es decir que son obedientes a esa voz cuando las llama.

Esto nos habla de un sentido de pertenencia que es muy importante, una cercanía y una identificación tal, que aprendemos a buscar su voluntad y a ser obedientes, mientras a la vez, Él cuida de nosotros y va delante defendiendo su redil de los lobos que pretenden hacerle daño.

Definitivamente el rasgo que identifica al pueblo de Dios es que sabe escuchar lo que Él anhela, y pone en práctica lo que Él manda.

Por ejemplo, cuando Josafat subió como rey de Judá, dice la Escritura que buscó al Señor con su corazón y ninguno de los reinos de la tierra se atrevía a enfrentarlo porque sabían que Dios estaba con Él.

Antes los filisteos y los árabes le traían presentes porque reconocían de dónde venía el verdadero poder.

Cuando Josías subió al trono de 8 años no siguió el ejemplo de Amón su padre, ni de Manasés su abuelo, que habían sido los peores reyes de Israel, sino que siguió los designios de Dios y a pesar de su corta edad, él decidió limpiar toda señal de idolatría que quedara, y acabó con toda la adoración a dioses ajenos. Entonces El Señor respondió con bendición sobre el rey y sobre todo el pueblo, y se restauró la verdadera adoración.

Una y otra vez vemos esa conexión entre Dios y su pueblo, ese sentido de pertenencia, esa unión indisoluble que nos hace ciertamente diferentes.

Es por eso que hemos visto cómo El Señor nos enseña a caminar en la seguridad de sus alas protectoras, nos dice continuamente que no tengamos temor, nos afirma que Él es nuestro Pastor y que nada nos faltará. En las palabras de Jesús encontramos nuestra razón de adoración, pues Él dice cosas como: Yo soy el camino, la verdad y la vida, nadie viene al Padre sino es a través de mí, yo soy la resurrección y la vida, yo soy el Buen Pastor que da la vida por sus ovejas, yo soy el Pan de vida, yo soy la Vid verdadera, yo soy la puerta de las ovejas, yo soy el Alfa y la Omega, el principio y el fin de todas las cosas.

Conexión entre Él y su pueblo, anhelo por bendecir a los suyos, amor que se derrama en abundancia, cuidado y protección celestial.

Así mismo en varios pasajes del Antiguo Testamento, Dios declaró esa unión indisoluble al afirmar: "y me serán por pueblo, y yo seré a ellos por Dios" (Jeremías 32: 38).

Sí, no hay duda de que El Señor desea estar cerca de los suyos para ofrecerles la seguridad de su compañía, su amor ilimitado y su poder inigualable. Él sigue hablando a los suyos y ellos le reconocen.

Y tú ¿ya escuchaste su voz esta mañana?

Oración:

Bendito Señor, tu voz se escucha en el cielo, en la tierra y aun debajo de ella. Tu poderosa voz será mi guía en este día y me permitirá no desviarme del camino de tu protección. Amén.

El sonido de la trompeta

"Hazte dos trompetas de plata; de obra de martillo las harás, las cuales te servirán para convocar la congregación, y para hacer mover los campamentos"
(Números 10:2)

En la travesía por el desierto camino hacia la tierra prometida, el pueblo de Israel tuvo que confrontar muchas cosas que le hacían difícil en determinados momentos el avanzar hacia su destino final.

Era necesario organizar a todo el pueblo porque eran millones de personas y por supuesto no era fácil coordinarlos para que siguieran adelante.

Entonces El Señor le indica a Moisés que debe hacerse unas trompetas de plata para convocar al pueblo.

Las trompetas servían para sonar alarma, para convocar a la congregación y para dar la orden de poner en marcha los campamentos.

Cuando se escucharan las trompetas entonces todo el pueblo tenía que responder a ese llamado y reunirse frente a la puerta del tabernáculo de reunión.

Las trompetas también anunciaban el llamado de Dios a la guerra y a la conquista.

Eran diferentes sonidos y no se podían confundir.

Si era una sola de las trompetas entonces eran solo los príncipes los que tenían que reunirse, los jefes de los millares de Israel.

Si tocaban alarma, entonces los campamentos se tenían que empezar a mover, primero los del oriente, luego los del sur, etc.

Pero para reunir la congregación para algo especial, el sonido era diferente, y lo mismo cuando era un llamado a la guerra y a la conquista.

Ellos tenían que conocer cuál era específicamente el sonido que escuchaban, porque podría suceder que se estuviera llamando a los príncipes y alguien salía listo para ir a la guerra. O cuando se llamaba para mover los campamentos, algún despistado podría creer que era un llamado para los jefes de millares.

Y hoy también está sonando esa trompeta de Dios para que su pueblo se levante y vaya a conquistar lo que el enemigo quiso usurpar.

Pero no puedes confundir las instrucciones. Hoy suena la alarma para despertar a un pueblo que está aletargado. Ya no es hora de dormir, no es hora de quedarse pasivo mientras el mundo a tu alrededor se derrumba, no es hora de permitir que nuestros hijos sean arrastrados por la corriente de maldad, o que nuestros niños sean envenenados por los medios de comunicación, no, todo lo contrario, ¡es tiempo del despertar del pueblo de Dios!

El Señor está tocando hoy corazones que se habían enfriado pero ahora van a estar llenos del fuego divino, Dios está sacudiendo a su pueblo para que todos sepan que hay un Dios vivo que no ha perdido el control de este mundo.

Hay cosas especiales que Dios está preparando para sus hijos, pero tenemos que aprender a escuchar el sonido de esa trompeta para no ir a equivocarnos en las instrucciones de Dios.

Al final de los tiempos, también El Señor hará sonar su voz de mando, con voz de arcángel, con trompeta de Dios, descenderá del cielo.

Todos escucharemos su voz, pero quizás para muchos puede ser demasiado tarde.

Desde hoy mismo familiarízate con el sonido de su voz. Es la trompeta que anuncia que el pueblo de Dios se levantará y de nuevo reclamará la victoria junto a Aquel que ha vencido al mundo.

Oración:

Cada día Señor tu voz se levanta en medio de tanto ruido para convocar a tu pueblo a la acción. Sé que tú hablas desde el amanecer y entre más me acerco a ti, más la reconozco. Amén.

Levántate Señor

"Cuando el arca se movía, Moisés decía: Levántate,
oh Jehová, y sean dispersados tus enemigos,
y huyan de tu presencia los que te aborrecen"
(Números 10:35)

El pueblo de Dios es un pueblo que siempre está en travesía.

Siempre está yendo hacia un destino, no caminamos a la deriva, no vamos sin saber a dónde llegaremos, no vamos como sin un rumbo fijo, no.

Vamos en una trayectoria que nos conduce a la presencia misma del Señor, pero como en la travesía siempre hay dificultades y situaciones que tenemos que confrontar, también nosotros necesitamos decir como dijo Moisés en el desierto: "Levántate Señor y sean dispersados tus enemigos".

Esto era un grito de guerra para el pueblo. Era la seguridad que antes de partir, antes de mover siquiera a alguno de ellos, lo primero era invocar al Señor y pedirle que allanara el camino para los suyos.

Somos pecadores sí, pero que hemos sido salvados sólo por la gracia de Dios.

Vamos en una marcha pero esta no es una marcha de protesta. Es una marcha de salvación. Es una marcha de redención. Es la marcha que va para Sion, no para la Sion terrenal, sino a la ciudad celestial, la nueva Jerusalén, que según Apocalipsis 21:1-2: "descenderá de Dios, del cielo, adornada como una novia se adorna para el novio".

El pueblo en el desierto estaba aprendiendo a vivir en dependencia al Señor.

Se estaba produciendo toda una transformación en el pueblo de Dios.

La generación que salió de Egipto no tenía la Ley de Dios, pero la que entró en la tierra prometida ya tenía esa revelación divina.

Los que salieron de Egipto aun traían pegado en su piel el arraigo a ese suelo de esclavitud y sujeción, pero los que cruzaron el Jordán venían preparados para lograr nuevas conquistas.

La generación que cruzó el mar rojo en seco no tenía el arca del pacto, ni conocía el tabernáculo donde se manifestaba la gloriosa presencia del Señor, ni había visto caer maná del cielo, ni había presenciado la nube que los cubría y la columna de fuego que los calentaba, ni había visto salir agua de la roca, pero los que entraron a la tierra prometida traían consigo las más grandes manifestaciones de poder que algún pueblo sobre la tierra hubiera recibido de parte de Dios.

Pero en toda la travesía, cuando se enfrentaban a los enemigos que deseaban impedirles su marcha hacia la tierra prometida, se escuchaba una poderosa voz en el desierto que clamaba: "Levántate Señor".

Hoy más que nunca el pueblo de Dios necesita aprender a confiar en Él y clamar su nombre.

Ante la oposición del enemigo, ante las situaciones que afrontamos y las dificultades que la vida nos presenta a diario, ante el asedio de las presiones que este mundo nos presenta a diario, levantemos de nuevo el mismo grito de guerra y de confianza en El Señor.

Sí, en este día también: Levántate Señor y sean dispersados todos tus enemigos".

Oración:

Sí, Señor levántate en este día a nuestro favor. Obra como solo tú lo puedes hacer en medio de este mundo que te necesita. Al enfrentar este día lo haré con la seguridad de que tú vas delante de mí abriendo camino y venciendo en cada batalla. Amén.

¿Por qué me persigues?

"Él dijo: ¿Quién eres, Señor? Y le dijo: Yo soy
Jesús, a quien tú persigues; dura cosa te es dar coces
contra el aguijón" (Hechos 9:5)

Los enemigos del pueblo de Dios son también los enemigos de Dios.

Jesús le dijo a Saulo de Tarso, ¿por qué me persigues? Y Saulo respondió: ¿quién eres tú Señor?

Yo soy Jesús a quien tú persigues, respondió El Señor.

El que persigue al pueblo de Dios se está metiendo directamente con el Dios que los defiende, los sustenta y los cuida.

En el mundo espiritual hay muchos enemigos de Dios y de su pueblo.

Enemigos de sus valores, enemigos de la salvación de los suyos, enemigos que desean dañar el camino de los consagrados.

Por eso también nosotros como parte del redil de Dios en todas las épocas de la historia, manifestamos nuestra dependencia en su defensa y su guía.

Desde muchos lugares del mundo se escucha un clamor que reconoce la defensa del Señor y que la invoca siempre.

Desde las cárceles, desde los lugares de refugio, en los hospitales, en los ancianatos, en los lugares de terrible pobreza. Desde la soledad de los jóvenes o la desprotección de los niños. Desde los rincones secretos de oración y donde se reúne el pueblo del Señor, se levanta la misma voz de Moisés clamando con necesidad: sí, Señor, levántate de nuevo y danos la victoria, levántate y vence a todos los que nos acechan, los que se oponen a los valores cristianos, los que nos señalan y persiguen, los que desean callar la voz que proclama la verdad de la poderosa palabra de Dios. Sí, levántate Señor y vence de nuevo a quienes nos persiguen.

Que ese también sea tu grito en este día. Que desde el fondo mismo de tu corazón se escuche este clamor, porque sin duda, como pueblo santo, como hijos de Dios, veremos de nuevo su manifestación y celebraremos juntos Su victoria.

John Harold Caicedo

717

Cuando los demás pueblos enemigos veían que Israel iba siempre de la mano de Dios, temían, huían, sabían que no tenían nada que hacer en contra del pueblo protegido de Dios.

Pero lo que tú tienes que saber hoy es que también nosotros como iglesia del Señor en este tiempo, tenemos el mismo grito de guerra y también el enemigo sabe que Dios está con nosotros, que nos lleva de su mano y entonces no puede enfrentarnos porque hemos puesto nuestra confianza en Aquel que va delante de nosotros.

Dios se manifiesta una y otra vez a favor de los suyos.

Por eso tenemos siempre el sentido de pertenencia con un Dios que no está lejos y distante, sino que habita en medio de los que le amamos y le buscamos con sincero corazón.

Sí, que este día sea para ti un tiempo especial de confianza y seguridad en El Señor.

También hoy Él se levantará y defenderá a todos los que persiguen al pueblo escogido que camina de su mano.

Oración:

Señor Jesús, Tú eres mi defensa y mi sustento. Desde cuando abrí mi corazón para que tú habitaras en él, sé que nunca estaré solo/a sino que tú te levantas a diario como el León poderoso de la tribu de Judá que ha venido desde el cielo para defender mi causa. Amén.

El lenguaje de Dios

"He aquí, yo estoy a la puerta y llamo; si alguno
oye mi voz.... (Apocalipsis 3:20a)

Recuerdo la historia de un pastor que estuvo en aquel lugar donde fue el primer Tsunami terrible que acabó con miles de vidas.

Él estaba en un hotel en un piso alto a la orilla del mar, cuando divisó a lo lejos que se aproximaba una ola gigantesca como nunca había visto en su vida y entonces se asomó por la ventana desde esa altura y empezó a gritar: ¡quítense, muévanse, váyanse, viene una ola gigantesca!

Pero nadie le entendía. Algunos lo saludaban, otros movían sus manos pero seguían en lo suyo.

Miles de personas en las playas, hombres, mujeres y niños, y el pastor desesperado gritándoles que se quitaran de allí, pero ellos no entendían su lenguaje.

Tomó el teléfono, llamó a la policía, pero tampoco le entendían su lenguaje, hasta que finalmente ante su desesperada mirada, el vio como la ola arrasaba literalmente con miles de personas que fueron arrastradas por el furor del mar embravecido, y acabó con la vida de miles de ellos.

¿Qué hubiera bastado para que se salvaran? Simplemente que hubieran sabido escuchar al de arriba.

A aquel que les decía que se movieran, que no siguieran tan tranquilos porque el sabía del peligro que los acechaba.

¿No es lo mismo hoy en día con el mundo en general? Aquel que está en el trono nos habla y nos anuncia que tenemos que estar preparados, pero la gente sigue en lo suyo, no le importa, creen que todo es diversión. Pero llegará ese momento y quizás sea demasiado tarde para muchos.

¿Cuál es el problema con ellos? Que no saben escuchar la voz del que está arriba. Que no han aprendido a conocer su lenguaje, que no han sabido cómo deben moverse cuando la voz del de arriba les está hablando.

John Harold Caicedo

El Señor ha prolongado su misericordia por amor de muchos, pero llegará el día en que finalmente este capítulo se cerrará y ya no habrá manera de mirar atrás.

Si hoy has escuchado su voz, entonces corre y obedece lo que Él te dice. Al fin y al cabo Él ha venido a anunciar que el nuevo reino ha llegado y que a él solo entrarán los que reconozcan su voz cuando los llame.

Sí, una ola gigantesca se aproxima, es hora de aprender a entender la voz del Señor que anuncia su venida.

Oración:

Señor, sé que todos los días hablas desde los cielos y nos adviertes acerca de las decisiones que debemos tomar. Quiero ser obediente a tu llamado, quiero escuchar tu voz y seguirte. Amén.

Los propósitos de Dios para ti

"Porque yo sé los pensamientos que tengo acerca de
vosotros, dice Jehová, pensamientos de paz, y no de
mal, para daros el fin que esperáis" (Jeremías 29:11)

En el caminar desde Egipto hasta Canaán del pueblo de Israel, Dios los dirigía hacia la tierra de promesas.

El desierto no era su lugar de destino. Dios no asigna desiertos, Dios entrega tierra prometida.

El desierto no es un lugar para vivir eternamente, es solo el lugar de la travesía para llegar a lo que esperas.

Ellos caminaban con firmeza porque la nube los cubría y la presencia del Señor los confortaba.

Desafortunadamente en un momento determinado este pueblo erró el camino adecuado de la fe y la esperanza puesta en Aquel que los había librado de la esclavitud. Desconfiaron del Señor, no creyeron más en sus palabras y la incredulidad se apoderó de casi todos ellos, por lo cual al final tuvieron que pagar con sus vidas esta falta de fe.

El enemigo quiere poner tropiezo para que tú no llegues al final de tu camino.

El Señor les dio la ley, los alimentó en el desierto, les abrió el mar rojo para que pasaran en seco, hizo grandes maravillas, estableció la adoración, los sacrificios para expiación de los pecados y les dio identidad de pueblo de Dios.

Por supuesto que en todo este proceso, Dios quería cambiar no solo su mentalidad de esclavitud para darles una nueva identidad en libertad, sino además convertirlos en conquistadores, en guerreros que sabían cómo vencer en las batallas que se aproximaban.

La identidad de Israel es la del pueblo que ha sido liberado por la poderosa mano de Dios.

Si le hubieras preguntado a un israelita de los que caminaban en el desierto: ¿quiénes son ustedes? La respuesta seria: nosotros éramos una nación bajo esclavitud, estábamos sometidos al yugo del Faraón, pero mírenos ahora, caminamos hacia una tierra que se nos ha prometido, se nos ha dado la ley para que sepamos vivir entre nosotros, se nos ha dado el tabernáculo para que lo adoremos y tenemos siempre la compañía y el soporte del Señor. Caminamos de la mano de Dios.

Si esto era así para el pueblo de Israel en la antigüedad, entonces déjame hacerte una pregunta: ¿Cuántas veces has escuchado en las predicaciones, en los estudios bíblicos, en la radio, en la televisión, que eres libre en Jesús?

Si te pregunta alguien: ¿Tú quién eres? ¿Podrías responder algo como esto?: Yo era un esclavo del pecado, estaba consumido en una vida de ataduras, estaba en las manos del enemigo, pero Dios me libró, voy hacia una tierra que Él me ha prometido, conozco la Ley de Dios, y Él desea que le adore.

Soy un hombre o mujer libre en Cristo Jesús.

¿Sería esta una adecuada respuesta para tu vida en este momento?

No hay duda que los propósitos de Dios para los suyos son siempre de renovación, de restauración, de liberación y es por eso que cada día El Señor sigue formando hombres y mujeres en distintos lugares del mundo que puedan entender sus propósitos.

Él sabe que es lo mejor para tu vida y en este instante Él sigue trabajando para darte precisamente aquello que tú necesitas para alcanzar ese destino y esos propósitos para tu vida.

Camina con paso firme, Dios está contigo en esta jornada.

Oración:

No hay duda que tú, Señor, siempre has querido llevarme hacia el lugar de tus promesas. Este es un día que me acerca más al cumplimiento de ese destino fijado por tu voluntad. Amén.

Cambiando al mundo a través de la oración

*"Si se humillare mi pueblo, sobre el cual mi nombre
es invocado, y oraren, y buscaren mi rostro, y se
convirtieren de sus malos caminos; entonces yo oiré
desde los cielos, y perdonaré sus pecados, y sanaré su
tierra" (2 Crónicas 7:14)*

En 1970 un congreso mundial de brujería consagró a Colombia bajo el dominio del enemigo y se vieron terribles consecuencias. Guerras, narcotráfico, muerte por todas partes, el enemigo llevando dolor y sangre a todos los rincones del país. Tormentas y tempestades que llegaban de todos los lugares.

Ante esta terrible situación, hubo quienes se levantaron en diferentes localidades, que se negaron a aceptar lo que estaba sucediendo y más bien se pusieron en la brecha para orar por el país y pedirle a Dios que interviniera con su poder para cambiar las cosas que se estaban viviendo.

Ellos empezaron a buscar el rostro del Señor, oraron, hicieron jornadas de ayuno, intercesión y de dedicación al Señor. Se levantaron en el nombre poderoso de Jesús y Él respondió.

Hoy en día, Colombia es una tierra de bendición donde abunda la palabra y la unción del Espíritu Santo, donde se proclama el nombre del Señor en todas partes, donde el evangelio se esparce y las cosas están siendo transformadas, donde tú puedes ver en las mañanas de los domingos largas filas en las ciudades principales, pero no para entrar a un lugar de diversión, sino para entrar a escuchar la palabra que transforma y que está cambiando literalmente el panorama de este país.

Es hora de que el pueblo cristiano unido y fortalecido consagre cada ciudad, cada familia, cada territorio, cada miembro de su familia bajo el poder del Espíritu Santo y declaremos la victoria total sobre el enemigo.

El Señor está levantando gente que no tema en las tormentas, sino que se levante con valor para usar el poder que ya tiene de parte de

Dios e intercedan creyendo en lo que Él puede hacer a favor de los suyos. Él es quien tiene el poder para transformar naciones enteras.

El orgullo del hombre dice: todo lo puedo. El cristiano dice: todo lo puedo en Cristo que me fortalece.

El orgullo del hombre dice: no hay nada imposible. El cristiano dice: No hay nada imposible para Dios.

No es mi fuerza es la Él, no es mi poder, es el de Él.

No podemos por nuestra cuenta, pero Él si puede, para Él no hay nada imposible.

Quizás las cosas no se ven aún como querías, pero no pierdas la esperanza. Quizás hoy tus hijos no son lo que tú aspirabas de ellos desde su infancia, pero si estás confiando en Dios los verás cambiados y renovados para su gloria. A lo mejor tu vida todavía está a la deriva y parece que solo hay tormentas a tu alrededor, pero no es hora de dejar de luchar, es hora de levantarnos con valor y fe para que Dios obre y detenga esas tormentas que nos amenazan.

Así como un país entero pudo ser transformado como respuesta a la consagración de un grupo de creyentes, así mismo nuestras familias pueden ser cambiadas, nuestros matrimonios, nuestras iglesias pueden ser fortalecidas, nuestro entorno puede ser grandemente vivificado por la presencia constante del Espíritu Santo.

Nunca dejemos de orar e interceder. El Señor siempre responde a quienes confían en Él y dejan en su mano cualquier situación por la que estén atravesando.

Oración:

Mi mejor respuesta para ti Señor, es confiar plenamente en lo que tú harás y consagrarme con todo mi ser para conectarme a tus designios perfectos. Sé que puedes sanar nuestra tierra y hoy oro para que podamos verlo pronto y glorificar tu nombre sin reservas. Amén.

El tiempo de la activación

"Así que, si alguno se limpia de estas cosas, será
instrumento para honra, santificado, útil al Señor, y
dispuesto para toda buena obra" (2 Timoteo 2:21)

El común de las personas viven apartados de Dios pero creen que están bien. Se contentan con las cosas pasajeras de este mundo, con luces fugaces que iluminan por un tiempo sus vidas pero luego se apagan, dejándolos de nuevo en medio de las tinieblas.

Lo que no saben es que en una vida con Dios se manifiestan torrentes de agua viva, ríos de bendición, lluvia que sacia hasta el alma más sedienta.

Al leer los periódicos todos los días, mirar las publicaciones que hablan sobre el mundo, observar el estado actual de los matrimonios y de las familias en general, ver a los jóvenes que viven a la deriva, mirar tantas personas abandonadas, engañadas y sin respuestas, siempre llegamos a la misma conclusión: ¡Este mundo necesita de la dirección de Dios!

Hogares destruidos, problemas de toda índole, frialdad e indiferencia frente a las cosas de Dios. Sequía por todas partes.

Es entonces cuando, como hijos de Dios, debemos renovar nuestro compromiso con El Señor porque hemos aprendido que Él y solo Él es el que puede traer lluvia de bendiciones, restauración, sanidad, renovación y el fuego del Espíritu Santo en cada vida.

Por eso continuamos elevando nuestras oraciones y creyendo en que Dios puede transformar las vidas de quienes se acercan a Él.

Es un clamor de aquellos que conocen al Señor y saben que Él tiene el poder y la autoridad en los cielos y en la tierra. Es un clamor del fondo de un corazón apasionado por las cosas de Dios y que confía que El Espíritu Santo traerá su aire renovador. Lo que parecía que ya se moría por la sequedad, se va a levantar de nuevo como sucedió con aquellos huesos secos que estaban en el desierto y que respondieron a la predicación de un profeta, y se levantaron para vivir de nuevo.

Estamos siendo llamados por Dios para hacer cosas que están por encima de nuestras capacidades.

Este es el tiempo de activación. Hay algo que está palpitando en muchos corazones en este momento.

Es un reto divino. Es un llamado desde los cielos para ponernos en marcha.

Los seres humanos funcionamos por desafíos. El desafío activa. Los que no se ponen retos en la vida no alcanzan nada. Pero hoy hay algo que se está activando en tu interior. Escúchalo, siéntelo, vívelo.

En estos tiempos se necesita de hombres y mujeres que sepan expresar lo que Dios quiere hacer.

¿Eres tú quizás esa persona? ¿Eres tú el que sabrá lo que está diciendo El Señor y también podrá guiar a los demás a cumplir con su voluntad?

Dios quiere moverse en este mundo con poder y lo hará a través de todos aquellos que se hayan dispuesto para ser usados por Él.

Es entonces mi oración que tú seas uno de estos instrumentos útiles en las manos del Creador del universo. Este es tu tiempo, aprovéchalo de la mejor manera.

Oración:

Ese es mi deseo como hijo/a de Dios. Que pueda ser activado/a y usado/a para propósitos eternos. Que pueda entender lo que Dios quiere para estos tiempos y sea útil en el cumplimiento de sus propósitos divinos. Amén.

Creados para cosas extraordinarias

*"todos los llamados de mi nombre; para gloria mía
los he creado, los formé y los hice" (Isaías 43:7)*

Una ancianita en Venezuela vivía en un barrio muy pobre y peligroso de Caracas.

Ella era una mujer de ayuno y oración, y salía por las calles y les predicaba a los delincuentes del barrio a la medianoche o en la madrugada. Ellos temblaban cuando la veían.

Una noche El Señor le mostró que algunos de ellos se habían robado una moto, así que ella se fue a su casa a medianoche y les ordenó que devolvieran la moto robada y así lo hicieron.

Otro día se llevó a muchos de ellos que ya la habían aprendido a respetar y los puso a ayunar por tres días. Era tanto el respeto que sentían por esta anciana, que aun en medio de ese clima de maldad, de delincuencia y de dificultades, ellos obedecían a la mujer cuando ella les ordenaba algo.

La primera banca de la iglesia estaba siempre vacía para ser ocupada por algunos de estos delincuentes que llevaba esta ancianita cada semana.

El día que murió había más de 200 pastores en su funeral. Todos esos pastores habían sido delincuentes sacados de las calles por esta mujer. Y lo que quiero que entiendas es que todos hemos sido creados para cosas extraordinarias. Si aún no las has hecho no es porque Dios no te haya dotado, sino porque aún no te has decidido a dar el siguiente paso en tu vida.

Esta ancianita no tenía recursos económicos, carecía de bienes materiales, ni siquiera tenía un auto para desplazarse, pero en su corazón ardía la llama del evangelismo y no cesaba de compartir el mensaje poderoso del evangelio.

Muchos de nosotros ponemos excusas para no movernos en las cosas espirituales, pero en gran parte el mundo sigue como está debido a la falta de acción del pueblo que ha recibido el favor de Dios.

Si podemos entender que aun con todas nuestras carencias, hemos sido creados para realizar cosas extraordinarias, entonces nos enfocaremos mejor en seguir corriendo la carrera que tenemos por delante, en lugar de solo lamentarnos por lo que no tenemos y que nos impide ir a compartir las buenas nuevas de salvación.

Este es un buen día para llevar a cabo muchas cosas que aún no te habías atrevido a realizar en el nombre poderoso de Jesús. Hemos sido creados para la gloria de Dios.

Que todos los que se acerquen a ti en este día, puedan percibir que tú eres portador/a de esa gloria divina.

Oración:

Que maravilloso ser usado/a por el Dios del universo, Creador de todas las cosas. Saber que he estado en tus planes eternos me motiva hoy para hacer cosas extraordinarias en tu nombre. Amén.

Muerto en vida

"...Yo conozco tus obras, que tienes nombre de que vives, y estás muerto" (Apocalipsis 3:1b)

La acusación que El Señor hace a la iglesia de Sardis es que tiene nombre de que vive, pero en realidad está muerta.

Que trágico es esto, ¿una iglesia muerta? ¿Un grupo de personas que no recibían palabra viva, ni refresco espiritual, ni un fluir del Espíritu Santo, sino únicamente muerte y sequedad?

En ninguna parte de la Biblia se nos habla que Dios se satisface con algún tipo de entrega a medias, o de dedicación parcial, no. Él siempre pide todo. Amarás al Señor tu Dios con todo tu corazón, con toda tu alma, con todas tus fuerzas, con toda tu mente. Todo. Eso es lo que pide Dios de ti.

Sardis era ciudad próspera muy segura porque estaba en la cima de grandes cordilleras, lo que la hacía inexpugnable; además estaba amurallada y había una gran torre donde los vigías tenían una vista panorámica para descubrir cualquier ejército enemigo.

No temían a invasores porque estaban muy confiados que nadie se atrevería a escalar un precipicio.

La población creció y tuvieron que expandir su ciudad. En las nuevas tierras que se adueñaron encontraron oro y plata, y se volvieron ricos. Ellos estaban confiados en sus riquezas y en su seguridad.

Sus habitantes empezaron a amar los lujos, el dinero y la inmoralidad, y la ciudad se convirtió en un cadáver.

De las siete iglesias de Asia, Sardis era una de las más débiles en cuanto a fervor religioso.

Con excepción de unos pocos miembros fieles que siguieron alimentando el fuego del evangelio, la iglesia misma iba extinguiéndose poco a poco, como fuego que carece de combustible y de aire.

Pero la pregunta sería: ¿siempre fue así esta iglesia? Por supuesto que no.

John Harold Caicedo

No cabe duda de que al principio esta iglesia estaría llena de vida, de poder espiritual, del mover de Dios en su interior, pero quizás el descuido, la falta de oración, la falta de celo por la defensa de su fe, el poco compartir de sus miembros acerca de sus creencias pudieron llevar a la iglesia de Sardis a esa condición de muerte.

Y eso es lo que puede pasar no solo con una iglesia en general, sino también con un cristiano en particular.

Puede descuidar su vida de oración, puede descuidar la práctica de las disciplinas espirituales, puede dejar atrás su pasión por la palabra de Dios, y el mundo con todo su atractivo puede ocasionar que una persona así finalmente termine en muerte cuando en realidad debería estar siempre vivificada por la presencia del Señor en ella.

Ten cuidado que al mirar tu vida no te parezcas a la iglesia de Sardis, con nombre de que vives, pero en realidad muerto/a espiritualmente.

El Señor anhela verte siempre avivado/a, con fuego espiritual y creciendo en su conocimiento.

Que este sea un día lleno de la abundancia de bendiciones espirituales. Si Cristo habita en ti, eres portador/a de la vida nueva y refrescante. El Señor conoce tus obras.

Oración:

Hoy quiero vivir en la dinámica que El Espíritu Santo me ha regalado. El anhelo de mi corazón es mostrar la vida del Espíritu en mí a todo aquel que me demande la razón de mi esperanza. Amén.

14

Vida o muerte

*"Y esta es la vida eterna: que te conozcan a ti, el
Único Dios verdadero, y a Jesucristo, a quien ha
enviado" (Juan 17:3)*

La palabra muerte significa separación.

Si la vida eterna consiste en conocer al Señor, al Único Dios verdadero, entonces es fácil comprender que la condenación eterna es precisamente el alejamiento, el desconocimiento de ese Dios que salva y que redime.

Es el pecado lo nos aparta de Dios y la condición pecaminosa es la condición de muerte.

Cuando el hijo prodigo se había ido de su casa y había malgastado toda su herencia, su condición era precisamente de muerte. De hecho cuando regresa al hogar la frase que usa el padre es: "Este mi hijo estaba muerto, pero ahora ha revivido, se había perdido pero ha sido hallado".

En Romanos 3 se nos dice que la condición de cada uno de nosotros alejados del Señor era muerte en delitos y pecados. Y ¿qué es lo que necesita alguien así? Necesita a Aquel que dijo: yo soy el camino, la verdad y la vida. Y es precisamente a través de Jesucristo que hallamos la verdadera vida y dejamos atrás la condición que teníamos.

Estar en Cristo es la garantía de la salvación y es por eso que el apóstol Pablo nos reafirma que "no hay ninguna condenación para los que están en Cristo, los que no andan conforme a la carne, sino conforme al Espíritu" (Romanos 8:1).

Así mismo el apóstol nos recuerda que para aquellos que hemos nacido de nuevo, nada ni nadie nos podrá separar del amor de Dios. Estamos unidos a ese amor y ni siquiera la muerte física nos puede separar de Aquel que dio su vida por nosotros.

Sí, la muerte es separación, pero la vida es estar unidos al dador de la misma.

El Señor desafió en el Antiguo Testamento a los suyos, diciéndoles que tenían delante la vida y la muerte, la bendición y la maldición, pero los invitó a tomar la vida para que fueran transmisores de la misma a toda su descendencia (Deuteronomio 30:19).

Tu condición en este mundo no es ser presbiteriano, bautista, reformado, nazareno, o algo así, no.

Tu condición es de vida o de muerte. De muerte sin El Señor, pero de vida plena con Jesucristo.

Hoy puedes estar viviendo en plenitud de vida o por el contrario, creyendo que vives pero estando en condición de muerte.

Así que delante de ti están las opciones. Escoge la vida, escoge a Cristo Jesús, Él es el camino, la verdad y la vida y nadie viene al Padre sino es a través de Él.

Oración:

Hoy escojo la vida, escojo la plenitud, escojo la armonía, escojo la bendición, escojo la paz, escojo el gozo, escojo el amor, escojo a Jesucristo. Si lo tengo a Él lo tengo todo. Amén.

Más de Dios o más del mundo

"Si fuerais del mundo, el mundo amaría lo suyo;
pero porque no sois del mundo, antes yo os elegí del
mundo, por eso el mundo os aborrece" (Juan 15:19)

Una iglesia que no tiene el poder de Dios en ella y su presencia, no puede ayudar a nadie, ni transformar ninguna vida.

Una iglesia en la que no haya una manifestación del Espíritu Santo se convierte simplemente en un lugar de reunión donde se pasa un rato pero nada sobrenatural puede suceder.

Hay muchas cosas que no podemos hacer por medios naturales. Si El Espíritu Santo no está operando en nuestras vidas, entonces nuestra forma de hacer las cosas simplemente será más de lo que vemos en el mundo.

El mundo está lleno de inmoralidad, el mundo nos presionará para que perdamos nuestro testimonio, tratará de que veamos que todo lo que nos rodea es normal, hasta que perdamos nuestras convicciones.

Cuando la iglesia del Señor es igual al mundo del que decimos que nos alejamos, entonces en realidad seguimos en lo mundano y no nos apartamos a lo sagrado, lo divino y lo santo.

Si no hay una frontera entre lo mundano y lo divino que decimos proclamar, entonces no hemos entendido el verdadero sentido de lo que El Señor creó cuando Él dijo que iba a edificar su iglesia sobre fundamento fuerte. Lo santo es lo santo. Nunca es igual a lo mundano.

Moisés tuvo que quitarse el calzado de sus pies, porque estaba en lugar santo.

En el templo de Salomón, los sacerdotes no podían ministrar a causa de la gloriosa y santa presencia de Dios.

Si somos un pueblo santo, es porque El Señor nos escogió y nos apartó, nos santificó, para poder andar como es digno del Dios santo.

La proclamación del evangelio no es solo para los líderes o para los nuevos convertidos. En realidad es tanto para el que recién conoce del Señor, como para el que lleva 50 años como cristiano, porque el

John Harold Caicedo

mensaje siempre es nuevo, la palabra siempre es fresca y el poder del Espíritu nunca se termina.

Si el evangelio no fuera una palabra diferente en este mundo, entonces no tendríamos necesidad de fe para creerlo, ni del Espíritu Santo para vivirlo.

Si cada uno pudiera seguir viviendo una vida de egoísmo, de injusticia y de maldad, ya todo se hubiera destruido. Todos los seres humanos hubiéramos acabado unos con otros y nuestro egoísmo hubiera acabado con el mundo que Dios creó. Por eso necesitamos del Señor y de su palabra.

Por eso necesitamos ser diferentes al mundo, porque estamos recibiendo un mensaje que viene directamente del trono de los cielos.

Sí, es hora de hacer una verdadera diferencia. El mundo puede llegar a aborrecernos por nuestras convicciones, por nuestro estilo de vida o por los valores y principios que anhelamos conseguir, pero no permitamos jamás que lo santo se mezcle con lo profano, que vivamos vidas tibias y sin compromiso, con un poco de Dios y un poco del mundo. Es hora de hacer la diferencia.

El mundo nunca podrá realmente darte la plenitud anhelada, pero si tú estás en Cristo, eres un elegido y tu vida está escondida en Él. Lo tienes todo, no busques más.

 Oración:

Hoy disfruto de la plenitud de tu presencia, amado Jesucristo. Hoy me invitas a compartir este gozo con todos aquellos que aún no te conocen, para que también ellos tengan la oportunidad de gozarse con una nueva vida en el reino que tú viniste a anunciar. Amén.

De muerte a vida

"Nicodemo le dijo: ¿Cómo puede un hombre nacer siendo viejo? ¿Puede acaso entrar por segunda vez en el vientre de su madre, y nacer?"(Juan 3:4)

Los cristianos en ocasiones tenemos corta memoria. Se nos ha olvidado lo que Dios hizo por nosotros. Nuestra vida diaria se ha convertido más en una vida de quejas, de señalamientos, de juicios, que de servicio, de alegría en El Señor, de gozo que deben experimentar a diario los redimidos de Dios.

Se nos ha olvidado que nosotros éramos como un moribundo, desahuciado para este mundo y sin esperanza y sin embargo El Señor realizó en nosotros la obra más maravillosa, nos rescató, nos liberó, nos transformó.

Debemos ser esas nuevas criaturas de las que nos habla el evangelio, debemos ser como ese pueblo de Dios que anunciaba las virtudes de Aquel que los sacó de las tinieblas y los llevó a la luz admirable.

Los hermanos de la iglesia antigua tenían ese profundo sentido de agradecimiento.

Ellos sabían muy bien lo que eran antes de conocer a Cristo y en lo que se habían convertido después de haberlo conocido.

Ellos habían entendido muy bien lo que significa pasar de muerte a vida, pasar de una condición de tristeza eterna a una de gozo eterno. Ellos sabían lo que significaba ahora la vida en Cristo Jesús, Su Señor y Salvador.

Por eso el libro de Hechos abunda en testimonio de lo que hacían estos redimidos.

Una nueva criatura está preparada para nuevos desafíos en su vida. El vino nuevo no se echa en odres viejos, ni se ponen remiendos de paño nuevo en vestidos viejos.

Entonces la pregunta es para ti ahora: ¿Estás compartiendo con otros tu fe? ¿Tu corazón arde con el fuego del Espíritu y te motiva a ser partícipe de la obra divina?

Es hora de que los creyentes nos movilicemos y busquemos alcanzar a tantos y tantos que aún no conocen del Señor ni participan aún del gozo de los redimidos.

Jesús no dice que la palabra de Dios deba ser conservada y protegida en un anaquel o en una gaveta, sino que sus enseñanzas deberían conocerse, seguirse y obedecerse.

Hoy en día, la Biblia es el libro más vendido, alrededor del mundo millones de personas lo compran. Algunos lo leen con regularidad, pero en realidad solo algunos tratan de obedecerla.

El gran problema con muchos de los que se reúnen en las iglesias no es que no conozcan la Escritura, o que ignoren los principios bíblicos, sino que no los llevan a la práctica de su vida diaria. Por eso El Señor nos hace un llamado a vivir la grata experiencia de la nueva vida en Cristo con toda la pasión que debe caracterizar a quienes han nacido de nuevo.

Las respuestas de Jesús a Nicodemo nos enseñan el alcance de los logros obtenidos por aquellos que confían en El Señor. Nicodemo tenía una necesidad verdadera. Él necesitaba un cambio de corazón – una transformación espiritual. El nuevo nacimiento, el nacer de nuevo, es un acto de Dios por el cual la vida eterna es impartida a la persona que cree.

¿Estás viviendo hoy bajo esa nueva perspectiva? ¿Experimentas en tu interior el poder del nuevo nacimiento?

Disfruta este día bajo tu nueva condición. Si has entregado tu vida a Cristo Jesús, has nacido de nuevo del Espíritu, las cosas viejas pasaron y todas son hechas nuevas para ti.

Oración:

Gracias Señor Jesucristo por hacer de mí una nueva criatura. Hoy vivo bajo la nueva condición que creaste para mí y reconozco que ya no puedo vivir separado de ti. Amén.

¿Una obra inconclusa?

"Cuando Jesús hubo tomado el vinagre, dijo:
Consumado es. Y habiendo inclinado la cabeza,
entregó el espíritu" (Juan 19:30)

Piensa en esta historia. Jesús predicó, sanó, liberó, anduvo por los caminos de Galilea enseñando, haciendo milagros y grandes cosas que identificaron su ministerio. Entró triunfante a Jerusalén y durante la última semana compartió con sus discípulos hasta que fue capturado, llevado preso ante el Sanedrín, lo azotaron, lo martirizaron, se burlaron de Él, lo condenaron a la cruz y lo hicieron caminar delante de la multitud que lo escupía, le gritaba, le afrentaba, hasta el monte donde iba a ser crucificado.

Todos esos sucesos fueron en cumplimiento de las profecías que se habían anunciado y que lo llevarían hasta el final para morir por nuestros pecados.

La salvación de la humanidad en juego. La realización de todo lo que El Padre había diseñado pensando en cada uno de nosotros y tenía que culminar con Jesucristo en la cruz y después de tres días, la resurrección para mostrarse vencedor delante de este mundo.

Pero imaginen que Jesús llega hasta el lado de la cruz y en lugar de entregarse como cordero que fue llevado al matadero, simplemente huye ayudado por sus discípulos y por otros amigos que estaban esperando el momento preciso para entrar en aquel lugar y llevarse a Jesús.

Si hubiera pasado eso, simplemente no podríamos reunirnos como iglesia para compartir acerca de la salvación tuya y mía.

Sencillamente todo esto sería en vano, no tendría sentido proclamar su nombre ni buscarlo para el perdón de los pecados. No valdría la pena nada de lo que hemos predicado por años, simplemente no se hubiera llevado a cabo la consumación de la obra de salvación.

¿No sería entonces una obra incompleta? ¿No sería una vida en la que los propósitos divinos no se habrían cumplido y por lo tanto todo sería diferente?

John Harold Caicedo

Pero Jesús no lo hizo. Él fue fiel hasta el final. Él no huyó estando al lado de la cruz y contemplando de cerca la muerte misma. Todo lo contrario. Sin ofrecer resistencia se entregó y soportó sobre Él todas las afrentas y burlas de quienes creían que se estaban deshaciendo de aquel usurpador sin saber que estaban crucificando al Mesías. Pero Él fue hasta el final. Su vida fue siempre de fidelidad, entrega y amor. Su propósito era traernos salvación.

Cuando Él nació, el ángel dijo que debían ponerle por nombre Jesús porque "Él salvaría a su pueblo de sus pecados".

Tenía un propósito en su vida y lo cumplió hasta el final. Por eso en la cruz misma pudo decir: "consumado es", y expiró y cumplió con todo lo que había prometido de antemano.

Entonces la pregunta para ti es: ¿Estás cumpliendo con los propósitos que Dios tenía para tu vida?

¿Estás avanzando hasta la consumación de la obra que Dios te encomendó?

Espero que así sea, pues de lo contrario tu vida sería simplemente una obra inconclusa en la que no se cumplen los propósitos divinos.

Al fin y al cabo la perfección en un ser humano no es simplemente que no erremos jamás, sino que cumplamos con los propósitos para los cuales fuimos creados.

Oración:

Hoy quiero avanzar en aquellos propósitos que tú tenías para mí cuando me enviaste a este mundo. Quiero vivir con excelencia en cumplimiento de tu voluntad y dar un paso más en obediencia a tu palabra. Amén.

Más allá de mis límites

"Porque nada hay imposible para Dios"
(Lucas 1:37)

Una de las características de la humanidad es mirar todo a través de sus propias posibilidades.

¿Qué es lo que puedo hacer? ¿Qué tanto puedo alcanzar? ¿Hasta dónde llegan mis fuerzas?

Y por lo general nos desgastamos, nos cansamos, nuestras fuerzas se agotan, llegamos a un nivel tal de frustración que terminamos por dejar nuestros proyectos a medias, nuestras luchas sin terminar, nuestros sueños los dejamos morir.

Pero hay algo que identificó siempre a Jesús en su ministerio y que Él quiso compartirnos para que tuviéramos una visión diferente de las cosas. Él quiso que desarrolláramos una visión más allá de nuestros límites.

Por ejemplo, antes de irse de este mundo, Jesús reunió a sus discípulos y les dio a entender algo como esto: Ustedes quizás no tengan la fuerza suficiente para lograr muchas cosas, tienen limitaciones, pero recuerden esto: van a recibir un poder sobrenatural. "Recibirán poder cuando venga sobre vosotros el Espíritu Santo y entonces me seréis testigos en Judea, en Samaria y hasta lo último de la tierra" (Hechos 1:8).

Lo que les estaba diciendo El Señor es que sin duda la capacidad del ser humano es limitada, pero hay un poder mayor que nos permite hacer las cosas de una forma sobrenatural, y sus discípulos estaban encargados de llevar a cabo una obra para la cual necesitaban de ese poder celestial.

El Señor anhela que cada uno de sus hijos/as podamos comprender las inmensas posibilidades que solo a través de la obra sobrenatural de Dios se hacen realidad.

Que podamos ver cada circunstancia, no solo de acuerdo a lo que podemos hacer, sino a lo que Dios puede hacer en esa situación.

Sin duda Dios está levantando personas de fe. Que aprenden a mirar el mundo a través de las posibilidades divinas.

John Harold Caicedo

Son los Davids que vencen a los Goliats.

Son los Calebs que desean conquistar las montañas más altas.

Son los Pablos que no se detienen ante las adversidades y saben que pueden seguir ganando palmo a palmo el terreno para El Señor.

Son los Josués que han recibido la promesa divina de conquista y saben que donde pisen ese lugar será declarado un lugar para Dios.

Y son los Elías que no se asustan ante los sacerdotes idólatras sino que saben que tienen el respaldo divino, pues con El Señor la victoria está asegurada.

Siempre hay uno que está llamado por Dios para cruzar fronteras, cruzar límites, cruzar oposiciones, cruzar obstáculos, cruzar desiertos, no solo geográficos sino de condiciones y circunstancias adversas.

Tenemos que poner la mirada en lo eterno y espiritual primero.

Este es un buen día para responder al desafío divino. Es un día para aceptar ese poder sobrenatural que El Señor desea colocar sobre tu vida. Este es un día para ir más allá de tus límites con la ayuda de Dios.

Oración:

Así es Señor, hoy acepto tu llamado para ir mas allá, para vivir en excelencia, para hacer lo que otros se niegan a hacer, para vivir en la dimensión del respaldo divino a través de la obra perfecta del Espíritu Santo en mí. Amén.

Decisiones definitivas

"Y acercándose Elías a todo el pueblo, dijo: ¿hasta
cuándo claudicaréis vosotros entre dos pensamientos?
Si Jehová es Dios, seguidle; y si Baal, id en pos de él.
Y el pueblo no respondió palabra" (1 Reyes 18:21)

En este pasaje el profeta Elías desafía a todo el pueblo haciéndoles una pregunta muy directa: ¿Hasta cuándo claudicaréis vosotros entre dos pensamientos? Él les está diciendo: ¡Tomen una decisión definitiva para su vida! ¡Decídanse y vayan tras esa verdad! Que sea la convicción de sus vidas.

Los desafíos de Elías ciertamente se aplican a nosotros... Es el momento de renunciar a estos dioses que prometen todo y no ofrecen nada. Sexualidad, materialismo, prestigio, poder, intelectualismo, placer. Todos hacen promesas, pero cada vez producen más vacíos al interior del ser humano.

Hay momentos en la vida en que tenemos que tomar decisiones radicales. Compromisos serios que nos van a llevar a un destino.

Cuando tú vienes a Cristo Jesús, sin duda cruzas la línea. De muerte a vida, de condenación a salvación eterna, de estar fuera de las promesas divinas, a ser parte de un pueblo escogido, de estar fuera de los pactos a pertenecer al pueblo del pacto del Señor.

Son decisiones trascendentales que van a marcar la diferencia total para tu vida.

¿Cuántas veces has oído decir, no importa lo que creas con tal que seas sincero? Esto es erróneo. No es verdad. Por supuesto que es importante en quién creemos, en quién confiamos y a quién le entregamos la dirección de nuestras vidas.

La reina Jezabel, había destruido a los profetas de Dios remplazándoles por sacerdotes de divinidades falsas. Oscuridad espiritual cubría la tierra. El pueblo estaba ciego ante tanta idolatría. Cada día se levantaban nuevos templos paganos, donde se practicaban crueles ritos en los que perecían inocentes.

John Harold Caicedo

Todo esto ocurría en un pueblo que llamaba a Abraham su padre, y cuyos antepasados habían clamado a Dios en sus tribulaciones y habían sido librados de todas sus angustias.

De esa profunda apostasía Dios levantó a un hombre —no un comité, ni una secta, ni un ángel sino un HOMBRE—, y un hombre de pasiones semejante a las nuestras.

Un solo hombre pero con el poder de Dios conquistó una nación y alteró el curso de la naturaleza.

Elías vivió con Dios. Consideró los pecados de la nación como pecados contra Dios; se entristeció sobre tales pecados como Dios mismo, y habló contra ellos como Dios. Fue tan apasionado en sus oraciones como en su denuncia del mal. Su predicación era como fuego y los corazones de los hombres como metal fundido. Él oró para que lloviera y la naturaleza se alteró ante el pedido de un santo.

Por eso él tuvo la autoridad para lanzar ese desafío a todo un pueblo. ¿Hasta cuándo?

Esa misma pregunta se hace realidad hoy para nuestras vidas: ¿Hasta cuándo dejaremos atrás la vieja naturaleza y nos vestiremos definitivamente del nuevo hombre? ¿Hasta cuándo tomaremos decisiones radicales que nos lleven a una experiencia profunda con Dios? ¿Hasta cuándo seguiremos vacilando entre lo que nos ofrece Dios y lo que nos ofrece el mundo? ¿Hasta cuándo?

Es hora de que aparezca el verdadero pueblo que proclama: Jesús es El Señor y no hay más, y que vive de acuerdo a esta verdad cada día.

Que este sea ese día de decisiones radicales para ti. ¿Hasta cuándo?

Oración:

En ese día recibo con humildad tu llamado y me dispongo a obedecer con valentía y decisión. Mi vida ya no puede estar separada de ti, por lo tanto sé que debo aprovechar cada día para avanzar en tus propósitos eternos. Amén.

Una oración por avivamiento

"Respóndeme, Jehová respóndeme, para que
conozca este pueblo que tú, oh Jehová, eres el
Dios y que tú vuelves a ti el corazón de ellos"
(1 Reyes 18:37)

En el enfrentamiento del profeta Elías con los profetas falsos observamos dos formas distintas de adoración. Una de ellas falsa, sin sentido, sin dirección divina y la otra, dirigida directamente al trono de los cielos y al que está sentado en ese trono.

Delante de todo el pueblo, los 450 sacerdotes de Baal prepararon un toro, lo colocaron sobre madera en el altar, y oraron para que descendiera fuego del cielo y consumiera la ofrenda. Desde la mañana hasta el mediodía, llamaron en vano a Baal, mientras Elías se mofaba de ellos en desafío. ¡Gritan y se cortan, pero no hay respuesta! La gente necesitaba ver cuán absurdo era adorar a un dios falso.

Entonces el profeta solitario, Elías, edificó un altar en el nombre de Jehová y preparó la madera y el toro para el sacrificio. Hizo que se empapara el altar tres veces, y luego oró al Señor: "Jehová, Dios de Abraham, de Isaac y de Israel, que se sepa hoy que tú eres Dios en Israel y que yo soy tu servidor y que por orden tuya he ejecutado todas estas cosas. Respóndeme, respóndeme, y que todo este pueblo sepa que tú, Jehová, eres Dios que conviertes sus corazones."

Elías oró, no por la destrucción de los profetas idólatras, ni que cayeran rayos sobre el rebelde pueblo de Israel, sino para que la gloria y el poder de Dios se revelaran como Dios quisiera.

Y El Señor trajo ese fuego como respuesta a la fe de Elías y a su celo por su Señor.

Fuego divino que transformó todo.

Estamos llegando a un momento histórico muy especial. Los corazones van a ser descubiertos, las intenciones van a quedar a la luz de todos, y cuando muchos se retiren y huyan, se levantarán los Elías que digan: Señor enciende el fuego porque yo creo en tu poder y sé que no me avergonzarás.

¿Dónde están aquellos que aún tienen ese celo divino?

¿Dónde están los que aman al Señor y reconocen que la iglesia debe ser protegida porque fue la institución creada por Dios para proclamar su palabra?

Cuando cayó el fuego del cielo consumió todo, el holocausto, la leña, las piedras, el polvo y aun el agua que estaba en la zanja. Todo lo consumió el fuego divino.

¿Y qué sucedió con el pueblo? Todo el pueblo se postró. Todo el pueblo adoró. Todo el pueblo clamó: ¡Jehová es el Dios, Jehová es el Dios!

¡Ese es el fuego del avivamiento divino! ¡Ese el fuego que viene de los cielos y que toca a cada persona para que se postre y diga: ¡Jehová es el Dios, Jehová es el Dios!

El avivamiento no viene por manos de hombres o pensamientos o estrategias, o planes muy bien desarrollados. No. Todo esto en realidad está más allá de nuestra propia posibilidad. El avivamiento viene de los cielos. Es el fuego divino que entra y consume todo, y que hace postrar a todo el pueblo en adoración delante del Dios Altísimo y Soberano.

Ora al Señor para que en ti arda también ese fuego divino y todos los que te vean sepan que estás en avivamiento porque Dios ha despertado tu espíritu adormecido.

Oración:

Hoy elevo una oración por un despertar espiritual. Sé que debo empezar conmigo mismo y luego contagiar a otros del fuego divino. Es tiempo para avivar la llama que El Señor ya ha puesto en nuestro interior. Amén.

Confrontando el pecado

"Yo reprendo y castigo a todos los que amo; sé, pues, celoso y arrepiéntete" (Apocalipsis 3:19)

Un hombre iba a ser llevado a la silla eléctrica y pidió un último deseo, que le trajeran a su mamá y la sentaran frente a él.

Cuando la trajeron, él le dijo: mamá quiero que sepas que yo estoy aquí por culpa tuya.

Cuando estaba pequeño y te decía mentiras tú no decías nada, más bien las celebrabas.

Cuando me robé algo de un supermercado tú no dijiste nada, más bien me dijiste que yo era muy inteligente para hacer las cosas. Cuando decía malas palabras tú no decías nada, más bien te reías y celebrabas con los demás lo que yo hacía.

Cuando fui adolescente y me robé algo y te lo traje de regalo tú no dijiste nada, más bien te alegraste de tener un hijo que tenía habilidad para muchas cosas.

Cuando hice mis primeros negocios turbios tú no dijiste nada y yo seguí adelante creyendo que todo estaba bien, y ahora como producto de todo eso, yo estoy en este lugar y prefiero por lo que más quieras, prefiero con todo mi corazón que ¡ahora ya no digas nada!

El pecado tiene que ser confrontado. No podemos simplemente ignorarlo, tenemos que hacer frente al pecado y sus consecuencias, y advertirle al mundo que el pecado destruye las vidas y los lleva a la separación de Dios.

Jesús confronta a la iglesia de Laodicea con palabras fuertes que van directamente al estado de cosas que Él podía observar.

En aquella ciudad se hacían muchos negocios y abundaba el dinero, pero para Jesús ellos eran pobres.

Ser rico sin fe es ser desgraciadamente pobre. Hay gente que es tan pobre que lo único que tiene es dinero.

La ciudad era famosa por la vestimenta que vendía y la gente se sentía orgullosa de usar ropas que hubieran sido confeccionadas en esta ciudad. Era el centro de la moda de ese tiempo y sin embargo, Jesús le dice a la iglesia que está desnuda.

También la ciudad era famosa porque habían desarrollado unas gotas para traer sanidad en los ojos irritados y enfermos. Pero curiosamente también El Señor les dice que están ciegos.

Son puros contrastes. Ellos se creen ricos, sin ninguna necesidad, pero para Jesús ellos son: ¡desventurados, miserables, pobres, ciegos y desnudos!

La iglesia no son edificios. La iglesia no son sillas o espacios, o salones, o equipos de sonido, o grandes parqueaderos. No, la iglesia somos tú y yo. Necesitamos examinar nuestra vida a la luz de la palabra de Dios y tomar acción de inmediato, para que no seamos a los ojos de Dios como estos creyentes.

Es necesario confrontar el pecado de la misma manera que lo hizo Jesús con los creyentes de esa ciudad. Quizás a los ojos de los hombres podemos estar bien, pero la pregunta fundamental para cada ser humano es: ¿Y cómo estamos ante los ojos del Señor? ¿Estaremos a punto de ser vomitados por la boca de Dios?

Hazte las mismas preguntas en este día. Quizás haya situaciones en tu vida que necesitan ser confrontadas de inmediato para que elimines cualquier cosa que te aparte del Dios vivo que observa tus obras.

Oración:

Señor Jesús, sé que tú sabes todo de mí, conoces mis obras y las intenciones de mi corazón. Por eso mi oración hoy es la misma de David: examíname, pruébame y guíame. Amén.

Le pondrás por nombre Jesús

"Y dará a luz un hijo, y llamarás su nombre JESÚS,
porque Él salvará a su pueblo de sus pecados"
(Mateo 1:21)

El ángel que le anunció a José lo que estaba pasando con María, no permitió siquiera que los padres le pusieran un nombre porque Jesús ¡era el único que ya venía bautizado desde los cielos!

Simplemente en el nombre del Señor está también su propósito. Él, solo Él, salvará a su pueblo de sus pecados.

Ese nombre es el que es sobre todo nombre, ante el cual unos pocos doblaron sus rodillas para adorarle en aquel tiempo, pero un día toda rodilla se doblará y toda lengua confesará que aquel niño que allí nacía es ahora El Señor de señores para la gloria del Dios Padre que lo envió a este mundo.

Él no vino solo a llenar espacios en blanco en el ser humano. Él es todo. El que tiene al Hijo tiene la vida, quien lo tiene a Él, lo tiene todo.

Él es el Verbo encarnado, el heredero de todo, el resplandor de la gloria de Dios, la imagen misma de su sustancia, quien sustenta todas las cosas con la palabra de su poder, quien se sentó a la diestra de la majestad de las alturas y cuyo nombre es sobre todo nombre.

Muy pocos alguna vez han "nacido reyes." Algunos hombres nacen como príncipes, pero rara vez nacen como reyes. No creo que encuentren algún caso en la historia donde un niño haya nacido rey. Nació como príncipe de Gales, tal vez, y tuvo que esperar un número de años, hasta que su padre muriera, y entonces lo hicieron rey, poniéndole una corona en su cabeza; y un crisma sagrado, y otras cosas extrañas por el estilo; pero no nació rey.

¡Pero Jesús en el instante que vino a la tierra, Él era un rey!

Los magos que vinieron a visitarlo tiempo después, no llegaron preguntando por un niño, sino diciendo: "¿Dónde está el rey de los judíos que ha nacido? Hemos venido a adorarle".

En la mente de Dios, no existieron caminos diferentes, porque hay un solo Salvador.

John Harold Caicedo

Él no envió a muchos salvadores, ni otros dioses se encarnaron. Solo Jesucristo vino al mundo para morir por ti y por mí. No hay atajos, ni vías diferentes.

Por eso el anuncio del ángel es tan fundamental: Le pondrás por nombre JESÚS.

Hay un solo Salvador de este mundo y delante de Él nos inclinamos en reverencia y adoración en este día.

"Al único y sabio Dios, nuestro Salvador, sea gloria y majestad, imperio y potencia, ahora y por todos los siglos. Amén" (Judas 1:25).

Oración:

Ante ti Señor Jesucristo me inclino hoy en reverencia y humildad. Celebro tu venida, celebro tu obra, celebro tu amor por mí, celebro que tengo un Salvador que vino desde los cielos mismos, lleno de gloria y majestad, celebro que tengo conmigo al Rey del universo. Amén.

Un Dios rechazado

"Y esta es la condenación: que la luz vino al mundo,
y los hombres amaron más las tinieblas que la luz,
porque sus obras eran malas" (Juan 3:19)

Cuando nosotros hablamos de la Navidad. ¿Qué es lo primero que se nos viene a la mente?

Pesebres, magos, estrellas, regalos, luces, celebraciones, comida, y toda una serie de cosas que han convertido este tiempo en algo muy significativo para muchos seres humanos.

Pero la Navidad en realidad es mucho más que eso. Porque ese niño que nacía en aquel humilde lugar, unos años más tarde se subió a la cruz para cumplir con su palabra y ser nuestro Redentor.

No nos quedamos con el niñito en el pesebre, sino que nos quedamos con El Mesías, el Redentor de la humanidad.

La historia de la Navidad es en realidad una historia de perdón, de reconciliación y de amor de Dios para la humanidad.

Lo increíble de todo esto es que desde su nacimiento Jesús experimentó rechazo en este mundo.

La misma Biblia nos dice que "a lo suyo vino y los suyos no le recibieron".

"En Él estaba la luz pero los seres humanos prefirieron las tinieblas". ¡Qué contrastes!

Hubo rechazo para sus padres que no encontraban un lugar donde pasar aquella noche del nacimiento de Jesús.

Hubo rechazo de parte del rey Herodes, que cuando se enteró de la noticia acerca de aquel niño que había nacido y que estaba destinado a reinar con gloria, hizo todo lo posible por matarlo y de hecho mandó a matar a todos los niños menores de dos años que habían nacido en Belén desde la época del nacimiento de Jesús.

Jesús fue rechazado también en su pueblo de Nazaret y no pudo hacer muchos milagros allí a causa de la poca fe que encontró entre aquellos que crecieron y vivieron cerca de Él.

Fue rechazado por las autoridades religiosas de la época, los fariseos, los saduceos, los doctores de la ley, los religiosos que lo persiguieron. Lo acusaron, lo vieron siempre con enojo y lo único que deseaban era eliminarlo de este mundo.

Muchos de los discípulos que anduvieron con Él, en determinado momento también lo rechazaron, cuando Jesús empezó a hablar acerca de lo que significaba seguirle y lo que había que dejar atrás para ir tras Él.

Lo rechazó una multitud enardecida que pidió a gritos que liberaran a Barrabás que era uno de los peores criminales de la época en lugar de liberar a Jesús.

Fue rechazado por uno de los ladrones que aun en el último momento lo desafiaba para que se bajara de la cruz y mostrara su poder delante de todo el pueblo que contemplaba la crucifixión.

Una y otra vez Jesús sintió el rechazo de la humanidad de diversas maneras y resulta impresionante entonces que sus últimas palabras en la cruz hubiesen sido: "perdónalos porque no saben lo que hacen". Así que la historia de la Navidad es en realidad una historia de perdón, de reconciliación y de amor de Dios para la humanidad que terminó por crucificar al enviado de los cielos.

¿Y tú como vivirás esta Navidad?

Sin duda el mejor homenaje que podríamos rendirle a Nuestro Señor, sería precisamente buscar la reconciliación con quien estemos alejados, perdonar a quien sea necesario y dar el amor que ya hemos recibido de manera abundante por Jesús. ¡Eso sí sería en realidad una Navidad al estilo divino!

Oración:

Así deseo celebrar esta Navidad, perdonando a quien sea necesario, reconciliándome con quien tenga que hacerlo y abundando en generosidad para quien lo requiera. Esa será mi mejor celebración. Amén.

Os ha nacido un Salvador

"os doy nuevas de gran gozo, que será para todo el
pueblo: que os nacido hoy, en la ciudad de David, un
Salvador, que es CRISTO El Señor" (Lucas 2:10b-11)

¿Te gusta escuchar buenas noticias?

Imagínate que hoy cuando enciendas tu televisor o tu radio, no escuches las noticias comunes de asesinatos, de suicidios, de robos, de persecuciones, sino que en todos digan: Señoras y señores tenemos buenas noticias para ustedes: ¡Hoy ha nacido El Salvador del mundo!

Hoy ha llegado para ti la gran noticia esperada. ¿No sería acaso algo extraordinario?

Ese fue al anuncio del ángel en aquel día glorioso.

Los cielos retumbaron porque los ángeles cantaban un coro celestial de alegría. Esa es la buena nueva. Ese es el mensaje del evangelio, las nuevas de gran gozo para un pueblo necesitado de ellas.

Cuando tú comunicas el evangelio, estás comunicando vida, estás trayendo luz donde había oscuridad, estás trayendo buenas nuevas de regocijo para quienes lo escuchan.

La Navidad es recordar y celebrar que Jesús, el Hijo de Dios, vino para estar con nosotros y dar su vida para salvarnos, sólo por amor.

Ese es el mensaje del Señor para su pueblo en este tiempo.

La luz ha llegado al mundo. El Mesías ha nacido en un humilde pesebre, los ángeles cantan gozosos y el pueblo que reconoce al Señor se levanta y actúa en respuesta a ese amor ilimitado.

La historia de la Navidad no es sobre alguien que espera un regalo, sino de alguien que vino a darte el mejor regalo posible, el de la vida eterna.

Porque se puede dar sin amar, pero nunca se puede amar sin dar y de tal manera te amó Dios que envió a su Hijo Unigénito para que creas en Él y no te pierdas sino que tengas vida eterna.

Ese es el sentido de la Navidad. Él es el centro de nuestra celebración.

Cuando Cristo vino no encontró un lugar para Él en el mesón, no hubo un lugar apropiado para que El Hijo de Dios naciera en este mundo, nadie quiso abrir un lugar para Él.

Pero en realidad Él no andaba buscando ese tipo de lugar, porque el único lugar apropiado en el que Él quiere estar es en tu corazón.

¿Lo dispondrás para El?

Este es tu tiempo. Es tiempo de mostrarle al mundo que hay esperanza, y que esa esperanza tiene un nombre. Es el nombre del niñito que está naciendo en el pesebre.

Su nombre es Jesús y celebramos su venida. ¡Aleluya! Feliz Navidad.

Oración:

Hoy celebro con alegría la llegada de mi Salvador. No hay mejor noticia que esa. Jesús vino desde los cielos directamente a mi corazón. La encarnación me recuerda cuánto me ama Dios. Hoy celebraré, no como un/a extraño/a, sino como un/a hijo/a del Dios Altísimo. Amén.

De la eternidad a la eternidad (Feliz Navidad)

"Pero el ángel les dijo: No temáis; porque he aquí os doy nuevas de gran gozo, que será para todo el pueblo: que os ha nacido hoy, en la ciudad de David, un Salvador, que es CRISTO el Señor"
(Lucas 2:10-11)

El anuncio del ángel interrumpió la tranquilidad de los pastores que apacentaban las ovejas en las afueras de Belén.

¿Qué clase de anuncio era este?

¡Nuevas de gran gozo! Noticias que venían desde los mismos cielos.

Alegría desbordada en el cántico de los ángeles que adoraban al Dios encarnado y traían el mensaje más maravilloso que este mundo ha podido escuchar algún día de su vida: "Os ha nacido El Salvador en la ciudad de Belén".

¿Podrían acaso haber mejores noticias que estas?

El cielo y la tierra se juntaron en esa criatura que nacía en un establo y hoy más que nunca necesitamos recordar esos acontecimientos porque esas nuevas de gran gozo siguen y seguirán alegrando los corazones de quienes se acercan a ese Salvador encarnado y encuentran la vida eterna.

Sí, por supuesto es día de gran gozo, celebración y alegría. Ha nacido El Salvador. Ha nacido El Esperado de todos los tiempos. Este mundo ya nunca será el mismo. Hagamos fiesta, Jesús ha nacido.

¡Hay esperanza para este mundo!

El evangelio significa las buenas nuevas. Nuevas que son de salvación para la humanidad.

Los pastores que escucharon la noticia fueron envueltos literalmente en el resplandor de la gloria divina. ¿Puedes imaginar a estos humildes hombres rodeados del resplandor de gloria de Dios?

John Harold Caicedo

La mano poderosa de un Dios de maravillas y portentos, se extendió para tocar las manos sencillas y rudas de unos sencillos pastores.

Me imagino a estos hombres mirándose entre sí y preguntándose: ¿Es Dios? ¿Es la gloria de Dios tocándonos? ¿Es la gloria de Dios que se manifiesta entre nosotros?

Y El Señor extendiendo el resplandor de su gloria infinita sobre estos hombres diciéndoles: sí, soy yo, aquí estoy para ustedes, he venido a este mundo para salvarlos, no teman, no están solos y nunca lo van a estar, siente el resplandor de la gloria divina sobre tu vida.

¡Lo eterno entrando en una dimensión temporal, lo divino entrando en una dimensión humana!

Cuando tú abres tu corazón a Jesucristo, es precisamente eso lo que sucede en ti.

Es lo divino entrando en lo humano. Es el Dios del universo, llenando tú vida de nuevo significado, de nuevas fuerzas, de un nuevo futuro eterno, eres tú siendo transformado porque de ahí en adelante puedes considerarte eterno.

Sí, en Cristo Jesús hemos hallado el camino de la eternidad.

Feliz Navidad.

Oración:

Mi anhelo para este día es que muchos seres humanos hoy puedan celebrar una verdadera Navidad. Que abran su corazón a Jesucristo para que Él nazca en sus corazones. Qué mejor celebración. Amén.

Poder para una gran misión

"y fueron todos llenos del Espíritu Santo, y
comenzaron a hablar en otras lenguas, según el
Espíritu les daba que hablasen" (Hechos 2:4)

Al empezar el libro de los Hechos de los apóstoles, los acontecimientos son extraordinarios.

Jesús se ha aparecido a sus discípulos y les ha encomendado la tarea que tienen por delante y les da la promesa del poder que recibirán para llevar a cabo esta tarea.

Sin duda es una misión que requiere mucho poder y ese poder está disponible para los suyos a través del Espíritu Santo.

En ese momento, sus discípulos representan toda su iglesia.

Un puñado de hombres, solo un pequeño grupo pero que iría a transformar este mundo y por eso necesitaban un poder especial venido de lo alto.

La iglesia de todos los tiempos necesita el mismo poder que recibieron los discípulos.

Y el mismo Espíritu Santo de pentecostés quiere derramar ese poder sobre quienes lo piden y se disponen para ir hacia adelante, comprometidos en obediencia al llamado recibido de parte de Jesús.

También nosotros estamos preparados para una gran misión.

Hemos sido llamados a cambiar el mundo con el poder del evangelio.

Oración:

Señor Jesús, sé que tú me has llamado para anunciar tu palabra a donde quiera que vaya. Sé que tengo una gran misión y hoy quiero ser un instrumento eficaz en tus manos para llevar a cabo la tarea que tengo por delante, Amén.

27

Enviado para sanarte

".......me ha enviado a sanar a los quebrantados
de corazón; a pregonar libertad a los cautivos......."
(Lucas 4:18)

¿Cuántas personas esta mañana se levantaron sin ninguna esperanza?

¿Cuántos simplemente abrieron sus ojos para desear solo volver a cerrarlos porque su vida carece de motivación y de ilusiones?

Te sorprendería saber que muchos seres humanos hoy simplemente no quieren vivir y han perdido su deseo de seguir luchando. Tienen cargas tan pesadas que han doblado su voluntad y sus deseos personales.

¿Te has sentido así alguna vez? ¿Has experimentado esos momentos amargos en los que creíste que nada valía la pena y pensaste que quizás lo mejor era dejar este mundo para siempre?

Cuando se hace más oscuro, es en realidad cuando está a punto de amanecer.

Cuando parece que no hay salida solo nos queda mirar hacia arriba y aprender a confiar.

Cuando un joyero muestra sus mejores diamantes, los coloca sobre un fondo que haga contraste.

Los coloca sobre un terciopelo negro.

El contraste de las joyas contra el oscuro terciopelo hace más evidente el brillo de las piedras preciosas. De la misma manera, Dios hace su obra más asombrosa donde parece que no hay esperanza.

Donde quiera que haya dolor, sufrimiento y desesperación, allí está El Señor para hacer resplandecer su misericordia.

Cuando te sientes más vulnerable, más débil, más atribulado, allí está Jesús para hacer que brilles como su perla más preciosa, y detrás de todo ese dolor tú vas a alumbrar y vas a salir adelante mostrando el amor de Dios en tu vida.

La sangre de Cristo se derramó en una cruz para que el pueblo que invoca su nombre sea libre de angustias y dolores, para que se levanten hombres y mujeres limpiados con esa sangre y hagan una diferencia en este mundo, para que resplandezca la luz de Cristo a través de aquellos que le siguen y proclaman su nombre.

Este es un día para experimentar la completa sanidad que Jesús te trae. Él tiene un encargo divino.

A Él se le asignó una tarea que tiene que ver con tu vida y hoy Él la está realizando.

Él ha sido enviado para sanar a los quebrantados y libertar a los cautivos y Él no se ha detenido en su labor divina.

Hoy se cumple esa escritura en tu vida.

Experimenta la verdadera sanidad que solo El Señor te puede traer. Vive este día como el mejor del resto de tus días. Jesús ha venido para ti.

Oración:

Soy bendecido/a por la obra de Jesucristo. Tal como los discípulos, no puedo detenerme de decir lo que he visto y oído. Soy testigo por la fe de la gran obra que El Señor hizo y sigue haciendo entre los corazones sedientos y necesitados. Amén.

Tesoros en el cielo

*"No os hagáis tesoros en la tierra, donde la polilla y
el orín corrompen, y donde ladrones minan y hurtan;
sino haceos tesoros en el cielo, donde ni la polilla
ni el orín corrompen, y donde ladrones no minan ni
hurtan" (Mateo 6:19-20)*

Hace unos años atrás asistí a un retiro de silencio en compañía de otros hermanos y tuvimos la oportunidad por varias horas de meditar en la palabra, de orar por largos periodos y especialmente de reflexionar, precisamente pensando que nuestra vida cristiana necesita más de ese tipo de prácticas, más profundidad en la oración y la meditación en la palabra de Dios.

A un lado del lugar en el que estábamos haciendo nuestro retiro había un cementerio y decidimos tomar un tiempo para caminar a través de él como un ejercicio de meditación. Al realizar esta caminata y en medio del silencio de aquel lugar, mi reflexión estaba en aquellas personas tan apegadas a las cosas materiales y que desprecian todo lo relacionado con la vida y la riqueza espiritual.

Cuando he tenido la oportunidad de asistir a un enfermo en su lecho de muerte, hasta ahora ninguno de ellos se ha quejado porque no tuvo más tiempo para trabajar, o porque le faltó hacer otro negocio o porque quizás pudo haber comprado más propiedades. Pero muchos de ellos si tenían una gran tristeza porque dedicaron sus vidas a conseguir más bienes sin tener en consideración el tiempo para compartir con sus propias familias, ver crecer sus hijos o participar de sus actividades más sencillas.

Es inútil estar tan apegado a las cosas materiales de este mundo y vivir para ellas, para finalmente morir sin ellas.

En aquel cementerio ninguna lápida decía: aquí yace un hombre rico que tuvo muchos bienes, pero sí muchas decían, para un buen padre, un buen hijo, una persona amada, un amigo verdadero.

En una de las lapidas se lee esta inscripción: "Forastero, tú estás donde yo estuve un día, pero no olvides que un día estarás en donde yo estoy ahora".

Cuando reflexiono en estos temas, siempre pienso en tantas personas esclavizadas a las cosas del mundo, a los bienes materiales, a las cosas que no podrán llevar cuando partan de aquí.

Muchos seres humanos viven tan preocupados por sus logros terrenales, que no tienen tiempo para buscar los espirituales. Su atención está siempre alrededor de lo que tienen: De pronto me roban, puedo perder dinero en la bolsa de valores, de pronto se caen mis inversiones o mi carro se desvaloriza. Muchas personas viven en función de todas estas cosas. No viven en el terreno de Dios, viven en el terreno de las cosas materiales que finalmente los enferman y los llevan a la tumba. Qué tristeza consumir la vida corriendo tras las cosas que no podemos llevar más allá de este mundo material.

Jesucristo nos enseñó que debemos hacer tesoros en el cielo donde no podrán ser destruidos por la corrosión ni podrán ser saqueados por los ladrones.

Y la reflexión que nos entrega El Señor es: "porque donde esté vuestro tesoro, allí estará también vuestro corazón".

Reflexiona en este día si estás haciendo solo tesoros para este mundo que algún día perderán todo su valor, o estás haciendo tesoros en el cielo que podrás sostener por la eternidad.

Detrás de esos tesoros estará tu corazón.

Anhelo entonces, que estés preparando tu corazón para las cosas eternas.

Oración:

Gracias Señor por recordarme que debo hacer tesoros en el cielo y no en la tierra. Hoy quiero seguir trabajando para esa reserva celestial, la recompensa que tendré cuando parta de este mundo para siempre. Amén.

Hasta hoy he sido infeliz, de aquí en adelante no

"Se le acercó por detrás y tocó el borde de su manto; y al instante se detuvo el flujo de su sangre"
(Lucas 8:44)

El episodio de la mujer con el flujo de sangre es muy recordado por los creyentes.

Ella visitó a muchos doctores, probó todo lo que le dijeron que hiciera, trató con todo lo que era posible en aquel tiempo por doce años y no logró ningún buen resultado.

Pero un día seguramente alguien le dijo: yo conozco a alguien que puede sanarte completamente, el problema es que tú con esa enfermedad no te puedes acercar a la multitud y mucho menos tocar a ese hombre porque lo contaminas.

Ella pudo haberse quedado quieta y mirar solo a las dificultades, pero tomó una decisión radical.

Ella pudo pensar: hasta hoy he sido una infeliz, pero de aquí en adelante no.

Es tu decisión. Dejar atrás los temores es tu decisión.

Es saber que hay algo mejor para ti que lo que hasta ahora has vivido, y esta seguridad te la dan las promesas que están en la Biblia para los creyentes.

Esta mujer con el flujo, sufriendo por doce años, tomó esta decisión: no dejaré que mis temores me gobiernen, no dejaré que mis angustias me dominen, no dejaré que mis ansiedades tomen control de mí.

Voy a buscar ahora mismo la solución a mis problemas, voy a buscar a Jesús y aunque el mundo entero se oponga voy a llegar hasta Él y sé que Él cambiará mi vida para siempre.

Y allí sucedió un milagro, una vida fue transformada por el poder del Señor.

Una jovencita que escuchó esto en un servicio, se acercó al final del mismo al pastor y lo abrazó, le dio las gracias y le dijo: cuando yo era niña fui violada por mi papá. Durante todos estos años he vivido mirando hacia ese momento y dañando mi vida por el odio y el resentimiento, pero hasta hoy he vivido esto, hasta hoy he sido una infeliz, pero de aquí en adelante no.

¿Te das cuenta? Es tu decisión.

Si hay cosas que aún te aprisionan y te llenan de ansiedad, de temor al futuro, de miedo que suceda de nuevo, di hoy como dijo esta jovencita en aquel servicio: hasta hoy he sido una infeliz, pero de aquí en adelante no.

Renuncio a estos temores, renuncio a esas limitaciones, renuncio a esos miedos que me paralizan.

De aquí en adelante viviré con la seguridad de ser una nueva criatura.

Las cosas viejas pasaron, los dolores del ayer pasaron, las angustias que me dañaron ya pasaron, las personas que intentaron hacerme daño ya no están en mi presente, los sucesos que viví y que me rompieron el corazón ya no están ahora conmigo, así que hoy tomo esa palabra del Señor, hoy tomo esa decisión, hoy tomo la seguridad que Dios desea colocar en mí. Hoy seré una nueva criatura, hoy viviré en la seguridad de las manos del Señor y nunca más me acompañarán la angustia ni el miedo, porque Él es mi escudo, Él es mi fortaleza, Él es quien me cuida, Él es poderoso para cambiar mi vida para siempre.

Sí, hasta hoy hubo cosas que me dañaron y me hicieron infeliz, pero de aquí en adelante no.

Oración:

Señor Jesús, tú has restaurado mi vida para siempre. Los dolores del pasado ya no son parte de mi equipaje. Los temores han desaparecido, porque ahora soy una nueva criatura preparada para disfrutar de la sanidad que tú me has dado. Amén.

Anhelos para un nuevo año

*"...y he aquí yo estoy con vosotros todos los días,
hasta el fin del mundo. Amén" (Mateo 28:20b)*

Cada año que pasa se va convirtiendo en un gran interrogante para nuestras vidas.

Unos pueden decir un año más y otros pueden decir un año menos. Depende de cómo lo miren.

Pero de lo que sí estamos seguros completamente es que cada día que pasa estamos más cerca del encuentro definitivo con Dios.

Y por esa razón debemos hacernos algunas preguntas muy importantes:

¿Estaremos avanzando en los propósitos divinos? ¿Estaremos yendo por un camino adecuado? ¿Nos estaremos superando con relación a esa persona que éramos antes?

Al leer la Escritura una y otra vez, empezamos a descubrir algunos rasgos de aquellos seres humanos que Dios usó para cambiar literalmente el mundo, y nos damos cuenta de que una vez que conocieron de manera más cercana a Dios, estuvieron dispuestos a hacer lo que fuera necesario por la causa de Aquel que se había convertido en la parte más esencial de sus vidas.

¡Compromisos radicales, fe que los motivaba a diario, gente que afrontó desafíos sin iguales y que estuvieron dispuestos a dar su vida por la causa del Señor!

¿De dónde les surgió esto? ¿De dónde sacaron fuerzas de flaquezas, se hicieron fuertes en batallas, pusieron en fuga ejércitos extranjeros, soportaron azotes, cárceles, fueron apedreados, aserrados, puestos a prueba, muertos a filo de espada, erraron por los desiertos, por los montes, por las cuevas y las cavernas, conquistaron reinos, alcanzaron promesas, taparon boca de leones, apagaron fuegos impetuosos? ¿De dónde les surgió la capacidad para lograr esto?

No hay duda de que pudieron alcanzar todas estas cosas porque conocieron más de cerca al Señor y su corazón ardía de amor y de pasión por la obra que Dios les había encomendado.

¿Pero por qué hoy en día escasea tanto esa pasión por Dios? ¿Por qué hoy en día no experimentamos continuamente esa fuente que debe fluir sin detenerse viniendo de los cielos para su pueblo? ¿Dónde estaremos buscando hoy en día la fuente de nuestra fortaleza?

Estamos a las puertas de un nuevo año. Y no hay duda de que al empezar este tiempo debemos examinar nuestra relación con Dios y ponernos nuevos desafíos para cumplir en el año que está por empezar.

Al conocer más cerca al Señor descubriremos sin duda que Él está cerca de nosotros, que nos ayuda en todo tiempo, que nos alienta a cada paso, que nos protege de las adversidades, que nos llena a diario de su misericordia y por eso debemos estar dispuestos a confrontar nuevos retos en su nombre.

Deseo con todo mi corazón que el próximo sea un año de grandes realizaciones para ti. Dios estará a tu lado para caminar contigo cada día de tu vida.

Oración:

La seguridad de mi vida no está en los demás, ni en el dinero, ni en nada material. Tú, Señor Jesucristo eres mi seguridad y sé que así como estuviste conmigo a lo largo de todo este año, lo seguirás haciendo en el año que empieza. Qué bendición tenerte siempre a mi lado. Amén.

Alistándonos para un nuevo comienzo

"He aquí yo hago cosa nueva; pronto saldrá a luz; ¿no la conoceréis? Otra vez abriré camino en el desierto y ríos en la soledad" (Isaías 43:19)

Al finalizar cada año, tenemos un tiempo para evaluar.

En un abrir y cerrar de ojos han transcurrido 365 días, 12 meses, 8.760 horas con 525.600 minutos.

¿Qué hemos hecho bien?, ¿qué hemos hecho mal?, ¿cuántas personas hemos beneficiado?, ¿a cuántos hemos bendecido?, ¿qué tanto hemos crecido como creyentes?, ¿qué tanto nos hemos acercado a la voluntad de Dios para nuestras vidas?

Y después de evaluar vienen entonces las promesas para el nuevo año.

Este año será diferente, este año sí haré lo que no hice antes, ahora sí me propongo servir, voy a cumplir con esos propósitos que no he logrado hasta ahora.

Sin duda es tiempo de nuevos comienzos, de emprender nuevos desafíos y buscar alcanzar nuevas metas que nos ayuden a crecer.

¿Será este el mejor año del resto de tu vida?

Dios quiere bendecirte, Él quiere ver cómo realizas tus sueños, cómo logras alcanzar tus propósitos y realizas tantas cosas que has querido.

Este es tu momento, es un nuevo comienzo pero con paso firme.

Dios te acompaña a lo largo del camino, nunca estarás solo/a.

El Señor te promete provisión, abrigo, el calor de Su presencia y nuevas misericordias cada día.

Así que es hora de caminar. Nuevos caminos se abrirán en este nuevo año.

El río de ayer no vale para hoy. El maná que no se comía en el día no valía para el día siguiente.

Dios tiene cosas para ti maravillosas. Lo que le ocurrió a otros o a ti en el pasado, ya pasó.

Mira al futuro que Dios va a darte. La unción de ayer sirvió en el ayer, pero hoy necesitamos una nueva unción fresca y verdadera para poder ver de nuevo la mano de Dios sobre sus hijos.

Oh sí, Dios está dispuesto para "OTRA VEZ" derramar su unción sobre sus hombres y mujeres que quieran servirle de corazón.

Es tiempo de nuevos comienzos.

Es tiempo de tomar nuevos desafíos.

Empieza un nuevo año, pero no será como todos los demás.

No, de ninguna manera, será el mejor del resto de tu vida.

En cada jornada, en cada día, en cada momento, en cada segundo, Dios estará contigo y eso es suficiente.

Oración:

Aleluya, puedo exclamar al terminar este año. Tu compañía me es suficiente Señor Jesús. Tu respaldo en cada momento alegra mi corazón y me permite aguardar el futuro con esperanza. Lo que viene será mejor, porque tú estarás de nuevo en cada segundo, cada minuto, cada hora, cada día, cada semana, cada mes del año que empieza. Gracias por darme una nueva vida. Amén.

John Harold Caicedo

Una semilla para cada día

John Harold Caicedo

Somos una editorial creativa, flexible, dedicada a **formar autores, hacer libros y encontrar lectores.** Unimos la energía del start up con la experiencia sumada de un equipo de talentos en todas las áreas de la gestión editorial. Nuestra especialidad es buscar autores que inspiren, construir contenidos inolvidables y hacer libros de calidad para ser leídos en el mundo. **Somos más que una editorial: somos una agencia para autores del futuro.**

@EditPortable

www.editorialportable.com
Contacto: info@editorialportable.com

Este libro ha sido editado en colaboración con **Tepui Media**.

Tepui Media es una empresa comprometida con los autores independientes para fortalecer su mensaje y amplificar su impacto comunicacional. Su equipo de trabajo está altamente calificado en las comunicaciones por medios múltiples. Tepui Media es especialista en Presencia digital, Producción audiovisual, Desarrollo de contenido y Desarrollo de software.

Si deseas la asesoría de expertos, contacta a:

https://tepui.media

info@tepui.media

Made in the USA
Las Vegas, NV
09 December 2020